A-Z MINI

KT-166-580

CONTENTS

Key to Map Pages	2-3	Index to Hospitals	248-253
Map Pages	4-101	Index to Stations	254-256
Index to Places	102-103	Underground Map	back cover
Index to Streets	104-247		

REFERENCE

Motorway	**M1**	Underground Station	●
A Road	A2	Map Continuation	▲ 84
B Road	B519	Church or Chapel	†
Dual Carriageway		Disabled Toilet	♿
One Way Street — Traffic flow on A Roads is indicated by a heavy line on the drivers' left.	→	Fire Station	■
Junction Names	MARBLE ARCH	Hospital	Ⓗ
Pedestrianized Road		House Numbers — A & B Roads only	40 / 23
Restricted Access		Information Centre	🛈
Railway	Tunnel / Level Crossing / Station	National Grid Reference	539
		Police Station	▲
Docklands Light Railway	Station DLR	Post Office	★

SCALE

Approx. 3 inches to 1 mile   1:21,477 or 4.66 cm to 1 km

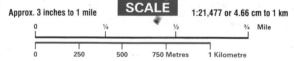

0	¼	½	¾ Mile
0	250	500	750 Metres	1 Kilometre

Copyright of Geographers' A-Z Map Company Limited

Head Office : Fairfield Road, Borough Green, Sevenoaks, Kent TN15 8PP   Tel: 01732 781000

Showrooms : 44 Gray's Inn Road, London WC1X 8HX   Tel: 020 7440 9500

Every possible care has been taken to ensure that the information given in this publication is accurate and whilst the publishers would be grateful to learn of any errors, they regret they cannot accept any responsibility for loss thereby caused.

Based upon the Ordnance Survey mapping with the permission of The Controller of Her Majesty's Stationery Office.

KEY TO MAP PAGES

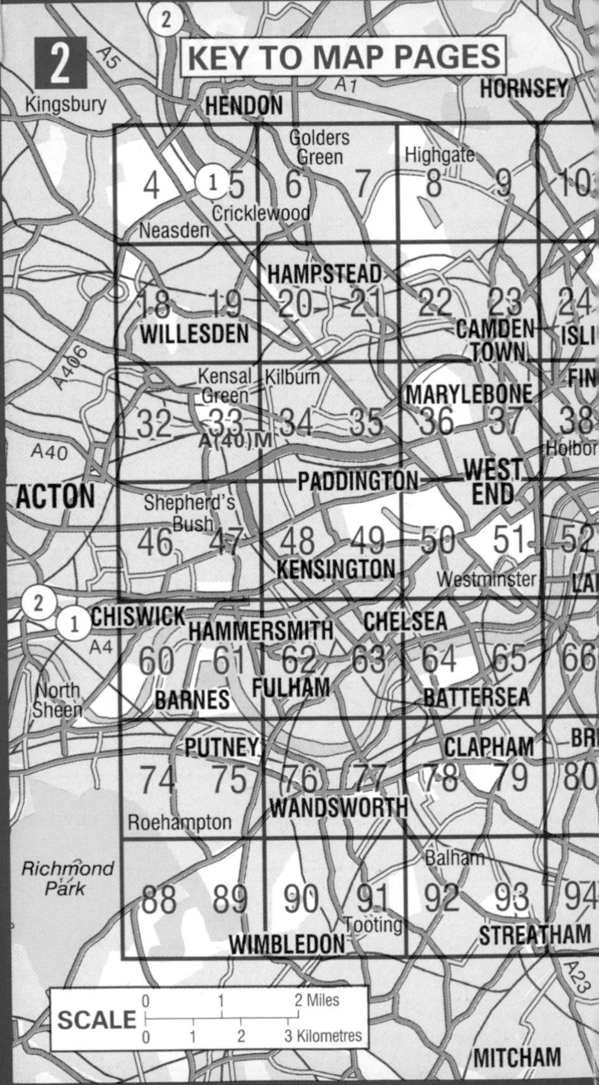

A5

2

A1

Kingsbury

HENDON

HORNSEY

Golders Green

Highgate

| 4 | 1 5 | 6 | 7 | 8 | 9 | 10 |

Cricklewood

Neasden

HAMPSTEAD

| 18 | 19 | 20 | 21 | 22 | 23 | 24 |

WILLESDEN

CAMDEN TOWN

ISLI

Kensal Green Kilburn

MARYLEBONE

FIN

A406

| 32 | 33 | 34 | 35 | 36 | 37 | 38 |

A40

A(40)M

Holbor

ACTON

PADDINGTON

WEST END

Shepherd's Bush

| 46 | 47 | 48 | 49 | 50 | 51 | 52 |

KENSINGTON

Westminster

LA

2

1

CHISWICK

HAMMERSMITH

CHELSEA

A4

| 60 | 61 | 62 | 63 | 64 | 65 | 66 |

North Sheen

BARNES

FULHAM

BATTERSEA

PUTNEY

CLAPHAM

BR

| 74 | 75 | 76 | 77 | 78 | 79 | 80 |

Roehampton

WANDSWORTH

Richmond Park

Balham

| 88 | 89 | 90 | 91 | 92 | 93 | 94 |

Tooting

STREATHAM

WIMBLEDON

A23

SCALE

| 0 | 1 | 2 Miles |
| 0 | 1 | 2 | 3 Kilometres |

MITCHAM

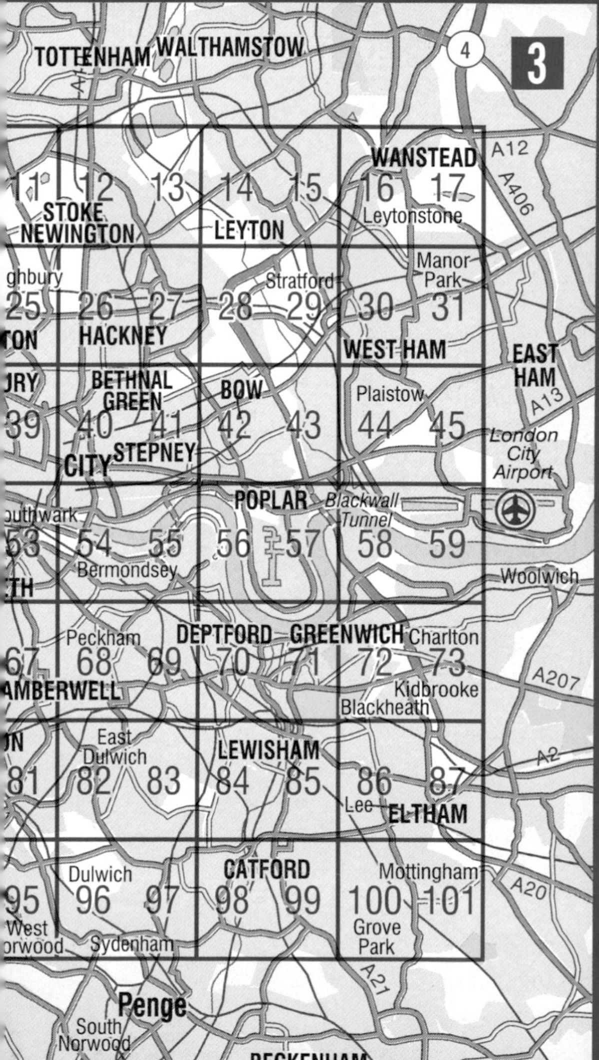

WANSTEAD A12

A406

11 12 13 14 15 16 17

STOKE
NEWINGTON LEYTON Leytonstone

ghbury Manor
Park
25 26 27 28 29 30 31
TON HACKNEY Stratford

WEST HAM EAST
HAM
JRY BETHNAL BOW Plaistow
GREEN A13
39 40 41 42 43 44 45
CITY STEPNEY London
City
Airport
POPLAR Blackwall
Tunnel
uthwark
53 54 55 56 57 58 59
Bermondsey
TH Woolwich

Peckham DEPTFORD GREENWICH Charlton
67 68 69 70 71 72 73
AMBERWELL Kidbrooke A207
Blackheath

JN East LEWISHAM A2
Dulwich
81 82 83 84 85 86 87
Lee ELTHAM

Dulwich CATFORD Mottingham A20
95 96 97 98 99 100 101
West Grove
orwood Sydenham Park A21

Penge
South
Norwood

BECKENHAM

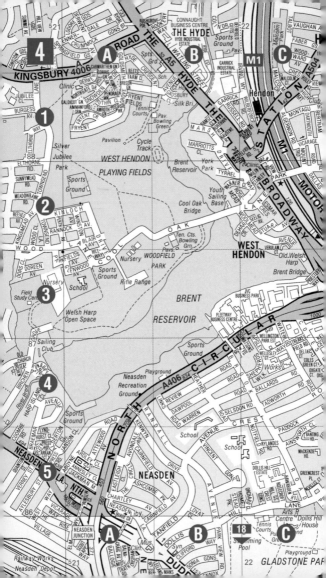

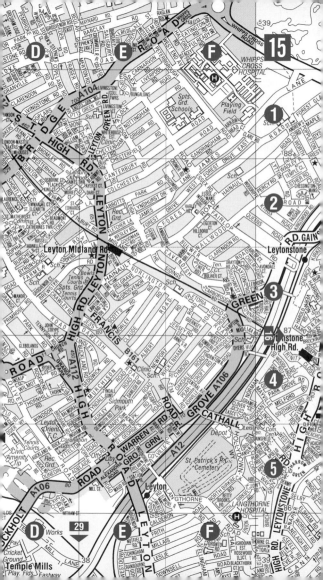

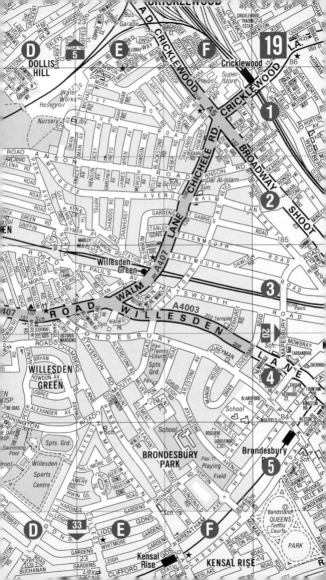

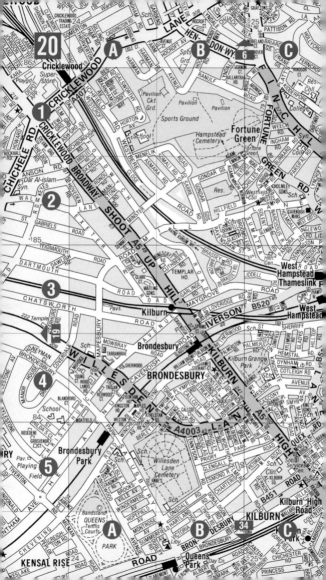

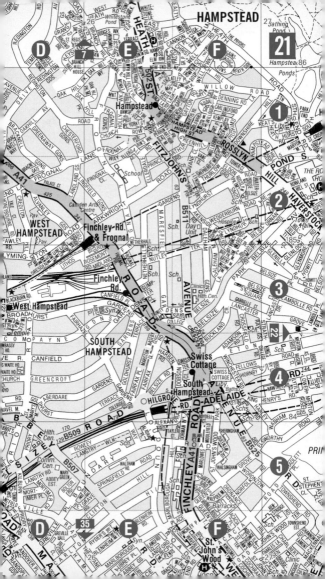

HAMPSTEAD

Hampstead 86

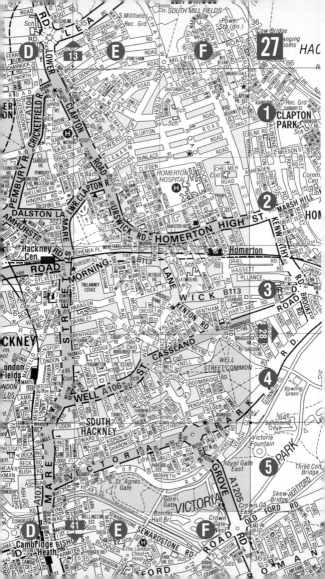

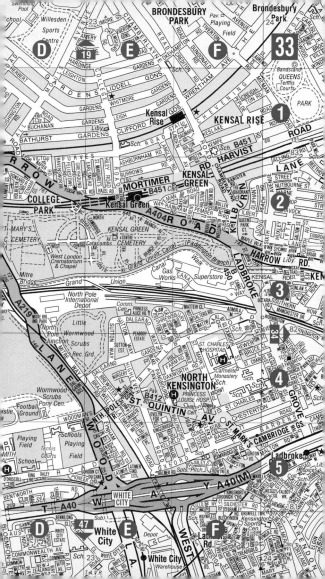

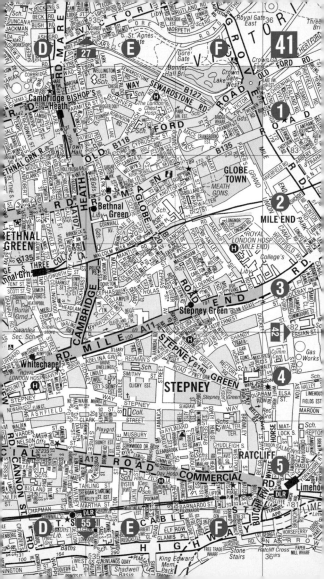

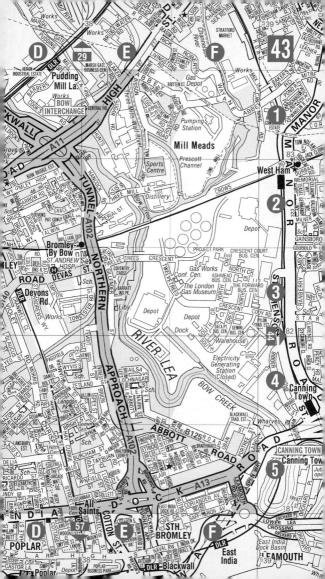

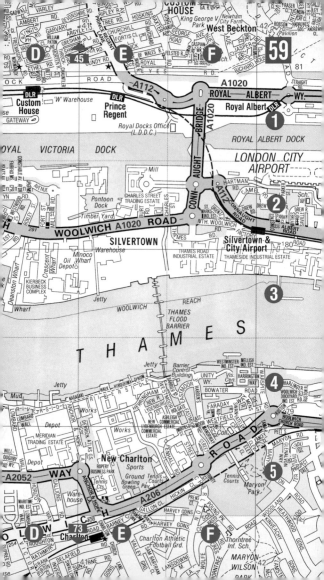

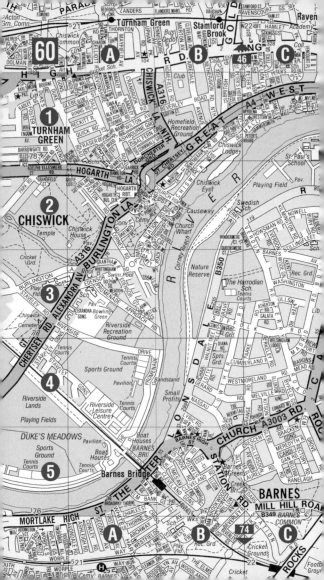

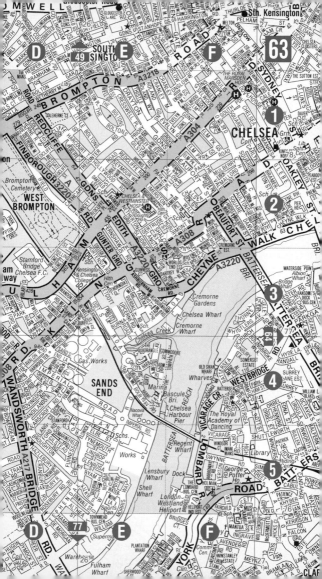

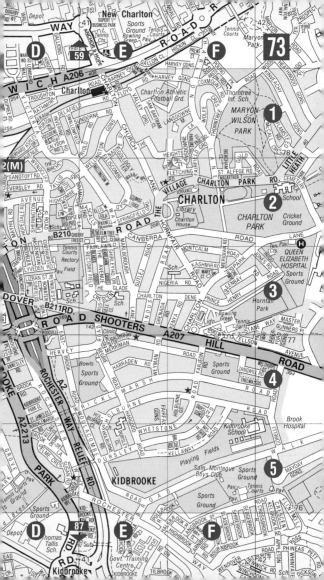

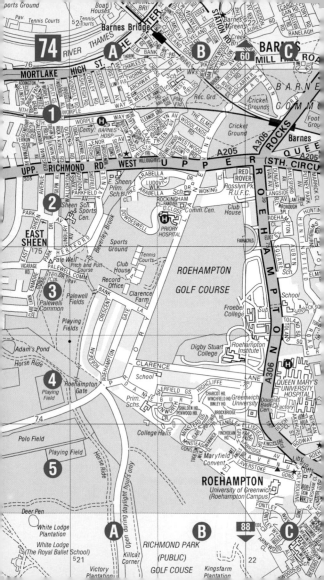

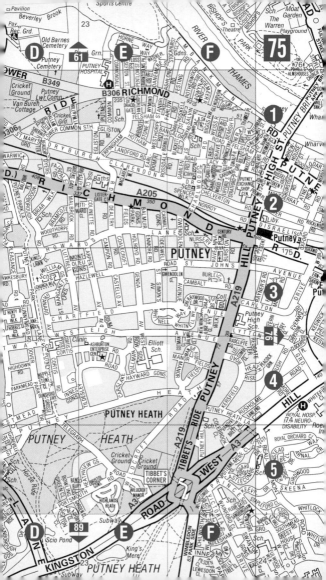

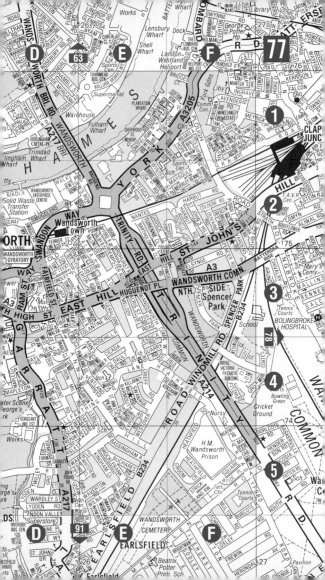

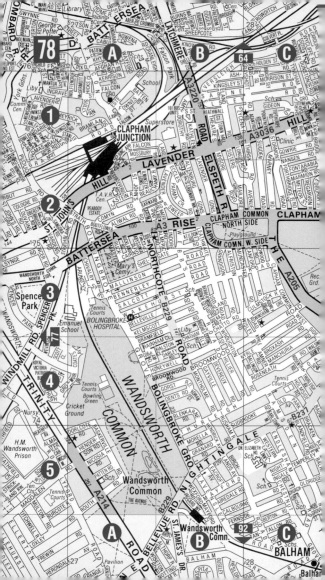

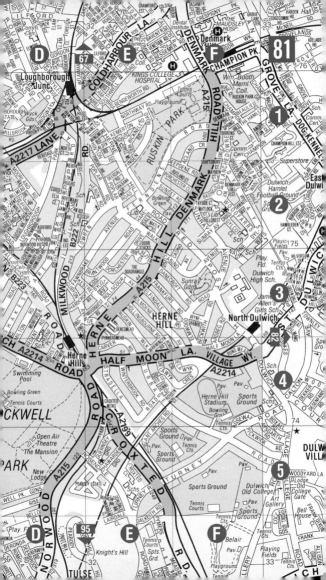

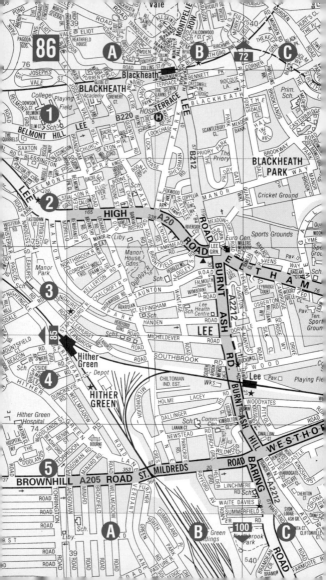

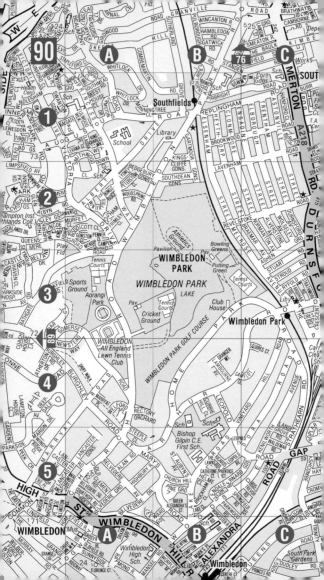

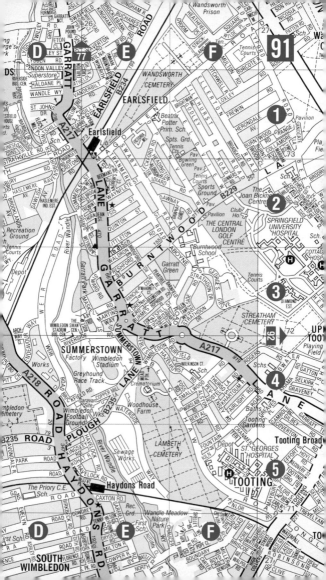

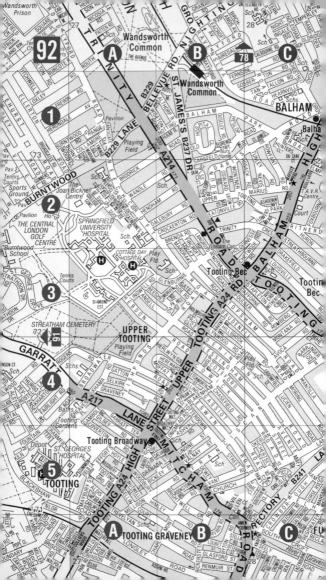

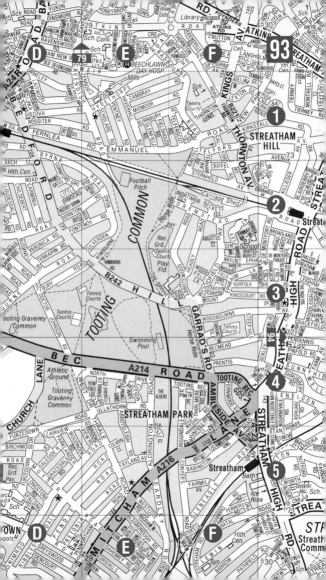

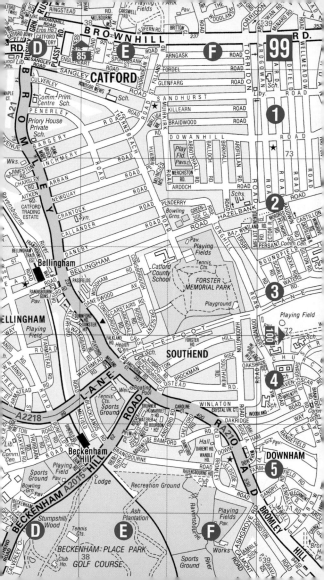

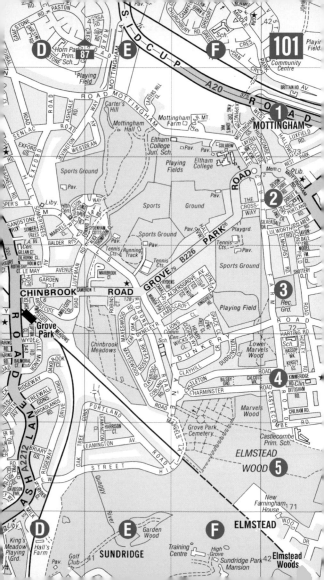

INDEX TO PLACES & AREAS

Names in this index shown in CAPITAL LETTERS, followed by their Postcode District(s), are Posttow

Aldersbrook. —4D 17
Angell Town. —4C 66

BALHAM. (SW12) —1D 93
BARNES. (SW13) —5B 60
Barnsbury. —4B 24
Barons Court. —1A 62
BATTERSEA. (SW11) —4F 63
Bayswater. —1E 49
Bedford Park. —4A 46
Belgravia. —4C 50
Bell Green. —4B 98
Bellingham. —3D 99
BERMONDSEY. (SE1 & SE16) —3B 54
BETHNAL GREEN. (E2) —2D 41
BLACKHEATH. (SE3) —5B 72
Blackheath Park. —2B 86
Blackheath Vale. —5B 72
Blackwall. —1E 57
Bloomsbury. —4A 38
Blythe Hill. —5B 84
Borough, The. —3F 53
BOW. (E3) —2C 42
Bow Common. —4C 42
Brent Cross. —2E 5
BRIXTON. (SW2) —2B 80
Broadgate. —4A 40
BROCKLEY. (SE4) —2B 84
Bromley. —2D 43
Brompton. —3B 50
Brondesbury. —4B 20
Brondesbury Park. —5A 20
Brook Green. —5F 47
Brownswood Park. —4D 11

CAMBERWELL. (SE5) —4F 67
CAMDEN TOWN. (NW1) —5D 23
Cann Hall. —1A 30
Canning Town. —5B 44
Canonbury. —3E 25
Castelnau. —2D 61
CATFORD. (SE6) —5D 85
Chalk Farm. —4C 22
CHARLTON. (SE7) —2F 73
CHELSEA. (SW3) —1A 64
Child's Hill. —5C 6
CHISWICK. (W4) —2A 60
Church End. —3A 18
CITY OF LONDON. (EC1 to EC4)
                        —5F 39
Clapham Common. —3D 79
CLAPHAM. (SW4) —2E 79
Clapham Junction. —2A 78
Clapham Park. —4F 79
Clapton Park. —1F 27
Clerkenwell. —3C 38
College Park. —2D 33
Covent Garden. —1A 52
CRICKLEWOOD. (NW2) —1F 19
Crofton Park. —3B 84
Crouch End. —2F 9
Crystal Palace. —5B 96
Cubitt Town. —5E 57
Custom House. —5E 45

Dalston. —3B 26
Dartmouth Park. —5D 9

De Beauvoir Town. —4A 26
DEPTFORD. (SE8) —3C 70
Dollis Hill. —5C 4
Downham. —5F 99
Dudden Hill. —2D 19
DULWICH. (SE21) —2A 96
Dulwich Village. —5A 82

EARL'S COURT. (SW5) —1C 62
Earlsfield. —1E 91
East Acton. —1A 46
EAST DULWICH. (SE22) —2B 82

Finsbury. —2C 38
FINSBURY PARK. (N4) —4C 10
FOREST GATE. (E7) —2D 31
FOREST HILL. (SE23) —2E 97
Fortune Green. —1C 20
FULHAM. (SW6) —5A 62
Furzedown. —5D 93

Globe Town. —2F 41
GOLDERS GREEN. (NW11) —1A 6
Gospel Oak. —1C 22
GREENWICH. (SE10) —3E 71
Grove Park. —3D 101

HACKNEY. (E8) —3D 27
Hackney Wick. —3C 28
Haggerston. —1B 40
HAMMERSMITH. (W6) —5E 47
HAMPSTEAD. (NW3) —1E 21
Harlesden. —1B 32
Harringay. —1D 11
HENDON. (NW4) —1D 5
HERNE HILL. (SE24) —4E 81
HIGHBURY. (N5) —1D 25
HIGHGATE. (N6) —3D 9
Hither Green. —4A 86
Holborn. —4C 38
Holland Park. —2B 48
HOLLOWAY. (N7) —5A 10
HOMERTON. (E9) —2A 28
Honor Oak. —4F 83
Honor Oak Park. —5A 84
Horn Park. —3D 87
Hornsey Vale. —1B 10
Hoxton. —1A 40
Hurlingham. —1D 77
Hyde Park. —2B 50
HYDE, THE. (NW9) —1B 4

Isledon Village. —5C 10
ISLINGTON. (N1) —4D 25

KENNINGTON. (SE11) —2C 66
Kensal Green. —2E 33
Kensal Rise. —1F 33
Kensal Town. —3A 34
KENSINGTON. (W8) —3D 49
KENTISH TOWN. (NW5) —2D 23
Kidbrooke. —5D 73
KILBURN. (NW6) —5C 20
King's Cross. —1A 38
Kingsland. —3A 26
Kingston Vale. —4A 88
Knightsbridge. —3B 50

Index to Places & Areas

Ladywell. —3D **85**
LAMBETH. (SE1 & SE11) —4B **52**
Lea Bridge. —5F **13**
Leamouth. —1A **58**
LEE. (SE12) —3B **86**
LEWISHAM. (SE13) —1E **85**
LEYTON. (E10) —5E **15**
LEYTONSTONE. (E11) —3A **16**
Limehouse. —5B **42**
Lisson Grove. —4A **36**
London City Airport. —2F **59**
LOWER CLAPTON. (E5) —1D **27**
Lower Holloway. —2B **24**
Lower Sydenham. —4A **98**

MAIDA HILL. (W9) —3B **34**
Maida Vale. —2D **35**
Marylebone. —4C **36**
Mayfair. —1D **51**
Mile End. —2A **42**
Mill Meads. —1F **43**
Millwall. —5D **57**
Mottingham. —2F **101**

Neasden. —5A **4**
New Beckenham. —5B **98**
New Charlton. —5E **59**
NEW CROSS. (SE14) —3B **70**
New Cross Gate. —4F **69**
Newington. —4E **53**
Newlands. —3F **83**
Nine Elms. —3E **65**
North End. —4E **7**
NORTH KENSINGTON. (W10) —4F **33**
Norwood New Town. —5E **95**
NOTTING HILL. (W11) —1B **48**
Nunhead. —1D **83**

Old Ford. —1B **42**
Old Oak Common. —4A **32**

PADDINGTON. (W2) —5F **35**
Parson's Green. —4C **62**
PECKHAM. (SE15) —4C **68**
Pentonville. —1B **38**
Pimlico. —1E **65**
PLAISTOW. (E13) —2D **45**
POPLAR. (E14) —1D **57**
Primrose Hill. —5C **22**
PUTNEY. (SW15) —2A **76**
Putney Heath. —4E **75**
Putney Vale. —3C **88**

Ratcliff. —5A **42**
Redbridge. —1F **17**
Regent's Park. —1D **37**
Roehampton. —5C **74**
ROTHERHITHE. (SE16) —3E **55**

St James's. —2F **51**
St John's. —5C **70**
ST JOHN'S WOOD. (NW8) —1F **35**
St Luke's. —3E **39**
St Pancras. —2A **38**
Sands End. —4E **63**
Shacklewell. —1B **26**
Shadwell. —1E **55**
SHEPHERD'S BUSH. (W12) —3E **47**
Shoreditch. —2A **40**
Silvertown. —2F **59**
Snaresbrook. —1C **16**
Soho. —5F **37**

Somers Town. —2F **37**
South Bromley. —5F **43**
Southend. —4E **99**
Southfields. —1C **90**
South Hackney. —5E **27**
South Hampstead. —4E **21**
SOUTH KENSINGTON. (SW7)
—5F **49**
SOUTH LAMBETH. (SW8) —3A **66**
SOUTH TOTTENHAM. (N15) —1B **12**
SOUTHWARK. (SE1) —2F **53**
Spencer Park. —3F **77**
Spitalfields. —4B **40**
Stamford Hill. —3B **12**
STEPNEY. (E1) —4F **41**
STOCKWELL. (SW9) —5B **66**
STOKE NEWINGTON. (N16) —5B **12**
STRATFORD. (E15) —4F **29**
Stratford Marsh. —4D **29**
Stratford New Town. —2F **29**
STREATHAM. (SW16) —4A **94**
Streatham Common. —5A **94**
Streatham Hill. —1A **94**
Streatham Park. —4E **93**
Stroud Green. —2B **10**
Summerstown. —3E **91**
Sundridge. —5E **101**
SYDENHAM. (SE26) —4E **97**

Temple Fortune. —1B **6**
Temple Mills. —2D **29**
TOOTING. (SW17) —5A **92**
Tooting Bec. —3C **92**
Tooting Graveney. —5B **92**
Tufnell Park. —1E **23**
Tulse Hill. —1D **95**
Turnham Green. —1A **60**

UPPER CLAPTON. (E5) —4D **13**
UPPER HOLLOWAY. (N19) —4E **9**
Upper Sydenham. —3D **97**
Upper Tooting. —3B **92**
Upton. —4C **30**
Upton Park. —1F **45**

Vale of Health. —4E **7**
Vauxhall. —1A **66**

Walham Green. —3D **63**
WALWORTH. (SE17) —1E **67**
WANDSWORTH. (SW18) —3D **77**
Wandsworth Common. —1B **92**
Wanstead. —2D **17**
Wapping. —2D **55**
West Beckton. —5F **45**
Westbourne Green. —5B **34**
WEST BROMPTON. (SW10) —2E **63**
West Dulwich. —2F **95**
West Ham. —5C **30**
West Hampstead. —3D **21**
West Hendon. —2C **4**
West Kilburn. —4B **76**
WEST KENSINGTON. (W14) —5B **48**
West Kilburn. —2B **34**
WESTMINSTER. (SW1) —3A **52**
WEST NORWOOD. (SE27) —4E **95**
Whitechapel. —5C **40**
White City. —1D **47**
WILLESDEN. (NW10) —3C **18**
Willesden Green. —3D **19**
WIMBLEDON. (SW19) —5A **90**
Wimbledon Park. —3C **90**

INDEX TO STREETS

Including Industrial Estates, Junction Names and a selection of Subsidiary Addresses

HOW TO USE THIS INDEX

1. Each street name is followed by its Postal District (or, if outside the London Postal District, by its Posttown or Postal Locality), and then by its map reference;
   e.g. Abbeville Rd. *SW4* —4E **79** is in the South West 4 Postal District and is to be found in square 4E on page **79**. The page number being shown in bold type.
   A strict alphabetical order is followed in which Av., Rd., St., etc. (though abbreviated) are read in full and as part of the street name; e.g. Abbots La. appears after Abbotshall Rd. but before Abbotsleigh Rd.

2. Streets and a selection of Subsidiary names not shown on the Maps, appear in the index in *Italics* with the thoroughfare to which it is connected shown in brackets;
   e.g. *Abbey Lodge. NW1 —2A **36** (off Park Rd.)*

3. With the now general usage of Postcodes for addressing mail, it is not recommended that this index is used for such a purpose.

GENERAL ABBREVIATIONS

All : Alley	Dri : Drive	Pal : Palace
App : Approach	E : East	Pde : Parade
Arc : Arcade	Embkmt : Embankment	Pk : Park
Av : Avenue	Est : Estate	Pas : Passage
Bk : Back	Gdns : Gardens	Pl : Place
Boulevd : Boulevard	Ga : Gate	Quad : Quadrant
Bri : Bridge	Gt : Great	Rd : Road
B'way : Broadway	Grn : Green	Shop : Shopping
Bldgs : Buildings	Gro : Grove	S : South
Bus : Business	Ho : House	Sq : Square
Cvn : Caravan	Ind : Industrial	Sta : Station
Cen : Centre	Junct : Junction	St : Street
Chu : Church	La : Lane	Ter : Terrace
Chyd : Churchyard	Lit : Little	Trad : Trading
Circ : Circle	Lwr : Lower	Up : Upper
Cir : Circus	Mnr : Manor	Vs : Villas
Clo : Close	Mans : Mansions	Wlk : Walk
Comn : Common	Mkt : Market	W : West
Cotts : Cottages	M : Mews	Yd : Yard
Ct : Court	Mt : Mount	
Cres : Crescent	N : North	

POSTTOWN AND POSTAL LOCALITY ABBREVIATIONS

Act V : Acton Vale Ind. Pk.	*Brom* : Bromley	*Ilf* : Ilford
Beck : Beckenham	*Chst* : Chislehurst	*W'way E* : Westway Estate

INDEX TO STREETS

Abberley M. *SW4* —1D **79**
Abbess Clo. *SW2* —1D **95**
Abbeville M. *SW4* —2F **79**
Abbeville Rd. *SW4* —4E **79**
Abbey Bus. Cen. *SW8* —4E **65**
Abbey Dri. *SW17* —5C **92**
Abbey Est. *NW8* —5D **21**
Abbeyfield Est. *SE16* —5E **55**
Abbeyfield Est. *SE16* —5E **55** (in two parts)
Abbey Gdns. *NW8* —1E **35**
Abbey Gdns. *SE16* —5C **54**

Abbey Gdns. *W6* —2A **62**
Abbey La. *E15* —1E **43**
Abbey La. Commercial Est. *E15* —1A **44**
Abbey Life Ct. *E16* —4D **45**
*Abbey Lodge. NW1 —2A **36** (off Park Rd.)*
Abbey M. *E17* —1C **14**
Abbey Orchard St. *SW1* —4F **51**
*Abbey Orchard St. Est. SW1 —4F **51** (off Abbey Orchard St.)*

Abbey Rd. *E15* —1F **43**
Abbey Rd. *NW6 & NW8* —4D **21**
Abbey St. *E13* —3C **44**
Abbey St. *SE1* —4A **54**
Abbey Trad. Est. *SE26* —5B **98**
*Abbot Ct. SW8 —3A **66** (off Hartington Rd.)*
Abbotsbury Clo. *E15* —1E **43**
Abbotsbury Clo. *W14* —3B **48**
Abbotsbury M. *SE15* —1E **83**
Abbotsbury Rd. *W14* —3A **48**

Abbots Gdns. *W8* —4D **49**
Abbotshade Rd. *SE16* —2F **55**
Abbotshall Rd. *SE6* —1F **99**
Abbotsleigh Rd. *SW16* —4E **93**
Abbot's Mnr. *SW1* —1D **65**
Abbots La. *SE1* —2A **54**
Abbots Pk. *SW2* —1C **94**
Abbot's Pl. *NW6* —5D **21**
Abbot's Rd. *E6* —5F **31**
Abbots Ter. *N8* —1A **10**
Abbotstone Rd. *SW15* —1E **75**
Abbot St. *E8* —3B **26**
Abbots Wlk. *W8* —4D **49**
(off Stone Hall Gdns.)
Abbotswell Rd. *SE4* —3B **84**
Abbotswood Rd. *SE22* —2A **82**
Abbotswood Rd. *SW16*
—3F **93**
Abbott Rd. *E14* —4E **43**
(in two parts)
Abbotts Clo. *N1* —3E **25**
Abbotts Pk. Rd. *E10* —2E **15**
Abchurch La. *EC4* —1F **53**
Abchurch Yd. *EC4* —1F **53**
Abdale Rd. *W12* —2D **47**
Abel Ho. *SE11* —2C **66**
Aberavon Rd. *E3* —2A **42**
Abercorn Clo. *NW8* —2E **35**
Abercorn Pl. *NW8* —2E **35**
Abercorn Way. *SE1* —1C **68**
Abercrombie St. *SW11*
—5A **64**
Aberdare Gdns. *NW6* —4D **21**
Aberdeen La. *N5* —2E **25**
Aberdeen Pk. *N5* —2E **25**
Aberdeen Pl. *NW8* —3F **35**
Aberdeen Rd. *N5* —1E **25**
Aberdeen Ter. *SE3* —5F **71**
Aberdour St. *SE1* —5A **54**
Aberfeldy Ho. *SE5* —3D **67**
Aberfeldy St. *E14* —5E **43**
(in two parts)
Aberford Gdns. *SE18* —4F **73**
Abergeldie Rd. *SE12* —4D **87**
Abernethy Rd. *SE13* —2A **86**
Abersham Rd. *E8* —2B **26**
Abingdon Clo. *NW1* —3F **23**
Abingdon Clo. SE1 —1B *68*
(off Bushwood Dri.)
Abingdon Ct. W8 —4C *48*
(off Abingdon Vs.)
Abingdon Gdns. *W8* —4C **48**
Abingdon Lodge. *W8* —4C **48**
Abingdon Rd. *W8* —4C **48**
Abingdon St. *SW1* —4A **52**
Abingdon Vs. *W8* —4C **48**
Abinger Gro. *SE8* —2B **70**
Abinger M. *W9* —3C **34**
Abinger Rd. *W4* —4A **46**
Ablett St. *SE16* —1E **69**
Abney Gdns. *N16* —4B **12**
Aboyne Rd. *NW10* —5A **4**
Aboyne Rd. *SW17* —3F **91**
Abyssinia Clo. *SW11* —2A **90**
Abyssinia Rd. *N8* —1B **10**
Acacia Bus. Cen. E11 —5A *16*
(off Howard Rd.)

Acacia Gdns. *NW8* —1F **35**
Acacia Gro. *SE21* —2F **95**
Acacia Pl. *NW8* —1F **35**
Acacia Rd. *E11* —4A **16**
Acacia Rd. *E17* —1A **14**
Acacia Rd. *NW8* —1F **35**
Academy Bldgs. N1 —2A *40*
(off Fanshaw St.)
Acanthus Dri. *SE1* —1C **68**
Acanthus Rd. *SW11* —1C **78**
Accommodation Rd. *NW11*
—3B **6**
Acfold Rd. *SW6* —4D **63**
Achilles Clo. *SE1* —1C **68**
Achilles Ho. *NW6* —2C **20**
Achilles St. *SE14* —3B **70**
Achilles Way. *W1* —2C **50**
Acklam Rd. *W10* —4A **34**
Ackmar Rd. *SW6* —4C **62**
Ackroyd Dri. *E3* —4B **42**
Ackroyd Rd. *SE23* —5F **83**
Acland Cres. *SE5* —1F **81**
Acland Ho. *SW9* —5B **66**
Acland Rd. *NW2* —3D **19**
Acol Ct. NW6 —4C *20*
(off Acol Rd.)
Acol Rd. *NW6* —4C **20**
Acorn Ct. *E6* —4F **31**
Acorn Gdns. *W3* —4A **32**
Acorn Pde. *SE15* —3D **69**
Acorn Production Cen. N7
—4A **24**
Acorn Wlk. *SE16* —2A **56**
Acorn Way. *SE23* —3F **97**
Acris St. *SW18* —3E **77**
Acton La. *NW10* —1A **32**
Acton M. *E8* —5B **26**
Acton Pk. Est. *W3* —3A **46**
Acton St. *WC1* —2B **38**
Acton Vale Ind. Pk. W3
—2B **46**
Acuba Rd. *SW18* —2D **91**
Ada Ct. W9 —2E *35*
Ada Gdns. *E14* —5F **43**
Ada Gdns. *E15* —5B **30**
Adair Rd. *W10* —3A **34**
Adair Tower. W10 —3A *34*
(off Appleford Rd.)
Adam Clo. *SE6* —4C **98**
Adam Ct. SE11 —5D *53*
(off Opal St.)
Adam Ct. SW7 —5E *49*
(off Gloucester Rd.)
Adam & Eve Ct. W1 —5E *37*
(off Oxford St.)
Adam & Eve M. *W8* —4C **48**
Adams Ct. *E17* —1A **14**
Adams Ct. *EC2* —5A **40**
Adams Gdns. Est. SE16
—3E **55**
Adamson Rd. *E16* —5C **44**
Adamson Rd. *NW3* —4F **21**
Adams Pl. E14 —2D *57*
(off N. Colonnade)
Adams Pl. *N7* —2B **24**

Adamsrill Rd. *SE26* —4F **97**
Adam's Row. *W1* —1C **50**
Adam St. *WC2* —1A **52**
Adam Wlk. SW6 —3E *61*
(off Crabtree La.)
Ada Pl. *E2* —5D **27**
Adare Wlk. *SW16* —3B **94**
Ada Rd. *SE5* —3A **68**
Ada St. *E8* —5D **27**
Ada Workshops. *E8* —5D **27**
Adderley Gro. *SW11* —3C **78**
Adderley St. *E14* —5E **43**
Addey Ho. *SE8* —3B **70**
Addington Ct. *SW14* —1A **74**
Addington Gro. *SE26* —4A **98**
Addington Ho. SW9 —5B *66*
(off Stockwell Rd.)
Addington Rd. *E3* —2C **42**
Addington Rd. *E16* —3A **44**
Addington Rd. *N4* —1C **10**
Addington Sq. *SE5* —2F **67**
Addington St. *SE1* —3B **52**
Addison Av. *W11* —2A **48**
Addison Bri. Pl. *W14* —5B **48**
Addison Ct. E2 —1C *40*
(off Pritchard's Rd.)
Addison Cres. *W14* —4A **48**
Addison Dri. *SE12* —3D **87**
Addison Gro. *W4* —4A **46**
Addison Ho. NW8 —2F *35*
(off Grove End Rd.)
Addison Pl. *W11* —2A **48**
Addison Rd. *E11* —1C **16**
Addison Rd. *W14* —3A **48**
Addle Hill. *EC4* —5D **39**
Addle St. *EC2* —5E **39**
Addy Ho. *SE16* —5E **55**
Adelaide Av. *SE4* —2B **84**
Adelaide Gro. *W12* —2C **46**
Adelaide Ho. *E15* —1B **44**
Adelaide Ho. *SE5* —5A **68**
Adelaide Rd. *E10* —5E **15**
Adelaide Rd. *NW3* —4F **21**
Adelaide Rd. *SW18* —3C **76**
Adelaide St. *WC2* —1A **52**
Adelaide Wlk. *SW9* —2C **80**
Adela St. *W10* —3A **34**
Adelina Gro. *E1* —4E **41**
Adelina M. *SW12* —1F **93**
Adeline Pl. *WC1* —4F **37**
Adelphi Ct. *W4* —2A **60**
Adelphi Ter. *WC2* —1A **52**
Adeney Clo. *W6* —2F **61**
Aden Gro. *N16* —1F **25**
Adenmore Rd. *SE6* —5C **84**
Aden Ter. *N16* —1F **25**
Adeyfield Ho. EC1 —2F *39*
(off Cranwood St.)
Adie Rd. *W6* —4D **47**
Adine Rd. *E13* —3D **45**
Adler St. *E1* —5C **40**
Adley St. *E5* —2A **28**
Admiral Ct. SW10 —4E *63*
(off Admiral Sq.)
Admiral Hyson Ind. Est. SE1
—1D **69**
Admiral M. *W10* —3F **33**
Admiral Pl. *SE16* —2A **56**

Admiral Sq.—Alderminster Rd.

Admiral Sq. *SW10* —4E **63**
Admiral St. *SE8* —4C **70**
Admirals Wlk. *NW3* —5E **7**
Admirals Way. *E14* —3C **56**
Admiralty Clo. *SE8* —3C **70**
Admiral Wlk. *W9* —4C **34**
Adolf St. *SE6* —4D **99**
Adolphus Rd. *N4* —4D **11**
Adolphus St. *SE8* —3B **70**
Adpar St. *W2* —4F **35**
Adrian Av. *NW2* —3D **5**
Adrian Ho. N1 —5B 24
(off Barnsbury Est.)
Adrian Ho. *SW8* —3A **66**
(off Wyvil Rd.)
Adrian M. *SW10* —2D **63**
Advance Rd. *SE27* —4E **95**
Adys Lawn. *NW2* —3D **19**
Ady's Rd. *SE15* —1B **82**
Affleck St. *N1* —1B **38**
Afghan Rd. *SW11* —5A **64**
Agamemnon Rd. *NW6* —2B **20**
Agar Gro. *NW1* —4E **23**
Agar Gro. Est. *NW1* —4F **23**
Agar Pl. *NW1* —4E **23**
Agar St. *WC2* —1A **52**
Agate Clo. *E16* —5F **45**
Agate Rd. *W6* —4E **47**
Agatha Clo. *E1* —2D **55**
Agave Rd. *NW2* —1E **19**
Agdon St. *EC1* —3D **39**
Agincourt Rd. *NW3* —1B **22**
Agnes Rd. *W3* —2B **46**
Agnes St. *E14* —5B **42**
Agnew Rd. *SE23* —5F **83**
Aigburth Mans. SW9 —3C 66
(off Mowll St.)
Aileen Wlk. *E15* —4B **30**
Ailsa St. *E14* —4E **43**
Ainger M. NW3 —4B 22
(off Ainger Rd.)
Ainger Rd. *NW3* —4B **22**
Ainsdale Dri. *SE1* —1C **68**
Ainsley St. *E2* —2D **41**
Ainslie Wlk. *SW12* —5D **79**
Ainsty St. *SE16* —3F **55**
Ainsworth Clo. *NW2* —5C **4**
Ainsworth Est. *NW8* —5D **21**
Aintree Av. *E6* —5F **31**
Aintree Est. SW6 —3A 62
(off Aintree St.)
Aintree St. *SW6* —3A **62**
Airdrie Clo. *N1* —4B **24**
Airedale Av. *W4* —5B **46**
Airedale Av. S. *W4* —1B **60**
Airedale Rd. *SW12* —5B **78**
Airlie Gdns. *W8* —2C **48**
Air St. *W1* —1E **51**
Aisgill Av. *W14* —1B **62**
(in two parts)
Aislibie Rd. *SE12* —2A **86**
Aiten Pl. *W6* —5C **46**
Aitken Clo. *E8* —5C **26**
Aitken Rd. *SE6* —2D **99**
Ajax Rd. *NW6* —2B **20**

Akehurst St. *SW15* —4C **74**
Akenside Rd. *NW3* —2F **21**
Akerman Rd. *SW9* —5D **67**
Aland Ct. *SE16* —4A **56**
Alan Hocken Way. E15
—1A **44**
Alan Rd. *SW19* —5A **90**
Alanthus Clo. *SE12* —4C **86**
Alaska Bldgs. SE1 —4B 54
(off Grange Rd.)
Alaska St. *SE1* —2C **52**
Albacore Cres. *SE13* —4D **85**
Alba Gdns. *NW11* —1A **6**
Alban Highwalk. *EC2* —4E **39**
(in two parts)
Albany. *W1* —1E **51**
Albany Ct. *E10* —2C **14**
Albany Ct. Yd. W1 —1E 51
(off Piccadilly)
Albany M. *N1* —4C **24**
Albany M. *SE5* —2E **67**
Albany M. *Brom* —5C **100**
Albany Pl. *N7* —1C **24**
Albany Rd. *E10* —2C **14**
Albany Rd. *E12* —1F **31**
Albany Rd. *E17* —1A **14**
Albany Rd. *N4* —1C **10**
Albany Rd. *SE5* —2E **67**
Albany Rd. *SW19* —5D **91**
Albany St. *NW1* —1D **37**
Albany Ter. NW1 —3D 37
(off Marylebone Rd.)
Alba Pl. *W11* —5B **34**
Albatross Ct. *SE8* —2B **70**
(off Childers St.)
Albatross Way. *SE16* —3F **55**
Albemarle. *SW19* —2F **89**
Albemarle. *W1* —1D **51**
Albemarle Way. *EC1* —3D **39**
Albermarle Ho. *SW9* —1C **80**
Alberta Est. *SE17* —1D **67**
Alberta St. *SE17* —1D **67**
Albert Av. *SW8* —3B **66**
Albert Bigg Point. E15 —5E 29
(off Godfrey St.)
Albert Bri. *SW3 & SW11*
—2A **64**
Albert Bri. Rd. *SW11* —3A **64**
Albert Carr Gdns. *SW16*
—5A **94**
Albert Clo. *E9* —5D **27**
Albert Cotts. E1 —4C 40
(off Deal St.)
Albert Ct. *E7* —1C **30**
Albert Ct. *SW7* —3F **49**
Albert Dri. *SW19* —2A **90**
Albert Embkmt. *SE1* —1A **66**
Albert Gdns. *E1* —5F **41**
Albert Ga. *SW1* —3B **50**
Albert Hall Mans. *SW7* —3F **49**
Albert M. *N4* —3B **10**
Albert M. *SE4* —2A **84**
Albert M. *W8* —4E **49**
Albert Pl. *SW8* —3D **49**
Albert Pl. *E10* —4E **15**
Albert Rd. *E16* —2F **59**
Albert Rd. *E17* —1C **14**
Albert Rd. *N4* —3B **10**

Albert Rd. *N15* —1A **12**
Albert Rd. *NW6* —1B **34**
Albert Sq. *E15* —2A **30**
Albert Sq. *SW8* —3B **66**
Albert Starr Ho. SE8 —5F 55
(off Haddonfield)
Albert St. *NW1* —5D **23**
Albert Studios. *SW11* —4B **64**
Albert Ter. *NW1* —5C **22**
Albert Ter. M. *NW1* —5C **22**
Albert Westcott Ho. *SE17*
—1D **67**
Albion Av. *SW8* —5F **65**
Albion Clo. *W2* —1A **50**
Albion Dri. *E8* —4B **26**
(in two parts)
Albion Est. *SE16* —3F **55**
Albion Gdns. *W6* —5D **47**
Albion Ga. W2 —1A 50
(off Albion St.)
Albion Gro. *N16* —1A **26**
Albion M. *N1* —5C **24**
Albion M. *NW6* —4B **20**
Albion M. *W2* —1A **50**
Albion M. *W6* —5D **47**
Albion Pl. *EC1* —4D **39**
Albion Pl. *EC2* —4F **39**
Albion Pl. *W6* —5D **47**
Albion Rd. *N16* —1F **25**
Albion Sq. *E8* —4B **26**
Albion St. *SE16* —3E **55**
Albion St. *W2* —5A **36**
Albion Ter. *E8* —4B **26**
Albion Vs. Rd. *SE26* —3E **97**
Albion Way. *EC1* —4E **39**
Albion Way. *SE13* —2E **85**
Albion Yd. *N1* —1A **38**
Albrighton Rd. *SE22* —1A **82**
Albury M. *E12* —3E **17**
Albury St. *SE8* —2C **70**
Albyn Rd. *SE8* —4C **70**
Alcester Cres. *E5* —4D **13**
Alconbury Rd. *E5* —4C **12**
Aldam Pl. *N16* —4B **12**
Aldbourne Rd. *W12* —2B **46**
Aldbridge St. *SE17* —1A **68**
Aldburgh M. *W1* —5C **36**
(in two parts)
Aldebert Ter. *SW8* —3A **66**
Aldeburgh Clo. *E5* —4D **13**
Aldeburgh St. *SE10* —1C **72**
Alden Av. *E15* —3B **44**
Aldenham St. *NW1* —1E **37**
Aldensley Rd. *W6* —4D **47**
Alderbrook Rd. *SW12* —4D **79**
Alderbury Rd. *SW13* —2C **60**
Alder Clo. *SE15* —2B **68**
Alder Gro. *NW2* —4C **4**
Alderholt Way. *SE15* —3A **68**
Alder Ho. *SE4* —1C **84**
Alder Ho. SE15 —2B 68
(off Alder Clo.)
Alder Lodge. *SW6* —4F **61**
Aldermanbury. *EC2* —5E **39**
Aldermanbury Sq. *EC2* —4E **39**
Aldermans Wlk. *EC2* —4A **40**
Alder M. *N19* —4E **9**
Alderminster Rd. *SE1* —1C **68**

Aldermoor Rd. *SE6* —3B **98**
Alderney Rd. *E1* —3F **41**
Alderney St. *SW1* —5D **51**
Aldersbrook Rd. *E11 & E12*
—4D **17**
Alders Clo. *E11* —4D **17**
Aldersford Clo. *SE4* —3F **83**
Aldersgate St. *EC1* —4E **39**
Aldersgrove Av. *SE9* —3F **101**
Aldershot Rd. *NW6* —5B **20**
Alderson St. *W10* —3A **34**
Alders, The. *SW16* —4E **93**
Alderton Clo. *NW10* —5A **4**
Alderton Cres. *NW4* —1D **5**
Alderton Rd. *SE24* —1E **81**
Alderton Way. *NW4* —1D **5**
Alderville Rd. *SW6* —5B **62**
Aldford St. *W1* —2C **50**
Aldgate. *EC3* —5A **40**
Aldgate. (Junct.) —5B **40**
(off Aldgate Barrs)
Aldgate Av. *E1* —5B **40**
Aldgate Barrs. *E1* —5B **40**
Aldgate High St. *EC3* —5B **40**
Aldham Ho. *SE4* —4B **70**
Aldine Ct. *W12* —3E **47**
(off Aldine St.)
Aldine Pl. *W12* —3E **47**
Aldine St. *W12* —3E **47**
Aldington Ct. *E8* —4C **39**
Aldington Rd. *SE18* —4F **59**
Aldis M. *SW17* —5A **92**
Aldis St. *SW17* —5A **92**
Aldred Rd. *NW6* —2C **20**
Aldren Rd. *SW17* —3E **91**
Aldrich Ter. *SW18* —2E **91**
Aldridge Rd. Vs. *W11* —4B **34**
Aldrington Rd. *SW16* —5E **93**
Aldsworth Clo. *W9* —3D **35**
Aldworth Gro. *SE13* —4E **85**
Aldworth Rd. *E15* —4A **30**
Aldwych. *WC2* —5B **38**
Aldwyn Ho. *SW8* —3A **66**
(off Davidson Gdns.)
Alestan Beck Rd. *E16* —5F **45**
Alexa Ct. *W8* —5D **49**
Alexander Av. *NW10* —4D **19**
Alexander Ct. *SE16* —2E **57**
Alexander Evans M. *SE23*
—2F **97**
Alexander Fleming Ho. *SE1*
(off Rockingham St.) —4E **53**
Alexander M. *W2* —5D **35**
Alexander Pl. *SW7* —5A **50**
Alexander Rd. *N19* —5A **10**
Alexander Sq. *SW3* —5A **50**
Alexander St. *W2* —5C **34**
Alexander Studios. *SW11*
(off Haydon Way) —2F **77**
Alexandra Av. *SW11* —4C **64**
Alexandra Av. *W4* —3A **60**
Alexandra Cotts. *SE14* —4B **70**
Alexandra Ct. *SW7* —4E **49**
(off Queen's Ga.)
Alexandra Cres. *Brom*
—5B **100**
Alexandra Dri. *SE19* —5A **96**
Alexandra Gdns. *W4* —3A **60**

Alexandra Gro. *N4* —3D **11**
Alexandra M. *SW19* —5B **90**
Alexandra Pl. *NW8* —5E **21**
Alexandra Rd. *E10* —5E **15**
Alexandra Rd. *E17* —1B **14**
Alexandra Rd. *NW8* —5E **21**
Alexandra Rd. *SE26* —5F **97**
Alexandra Rd. *SW14* —1A **74**
Alexandra Rd. *SW19* —5B **90**
Alexandra Rd. *W4* —3A **46**
Alexandra Sq. *SW3* —5A **50**
Alexandra St. *E16* —4C **44**
Alexandra St. *SE14* —3A **70**
Alexandra Wlk. *SE19* —5A **96**
Alexandra Yd. *E9* —5F **15**
Alexis St. *SE16* —5C **54**
Alfearn Rd. *E5* —1E **27**
Alford Ho. *N6* —1E **9**
Alford Pl. *N1* —1E **39**
Alfreda St. *SW11* —4D **65**
Alfred Ho. *E9* —2A **28**
(off Homerton Rd.)
Alfred M. *W1* —4F **37**
Alfred Pl. *WC1* —4F **37**
Alfred Rd. *E15* —2B **30**
Alfred Rd. *SW8* —4F **65**
Alfred Rd. *W2* —4C **34**
Alfred St. *E3* —2B **42**
Alfreton Clo. *SW19* —3F **89**
Alfriston Rd. *SW11* —3B **78**
Algar Ho. *SE1* —3D **53**
(off Webber Row)
Algarve Rd. *SW18* —1D **91**
Algernon Rd. *NW4* —1C **4**
Algernon Rd. *NW6* —5C **20**
Algernon Rd. *SE13* —2D **85**
Algiers Rd. *SE13* —2C **84**
Alice Burrell Cen. *E10* —4E **15**
(off Sidmouth Rd.)
Alice Ct. *SW15* —2B **76**
Alice Gilliatt Ct. *W14* —2B **62**
(off Star Rd.)
Alice La. *E3* —5B **28**
Alice St. *SE1* —4A **54**
Alice Thompson Clo. *SE12*
—2E **101**
Alice Walker Clo. *SE24*
—2D **81**
Alie St. *E1* —5B **40**
Alison Ct. *SE1* —1C **68**
Aliwal Rd. *SW11* —2A **78**
Alkerden Rd. *W4* —1A **60**
Alkham Rd. *N16* —4B **12**
Allan Barclay Clo. *N15* —1B **12**
Allanson Ct. *E10* —4C **14**
Allard Gdns. *SW4* —3F **79**
Allardyce St. *SW4* —2B **80**
Allcroft Rd. *NW5* —2C **22**
Allenby Rd. *SE23* —3A **98**
Allen Ct. *E17* —1C **14**
(off Yunus Khan Clo.)
Allendale Clo. *SE5* —5F **67**
Allendale Clo. *SE26* —5F **97**
Allen Edwards Dri. *SW8*
—4A **66**
Allenford Ho. *SW15* —4D **74**
(off Tunworth Cres.)
Allen Rd. *E3* —5B **28**

Allen Rd. *N16* —1A **26**
Allensbury Pl. *NW1* —4F **23**
Allen St. *W8* —4C **48**
Allerford Rd. *SE6* —3D **99**
Allerton Ho. *N1* —1F **39**
(off Provost Est.)
Allerton Rd. *N16* —4E **11**
Allerton Wlk. *N7* —4B **10**
Allestree Rd. *SW6* —3A **62**
Alleyn Cres. *SE21* —2F **95**
Alleyn Pk. *SE21* —2F **95**
Alleyn Rd. *SE21* —3F **95**
Allfarthing La. *SW18* —4D **77**
Allgood St. *E2* —1B **40**
Allhallows La. *EC4* —1F **53**
Allhallows Rd. *E6* —4F **45**
Alliance Rd. *E13* —4E **45**
Allied Ind. Est. *W3* —3A **46**
Allied Way. *W3* —3A **46**
Allingham St. *N1* —1E **39**
Allington Clo. *SW19* —5F **89**
Allington Ct. *SW8* —5E **65**
Allington Rd. *NW4* —1D **5**
Allington Rd. *W10* —2A **34**
Allington St. *SW1* —4D **51**
Allison Clo. *SE10* —4E **71**
Allison Gro. *SE21* —1A **96**
Allistan Rd. *NW8* —1A **36**
Allnutt Way. *SW4* —3F **79**
Alloa Rd. *SE8* —1F **69**
Allom Ho. *W11* —1A **48**
(off Clarendon Rd.)
Alloway Rd. *E3* —2A **42**
All Saints Dri. *SE3* —5A **72**
All Saints Pas. *SW18* —3C **76**
All Saints Rd. *W11* —4B **34**
All Saints St. *N1* —1B **38**
All Saints Tower. *E10* —2D **15**
All Seasons Ct. *E1* —2C **54**
(off Aragon M.)
Allsop Pl. *NW1* —3B **36**
All Souls Av. *NW10* —1D **33**
All Souls' Pl. *W1* —4D **37**
Allwood Rd. *SE26* —4F **97**
Almack Rd. *E5* —1E **27**
Alma Gro. *SE1* —5B **54**
Alma Pl. *NW10* —2D **33**
Alma Rd. *SW18* —2E **77**
Alma Sq. *NW8* —1E **35**
Alma St. *E15* —3F **29**
Alma St. *NW5* —3D **23**
Alma Ter. *SW18* —5F **77**
Alma Ter. *W8* —4C **48**
Almeida St. *N1* —5D **25**
Almeric Rd. *SW11* —2B **78**
Almington St. *N4* —3B **10**
Almond Clo. *SE15* —5C **68**
Almond Rd. *SE16* —5D **55**
Almondsbury Ct. *SE15* —3A **68**
(off Lynbrook Clo.)
Almorah Rd. *N1* —4F **25**
Alnwick Rd. *E16* —5E **45**
Alnwick Rd. *SE12* —5D **87**
Alperton St. *W10* —3B **34**
Alphabet Sq. *E3* —4C **42**
Alpha Bus. Cen. *E17* —1B **14**
Alpha Clo. *NW1* —3A **36**
Alpha Gro. *E14* —3C **56**

Alpha Pl. *NW6* —1C **34**
Alpha Pl. *SW3* —2A **64**
Alpha Rd. *SE14* —4B **70**
Alpha St. *SE15* —5C **68**
(in two parts)
Alric Av. *NW10* —4A **18**
Alroy Rd. *N4* —2C **10**
Alsace Rd. *SE17* —1A **68**
Alscot Rd. *SE1* —5B **54**
(in two parts)
Alscot Rd. Ind. Est. SE1
(off Alscot Rd.) —4B **54**
Alscot Way. *SE1* —5B **54**
Alsion Ct. *SE1* —1C **68**
Alston Rd. *SW17* —4F **91**
Altenburg Gdns. *SW11*
—2B **78**
Althea St. *SW6* —5D **63**
Althorpe M. *SW11* —4F **63**
(in two parts)
Althorp Rd. *SW17* —1B **92**
Altior Ct. *N6* —1E **9**
Alton Rd. *SW15* —1C **88**
Alton St. *E14* —5D **43**
Aluna Ct. *SE15* —1E **83**
Alvanley Gdns. *NW6* —2D **21**
Alverstone Av. *SW19* —2C **90**
Alverstone Ho. *SE11* —2C **66**
Alverstone Rd. *NW2* —4E **19**
Alverton Rd. *N16* —4E **11**
Alverton St. *SE8* —1B **70**
Alvey St. *SE17* —1A **68**
Alvington Cres. *E8* —2B **26**
Alwold Cres. *SE12* —4D **87**
Alwyne La. *N1* —4D **25**
Alwyne Pl. *N1* —3E **25**
Alwyne Rd. *N1* —4E **25**
Alwyne Rd. *SW19* —5B **90**
Alwyne Sq. *N1* —3E **25**
Alwyne Vs. *N1* —4D **25**
Alyth Gdns. *NW11* —1C **6**
Amazon St. *E1* —5C **40**
Ambassadors' Ct. SW1 —2E **51**
(off St James' Pal.)
Ambassador Sq. *E14* —5D **57**
Ambergate St. *SE17* —1D **67**
Amber Gro. *NW2* —3E **5**
Amberley Gro. *SE26* —5D **97**
Amberley Rd. *E10* —2C **14**
Amberley Rd. *W9* —4C **34**
Amber St. *E15* —4F **29**
Amblecote Ct. *SE12* —3D **101**
Amblecote Meadows. *SE12*
—3D **101**
Amblecote Rd. *SE12* —3D **101**
Ambler Rd. *N4* —5D **11**
Ambleside. *Brom* —5F **99**
Ambleside Av. *SW16* —4F **93**
Ambleside Clo. *E9* —2E **27**
Ambleside Clo. *E10* —2D **15**
Ambleside Gdns. *SW16*
—5F **93**
Ambleside Point. SE15 —3E **69**
(off Tustin Est.)
Ambleside Rd. *NW10* —4B **18**
Ambrosden Av. *SW1* —4E **51**
Ambrose Av. *NW11* —2A **6**

Ambrose M. *SW11* —5B **64**
Ambrose St. *SE16* —5D **55**
Ambrose Wlk. *E3* —1C **42**
Amelia St. *SE17* —1D **67**
Amen Corner. *EC4* —5D **39**
Amen Corner. *SW17* —5C **92**
Amen Ct. *EC4* —5D **39**
America Sq. *EC3* —1B **54**
America St. *SE1* —2E **53**
Amerland Rd. *SW18* —3B **76**
Amersham Gro. *SE14* —3B **70**
Amersham Rd. *SE14* —4B **70**
Amersham Vale. *SE14* —3B **70**
Amery Gdns. *NW10* —5D **19**
Amesbury Av. *SW2* —2A **94**
Amesbury Tower. *SW8* —5E **65**
Amethyst Rd. *E15* —1F **29**
Amhurst Pk. *N16* —2F **11**
Amhurst Pas. *E8* —2C **26**
Amhurst Rd. *E8* —2D **27**
Amhurst Rd. *N16 & E8*
—1B **27**
Amhurst Ter. *E8* —1C **26**
Amiel St. *E1* —3E **41**
Amies St. *SW11* —1B **78**
Amina Way. *SE16* —4C **54**
Amity Rd. *E15* —5B **30**
Ammanford Grn. *NW9* —1A **4**
Amner Rd. *SW11* —4C **78**
Amor Rd. *W6* —4E **47**
Amos Est. *SE16* —2F **55**
Amott Rd. *SE15* —1C **82**
Amoy Pl. *E14* —1C **56**
Ampthill Est. *NW1* —1E **37**
Ampton Pl. *WC1* —2B **38**
Ampton St. *WC1* —2B **38**
Amroth Clo. *SE23* —1D **97**
Amroth Grn. *NW9* —1A **4**
Amsterdam Rd. *E14* —4E **57**
Amwell Ct. Est. *N4* —4E **11**
Amwell St. *EC1* —2C **38**
Amy Clo. *SE3* —2E **87**
Amyruth Rd. *SE4* —3C **84**
Anatola Rd. *N19* —4E **9**
Anchorage Clo. *SW19* —5C **90**
Anchor Brewhouse. *SE1*
—2B **54**
Anchor & Hope La. *SE7*
—4D **59**
Anchor M. *SW12* —4D **79**
Anchor St. *SE16* —5D **55**
Anchor Yd. *EC1* —3E **39**
Ancill Clo. *W6* —2F **61**
Ancona Rd. *NW10* —1C **32**
Andalus Rd. *SW9* —1A **80**
Anderson Clo. *W3* —5A **32**
Anderson Ct. *NW2* —3E **5**
Anderson Rd. *E9* —3F **27**
Anderson St. *SW3* —1B **64**
Anderton Clo. *SE5* —1F **81**
Andover Av. *E16* —5F **45**
Andover Pl. *NW6* —1D **35**
Andover Rd. *N7* —4B **10**
Andoversford Ct. SE15 —2A **68**
(off Bibury Clo.)
Andre St. *E8* —2C **26**
Andrew Borde St. *WC2*
—5F **37**

Andrew Ct. *SE23* —2F **97**
Andrewes Gdns. *E6* —5F **45**
Andrewes Highwalk. EC2
(off Barbican) —4E **39**
Andrews Ho. EC2 —4E **39**
(off Barbican)
Andrew Pl. *SW8* —4F **65**
Andrews Crosse. WC2 —5C **38**
(off Chancery La.)
Andrew's Rd. *E8* —5D **27**
Andrew St. *E14* —5E **43**
Andrews Wlk. *SE17* —2D **67**
Anerley Hill. *SE19* —5B **96**
Anerley Rd. *SW11* —5B **64**
Aneurin Bevan Ct. *NW2* —4D **5**
Anfield Clo. *SW12* —5E **79**
Angel. (Junct.) —1C **38**
Angela Davies Ind. Est. *SW9*
—2D **81**
Angel All. *E1* —5B **40**
Angel Ct. *EC2* —5F **39**
Angel Ct. *SW1* —2E **51**
Angel Ga. *EC1* —2D **39**
Angel La. *E15* —3F **29**
Angell Pk. Gdns. *SW9* —1C **80**
Angell Rd. *SW9* —5C **66**
Angel M. *N1* —1C **38**
Angel Pas. *EC4* —1F **53**
Angel Pl. *SE1* —3F **53**
Angel Sq. *EC1* —1C **38**
Angel St. *EC1* —5E **39**
Angel Wlk. *W6* —5E **47**
Angel Yd. *N6* —3C **8**
Angerstein La. *SE3* —4B **72**
Angler's La. *NW5* —3D **23**
Angles Rd. *SW16* —4A **94**
Anglian Rd. *E11* —5F **15**
Anglo Rd. *E3* —1B **42**
Angrave Ct. *E8* —5B **26**
Angrave Pas. *E8* —5B **26**
Angus Ho. *SW2* —5F **79**
Angus Rd. *E13* —2E **45**
Angus St. *SE14* —3A **70**
Anhalt Rd. *SW11* —3A **64**
Anley Rd. *W14* —3F **47**
Annabel Clo. *E14* —5D **43**
Anna Clo. *E8* —5B **26**
Annandale Rd. *SE10* —2B **72**
Annandale Rd. *W4* —1A **60**
Anna Neagle Clo. *E7* —1C **30**
Annesley Clo. *NW10* —5A **4**
Annesley Ho. *SW9* —3C **66**
Annesley Rd. *SE3* —4D **73**
Annesley Wlk. *N19* —4E **9**
Anne St. *E13* —3C **44**
Annette Rd. *N7* —5B **10**
Annetts Cres. *N1* —4E **25**
Annie Besant Clo. *E3* —5B **28**
Anning St. *EC2* —3A **40**
Annis Rd. *E9* —3A **28**
Ann La. *SW10* —2F **63**
Ann Moss Way. *SE16* —4E **55**
Ann's Clo. SW1 —3B **50**
(off Kinnerton St.)
Ann's Pl. E1 —4B **40**
(off Wentworth St.)
Ansar Gdns. *E17* —1A **14**
(off Markhouse Rd.)

Ansdell Rd. *SE15* —5E **69**
Ansdell St. *W8* —4D **49**
Ansdell Ter. *W8* —4D **49**
Ansell Rd. *SW17* —3A **92**
Anselm Rd. *SW6* —2C **62**
Ansford Rd. *Brom* —5E **99**
Ansleigh Pl. *W11* —1F **47**
Anson Rd. *N7* —1E **23**
Anson Rd. *NW2* —1D **19**
Anstey Rd. *SE15* —1C **82**
Anstice Clo. *W4* —3A **60**
Anthony Cope Ct. *N1* —2F **39**
  (off Chart St.)
Anthony St. *E1* —5D **41**
Antigua Wlk. *SE19* —5F **95**
Antill Rd. *E3* —2A **42**
Antill Ter. *E1* —5F **41**
Anton St. *E8* —2C **26**
Antrim Gro. *NW3* —3B **22**
Antrim Mans. *NW3* —3B **22**
Antrim Rd. *NW3* —3B **22**
Apollo Bus. Cen. *SE8* —1F **69**
Apollo Ho. *N6* —2B **8**
Apollo Pl. *E11* —5A **16**
Apollo Pl. *SW10* —3F **63**
Apothecary St. *EC4* —5D **39**
Appach Rd. *SW2* —4C **80**
Appleby Clo. *N15* —1F **11**
Appleby Rd. *E8* —4C **26**
Appleby Rd. *E16* —5B **44**
Appleby St. *E2* —1B **40**
Appledore Clo. *SW17* —2B **92**
Appleford Rd. *W10* —3A **34**
Applegarth Rd. *W14* —4F **47**
Apple Rd. *E11* —5A **16**
Appleton Rd. *SE9* —1F **87**
Apple Tree Yd. *SW1* —2E **51**
Applewood Clo. *NW2* —5B **5**
Appold St. *EC2* —4A **40**
Apprentice Way. *E5* —1D **27**
Approach Clo. *N16* —1A **26**
Approach Rd. *E2* —1E **41**
Approach, The. *NW4* —1F **5**
Approach, The. *W3* —5A **32**
April Glen. *SE23* —3F **97**
April St. *E8* —1B **26**
Apsley Way. *NW2* —4C **4**
Apsley Way. *W1* —3C **50**
Aquila St. *NW8* —1F **35**
Aquinas St. *SE1* —2C **52**
Arabella Dri. *SW15* —2A **74**
Arabin Rd. *SE4* —2A **84**
Aragon M. *E1* —2C **54**
Aragon Tower. *SE8* —5B **56**
Arbery Rd. *E3* —2A **42**
Arbor Ct. *N16* —4F **11**
Arborfield Clo. *SW2* —1B **94**
Arbour Sq. *E1* —5F **41**
Arbury Ter. *SE26* —3D **97**
Arbuthnot Rd. *SE14* —5F **69**
Arbutus St. *E8* —5B **26**
Arcade, The. *E14* —5D **43**
Arcade, The. *EC2* —4A **40**
  (off Liverpool St.)
Arcadia Ct. *E1* —5B **40**
  (off Old Castle St.)
Arcadia St. *E14* —5C **42**
Archangel St. *SE16* —3F **55**
Archbishop's Pl. *SW2* —5B **80**

Archdale Ct. *W12* —2D **47**
Archdale Rd. *SE22* —3B **82**
Archel Rd. *W14* —2B **62**
Archers Lodge. *SE16* —1C **68**
  (off Culloden Clo.)
Archer Sq. *SE14* —2A **70**
Archer St. *W1* —1F **51**
Archers Wlk. *SE15* —4B **68**
  (off Exeter Rd.)
Archer Tower. *SE14* —2A **70**
Archery Clo. *W2* —5A **36**
Archery Steps. *W2* —1A **50**
  (off St George's Fields)
Arches, The. *SW8* —3F **65**
Arches, The. *WC2* —2A **52**
  (off Villiers St.)
Archibald M. *W1* —1C **50**
Archibald Pl. *NW3* —4B **22**
Archibald Rd. *N7* —1F **23**
Archibald St. *E3* —2C **42**
Arch St. *SE1* —4E **53**
Archway. (Junct.) —4E **9**
Archway Bus. Cen. *N19* —5F **9**
Archway Clo. *N19* —4E **9**
Archway Clo. *SW19* —3D **91**
Archway Clo. *W10* —4F **33**
Archway Mall. *N19* —4E **9**
Archway Rd. *N6 & N19* —1C **8**
Archway St. *SW13* —1A **74**
Arcola St. *E8* —2B **26**
Arctic St. *NW5* —2D **23**
Arcus Rd. *Brom* —5A **100**
Ardbeg Rd. *SE24* —3F **81**
Arden Ct. Gdns. *N2* —1F **7**
Arden Cres. *E14* —5C **56**
Arden Est. *N1* —1A **40**
Arden Ho. *SE11* —5B **52**
  (off Black Prince Rd.)
Arden Ho. *SW9* —5A **66**
  (off Grantham Rd.)
Ardfillan Rd. *SE6* —1F **99**
Ardgowan Rd. *SE6* —5A **86**
  (in two parts)
Ardilaun Rd. *N5* —1E **25**
Ardleigh Rd. *N1* —3A **26**
Ardley Clo. *NW10* —5A **4**
Ardley Clo. *SE6* —3A **98**
Ardlui Rd. *SE27* —2E **95**
Ardmere Rd. *SE13* —4F **85**
Ardoch Rd. *SE6* —2F **99**
Ardshiel Clo. *SW15* —1F **75**
Ardwell Rd. *SW2* —2A **94**
Ardwick Rd. *NW2* —1C **20**
Arena Bus. Cen. *N4* —1E **11**
Arena Est. *N4* —1D **11**
Argall Av. *E10* —2F **13**
Argon M. *SW6* —3C **62**
Argosy Ho. *SE8* —5A **56**
Argyle Pl. *W6* —5D **47**
Argyle Rd. *E1* —3F **41**
Argyle Rd. *E15* —1A **30**
Argyle Rd. *E16* —5D **45**
Argyle Sq. *WC1* —2A **38**
Argyle St. *WC1* —2A **38**
Argyle Wlk. *WC1* —2A **38**
Argyle Way. *SW16* —1C **68**
  (off St James Rd.)
Argyll Clo. *SW9* —1B **80**

Argyll Mans. *SW3* —2F **63**
Argyll Rd. *W8* —3C **48**
Argyll St. *W1* —5E **37**
Arica Rd. *SE4* —2A **84**
Ariel Ct. *SE11* —5D **53**
Ariel Rd. *NW6* —3C **20**
Ariel Way. *W12* —2E **47**
Aristotle Rd. *SW4* —1F **79**
Arkindale Rd. *SE6* —3E **99**
Arkley Cres. *E17* —1B **14**
Arkley Rd. *E17* —1B **14**
Arklow Rd. *SE14* —2B **70**
Arklow Rd. Trad. Est. *SE14*
  —2B **70**
Arkwright Ho. *SW2* —5A **80**
  (off Streatham Pl.)
Arkwright Rd. *NW3* —2E **21**
Arlesey Clo. *SW15* —3A **76**
Arlesford Rd. *SW9* —1A **80**
Arlingford Rd. *SW2* —3C **80**
Arlington Av. *N1* —5E **25**
Arlington Ho. *SE8* —2B **70**
  (off Evelyn St.)
Arlington Lodge. *SW2* —2B **80**
Arlington Pl. *SE10* —3E **71**
Arlington Rd. *NW1* —5D **23**
Arlington Sq. *N1* —5E **25**
Arlington St. *SW1* —2E **51**
Arlington Way. *EC1* —2C **38**
Armada Ct. *SE8* —2C **70**
Armadale Rd. *SW6* —2C **62**
Armagh Rd. *E3* —5B **28**
Arminger Rd. *W12* —2D **47**
Armitage Rd. *NW11* —3A **6**
Armitage Rd. *SE10* —1B **72**
Armour Clo. *N7* —3B **24**
Armoury Rd. *SE8* —5D **71**
Armoury Way. *SW18* —3C **76**
Armstrong Rd. *SW7* —4F **49**
Armstrong Rd. *W3* —2B **46**
Arnal Cres. *SW18* —5A **76**
Arndale Cen., The. *SW18*
  —4D **77**
Arndale Wlk. *SW18* —3D **77**
Arne Ho. *SE11* —1B **66**
  (off Tyers St.)
Arne St. *WC2* —5A **38**
Arne Wlk. *SE3* —2B **86**
Arneway St. *SW1* —4F **51**
Arnewood Clo. *SW15* —1C **88**
Arngask Rd. *SE6* —5F **85**
Arnhem Pl. *E14* —4C **56**
Arnhem Way. *SE22* —3A **82**
Arnold Cir. *E2* —2B **40**
Arnold Est. *SE1* —3B **54**
Arnold Ho. *SE17* —1D **67**
Arnold Mans. *W14* —2A **62**
  (off Queen's Club Gdns.)
Arnold Rd. *E3* —2C **42**
Arnot Ho. *SE5* —3E **67**
  (off Comber Gro.)
Arnott Clo. *W4* —5A **46**
Arnould Av. *SE5* —2F **81**
Arnside St. *SE17* —2E **67**
Arnulf St. *SE6* —4D **99**
Arnulls Rd. *SW16* —5D **95**
Arodene Rd. *SW2* —4B **80**
Arragon Rd. *E6* —5F **31**

Arragon Rd. *SW18* —1C **90**
Arran Ct. *NW10* —5A **4**
Arran Dri. *E12* —3F **17**
Arran Rd. *SE6* —2D **99**
Arran Wlk. *N1* —4E **25**
Arrel Ho. *SE1* —5B **54**
Arrow Ct. *SW5* —5C **48**
(off W. Cromwell Rd.)
Arrow Rd. *E11* —1F **15**
Arrow Rd. *E3* —2D **43**
Arrowsmith Ho. *SE11* —1B **66**
(off Tyers St.)
Artesian Clo. *NW10* —4A **18**
Artesian Rd. *W2* —5C **34**
Artesian Wlk. *E11* —5A **16**
Arthingworth St. *E15* —5A **30**
Arthur Ct. *W10* —5F **33**
(off Silchester Rd.)
Arthur Deakin Ho. *E1* —4C **40**
(off Hunton St.)
Arthurdon Rd. *SE4* —3C **84**
Arthur Henderson Ho. *SW6*
(off Fulham Rd.) —5B **62**
Arthur Rd. *N7* —1B **24**
Arthur Rd. *SW19* —4C **90**
Arthur St. *EC4* —1F **53**
Artichoke Hill. *E1* —1D **55**
Artichoke M. *SE5* —4F **67**
(off Artichoke Pl.)
Artichoke Pl. *SE5* —4F **67**
Artillery Ho. *E15* —3A **30**
Artillery La. *E1* —4A **40**
Artillery La. *W12* —5C **32**
Artillery Pas. *E1* —4A **40**
(off Artillery La.)
Artillery Pl. *SW1* —4F **51**
Artillery Row. *SW1* —4F **51**
Artizan St. *E1* —5A **40**
(off Harrow Pl.)
Arundel Bldgs. *SE1* —4A **54**
(off Swan Mead)
Arundel Clo. *E15* —1A **30**
Arundel Clo. *SW11* —3A **78**
Arundel Gdns. *W11* —1B **48**
Arundel Gt. Ct. *WC2* —1B **52**
Arundel Gro. *N16* —2A **26**
Arundel Mans. *SW6* —4B **62**
(off Kelvedon Rd.)
Arundel Pl. *N1* —3C **24**
Arundel Sq. *N7* —3C **24**
Arundel St. *WC2* —1B **52**
Arundel Ter. *SW13* —2D **61**
Arvon Rd. *N5* —2C **24**
Ascalon Ho. *SW8* —3E **65**
(off Thessaly Rd.)
Ascalon St. *SW8* —3E **65**
Ascham St. *NW5* —2E **23**
Ascot Rd. *N15* —1F **11**
Ascot Rd. *SW17* —5C **92**
Ashbourne Gro. *SE22* —2B **82**
Ashbourne Gro. *W4* —1A **60**
Ashbridge Rd. *E11* —2A **16**
Ashbridge St. *NW8* —3A **36**
Ashbrook Rd. *N19* —3F **9**
Ashburn Gdns. *SW7* —5E **49**
Ashburnham Gro. *SE10*
—3D **71**

Ashburnham Mans. *SW10*
—3E **63**
(off Ashburnham Rd.)
Ashburnham Pl. *SE10* —3D **71**
Ashburnham Retreat. *SE10*
—3D **71**
Ashburnham Rd. *NW10*
—2E **33**
Ashburnham Rd. *SW10*
—3E **63**
Ashburnham Tower. *SW10*
(off Worlds End Est.) —3F **63**
Ashburn Pl. *SW7* —5E **49**
Ashburton Enterprise Cen.
SW15 —4E **75**
Ashburton Gro. *N7* —1C **24**
Ashburton Rd. *E16* —5C **44**
Ashburton Ter. *E13* —1C **44**
Ashbury Pl. *SW19* —5E **91**
Ashbury Rd. *SW11* —1B **78**
Ashby Gro. *N1* —4E **25**
Ashby Ho. *N1* —4E **25**
(off Essex Rd.)
Ashby Ho. *SW9* —5D **67**
Ashby M. *SE4* —5B **70**
Ashby Rd. *SE4* —5B **70**
Ashby St. *EC1* —2D **39**
Ashchurch Gro. *W12* —4C **46**
Ashchurch Pk. Vs. *W12*
—4C **46**
Ashchurch Ter. *W12* —4C **46**
Ashcombe Pk. *NW2* —5A **4**
Ashcombe Rd. *SW19* —5C **90**
Ashcombe St. *SW6* —5D **63**
Ashcroft Rd. *E3* —2A **42**
Ashcroft Sq. *W6* —5E **47**
Ashdale Ho. *N4* —2F **11**
Ashdale Rd. *SE12* —1D **101**
Ashdene. *SE15* —4D **69**
Ashdon Pl. *NW10* —5B **18**
Ashdown Cres. *NW5* —2C **22**
Ashdown Est. *E11* —1F **29**
Ashdown Wlk. *E14* —5C **56**
(off Copeland Dri.)
Ashdown Way. *SW17* —2C **92**
Ashenden Rd. *E5* —2A **28**
Ashen Gro. *SW19* —3C **90**
Ashentree Ct. *EC4* —5C **38**
(off Whitefriars St.)
Asher Way. *E1* —1C **54**
Ashfield Rd. *N4* —1E **11**
Ashfield Rd. *W3* —2B **46**
Ashfield St. *E1* —4D **41**
Ashford Clo. *E17* —1B **14**
Ashford Ho. *SE8* —2B **70**
Ashford Ho. *SW9* —2D **81**
Ashford Pas. *NW2* —1F **19**
Ashford Rd. *NW2* —1F **19**
Ashford St. *N1* —2A **40**
Ash Gro. *E8* —5D **27**
Ash Gro. *NW2* —1F **19**
Ash Gro. *SE12* —1C **100**
Ashgrove Rd. *Brom* —5F **99**
Ash Ho. *SE1* —5B **54**
(off Longfield Est.)
Ashington Rd. *SW6* —5B **62**
Ashlake Rd. *SW16* —4A **94**
Ashland Pl. *W1* —4C **36**

Ashleigh Commercial Est. *SE7*
—4E **59**
Ashleigh Point. *SE23* —3F **97**
Ashleigh Rd. *SW14* —1A **74**
Ashley Cres. *SW11* —1C **78**
Ashley Gdns. *SW1* —4E **51**
Ashley Pl. *SW1* —4E **51**
Ashley Rd. *E7* —4E **31**
Ashley Rd. *N19* —3A **10**
Ashley Rd. *SW19* —5D **91**
Ashlin Rd. *E15* —1F **29**
Ashmead Bus. Cen. *E16*
—3F **43**
Ashmead Ho. *E9* —2A **28**
(off Homerton Rd.)
Ashmead Rd. *SE8* —5C **70**
Ashmere Gro. *SW2* —2A **80**
Ashmill St. *NW1* —4A **36**
Ashmole Pl. *SW8* —2B **66**
Ashmole St. *SW8* —2B **66**
Ashmore Rd. *W9* —2B **34**
Ashmount Est. *N19* —2F **9**
Ashmount Rd. *N19* —2E **9**
Ashness Rd. *SW11* —3B **78**
Ash Rd. *E15* —2A **30**
Ashstead Rd. *N16* —2C **12**
Ashtead Rd. *E5* —2C **12**
Ashton Heights. *SE23* —1E **97**
Ashton Ho. *SW9* —3C **66**
Ashton Rd. *E15* —2F **29**
Ashton St. *E14* —1E **57**
Ashurst Gdns. *SW2* —1C **94**
Ashvale Rd. *SW17* —5B **92**
Ashville Rd. *E11* —4F **15**
Ashwater Rd. *SE12* —1C **100**
Ashwin St. *E8* —3B **26**
Ashworth Clo. *SE5* —5F **67**
Ashworth Mans. *W9* —2D **35**
(off Elgin Av.)
Ashworth Rd. *W9* —2D **35**
Asilone Rd. *SW15* —1E **75**
Asker Ho. *N7* —1A **24**
Aske Rd. *N1* —2A **40**
Askew Cres. *W12* —3B **46**
Askew Est. *W12* —2B **46**
(off Uxbridge Rd.)
Askew Rd. *W12* —2B **46**
Askham Ct. *W12* —2C **46**
Askham Rd. *W12* —2C **46**
Askill Dri. *SW15* —3A **76**
Asland Rd. *E15* —5A **30**
Aslett St. *SW18* —5D **77**
Asmara Rd. *NW2* —2A **20**
Asmuns Hill. *NW11* —1C **6**
Asmuns Pl. *NW11* —1B **6**
Asolando Dri. *SE17* —5E **53**
(off King and Queen St.)
Aspen Clo. *N19* —4E **9**
Aspen Ct. *E8* —3B **26**
Aspen Gdns. *W6* —1D **61**
Aspenlea Rd. *W6* —2F **61**
Aspen Way. *E14* —1C **56**
Aspern Gro. *NW3* —2A **22**
Aspinall Rd. *SE4* —1F **83**
Aspinden Rd. *SE16* —5D **55**
Aspley Rd. *SW18* —3D **77**
Assam St. *E1* —5C **40**

Assata M. *N1* —3D **25**
Assembly Pas. *E1* —4E **41**
Astbury Ho. *SE11* —4C **52**
  (off Lambeth Wlk.)
Astbury Rd. *SE15* —4E **69**
Astell St. *SW3* —1A **64**
Aste St. *E14* —3E **57**
Astey's Row. *N1* —4E **25**
Astle St. *SW11* —5C **64**
Astley Av. *NW2* —2E **19**
Astley Ho. *SE1* —1B **68**
Aston Ho. *SW8* —4F **65**
Aston St. *E14* —4A **42**
Astonville St. *SW18* —1C **90**
Astoria Mans. *SW16* —3A **94**
Astoria Wlk. *SW9* —1C **80**
Astrop M. *W6* —4D **47**
Astrop Ter. *W6* —3E **47**
Astwood M. *SW7* —5E **49**
Asylum Rd. *SE15* —3D **69**
Atalanta St. *SW6* —3F **61**
Atheldene Rd. *SW18* —1D **91**
Athelney St. *SE6* —3C **98**
Athelstane Gro. *E3* —1B **42**
Athelstane M. *N4* —3C **10**
Athelstan Gdns. *NW6* —4A **20**
Athenaeum Ct. *N5* —1E **25**
Athenlay Rd. *SE15* —3F **83**
Atherden Rd. *E5* —1E **27**
Atherfold Rd. *SW9* —1A **80**
Atherstone M. *SW7* —5E **49**
Atherton Dri. *SW19* —4F **89**
Atherton M. *E7* —3B **30**
Atherton Rd. *E7* —3B **30**
Atherton Rd. *SW13* —3C **60**
Atherton St. *SW11* —5A **64**
Athlone Clo. *E5* —2D **27**
Athlone Rd. *SW2* —5B **80**
Athlone St. *NW5* —3C **22**
Athol Sq. *E14* —5E **43**
Atkinson Ct. *E10* —2D **15**
  (off Kings Clo.)
Atkinson Rd. *E16* —4E **45**
Atkins Rd. *E10* —1D **15**
Atkins Rd. *SW12* —5B **79**
Atlantic Rd. *SW9* —2C **80**
Atlas Bus. Cen. *NW2* —4D **5**
Atlas Gdns. *SE7* —5E **59**
Atlas M. *E8* —3B **26**
Atlas M. *N7* —3B **24**
Atlas Rd. *E13* —1C **44**
Atlas Rd. *NW10* —2A **32**
Atlas Wharf. *E9* —3C **28**
Atley Rd. *E3* —5C **28**
Atney Rd. *SW15* —2A **76**
Atterbury Rd. *N4* —1D **11**
Atterbury St. *SW1* —5A **52**
Attewood Av. *NW10* —5A **4**
Attleborough Ct. *SE23*
  —2D **97**
Attneave St. *WC1* —2C **38**
Atwater Clo. *SW2* —1C **94**
Atwell Clo. *E10* —1D **15**
Atwell Rd. *SE15* —5C **68**
Atwood Rd. *W6* —5D **47**
Aubert Ct. *N5* —1D **25**
Aubert Pk. *N5* —1D **25**
Aubert Rd. *N5* —1D **25**

Aubrey Gdns. *NW8* —1E **35**
  (off Abbey Rd.)
Aubrey Moore Point. *E15*
  (off Abbey La.) —1E **43**
Aubrey Pl. *NW8* —1E **35**
Aubrey Rd. *N8* —1A **10**
Aubrey Rd. *W8* —2B **48**
Aubrey Wlk. *W8* —2B **48**
Auburn Clo. *SE14* —3A **70**
Aubyn Hill. *SE27* —4E **95**
Aubyn Sq. *SW15* —3C **74**
Auckland Hill. *SE27* —4E **95**
Auckland Rd. *E10* —5D **15**
Auckland Rd. *SW11* —2A **78**
Auckland St. *SE11* —1B **66**
Auden Pl. *NW1* —5C **22**
  (in two parts)
Audley Clo. *SW11* —1C **78**
Audley Dri. *E16* —2D **59**
Audley Rd. *NW4* —1C **4**
Audley Sq. *W1* —2C **50**
Audrey St. *E2* —1C **40**
Augurs La. *E13* —2D **45**
Augusta St. *E14* —5D **43**
Augustine Rd. *W14* —4F **47**
Augustus Ct. *SW16* —2F **93**
Augustus Rd. *SW19* —1F **89**
Augustus St. *NW1* —1D **37**
Aulton Pl. *SE11* —1C **66**
Auriga M. *N1* —2A **26**
Auriol Rd. *W14* —5A **48**
Austin Ct. *SE23* —5B **84**
Austin Ct. *E6* —5E **31**
Austin St. *SE15* —1C **82**
  (off Philip Wlk.)
Austin Friars. *EC2* —5F **39**
Austin Friars Pas. *EC2* —5F **39**
  (off Austin Friars)
Austin Friars Sq. *EC2* —5F **39**
  (off Austin Friars)
Austin Rd. *SW11* —4C **64**
Austin St. *E2* —2B **40**
Australia Rd. *W12* —1D **47**
Austral St. *SE11* —5D **53**
Autumn Clo. *SW19* —5E **91**
Autumn St. *E3* —5C **28**
Avalon Rd. *SW6* —4D **63**
Avarn Rd. *SW17* —5B **92**
Avebury Ct. *N1* —5F **25**
  (off Colville St.)
Avebury Rd. *E11* —3F **15**
Avebury St. *N1* —5F **25**
Aveline St. *SE11* —1C **66**
Ave Maria La. *EC4* —5D **39**
Avenell Rd. *N5* —5D **11**
Avening Rd. *SW18* —5C **76**
Avening Ter. *SW18* —5C **76**
Avenons Rd. *E13* —3C **44**
Avenue Clo. *NW8* —5A **22**
Avenue Ct. *NW2* —5B **6**
Avenue Gdns. *SW14* —1A **74**
Avenue Mans. *NW3* —2D **21**
  (off Finchley Rd.)
Avenue Rd. *SE27* —2D **95**
Avenue Rd. *E7* —1D **31**
Avenue Rd. *N6* —2E **9**

Avenue Rd. *N15* —1F **11**
Avenue Rd. *NW3 & NW8*
  —4F **21**
Avenue Rd. *NW10* —1B **32**
Avenue, The. *E11* —1D **17**
Avenue, The. *NW6* —5A **20**
Avenue, The. *SE7* —3E **73**
Avenue, The. *SE10* —3F **71**
Avenue, The. *SW4* —3D **79**
Avenue, The. *SW18* —5A **78**
Avenue, The. *W4* —4A **46**
Averill St. *W6* —2F **61**
Avery Farm Row. *SW1*
  —5D **51**
Avery Row. *W1* —1D **51**
Aviary Clo. *E16* —4B **44**
Avignon Rd. *SE4* —1F **83**
Avington Way. *SE15* —3B **68**
Avis Sq. *E1* —5F **41**
Avoca Rd. *SW17* —4C **92**
Avocet Clo. *SE1* —1C **68**
Avondale Av. *NW2* —5A **4**
Avondale Ct. *E11* —3A **16**
Avondale Ct. *E16* —4A **44**
Avondale Cres. *Ilf* —1F **17**
Avondale Ho. *SE1* —1C **68**
  (off Avondale Sq.)
Avondale Pk. Gdns. *W11*
  —1A **48**
Avondale Pk. Rd. *W11* —1A **48**
Avondale Rise. *SE15* —1B **82**
Avondale Rd. *E16* —4A **44**
Avondale Rd. *E17* —2C **14**
Avondale Rd. *N15* —1D **11**
Avondale Rd. *SE9* —2F **101**
Avondale Rd. *SW14* —1A **74**
Avondale Rd. *SW19* —5D **91**
Avondale Rd. *Brom* —5B **100**
Avondale Sq. *SE1* —1C **68**
Avon Ho. *W14* —4C **48**
  (off Allen St.)
Avonley Rd. *SE14* —3E **69**
Avonmore Gdns. *W14* —5B **48**
Avonmore Pl. *W14* —5B **48**
  (off Avonmore Rd.)
Avonmore Rd. *W14* —5A **48**
Avonmouth St. *SE1* —4E **53**
Avon Pl. *SE1* —3E **53**
Avon Rd. *SE4* —1C **84**
Axe Ct. *E2* —2B **40**
  (off Long St.)
Axminster Rd. *N7* —5A **10**
Aybrook St. *W1* —4C **36**
Aycliffe Rd. *W12* —2C **46**
Ayerst Ct. *E10* —2E **15**
Aylesbury Clo. *E7* —3B **30**
Aylesbury Rd. *SE17* —1F **67**
Aylesbury St. *EC1* —3D **39**
Aylesbury St. *NW10* —5A **4**
Aylesford St. *SW1* —1F **65**
Aylesham Cen., The. *SE15*
  —4C **68**
Aylestone Av. *NW6* —4F **19**
Aylmer Pde. *N2* —1B **8**
Aylmer Rd. *E11* —3B **16**
Aylmer Rd. *N2* —1A **8**
Aylmer Rd. *W12* —3B **46**

Aylton Est.—Barbers All.

Aylton Est. *SE16* —4E **55**
Aylward Rd. *SE23* —2F **97**
Aylward St. *E1* —5E **41**
Aylwin Est. *SE1* —4A **54**
Aynhoe Mans. *W14* —5F **47**
(off Aynhoe Rd.)
Aynhoe Rd. *W14* —5F **47**
Ayres Clo. *E13* —2C **44**
Ayres St. *SE1* —3E **53**
Ayrsome Rd. *N16* —5A **12**
Ayrton Rd. *SW7* —4F **49**
Aysgarth Rd. *SE21* —5A **82**
Ayton Ho. *SE5* —3F **67**
(off Edmund St.)
Aytoun Pl. *SW9* —5B **66**
Aytoun Rd. *SW9* —5B **66**
Azenby Rd. *SE15* —5B **68**
Azof St. *SE10* —5A **58**

Baalbec Rd. *N5* —2D **25**
Babington Rd. *WC1* —4B **38**
(off Orde Hall St.)
Babington Rd. *SW16* —5F **93**
Babmaes St. *SW1* —1F **51**
Bacchus Wlk. *N1* —1A **40**
(off Hoxton St.)
Bache's St. *N1* —2F **39**
Back All. *EC3* —5A **40**
Bk. Church La. *E1* —5C **40**
Back Hill. *EC1* —3C **38**
Backhouse Pl. *SE17* —5A **54**
Back La. *E15* —1F **43**
Back La. *N8* —1A **10**
Back La. *NW3* —1E **21**
Bacon Gro. *SE1* —4B **54**
Bacons La. *N6* —2C **8**
Bacon St. *E1 & E2* —3B **40**
Bacton St. *E2* —2E **41**
Baddesley Ho. *SE11* —1B **66**
(off Jonathan St.)
Baddow Wlk. *N1* —5E **25**
(off Basire St.)
Baden Pl. *SE1* —3F **53**
Baden-Powell Ho. *SW7* —5E **49**
(off Queens Ga.)
Badminton M. *E16* —2C **58**
Badminton Rd. *SW12* —4C **78**
Badsworth Rd. *SE5* —4E **67**
Baffins Pl. *SE1* —4F **53**
(off Long La.)
Baffin Way. *E14* —2E **57**
(off Blackwall Way)
Bagford St. *N1* —5F **25**
Bagley's La. *SW6* —4D **63**
Bagshot St. *SE17* —1A **68**
Baildon St. *SE8* —3B **70**
Bailey Pl. *SE26* —5F **97**
Bainbridge St. *WC1* —5F **37**
Baird Gdns. *SE19* —4A **96**
Baird Ho. *W12* —1D **47**
(off White City Est.)
Baird St. *EC1* —3E **39**
Baizdon Rd. *SE3* —5A **72**
Baker M. *N16* —4B **12**
Baker Rd. *NW10* —1A **18**
Bakers Av. *E17* —1D **15**
Baker's Field. *N7* —1A **24**

Bakers Hall Ct. *EC3* —1A **54**
Bakers Hill. *E5* —3E **13**
Bakers La. *N6* —1B **8**
Baker's M. *W1* —5C **36**
Bakers Pas. *NW3* —1E **21**
(off Heath St.)
Baker's Rents. *E2* —2B **40**
Baker's Row. *E15* —1A **44**
Baker's Row. *EC1* —3C **38**
Baker St. *NW1 & W1* —3B **36**
Baker Street. (Junct.) —4B **36**
Baker's Yd. *EC1* —3C **38**
(off Bakers Rd.)
Bakery Clo. *SW9* —3B **66**
Bakery Pl. *SW11* —2B **78**
Bakewell Ct. *E5* —5A **14**
Balaam St. *E13* —3C **44**
Balaclava Rd. *SE1* —5B **54**
Balben Path. *E9* —4E **27**
Balchen Rd. *SE3* —5F **73**
Balchier Rd. *SE22* —4D **83**
Balcombe St. *NW1* —3B **36**
Balcorne St. *E9* —4E **27**
Balder Rise. *SE3* —1D **87**
Balderton St. *W1* —5C **36**
Baldock St. *E3* —1D **43**
Baldry Gdns. *SW16* —5B **94**
Baldwin Cres. *SE5* —4E **67**
Baldwin Ho. *SW2* —1C **94**
Baldwins Gdns. *EC1* —4C **38**
Baldwin St. *EC1* —2F **39**
Baldwin Ter. *N1* —1E **39**
Balfern Gro. *W4* —1A **60**
Balfern St. *SW11* —5A **64**
Balfe St. *N1* —1A **38**
Balforn Tower. *E14* —5E **43**
Balfour Ho. *W10* —4F **33**
(off St Charles Sq.)
Balfour M. *W1* —2C **50**
Balfour Pl. *SW15* —2D **75**
Balfour Pl. *W1* —1C **50**
Balfour Rd. *N5* —1E **25**
Balfour Rd. *SE17* —5F **53**
Balham Continental Mkt. *SW12*
(off Shipka Rd.) —1D **93**
Balham Gro. *SW12* —5C **78**
Balham High Rd. *SW17 &*
SW12 —3C **92**
Balham New Rd. *SW12*
—5D **79**
Balham Pk. Rd. *SW12* —1B **92**
Balham Sta. Rd. *SW12*
—1D **93**
Balkan Wlk. *E1* —1D **55**
Balladier Wlk. *E14* —4D **43**
Ballamore Rd. *Brom* —3C **100**
Ballance Rd. *E9* —3F **27**
Ballantine St. *SW18* —2E **77**
Ballantrae Ho. *NW2* —1B **20**
Ballards Rd. *NW2* —4C **4**
Ballast Quay. *SE10* —1F **71**
Ballater Rd. *SW2* —2A **80**
Ball Ct. *EC3* —5F **83**
(off Cornhill)
Ballina St. *SE23* —5F **83**
Ballingdon Rd. *SW11* —4C **78**
Balliol Rd. *W10* —5E **33**

Balloch Rd. *SE6* —1F **99**
Ballogie Av. *NW10* —1A **18**
Ballow Clo. *SE5* —3A **68**
Ball's Pond Pl. *N1* —3F **25**
Balls Pond Rd. *N1* —3F **25**
Balmer Rd. *E3* —1B **42**
Balmes Rd. *N1* —5F **25**
Balmoral Clo. *SW15* —4F **75**
Balmoral Ct. *SE12* —4D **101**
Balmoral Ct. *SE27* —4E **95**
Balmoral Gro. *N7* —3B **24**
Balmoral M. *W12* —4B **46**
Balmoral Rd. *E7* —1E **31**
Balmoral Rd. *E10* —4D **15**
Balmoral Rd. *NW2* —3D **19**
Balmore St. *N19* —4D **9**
Balmuir Gdns. *SW15* —2E **75**
Balnacraig Av. *NW10* —1A **18**
Balniel Ga. *SW1* —1F **65**
Baltic Ct. *SE16* —3F **55**
Baltic Ho. *SE5* —5E **67**
Baltic St. E. *EC1* —3E **39**
Baltic St. W. *EC1* —3E **39**
Baltimore Ho. *SE11* —1C **66**
(off Hotspur St.)
Balvaird Pl. *SW1* —1F **65**
Balvernie Gro. *SW18* —5B **76**
Bamborough Gdns. *W12*
—3E **47**
Bamford Rd. *Brom* —5E **99**
Bampton Rd. *SE23* —3F **97**
Banbury Ct. *WC2* —1A **52**
(off Long Acre)
Banbury Ho. *E9* —4F **27**
Banbury Ho. *E9* —4F **27**
Banbury St. *SW11* —5A **64**
Banchory Rd. *SE3* —3D **73**
Bancroft Av. *N2* —1A **8**
Bancroft Ct. *SW8* —3A **66**
(off Allen Edwards Dri.)
Bancroft Rd. *E1* —2F **41**
Bangalore St. *SW15* —1E **75**
Banim St. *W6* —5D **47**
Banister Ho. *E9* —2F **27**
Banister Ho. *W10* —2F **33**
Bank End. *SE1* —2E **53**
Bankfoot Rd. *Brom* —4A **100**
Bankhurst Rd. *SE6* —5B **84**
Bank La. *SW15* —3A **74**
Bankside. *SE1* —1E **53**
Bankside Way. *SE19* —5A **96**
Bank, The. *N6* —3D **9**
Bankton Rd. *SW2* —2C **80**
Bankwell Rd. *SE13* —2A **86**
Bannerman Ho. *SW8* —2B **66**
Banner St. *EC1* —3E **39**
Banning St. *SE10* —1A **72**
Bannister Clo. *SW2* —1C **94**
Banstead St. *SE15* —1E **83**
Banting Ho. *NW2* —5C **4**
Bantry St. *SE5* —3F **67**
Banyard Rd. *SE16* —4D **55**
Baptist Gdns. *NW5* —3C **22**
Barandon Wlk. *W11* —1F **47**
Barbara Brosnan Ct. *NW8*
—1F **35**
Barbauld Rd. *N16* —5A **12**
Barbers All. *E13* —2D **45**

Barbers Rd. *E15* —1D **43**
Barbican. *EC2* —4E **39**
Barb M. *W6* —4E **47**
Barbon Clo. *WC1* —4B **38**
Barchard St. *SW18* —3D **77**
Barchester St. *E14* —4D **43**
Barclay Clo. *SW6* —3C **62**
Barclay Path. *E17* —1E **15**
Barclay Rd. *E11* —3B **16**
Barclay Rd. *E13* —3E **45**
Barclay Rd. *E17* —1E **15**
Barclay Rd. *SW6* —3C **62**
Barclay Way. *SE22* —1C **96**
Bardell Ho. *SE1* —3C **54**
(off Dickens Est.)
Bardolph Rd. *N7* —1A **24**
Bard Rd. *W10* —1F **47**
Bardsey Wlk. *N1* —3E **25**
Bardsley La. *SE10* —2E **71**
Barfett St. *W10* —3B **34**
Barfield Rd. *E11* —3B **16**
Barfleur Ho. *SE8* —1B **70**
Barford St. *N1* —5C **24**
Barforth Rd. *SE15* —1D **83**
Barge Ho. St. *SE1* —2C **52**
Bargery Rd. *SE6* —1D **99**
Bargrove Cres. *SE6* —2B **98**
Baring Clo. *SE12* —2C **100**
Baring Rd. *SE12* —5C **86**
Baring St. *N1* —5F **25**
Barington Ho. *N1* —1B **38**
(off Collier St.)
Barker Dri. *NW1* —4E **23**
Barker M. *SW4* —2D **79**
Barkers Arc. *W8* —3D **49**
Barker St. *SW10* —2E **63**
Barker Wlk. *SW16* —3F **93**
Barker Way. *SE22* —5C **82**
Barking Rd. *E16, E13 & E6*
—4B **44**
Bark Pl. *W2* —1D **49**
Barkston Gdns. *SW5* —5D **49**
Barkway Ct. *N4* —4E **11**
Barkworth Rd. *SE16* —1D **69**
Barlborough St. *SE14* —3F **69**
Barlby Gdns. *W10* —3F **33**
Barlby Rd. *W10* —4E **33**
Barleycorn Way. *E14* —1B **56**
Barleymow Pas. *EC1* —4D **39**
(off Long La.)
Barley Mow Pas. *W4* —1A **60**
Barlings Ho. *SE4* —2F **83**
(off Frendsbury Rd.)
Barlow Ho. *N1* —2F **39**
(off Provost Est.)
Barlow Ho. *W11* —1A **48**
(off Walmer Rd.)
Barlow Pl. *W1* —1D **51**
Barlow Rd. *NW6* —3B **20**
Barlow St. *SE17* —5F **53**
Barmeston Rd. *SE6* —2D **99**
Barmouth Rd. *SW18* —4E **77**
Barnabas Ho. *E9* —2F **27**
Barnaby Ct. *SE16* —3C **54**
(off Lidgett Cres.)
Barnaby Pl. *SW7* —5F **49**
(off Brompton Rd.)

Barnard Gro. *E15* —4B **30**
Barnard M. *SW11* —2A **78**
Barnardo Gdns. *E1* —1F **55**
Barnardo St. *E1* —5F **43**
Barnard Rd. *SW11* —2A **78**
Barnard's Inn. *EC1* —5C **38**
(off Fetter La.)
Barnard's Wharf. *SE16*
—3B **56**
Barnby Sq. *E15* —5A **30**
Barnby St. *E15* —5A **30**
Barnby St. *NW1* —1E **37**
Barn Elms Pk. *SW15* —1E **75**
Barnes Av. *SW13* —3C **60**
Barnes Clo. *E12* —1F **31**
Barnes Ct. *E16* —4E **45**
Barnes High St. *SW13* —5B **60**
Barnes St. *E14* —5A **42**
Barnet Gro. *E2* —2C **40**
Barnett St. *E1* —5D **41**
Barney Clo. *SE7* —1E **73**
Barn Field. *NW3* —2B **22**
Barnfield Clo. *N4* —2A **10**
Barnfield Clo. *SW17* —3F **91**
Barnfield Pl. *E14* —5C **56**
Barnham St. *SE1* —3E **53**
Barnsbury Est. *N1* —5C **24**
Barnsbury Gro. *N7* —4B **24**
Barnsbury M. *N1* —4C **24**
Barnsbury Pk. *N1* —4C **24**
Barnsbury Rd. *N1* —1C **38**
Barnsbury Sq. *N1* —4C **24**
Barnsbury St. *N1* —4C **24**
Barnsbury Ter. *N1* —4B **24**
Barnsdale Av. *E14* —5D **57**
Barnsdale Rd. *W9* —3B **34**
Barnsley St. *E1* —3D **41**
Barnstable Ho. *SE12* —3B **86**
(off Taunton Rd.)
Barnstable La. *SE13* —2E **85**
Barn St. *N16* —4A **12**
Barnwell Rd. *SW2* —3C **80**
Barnwood Clo. *W9* —3D **35**
Baron Clo. *N1* —1C **38**
Baroness Rd. *E2* —2B **40**
Baronsclere Ct. *N6* —2C **9**
Baron's Ct. Rd. *W14* —1A **62**
Barons Keep. *W14* —1A **62**
Baronsmead Rd. *SW13*
—4C **60**
Baron's Pl. *SE1* —3C **52**
Baron St. *N1* —1C **38**
Baron Wlk. *E16* —4B **44**
Barque M. *SE8* —2C **70**
Barrack Yd. *SW1* —3C **50**
Barratt Ind. Pk. *E3* —3E **43**
Barrett Ho. *SE17* —1E **67**
(off Browning St.)
Barrett Ho. *SW9* —1B **80**
(off Benedict Rd.)
Barrett's Gro. *N16* —2A **26**
Barrett St. *W1* —5C **36**
Barrhill Rd. *SW2* —2A **94**
Barriedale. *SE14* —5A **70**
Barrie Est. *W2* —1F **49**
Barrier App. *SE7* —4F **59**
Barringer Sq. *SW17* —4C **92**
Barrington Clo. *NW5* —2C **22**

Barrington Ct. *NW5* —2C **22**
Barrington Rd. *SW9* —1D **81**
Barrowgate Rd. *W4* —1A **60**
Barrow Hill Est. *NW8* —1A **36**
(off Barrow Hill Rd.)
Barrow Hill Rd. *NW8* —1A **36**
Barrow Rd. *SW16* —5F **93**
Barry Av. *N15* —1B **12**
Barry Rd. *SE22* —4C **82**
Barset Rd. *SE15* —1E **83**
(in three parts)
Barston Rd. *SE27* —3E **95**
Barstow Cres. *SW2* —1B **94**
Barter St. *WC1* —4A **38**
Bartholomew Ho. *EC1* —4E **39**
(in two parts)
Bartholomew Clo. *SW18*
—2E **77**
Bartholomew Ct. *EC1* —3E **39**
(off Old St.)
Bartholomew La. *EC2* —5F **39**
Bartholomew Pl. *EC1* —4E **39**
(off Kinghorn St.)
Bartholomew Rd. *NW5*
—3E **23**
Bartholomew Sq. *E1* —3D **41**
Bartholomew Sq. *EC1* —3E **39**
Bartholomew St. *SE1* —4F **53**
Bartholomew Vs. *NW5* —3E **23**
Bartle Rd. *W11* —5A **34**
Bartlett Clo. *E14* —5C **42**
Bartlett Ct. *EC4* —5C **38**
Barton Clo. *E9* —2E **27**
Barton Clo. *SE15* —1D **83**
Barton Ct. *W14* —1A **62**
(off Barons Ct. Rd.)
Barton Ho. *N1* —4D **25**
(off Sable St.)
Barton Ho. *SW6* —1D **77**
(off Wandsworth Bri. Rd.)
Barton Rd. *W14* —1A **62**
Barton St. *SW1* —4A **52**
Bartram Rd. *SE4* —3A **84**
Barville Clo. *SE4* —2A **84**
Barwick Rd. *E7* —1D **31**
Bashley Rd. *NW10* —3A **32**
Basil Gdns. *SE27* —5E **95**
Basil Ho. *SW8* —3A **66**
(off Wyvil Rd.)
Basil St. *SW3* —4B **50**
Basing Ct. *SE15* —4B **68**
Basingdon Way. *SE5* —2F **81**
Basinghall Av. *EC2* —5F **39**
Basinghall St. *EC2* —5F **39**
Basing Ho. *NW11* —3B **6**
Basing Ho. Yd. *E2* —2A **40**
Basing Pl. *E2* —2A **40**
Basing St. *W11* —5B **34**
Basire St. *N1* —5E **25**
Baskerville Rd. *SW18* —5A **78**
Basket Gdns. *SE9* —3F **87**
Baslow Wlk. *E5* —1F **27**
Basnett Rd. *SW11* —1C **78**
Bassano St. *SE22* —3B **82**
Bassein Pk. Rd. *W12* —3B **46**
Bassett Rd. *E7* —1F **31**
Bassett Rd. *W10* —5F **33**
Bassett St. *NW5* —3C **22**

Bassingham Rd. SW18 —5E 77
Bassishaw Highwalk. EC2
   —4F 39
(off London Wall)
Basswood Clo. SE15 —1D 83
Basterfield Ho. EC1 —3E 39
(off Golden La. Est.)
Bastion Highwalk. EC2 —4E 39
(off London Wall)
Bastion Ho. EC2 —4E 39
(off London Wall)
Bastwick St. EC1 —3E 39
Basuto Rd. SW6 —4C 62
Batavia Ho. SE14 —3A 70
(off Batavia Rd.)
Batavia M. SE14 —3A 70
Batavia Rd. SE14 —3A 70
Batchelor St. N1 —5C 24
Bateman's Bldgs. W1 —5F 37
(off Bateman St.)
Bateman's Row. EC2 —3A 40
Bateman St. W1 —5F 37
Bates Point. E13 —5C 30
(off Pelly Rd.)
Bate St. E14 —1B 56
Bath Clo. SE15 —4E 69
Bath Ct. EC1 —3C 38
(off St Lukes Est.)
Bath Ct. SE26 —3C 96
(off Droitwich Clo.)
Bathgate Rd. SW19 —3F 89
Bath Pl. EC2 —2A 40
Bath Pl. W6 —1E 61
(off Fulham Pal. Rd.)
Bath Rd. E7 —3F 31
Bath Rd. W4 —5A 46
Baths App. SW6 —3B 62
Bath St. EC1 —2E 39
Bath Ter. SE1 —4E 53
Bathurst Gdns. NW10 —1D 33
Bathurst M. W2 —1F 49
Bathurst St. W2 —1F 49
Batley Pl. N16 —5B 12
Batley Rd. N16 —5B 12
Batman Clo. W12 —2D 47
Batoum Gdns. W6 —4E 47
Batson Ho. E1 —5C 40
(off Fairclough St.)
Batson St. W12 —3C 46
Battenberg Wlk. SE19 —5A 96
Batten Ho. SW4 —3E 79
Batten St. SW11 —1A 78
Battersby Rd. SE6 —2F 99
Battersea Bri. SW3 & SW11
   —3F 63
Battersea Bri. Rd. SW11
   —3A 64
Battersea Chu. Rd. SW11
   —4F 63
Battersea High St. SW11
   —4F 63
Battersea Pk. Rd. SW11 & SW8
   —5A 64
Battersea Rise. SW11 —3A 78
Battersea Sq. SW11 —4F 63
Battishill St. N1 —4D 25
Battlebridge Ct. N1 —1A 38
(off Wharfdale Rd.)
Battle Bri. La. SE1 —2A 54

Battle Bri. Rd. NW1 —1A 38
Battle Clo. SW19 —5E 91
Battledean Rd. N5 —2D 25
Batty St. E1 —5C 40
Baudwin Rd. SE6 —2A 100
Baulk, The. SW18 —5C 76
Bavaria Rd. N19 —4A 10
Bavent Rd. SE5 —5E 67
Bawdale Rd. SE22 —3B 82
Bawtree Rd. SE14 —3A 70
Baxendale St. E2 —2C 40
Baxter Rd. E16 —5E 45
Baxter Rd. N1 —3F 25
Bayer Ho. EC1 —3E 39
(off Golden La. Est.)
Bayes Clo. SE26 —5E 97
Bayfield Ho. SE4 —2F 83
(off Coston Wlk.)
Bayfield Rd. SE9 —2F 87
Bayford M. E8 —4D 27
(off Bayford St.)
Bayford Rd. NW10 —2F 33
Bayford St. E8 —4D 27
Bayham Pl. NW1 —5E 23
Bayham Rd. W4 —4A 46
Bayham St. NW1 —5E 23
Bayley St. WC1 —4F 37
Baylin Rd. SW18 —4D 77
Baylis Rd. SE1 —3C 52
Baynes M. NW3 —3F 21
Baynes Pl. NW1 —4E 23
Baynes St. NW1 —4E 23
Bayonne Rd. W6 —2A 62
Bayston Rd. N16 —5B 12
Bayswater Rd. W2 —1B 49
Baythorne St. E3 —4B 98
Baytree Ct. SW2 —2B 80
Baytree Rd. SW2 —2B 80
Bazely St. E14 —1E 57
Beacham Clo. SE7 —1F 73
Beachborough Rd. Brom
   —4E 99
Beachcroft Rd. E11 —5A 16
Beachcroft Way. N19 —3F 9
Beachy Rd. E3 —4C 28
Beacon Ga. SE14 —5F 69
Beacon Hill. N7 —2A 24
Beacon Rd. SE13 —4F 85
Beaconsfield Clo. SE3 —2C 72
Beaconsfield Pde. SE9
   —4F 101
Beaconsfield Rd. E10 —5E 15
Beaconsfield Rd. E16 —3B 44
Beaconsfield Rd. E17 —1B 14
Beaconsfield Rd. NW10
   —3B 18
Beaconsfield Rd. SE3 —3B 72
Beaconsfield Rd. SE9 —2F 101
Beaconsfield Rd. E17 —1F 67
Beaconsfield Ter. Rd. W14
   —4A 48
Beaconsfield Wlk. SW6
   —4B 62
Beacontree Rd. E11 —2B 16
Beadman Pl. SE27 —4D 95
Beadman St. SE27 —4D 95
Beadnell Rd. SE23 —1F 97
Beadon Rd. W6 —5E 47

Beak St. W1 —1E 51
Beale Pl. E3 —1B 42
Beale Rd. E3 —5B 28
Beaminster Ho. SW8 —3B 66
(off Dorset Rd.)
Beamish Ga. NW1 —4F 23
Beanacre Clo. E9 —3B 28
Bear All. EC4 —5D 39
Beardell St. SE19 —5B 96
Beardsfield. E13 —1C 44
Bear Gdns. SE1 —2E 53
Bear La. SE1 —2D 53
Bearsted Rise. SE4 —3B 84
Bear St. WC2 —1F 51
Beatrice Clo. E13 —3D 44
Beatrice Pl. W8 —4D 49
Beatrice Rd. E17 —1C 14
Beatrice Rd. N4 —2C 10
Beatrice Rd. SE1 —5C 54
Beatson Wlk. SE16 —2A 56
(off Admirals Way)
Beatty Ho. E14 —3C 56
(off Admirals Way)
Beatty Rd. N16 —1A 26
Beatty St. NW1 —1E 37
Beauchamp Pl. SW3 —4A 50
Beauchamp Rd. E7 —4D 31
Beauchamp Rd. SW11 —2A 78
Beauchamp St. EC1 —4C 38
Beauchamp Ter. SW15
   —1D 75
Beauclerc Rd. W6 —4D 47
Beauclerk Ho. SW16 —3A 94
Beaufort Clo. SW15 —5D 75
Beaufort Gdns. NW4 —1E 5
Beaufort Gdns. SW3 —4A 50
Beaufort M. SW6 —2B 62
Beaufort St. SW3 —2F 63
Beaufoy Ho. SE27 —3D 95
Beaufoy Wlk. SE11 —5B 52
Beaulieu Av. E16 —2D 59
Beaulieu Av. SE26 —4D 97
Beaulieu Clo. SE5 —1F 81
Beaumaris Grn. NW9 —1A 4
Beaumont Av. W14 —1B 62
Beaumont Ct. E5 —5D 13
Beaumont Cres. W14 —1B 62
Beaumont Gdns. NW3 —5C 6
Beaumont Gro. E1 —3F 41
Beaumont Ho. E10 —2D 15
Beaumont Ho. E15 —5B 30
(off John St.)
Beaumont M. W1 —4C 36
Beaumont Pl. W1 —3E 37
Beaumont Rise. N19 —3F 9
Beaumont Rd. E10 —2D 15
Beaumont Rd. E13 —2D 45
Beaumont Rd. SW19 —5A 76
Beaumont Sq. E1 —4F 41
Beaumont St. W1 —4C 36
Beaumont Wlk. NW3 —4B 22
Beauval Rd. SE22 —4B 82
Beaux Arts Building. N7
   —5A 10
Beav Callender Clo. SW8
   —1D 79
Beavor Gro. W6 —1C 60
(off Beavor La.)
Beavor La. W6 —5C 46

Beccles St. *E14* —1B **56**
Bechervaise Ct. *E10* —3D **15**
Beck Clo. *SE13* —4D **71**
Beckenham Bus. Cen. *Beck*
—5A **98**
Beckenham Hill Est. *Beck*
—5D **99**
Beckenham Hill Rd. *Beck & SE6*
—5D **99**
Beckers, The. *N16* —5C **12**
Becket Ho. SE1 —3F **53**
(off Tabard St.)
Becket St. *SE1* —4F **53**
Beckett Clo. *NW10* —3A **18**
Beckett Clo. *SW16* —2F **93**
Beckett Ho. *SW9* —5A **66**
Beckford Ho. *N16* —2A **26**
Beckford Pl. *SE17* —1E **67**
Beckham Ho. *SE11* —5B **52**
Becklow Gdns. W12 —2C **46**
(off Becklow Rd.)
Becklow M. W12 —3C **46**
(off Becklow Rd.)
Becklow Rd. *W12* —3B **46**
Beck Rd. *E8* —5D **27**
Beckton Rd. *E16* —4B **44**
Beckway St. *SE17* —5A **54**
(in two parts)
Beckwith Rd. *SE24* —3F **81**
Beclands Rd. *SW17* —5C **92**
Becmead Av. *SW16* —4F **93**
Becondale Rd. *SE19* —5A **96**
Bective Pl. *SW15* —2B **76**
Bective Rd. *E7* —1C **30**
Bective Rd. *SW15* —2B **76**
Bedale St. *SE1* —2F **53**
Bedefield. *WC1* —2A **38**
Bede Ho. *SE14* —4B **70**
Bedenham Way. *SE15* —3B **68**
Bedford Av. *WC1* —1F **37**
Bedfordbury. *WC2* —1A **52**
Bedford Corner. W4 —5A **46**
(off South Pde.)
Bedford Ct. *WC2* —1A **52**
Bedford Gdns. *W8* —2C **48**
Bedford Hill. *SW12 & SW16*
—1D **93**
Bedford Ho. SW4 —2A **80**
(off Solon New Rd. Est.)
Bedford Pk. Corner. *W4*
—5A **46**
Bedford Pk. Mans. *W4* —5A **46**
Bedford Pas. SW6 —3A **62**
(off Dawes Rd.)
Bedford Pas. *W1* —4E **37**
Bedford Pl. *W1* —4E **37**
Bedford Pl. *WC1* —4A **38**
Bedford Rd. *N8* —1F **9**
Bedford Rd. *SW4* —2A **80**
Bedford Rd. *W4* —4A **46**
Bedford Row. *WC1* —4B **38**
Bedford Sq. *WC1* —4F **37**
Bedford St. *WC2* —1A **52**
Bedford Ter. *SW2* —3A **80**
Bedford Way. *WC1* —3F **37**
Bedgebury Gdns. *SW19*
—2A **90**
Bedgebury Rd. *SE9* —2F **87**

Bedivere Rd. *Brom* —3C **100**
Bedser Clo. *SE11* —2B **66**
Bedwell Ho. *SW9* —5C **66**
Beeby Rd. *E16* —4D **45**
Beech Av. *W3* —2A **46**
Beech Clo. *SE8* —2C **70**
Beech Clo. *SW15* —5C **74**
Beech Clo. *SW19* —5E **89**
Beech Cres. Ct. *N5* —1D **25**
Beechcroft Av. *NW11* —2B **6**
Beechcroft Clo. *SW16* —5B **94**
Beechcroft Ct. NW11 —2B **6**
(off Beechcroft Av.)
Beechcroft Rd. *SW17* —2A **92**
Beechdale Rd. *SW2* —4B **80**
Beechen Pl. *SE23* —2F **97**
Beeches Rd. *SW17* —3A **92**
Beechfield Rd. *N4* —1E **11**
Beechfield Rd. *SE6* —1B **98**
Beech Gdns. EC2 —4E **39**
(off Beech St.)
Beechmont Clo. *Brom*
—5A **100**
Beechmore Rd. *SW11* —4B **64**
Beecholme Est. *E5* —5D **13**
Beech St. *EC2* —4E **39**
Beech Tree Clo. *N1* —4C **24**
Beechwood Ct. *SE19* —5B **96**
Beechwood Gro. *W3* —1A **46**
Beechwood Rd. *E8* —3B **26**
Beechwoods Ct. *SE19* —5B **96**
Beechworth Clo. *NW3* —4C **6**
Beecroft Rd. *SE4* —3A **84**
Beehive Clo. *E8* —4B **26**
Beehive Pl. *SW9* —1C **80**
Beemans Row. *SW18* —2E **91**
Beeston Pl. *SW1* —4D **51**
Beethoven St. *W10* —2A **34**
Begbie Rd. *SE3* —4E **73**
Begonia Wlk. *W12* —5B **32**
Beira St. *SW12* —5D **79**
Bekesbourne St. *E14* —5A **42**
Beldanes Lodge. *NW10*
—4C **18**
Belfast Gdns. *SE3* —2B **72**
Belfast Rd. *N16* —4B **12**
Belfont Wlk. *N7* —1A **24**
Belfort Rd. *SE15* —5E **69**
Belfrey Clo. *SE16* —1D **69**
Belgrade Rd. *N16* —1A **26**
Belgrave Ct. *E13* —3E **45**
Belgrave Gdns. NW8 —5D **21**
Belgrave Ho. *SW9* —3C **66**
Belgrave M. N. *SW1* —3C **50**
Belgrave M. S. *SW1* —4C **50**
Belgrave M. W. *SW1* —4C **50**
Belgrave Pl. *SW1* —4C **50**
Belgrave Rd. *E10* —3E **15**
Belgrave Rd. *E11* —4C **16**
Belgrave Rd. *E13* —3E **45**
Belgrave Rd. *E17* —1C **14**
Belgrave Rd. *SW1* —5D **51**
Belgrave Rd. *SW13* —3B **60**
Belgrave Sq. *SW1* —4C **50**
Belgrave St. *E1* —5F **41**

Belgrave Yd. *SW1* —4D **51**
(off Lwr. Belgrave St.)
Belgravia Gdns. *Brom*
—5A **100**
Belgravia Ho. *SW4* —4F **79**
Belgravia Workshops. N19
—4A **10**
(off Marlborough Rd.)
Belgrove St. *WC1* —2A **38**
Belham Wlk. *SE5* —4F **67**
Belinda Rd. *SW9* —1D **81**
Belitha Vs. *N1* —4B **24**
Bellamy Clo. *W14* —1B **62**
Bellamy St. *SW12* —5D **79**
Bellasis Av. *SW2* —2A **94**
Bell Dri. *SW18* —5A **76**
Bellefields Rd. *SW9* —1B **80**
Bellenden Rd. *SE15* —1B **82**
Belleville Rd. *SW11* —3A **78**
Bellevue Pl. *E1* —3E **41**
Bellevue Rd. *SW13* —5C **60**
Bellevue Rd. *SW17* —1A **92**
Bellew St. *SW17* —3E **91**
Bellflower Clo. *E6* —4F **45**
Bellgate M. *NW5* —1D **23**
Bell Grn. *SE26* —3B **98**
Bell Grn. La. *SE26* —5B **98**
Bellina M. *NW5* —1D **23**
Bellingham Grn. *SE6* —3C **98**
Bellingham Rd. *SE6* —3D **99**
Bellingham Trad. Est. *SE6*
—3D **99**
Bell Inn Yd. *EC3* —5F **39**
Bell La. *E1* —4B **40**
Bell La. *E16* —2C **58**
Bell Meadow. *SE19* —5A **96**
Bell Moor. NW3 —5E **7**
(off E. Heath Rd.)
Bello Clo. *SE24* —1D **95**
Bellot St. *SE10* —1A **72**
Bells All. *SW6* —5C **62**
Bell St. *NW1* —4A **36**
Belltrees Gro. *SW16* —5B **94**
Bell Wharf La. *EC4* —1E **53**
Bellwood Rd. *SE15* —2F **83**
Bell Yd. *WC2* —5C **38**
Belmont Clo. *SW4* —1E **79**
Belmont Ct. *N5* —1E **25**
Belmont Ct. *NW11* —1B **6**
Belmont Gro. *SE13* —1F **85**
Belmont Gro. *W4* —5A **46**
Belmont Hall Ct. *SE13* —1F **85**
Belmont Hill. *SE13* —1F **85**
Belmont Pk. *SE13* —2F **85**
Belmont Pk. Clo. *SE13*
—2A **86**
Belmont Pk. Rd. *E10* —1D **15**
Belmont Rd. *SW4* —1E **79**
Belmont Rd. *W4* —4A **46**
Belmont St. *NW1* —4C **22**
Belmore La. *N7* —2F **23**
Belmore St. *SW8* —4F **65**
Beloe Clo. *SW15* —2C **74**
Belsham St. *E9* —3E **27**
Belsize Av. *NW3* —3F **21**
Belsize Ct. *NW3* —2F **21**
Belsize Ct. Garages. NW3
(off Belsize La.) —2F **21**

Belsize Cres. NW3 —2F **21**
Belsize Gro. NW3 —3A **22**
Belsize La. NW3 —3F **21**
Belsize M. NW3 —3F **21**
Belsize Pk. NW3 —3F **21**
Belsize Pk. Gdns. NW3
—3F **21**
Belsize Pk. M. NW3 —3F **21**
Belsize Pl. NW3 —2F **21**
Belsize Rd. NW6 —5C **20**
Belsize Sq. NW3 —3F **21**
Belsize Ter. NW3 —3F **21**
Beltane Dri. SW19 —3F **89**
Belthorn Cres. SW12 —5E **79**
Belton Rd. E7 —4D **31**
Belton Rd. E11 —1A **30**
Belton Rd. NW2 —3C **18**
Belton Way. E3 —4C **42**
Beltran Rd. SW6 —5D **63**
Belvedere Av. SW19 —5A **90**
Belvedere Bldgs. SE1 —3D **53**
Belvedere Dri. SW19 —5A **90**
Belvedere Gdns. SW19 —5A **90**
Belvedere M. SE15 —1E **83**
Belvedere Pl. SE1 —3D **53**
Belvedere Rd. E10 —3A **14**
Belvedere Rd. SE1 —3D **52**
Belvedere Sq. SW19 —5A **90**
Belvedere, The. SW10 —4E **63**
(off Chelsea Harbour)
Belvoir Rd. SE22 —5C **82**
Bembridge Clo. NW6 —4A **20**
Bembridge Ho. SE8 —5B **56**
(off Longshore)
Bemersyde Point. E14 —2D **45**
(off Dongola Rd. W.)
Bemerton Est. N1 —4A **24**
Bemerton St. N1 —5B **24**
Bemish Rd. SW15 —1F **75**
Benbow Rd. W6 —4D **47**
Benbow St. SE8 —2C **70**
Benbury Clo. Brom —5E **99**
Bence Ho. SE8 —1A **70**
Bendall M. NW1 —4A **36**
(off Bell St.)
Bendemeer Rd. SW15 —1F **75**
Benden Ho. SE13 —3E **85**
(off Monument Gdns.)
Bendish Rd. E6 —4F **31**
Bendon Valley. SW18 —5D **77**
Benedict Rd. SW9 —1B **80**
Ben Ezra Ct. SE17 —5E **53**
(off Asolando Dri.)
Benfleet Ct. E8 —5B **26**
Bengal Ct. EC3 —5F **39**
(off Birchin La.)
Bengeworth Rd. SE5 —1E **81**
Benham Clo. SW11 —1F **77**
Benham's Pl. NW3 —1E **21**
Benhill Rd. SE5 —3F **67**
Benhurst Ct. SW16 —5C **94**
Benhurst La. SW16 —5C **94**
Benin St. SE13 —5F **85**
Benjamin Clo. E8 —5C **26**
Benjamin St. EC1 —4D **39**
Ben Jonson St. N1 —1A **40**
Ben Jonson Ho. EC2 —4E **39**
(off Barbican)

Ben Jonson Pl. EC2 —4E **39**
(off Beech St.)
Ben Jonson Rd. E1 —4F **41**
Benledi St. E14 —5F **43**
Bennerley Rd. SW11 —3A **78**
Bennet's Hill. EC4 —1E **53**
Bennet St. SW1 —2E **51**
Bennett Ct. N7 —5B **10**
Bennett Gro. SE13 —4D **71**
Bennett Pk. SE3 —1B **86**
Bennett Rd. E13 —3E **45**
Bennetts Copse. Chst
—5F **101**
Bennett's Rd. N16 —1A **26**
Bennett St. W4 —2A **60**
Bennett's Yd. SW1 —4A **52**
Bennilong Clo. SW12 —1D **47**
Benn St. E9 —3A **28**
Bensbury Clo. SW15 —5D **75**
Ben Smith Way. SE16 —4C **54**
Benson Av. E6 —1E **45**
Benson Quay. E1 —1E **55**
Benson Rd. SE23 —1E **97**
Bentfield Gdns. SE9 —3F **101**
Benthal Rd. N16 —5C **12**
Bentham Ct. N1 —4E **25**
(off Ecclesbourne Rd.)
Bentham Rd. E9 —3F **27**
Bentinck Clo. NW8 —1A **36**
Bentinck M. W1 —5C **36**
Bentinck St. W1 —5C **36**
Bentley Dri. NW2 —5B **6**
Bentley Ho. SE5 —4A **68**
(off Peckham Rd.)
Bentley Rd. N1 —3A **26**
Bentons La. SE27 —4E **95**
Bentons Rise. SE27 —5F **95**
Bentworth Rd. W12 —5D **33**
Benville Ho. SW8 —3B **66**
(off Oval Pl.)
Benwell Rd. N7 —2C **24**
Benwick Clo. SE16 —5D **55**
Benworth St. E3 —2B **42**
Berber Rd. SW11 —3B **78**
Berenger Tower. SW10 —3F **63**
(off Worlds End Est.)
Berenger Wlk. SW10 —3F **63**
(off Worlds End Est.)
Berens Rd. NW10 —2F **33**
Beresford M. SW18 —4E **77**
Beresford Rd. N5 —2F **25**
Beresford Ter. N5 —2E **25**
Berestede Rd. W6 —1B **60**
Bere St. E1 —1F **55**
Bergen Ho. SE5 —5E **67**
Bergen Sq. SE16 —4A **56**
Berger Rd. E9 —3F **27**
Berger Sq. E8 —4B **26**
Berghem M. W14 —4F **47**
Bergholt Av. Ilf —1F **17**
Bergholt Cres. N16 —2A **12**
Bergholt M. NW1 —4E **23**
Bering Wlk. E16 —5F **45**
Berkeley Ct. NW1 —3B **36**
(off Marylebone Rd.)
Berkeley Ct. NW11 —2B **6**
(off Ravenscroft Av.)
Berkeley Gdns. W8 —2C **48**

Berkeley M. W1 —5B **36**
Berkeley Rd. E12 —2F **31**
Berkeley Rd. N8 —1F **9**
Berkeley Rd. N15 —1F **11**
Berkeley Rd. SW13 —4C **60**
Berkeley Sq. W1 —1D **51**
Berkeley St. W1 —1D **51**
Berkeley Wlk. N7 —4B **10**
(off Durham Rd.)
Berkley Gro. NW1 —4B **22**
Berkley Rd. NW1 —4B **22**
Berkley Works. NW1 —4B **22**
(off Berkley Rd.)
Berkshire Ho. SE6 —4C **98**
Berkshire Rd. E9 —3B **28**
Bermans Way. NW10 —1A **18**
Bermondsey Sq. SE1 —4A **54**
Bermondsey St. SE1 —2A **54**
Bermondsey Trad. Est. SE16
—1E **69**
Bermondsey Wall E. SE16
—3C **54**
Bermondsey Wall W. SE16
—3C **54**
Bernard Ashley Dri. SE7
—1D **73**
Bernard Cassidy St. E16
—4B **44**
Bernard Gdns. SW19 —5B **90**
Bernard Rd. N15 —1B **12**
Bernard St. WC1 —3A **38**
Bernay's Gro. SW9 —2B **80**
Berners M. W1 —4E **37**
Berners Pl. W1 —5E **37**
Berners Rd. N1 —5D **25**
Berners St. W1 —4E **37**
Berridge M. NW6 —2C **20**
Berridge Rd. SE19 —5F **95**
Berriman Rd. N7 —5B **10**
Berry Clo. NW10 —4A **18**
Berryfield Rd. SE17 —1D **67**
Berry La. SE21 —4F **95**
Berryman's La. SE26 —4F **97**
Berry Pl. EC1 —2D **39**
Berry St. EC1 —3D **39**
Bertal Rd. SW17 —4F **91**
Berthon St. SE8 —3C **70**
Bertie Rd. NW10 —3C **18**
Bertie Rd. SE26 —5F **97**
Bertram Rd. NW4 —1C **4**
Bertram St. N19 —5D **9**
Bertrand Ho. SW16 —3A **94**
(off Leigham Av.)
Bertrand St. SE13 —1D **85**
Berwick Rd. E16 —5D **45**
Berwick St. W1 —5E **37**
Berwick Tower. SE14 —2A **70**
Berwyn Rd. SE24 —1D **95**
Beryl Rd. W6 —1F **61**
Besant Ct. N1 —2F **25**
Besant Ho. NW8 —5E **21**
(off Boundary Rd.)
Besant Rd. NW2 —1A **20**
Besant Wlk. N7 —4B **10**
Besley St. SW16 —5E **93**
Bessborough Gdns. SW1
—1F **65**
Bessborough Pl. SW1 —1F **65**

Bessborough Rd. *SW15*
—1C **88**
Bessborough St. *SW1* —1F **65**
Bessemer Rd. *SE5* —5E **67**
Bessingham Wlk. *SE4* —2F **83**
(off Aldersford Clo.)
Besson St. *SE14* —4E **69**
Bessy St. *E2* —2E **41**
Bestwood St. *SE8* —5F **55**
Beswick M. *NW6* —3D **21**
Bethal St. *SE1* —2A **54**
(off Tooley St.)
Bethell Av. *E16* —3B **44**
Bethnal Grn. Rd. *E1* & *E2*
—3B **40**
Bethune Clo. *N16* —3A **12**
Bethune Rd. *N16* —2F **11**
Bethune Rd. *NW10* —3A **32**
Bethwin Rd. *SE5* —3D **67**
Betterton St. *WC2* —5A **38**
Bettons Pk. *E15* —5A **30**
Bettridge Rd. *SW6* —5B **62**
Betts Ho. *E1* —1D **55**
(off Betts St.)
Betts M. *E17* —1B **14**
Betts Rd. *E16* —1D **59**
Betts St. *E1* —1D **55**
Betty Brooks Ho. *E11* —5F **15**
Beulah Hill *SE19* —5D **95**
Beulah Path. *E17* —1E **15**
Beulah Rd. *E17* —1D **15**
Bevan St. *N1* —5E **25**
Bev Callender Clo. *SW8*
—1D **79**
Bevenden St. *N1* —2F **39**
Beveridge Rd. *NW10* —4A **18**
Beverley Clo. *SW11* —2F **77**
Beverley Clo. *SW13* —5C **60**
Beverley Ct. *SE4* —1B **84**
Beverley Gdns. *NW11* —2A **6**
Beverley Gdns. *SW13* —1B **74**
Beverley Ho. *Brom* —5F **99**
(off Brangbourne Rd.)
Beverley La. *SW15* —3B **88**
Beverley Path. *SW13* —5B **60**
Beverley Rd. *E6* —2F **45**
Beverley Rd. *SW13* —1B **74**
Beverley Rd. *W4* —1B **60**
Beversbrook Rd. *N19* —5F **9**
Beverstone M. *W1* —4B **36**
Beverstone Rd. *SW2* —3B **80**
Bevill Allen Clo. *SW17* —5B **92**
Bevin Clo. *SE16* —2A **56**
Bevin Ct. *WC1* —2B **38**
Bevington Rd. *W10* —4A **34**
Bevington St. *SE16* —3C **54**
Bevin Way. *WC1* —1C **38**
Bevis Marks. *EC3* —5A **40**
Bew Ct. *SE22* —5C **82**
Bewdley St. *N1* —4C **24**
Bewick St. *SW8* —5D **65**
Bewley St. *E1* —1E **55**
Bewlys Rd. *SE27* —5D **95**
Bexhill Rd. *SE4* —4B **84**
Bexhill Wlk. *E15* —5A **30**
Bexley Ho. *SE4* —2A **84**
Bianca Rd. *SE15* —2C **68**
Bibury Clo. *SE15* —2A **68**

Bickenhall Mans. *W1* —4B **36**
(off Bickenhall St.)
Bickenhall St. *W1* —4B **36**
Bickersteth Rd. *SW17* —5C **92**
Bickerton Rd. *N19* —4E **9**
Bickley Rd. *E10* —2D **15**
Bickley Rd. *SW17* —5A **92**
Bicknell Ho. *E1* —5C **40**
(off Ellen St.)
Bicknell Rd. *SE5* —1E **81**
Bidborough St. *WC1* —2A **38**
Bidder St. *E16* —4A **44**
(in two parts)
Biddestone Rd. *N7* —1B **24**
Biddulph Mans. W9 —2D **35**
(off Elgin Av.)
Biddulph Rd. *W9* —2D **35**
Bideford Rd. *Brom* —3B **100**
Bidwell St. *SE15* —4D **69**
Biggerstaff Rd. *E15* —5E **29**
Biggerstaff St. *N4* —4C **10**
Biggs Row. *SW15* —1F **75**
Big Hill. *E5* —3D **13**
Bigland St. *E1* —5D **41**
Bignold Rd. *E7* —1C **30**
Bigwood Ct. *NW11* —1D **7**
Bigwood Rd. *NW11* —1D **7**
Billingford Clo. *SE4* —2F **83**
Billing Pl. *SW10* —3D **63**
Billing Rd. *SW10* —3D **63**
Billingsgate Rd. *E14* —1C **56**
Billing St. *SW10* —3D **63**
Billington Rd. *SE14* —3F **69**
Billiter Sq. EC3 —5A **40**
(off Fenchurch Av.)
Billiter St. *EC3* —5A **40**
Billson St. *E14* —5E **57**
Bilsby Gro. *SE9* —4F **101**
Bina Gdns. *SW5* —5E **49**
Binden Rd. *W12* —4B **46**
Binfield Rd. *SW4* —4A **66**
Bingfield St. *N1* —5A **24**
(in two parts)
Bingham Pl. *W1* —4C **36**
Bingham St. *N1* —3F **25**
Bingley Rd. *E16* —5E **45**
Binney St. *W1* —5C **36**
Binns Rd. *W4* —1A **60**
Binns Ter. *W4* —1A **60**
Bircham Path. SE4 —2F **83**
(off Aldersford Clo.)
Birch Clo. *E16* —4A **44**
Birch Clo. *N19* —4E **9**
Birch Clo. *SE15* —5C **68**
Birchdale Rd. *E7* —2E **31**
Birchen Clo. *NW9* —4A **4**
Birchen Gro. *NW9* —4A **4**
Birches, The. *E12* —1F **31**
Birches, The. *SE7* —2D **73**
Birchfield St. *E14* —1C **56**
Birch Gro. *E11* —1A **30**
Birch Gro. *SE12* —5B **86**
Birch Ho. *SE14* —4B **70**
Birch Ho. SW2 —4C **80**
(off Tulse Hill)
Birchington Ho. *E5* —2D **27**
Birchington Rd. *N8* —1F **9**

Birchington Rd. *NW6* —5C **20**
Birchin La. *EC3* —5F **39**
Birchlands Av. *SW12* —5B **78**
Birchmere Lodge. SE16
—1D **69**
(off Sherwood Gdns.)
Birchmere Row. *SE3* —5B **72**
Birchmore Hall. *N5* —5E **11**
Birchmore Wlk. *N5* —5E **11**
Birchwood Dri. *NW3* —5D **7**
Birchwood Rd. *SW17* —5D **93**
Birdbrook Rd. *SE3* —1E **87**
Birdcage Wlk. *SW1* —3E **51**
Birdhurst Rd. *SW18* —3E **77**
Bird in Bush Rd. *SE15*
—3C **68**
Bird-in-Hand Pas. *SE23*
—2E **97**
Bird in Hand Yd. *NW3* —1E **21**
Birdlip Clo. *SE15* —2A **68**
Birdsfield La. *E3* —5B **28**
Bird St. *W1* —5C **36**
Birkbeck Hill. *SE21* —1D **95**
Birkbeck M. *E8* —2B **26**
Birkbeck Pl. *SE21* —2E **95**
Birkbeck Rd. *E8* —2B **26**
Birkbeck Rd. *SW19* —5D **91**
Birkbeck St. *E2* —2D **41**
Birkenhead St. *WC1* —2A **38**
Birkhall Rd. *SE6* —1F **99**
Birkwood Clo. *SW12* —5F **79**
Birley St. *SW11* —5C **64**
Birnam Rd. *N4* —4B **10**
Birrell Ho. SW9 —5B **66**
(off Stockwell Rd.)
Birse Cres. *NW10* —5A **4**
Birstall Rd. *N15* —1A **12**
Biscay Rd. *W6* —1F **61**
Biscoe Way. *SE13* —1F **85**
Bisham Gdns. *N6* —3C **8**
Bishop King's Rd. *W14*
—5A **48**
Bishop's Av. *E13* —5D **31**
Bishop's Av. *SW6* —5F **61**
Bishops Av., The. *N2* —1F **7**
Bishop's Bri. Rd. *W2* —5D **35**
Bishop's Clo. *N19* —5E **9**
Bishop's Ct. EC4 —5D **39**
(off Old Bailey)
Bishop's Ct. WC2 —5C **38**
(off Star Yd.)
Bishopsgate. *EC2* —5A **40**
Bishopsgate Arc. EC2 —4A **40**
(off Bishopsgate)
Bishopsgate Chu. Yd. *EC2*
—4A **40**
Bishops Gro. *N2* —1A **8**
Bishop's Mans. *SW6* —5F **61**
(in two parts)
Bishop's Pk. Rd. *SW6* —5F **61**
Bishops Rd. *N6* —1C **8**
Bishops Rd. *SW6* —4A **62**
Bishop's Rd. *SW11* —3A **64**
Bishop's Ter. *SE11* —5C **52**
Bishopsthorpe Rd. *SE26*
—4F **97**
Bishop St. *N1* —5E **25**
Bishop's Way. *E2* —1D **41**

Bishopswood Rd. *N6* —2B **8**
Bishop Way. *NW10* —4A **18**
Bishop Wilfred Wood Clo. *SE15*
—5D **69**
Bisson Rd. *E15* —1E **43**
Bittern Clo. *SE8* —2C **70**
Bittern St. *SE1* —3E **53**
Blackall St. *EC2* —3A **40**
Blackbird Yd. *E2* —2B **40**
Blackburne's M. *W1* —1C **50**
Blackburn Rd. *NW6* —3D **21**
Blackett St. *SW15* —1F **75**
Blackford's Path. *SW15*
—5C **74**
Blackfriars Bri. *SE1 & EC4*
—1D **53**
Blackfriars Ct. EC4 —1D **53**
(off New Bridge St.)
Black Friars La. *EC4* —1D **53**
Blackfriars Pas. *EC4* —1D **53**
Blackfriars Rd. *SE1* —3D **53**
Blackfriars Underpass. *EC4*
—1D **53**
Blackheath Av. *SE10* —3F **71**
Blackheath Bus. Est. SE10
(off Blackheath Hill) —4E **71**
Blackheath Gro. *SE3* —5B **72**
Blackheath Hill. *SE10* —4E **71**
Blackheath Pk. *SE3* —1B **86**
Blackheath Rise. *SE13* —5E **71**
Blackheath Rd. *SE10* —4D **71**
Blackheath Vale. *SE3* —5A **72**
Blackheath Village. *SE3*
—5B **72**
Black Horse Ct. SE1 —4F **53**
(off Gt. Dover St.)
Blackhorse Rd. *SE8* —2A **70**
Blacklands Rd. *SE6* —4E **99**
Blacklands Ter. *SW3* —5B **50**
Black Lion La. *W6* —5C **46**
Black Lion M. *W6* —5C **46**
Blackmore Ho. N1 —5B **24**
(off Barnsbury Est.)
Black Path. *E10* —2F **13**
Blackpool Rd. *SE15* —5D **69**
Black Prince Rd. *SE1 & SE11*
—5B **52**
Blackshaw Pl. *N1* —4A **26**
Blackshaw Rd. *SW17* —4E **91**
Blacks Rd. *W6* —1E **61**
Blackstock M. *N4* —4D **11**
Blackstock Rd. *N4 & N5*
—4D **11**
Blackstone Est. *E8* —4D **27**
Blackstone Rd. *NW2* —2E **19**
Black Swan Yd. *SE1* —3A **54**
Blackthorn Ct. *E15* —1F **29**
Blackthorne Ct. SE1 —3B **68**
(off Cator St.)
Blackthorn St. *E3* —3C **42**
Blacktree M. *SW9* —1C **80**
Blackwall La. *SE10* —1A **72**
(in two parts)
Blackwall Trad. Est. *E14*
—4F **43**
Blackwall Tunnel. *E14 & SE10*
—2F **57**

Blackwall Tunnel App. *E14*
—1E **57**
Blackwall Tunnel Northern App.
E3 & E14 —1D **43**
Blackwall Tunnel Southern App.
SE10 —4A **58**
Blackwall Way. *E14* —2A **58**
Blackwater Clo. *E7* —2B **30**
Blackwater St. *SE22* —3B **82**
Blackwell Clo. *E5* —1F **27**
Blackwell Ho. *SW4* —4F **79**
Blackwood St. *SE17* —1F **67**
Blade M. *SW15* —2B **76**
Blades Ct. *SW15* —2B **76**
Blades Ho. SE11 —2C **66**
(off Kennington Oval)
Bladon Ct. *SW16* —5A **94**
Blagdon Rd. *SE13* —4D **85**
Blagrove Rd. *W10* —4A **34**
Blair Av. *NW9* —2A **4**
Blair Clo. *N1* —3E **25**
Blair Ct. NW8 —5F **21**
(off Boundary Rd.)
Blairderry Rd. *SW2* —2A **94**
Blair Ho. *SW9* —5B **66**
Blair St. *E14* —5E **43**
Blake Clo. *W10* —4E **33**
Blake Gdns. *SW6* —4D **63**
Blake Hall Cres. *E11* —3C **16**
Blake Hall Rd. *E11* —2C **16**
Blake Ho. E14 —3D **57**
(off Admirals Way)
Blake Ho. SE1 —4C **52**
(off Hercules Rd.)
Blakeley Cotts. *SE10* —3F **57**
Blakemore Rd. *SW16* —3A **94**
Blakeney Clo. *E8* —2C **26**
Blakeney Rd. *NW1* —4F **23**
Blakenham Rd. *SW17*
—4B **92**
Blaker Ct. *SE7* —3E **73**
Blake Rd. *E16* —3B **44**
Blaker Rd. *E15* —5E **29**
Blake's Rd. *SE15* —3A **68**
Blanchard Clo. *SE9* —3F **101**
Blanchard Way. *E8* —3C **26**
Blanch Clo. *SE15* —3E **69**
Blanchedowne. *SE5* —2F **81**
Blanche St. *E16* —3B **44**
Blandfield Rd. *SW12* —5C **78**
Blandford Ct. *NW6* —4A **20**
Blandford Ho. SW8 —3B **66**
(off Richborne Ter.)
Blandford Rd. *W4* —4A **46**
Blandford Sq. *NW1* —3A **36**
Blandford St. *W1* —5B **36**
Bland Ho. SE11 —1B **66**
(off Vauxhall St.)
Bland St. *SE9* —2F **87**
Blann Clo. *SE9* —4F **87**
Blantyre St. *SW10* —3F **63**
Blantyre Wlk. SW10 —3F **63**
(off Worlds End Est.)
Blashford St. *SE13* —5F **85**
Blasker Wlk. *E14* —1D **71**
Blaxland Ho. W12 —1D **47**
(off White City Est.)
Blechynden St. *W10* —1F **47**

Bleeding Heart Yd. *EC1* —4C **38**
(off Greville St.)
Blegborough Rd. *SW16*
—5E **93**
Blendon Row. *SE17* —5F **53**
(off Brandon St.)
Blendworth Way. *SE15*
—3A **68**
Blenheim Ct. *N19* —4A **10**
Blenheim Cres. *W11* —1A **48**
Blenheim Gdns. *NW2* —3E **19**
Blenheim Gdns. *SW2* —4B **80**
Blenheim Gro. *SE15* —5C **68**
Blenheim Pas. NW8 —1E **35**
(off Carlton Hill)
Blenheim Rd. *NW8* —1E **35**
Blenheim Rd. *E6* —2F **45**
Blenheim Rd. *E15* —1A **30**
Blenheim Rd. *NW8* —1E **35**
Blenheim Rd. *W4* —4A **46**
Blenheim St. *W1* —5D **37**
Blenheim Ter. *NW8* —1E **35**
Blenkarne Rd. *SW11* —4B **78**
Blessington Clo. *SE13* —1F **85**
Blessington Rd. *SE13* —2F **85**
Bletchley St. *N1* —1E **39**
Bletsoe Wlk. *N1* —1E **39**
Blincoe Clo. *SW19* —2F **89**
Bliss Cres. *SE13* —5D **71**
Blissett St. *SE10* —4E **71**
Blithfield St. *W8* —4D **49**
Bloemfontein Av. *W12* —2D **47**
Bloemfontein Rd. *W12*
—1D **47**
Bloemfontein Way. *W12*
—2D **47**
Blomfield Rd. *W9* —4D **35**
Blomfield St. *EC2* —4F **39**
Blomfield Vs. *W2* —4D **35**
Blondel St. *SW11* —5C **64**
Blondin St. *E3* —1C **42**
Bloomburg St. *SW1* —5F **51**
Bloomfield Ct. *N6* —1C **8**
Bloomfield Pl. W1 —1D **51**
(off Grosvenor Hill)
Bloomfield Rd. *N6* —1C **8**
Bloomfield Ter. *SW1* —1C **64**
Bloom Gro. *SE27* —3D **95**
Bloomhall Rd. *SE19* —5F **95**
Bloom Pk. Rd. *SW6* —3B **62**
Bloomsbury Ct. WC1 —4A **38**
(off Barter St.)
Bloomsbury Ho. *SW4* —4F **79**
Bloomsbury Pl. *SW18* —3E **77**
Bloomsbury Pl. *WC1* —4A **38**
Bloomsbury Sq. *WC1* —4A **38**
Bloomsbury St. *WC1* —4F **37**
Bloomsbury Way. *WC1*
—4A **38**
Blore Clo. *SW8* —4F **65**
Blore Ct. *SW8* —4F **65**
Blore Ct. W1 —1F **51**
(off Berwick St.)
Blossom St. *E1* —3A **40**
Blount St. *E14* —5A **42**
Bloxam Gdns. *SE9* —3F **87**
Bloxhall Rd. *E10* —3B **14**
Bloxworth Gro. *N1* —5B **24**

Blucher Rd. *SE5* —3E **67**
Blue Anchor La. *SE16* —5C **54**
Blue Anchor Yd. *E1* —1C **54**
Blue Ball Yd. *SW1* —2E **51**
Bluebell Av. *E12* —2F **31**
Bluebell Clo. *SE26* —4B **96**
Blundell Ho. *SE14* —3A **70**
(off Goodwood Rd.)
Blundell St. *N7* —4A **24**
Blurton Rd. *E5* —1E **27**
Blyth Clo. *E14* —5F **57**
Blythe Clo. *SE6* —5B **84**
Blythe Hill. *SE6* —5B **84**
Blythe Hill La. *SE6* —5B **84**
Blythe Ho. *SE11* —2C **66**
Blythe M. *W14* —4F **47**
Blythe Rd. *W14* —4F **47**
Blythe St. *E2* —2D **41**
Blythe Vale. *SE6* —1B **98**
Blyth Rd. *E17* —2B **14**
Blythwood Rd. *N4* —2A **10**
Boades Ho. *NW3* —1F **21**
Boadicea St. *N1* —5B **24**
Boathouse Wlk. *SE15* —3C **68**
Boat Lifter Way. *SE16* —4A **56**
Bob Anker Clo. *E13* —2C **44**
Bobbin Clo. *SW4* —1E **79**
Bob Marley Way. *SE24*
—2C **82**
Bocking St. *E8* —5D **27**
Boddicott Clo. *SW19* —2A **90**
Boddington Ho. *SE14* —4E **69**
(off Pomeroy St.)
Boddy's Bri. *SE1* —2C **52**
(off Hatfields)
Bodenay Ho. *SE5* —4A **68**
(off Peckham Rd.)
Boden Ho. *E1* —4C **40**
(off Woodseer St.)
Bodley Mnr. Way. *SW2*
—5C **80**
Bodmin St. *SW18* —1C **90**
Bodney Rd. *E8* —2D **27**
Bohemia Pl. *E8* —3E **27**
Boileau Rd. *SW13* —3C **60**
Bolden St. *SE8* —5D **71**
Boldero Pl. *NW8* —3A **36**
(off Gateforth St.)
Boleyn Rd. *E6* —1F **45**
Boleyn Rd. *E7* —4C **30**
Boleyn Rd. *N16* —2A **26**
Bolina Rd. *SE16* —1E **69**
Bolingbroke Gro. *SW11*
—2A **78**
Bolingbroke Wlk. *W14* —4F **47**
Bolingbroke Wlk. *SW11*
—4F **63**
Bolney Ga. *SW7* —3A **50**
Bolney St. *SW8* —3B **66**
Bolsover St. *W1* —3D **37**
Bolt Ct. *EC4* —5C **38**
Bolton Cres. *SE5* —3D **67**
Bolton Gdns. *NW10* —1F **33**
Bolton Gdns. *SW5* —1D **63**
Bolton Gdns. M. *SW10*
—1E **63**
Bolton Ho. *SE10* —1A **72**
(off Trafalgar Rd.)

Bolton Pl. *SW10* —1E **63**
Bolton Rd. *E13* —3B **30**
Bolton Rd. *NW8* —5D **21**
Bolton Rd. *NW10* —5A **18**
Boltons, The. *SW10* —1E **63**
Bolton St. *W1* —2D **51**
Bolton Wlk. *N7* —4B **10**
(off Durham Rd.)
Bombay St. *SE16* —5D **55**
Bomore Rd. *W11* —1A **48**
Bonar Rd. *SE15* —3C **68**
Bonchurch Rd. *W10* —4A **34**
Bond Ct. *EC4* —5F **39**
Bond Ho. *SE14* —3A **70**
(off Goodwood Rd.)
Bonding Yd. Wlk. *SE16*
—4A **56**
Bond St. *E15* —5D **29**
Bond St. *E15* —2A **30**
Bond St. *W4* —5A **46**
Bondway. *SW8* —2A **66**
Bonfield Rd. *SE13* —2E **85**
Bonham Rd. *SW2* —3B **80**
Bonheur Rd. *W4* —3A **46**
Bonhill St. *EC2* —3F **39**
Bon Marche Ter. *SE27* —4A **96**
Bonner Rd. *E2* —1E **41**
Bonner St. *E2* —1F **41**
Bonneville Gdns. *SW4* —4E **79**
Bonnington Sq. *SW8* —2B **66**
Bonny St. *NW1* —4E **23**
Bonsor St. *SE5* —3A **68**
Bonville Rd. *Brom* —5B **100**
Booker Clo. *E14* —4B **42**
Book M. *WC2* —5F **37**
Boones Rd. *SE13* —2A **86**
Boone St. *SE13* —2A **86**
Boord St. *SE10* —4A **58**
Boothby Rd. *N19* —4F **9**
Booth Clo. *E9* —5D **27**
Booth La. *EC4* —1E **53**
(off Baynard St.)
Booth's Pl. *W1* —4E **37**
Boot St. *N1* —2A **40**
Border Cres. *SE26* —5D **97**
Border Rd. *SE26* —5D **97**
Bordon Wlk. *SW15* —5C **74**
Boreas Wlk. *N1* —1D **39**
(off Nelson Pl.)
Boreham Av. *E16* —5C **44**
Boreham Clo. *E11* —3E **15**
Borland Rd. *SE15* —2E **83**
Borneo St. *SW15* —1E **75**
Borough High St. *SE1* —3E **53**
Borough Rd. *SE1* —4D **53**
Borough Sq. *SE1* —3E **53**
(off MacCoid Way)
Borrett Clo. *SE17* —1E **67**
Borrodaile Rd. *SW18* —4D **77**
Borthwick M. *E15* —1A **30**
Borthwick Rd. *E15* —1A **30**
Borthwick Rd. *NW9* —1B **4**
Borthwick St. *SE8* —1C **70**
Bosbury Rd. *SE6* —3E **99**
Boscastle Rd. *NW5* —5D **9**
Boscobel Pl. *SW1* —5C **50**
Boscobel St. *NW8* —3F **35**
Boscombe Av. *E10* —2F **15**

Boscombe Clo. *E5* —2A **28**
Boscombe Rd. *SW17* —5C **92**
Boscombe Rd. *W12* —2C **46**
Boss Ho. *SE1* —3B **54**
(off Boss St.)
Boss St. *SE1* —3B **54**
Boston Gdns. *W4* —2A **60**
Boston Pl. *NW1* —3B **36**
Boston Rd. *E6* —2F **45**
Boston Rd. *E17* —1C **14**
Boswell Ct. *WC1* —4A **38**
Boswell St. *WC1* —4A **38**
Bosworth Rd. *W10* —3A **34**
Botha Rd. *E13* —4D **45**
Bothwell Clo. *E16* —4B **44**
Bothwell St. *W6* —2F **61**
Botwick St. *SE8* —1C **70**
Botolph All. *EC3* —1A **54**
(off Botolph La.)
Botolph La. *EC3* —1A **54**
Botts M. *W2* —5C **34**
Boulcott St. *E1* —5F **41**
Boulevard, The. *SW17* —2C **92**
Boulter Ho. *SE14* —4E **69**
(off Kender St.)
Bounaparte M. *SW1* —1F **65**
Boundaries Rd. *SW12* —2B **92**
Boundary Av. *E17* —2B **14**
Boundary Ho. *SE5* —3E **67**
Boundary La. *E13* —3F **45**
Boundary La. *SE5 & SE17*
—2E **67**
Boundary La. *SE17* —2E **67**
Boundary M. *NW8* —5E **21**
(off Boundary Rd.)
Boundary Pas. *E2* —3B **40**
Boundary Rd. *E13* —1E **45**
Boundary Rd. *E17* —2B **14**
Boundary Rd. *NW8* —5D **21**
Boundary Rd. *SW19* —5F **91**
Boundary Row. *SE1* —3D **53**
Boundary St. *E2* —2B **40**
(in two parts)
Boundfield Rd. *SE6* —3A **100**
Bourbon Ho. *SE6* —5E **99**
Bourchier St. *W1* —1F **51**
Bourdon Pl. *W1* —1D **51**
(off Bourdon St.)
Bourdon St. *W1* —1D **51**
Bourke Clo. *NW10* —3A **18**
Bourke Clo. *SW4* —4A **80**
Bourlet Clo. *W1* —4E **37**
Bournbrook Rd. *SE3* —1F **87**
Bourne Est. *EC1* —4C **38**
Bourne M. *W1* —5C **36**
Bournemouth Rd. *SE15*
—5C **68**
Bourne Pl. *W4* —1A **60**
Bourne Rd. *E7* —5B **16**
Bourne Rd. *N8* —1A **10**
Bournes Ho. *N15* —1A **12**
(off Chisley Rd.)
Bourneside Gdns. *SE6* —5E **99**
Bourne St. *SW1* —5C **50**
Bourne Ter. *W2* —4D **35**
Bournevale Rd. *SW16* —4A **94**
Bournville Rd. *SE6* —5C **84**
Bousfield Rd. *SE14* —5F **69**

Boutflower Rd.—Bramshill Gdns.

Boutflower Rd. *SW11* —2A **78**
Bouverie M. *N16* —4A **12**
Bouverie Pl. *W2* —5F **35**
Bouverie Rd. *N16* —4A **12**
Bouverie St. *EC4* —5C **38**
Boveney Rd. *SE23* —5F **83**
Bovill Rd. *SE23* —5F **83**
Bovingdon Clo. *N19* —4E **9**
Bovingdon Rd. *SW6* —4D **63**
Bowater Clo. *SW2* —4A **80**
Bowater Ho. *EC1* —3E **39**
  (off Golden La. Est.)
Bowater Pl. *SE3* —3D **73**
Bowater Rd. *SE18* —4F **59**
Bow Bri. Est. *E3* —2D **43**
Bow Chyd. *EC4* —5E **39**
  (off Cheapside)
Bow Comn. La. *E3* —3A **42**
Bowden St. *SE11* —1C **66**
Bowditch. *SE8* —5B **56**
Bowdon Rd. *E17* —2C **14**
Bowen Dri. *SE21* —3A **96**
Bowen St. *E14* —5D **43**
Bower Av. *SE10* —4A **72**
Bowerdean St. *SW6* —4D **63**
Bowerman Av. *SE14* —2A **70**
Bowerman Ct. *N19* —4F **9**
  (off St John's Way)
Bower St. *E1* —5F **41**
Bowes Rd. *W3* —1A **46**
Bowfell Rd. *W6* —2E **61**
Bowhill Clo. *SW9* —3C **66**
Bowie Clo. *SW4* —5F **79**
Bow Ind. Pk. *E15* —4C **28**
Bow Interchange. (Junct.)
  —1D **43**
Bowland Rd. *SW4* —2F **79**
Bowland Yd. *SW1* —3B **50**
  (off Kinnerton St.)
Bow La. *EC4* —5E **39**
Bowl Ct. *EC2* —3A **40**
Bowles Rd. *SE1* —2C **68**
Bowley Clo. *SE19* —5B **96**
Bowley Ho. *SE16* —4C **54**
Bowley La. *SE19* —5B **96**
Bowling Grn. Clo. *SW15*
  —5D **75**
Bowling Grn. La. *EC1* —3C **38**
Bowling Grn. Pl. *SE1* —3F **53**
Bowling Grn. St. *SE11* —2C **66**
Bowling Grn. Wlk. *N1* —2A **40**
Bowman Av. *E16* —1B **58**
Bowman M. *SW18* —1B **90**
Bowmans Lea. *SE23* —5E **83**
Bowman's M. *E1* —1C **54**
Bowman's M. *N7* —5A **10**
Bowman's Pl. *N7* —5A **10**
Bowmore Wlk. *NW1* —4F **23**
Bowness Clo. *E8* —3D **27**
  (off Beechwood Rd.)
Bowness Cres. *SW15* —5A **88**
Bowness Ho. *SE15* —3E **69**
  (off Hillbeck Clo.)
Bowness Rd. *SE6* —5D **85**
Bowood Rd. *SW11* —3C **78**
Bow Rd. *E3* —2B **42**
Bow St. *E15* —2A **30**
Bow St. *WC2* —5A **38**

Bow Triangle Bus. Cen. *E3*
  —3C **42**
Bowyer Ho. *N1* —5A **26**
  (off Whitmore Est.)
Bowyer Pl. *SE5* —3E **67**
Bowyer St. *SE5* —3E **67**
Boxall Rd. *SE21* —4A **82**
Boxley St. *E16* —2D **59**
Boxmoor Ho. *W11* —2F **47**
  (off Queensdale Cres.)
Box Tree Ho. *SE8* —1A **70**
Boxworth Gro. *N1* —5B **24**
Boyce Way. *E13* —3C **44**
Boydell Ct. *NW8* —4F **21**
Boyd Rd. *SW19* —5F **91**
Boyd St. *E1* —5C **40**
Boyfield St. *SE1* —3D **53**
Boyland Rd. *Brom* —5B **100**
Boyle St. *W1* —1E **51**
Boyne Rd. *SE13* —1E **85**
Boyne Ter. M. *W11* —2B **48**
Boyson Rd. *SE17* —2F **67**
Boyson Wlk. *SE17* —2F **67**
Boyton Clo. *E1* —3E **41**
Brabant Ct. *EC3* —1A **54**
  (off Philpot La.)
Brabazon St. *E14* —5D **43**
Brabourne Clo. *SE19* —5A **96**
Brabourn Gro. *SE15* —5E **69**
Bracer Ho. *N1* —1A **40**
  (off Whitmore Est.)
Bracewell Rd. *W10* —4E **33**
Bracey M. *N4* —4A **10**
Bracey St. *N4* —4A **10**
Bracken Av. *SW12* —4C **78**
Brackenbury. *N4* —3C **10**
  (off Osborne Rd.)
Brackenbury Gdns. *W6*
  —4D **47**
Brackenbury Rd. *W6* —4D **47**
Brackenfield Clo. *E5* —5D **13**
Bracken Gdns. *SW13* —5C **60**
Brackley Rd. *W4* —1A **60**
Brackley St. *EC1* —3E **39**
Brackley Ter. *W4* —1A **60**
Bracklyn Ct. *N1* —1F **39**
Bracklyn St. *N1* —1F **39**
Bracknell Gdns. *NW3* —1D **21**
Bracknell Ga. *NW3* —2D **21**
Bracknell Way. *NW3* —1D **21**
Bradbourne St. *SW6* —5C **62**
Bradbury St. *N16* —2A **26**
Braddyll St. *SE10* —1A **72**
Bradenham Clo. *SE17* —2F **67**
Braden St. *W9* —3D **35**
Bradfield Rd. *E16* —3C **58**
Bradford Clo. *SE26* —4D **97**
Bradford Rd. *W3* —3A **46**
Bradgate Rd. *SE6* —4D **85**
Brading Cres. *E11* —4D **17**
Brading Rd. *SW2* —5B **80**
Brading Ter. *W6* —2C **46**
Bradiston Rd. *W9* —2B **34**
Bradley Clo. *N7* —3A **24**
Bradley Ho. *SE16* —5E **55**
  (off Raymouth Rd.)
Bradley M. *SW17* —1B **92**
Bradley Rd. *SE19* —5E **95**

Bradley's Clo. *N1* —1C **38**
Bradmead. *SW8* —3D **65**
Bradmore Pk. Rd. *W6* —5D **47**
Bradshaw Clo. *SW19* —5C **90**
Bradstock Ho. *E9* —4A **28**
Bradstock Rd. *E9* —3F **27**
Brad St. *SE1* —2C **52**
Brady St. *E1* —3D **41**
Braemar Av. *NW10* —5A **4**
Braemar Av. *SW19* —2C **90**
Braemar Rd. *E13* —3B **44**
Braemar Rd. *N15* —1A **12**
Braemar Clo. *SE16* —1D **69**
  (off Masters Dri.)
Braeside. *Beck* —5C **98**
Braes St. *N1* —4D **25**
Braganza St. *SE17* —1D **67**
Braham Ho. *SE11* —1B **66**
Braham St. *E1* —5B **40**
Braid Av. *W3* —5A **32**
Braid Ho. *SE10* —4E **71**
  (off Blackheath Hill)
Braidwood Pas. *EC1* —4E **39**
  (off Aldersgate St.)
Braidwood Rd. *SE6* —1F **99**
Brailsford Rd. *SW2* —3C **80**
Braintree St. *E2* —2E **41**
Braithwaite Ho. *E14* —5F **43**
Braithwaite Tower. *W2* —4F **35**
  (off Hall Pl.)
Bramah Grn. *SW9* —4C **66**
Bramalea Clo. *N6* —1C **8**
Bramall Clo. *E15* —2B **30**
Bramall Ct. *N7* —3B **24**
  (off Georges Rd.)
Bramber. *WC1* —2A **38**
  (off Cromer St.)
Bramber Rd. *W14* —2B **62**
Bramble Gdns. *W12* —1B **46**
Brambles, The. *SW19* —5B **90**
  (off Woodside)
Bramcote Gro. *SE16* —1E **69**
Bramcote Rd. *SW15* —2D **75**
Bramdean Cres. *SE12*
  —1C **100**
Bramdean Gdns. *SE12*
  —1C **100**
Bramerton St. *SW3* —2A **64**
Bramfield Ct. *N4* —5E **11**
  (off Queens Dri.)
Bramfield Rd. *SW11* —4A **78**
Bramford Rd. *SW18* —2E **77**
Bramham Gdns. *SW5* —1D **63**
Bramham Ho. *SE22* —2B **82**
Bramhope La. *SE7* —2E **73**
Bramlands Clo. *SW11* —1A **78**
Bramley Cres. *SW8* —3F **65**
Bramley Ho. *SW15* —4B **74**
  (off Tunworth Cres.)
Bramley Ho. *W10* —5F **33**
Bramley Rd. *W10* —1F **47**
Bramley St. *W10* —5F **33**
Brampton Clo. *E5* —4D **13**
Brampton Gdns. *N15* —1E **11**
Brampton Rd. *E6* —2F **45**
Brampton Rd. *N15* —1E **11**
Bramshaw Rd. *E9* —3F **27**
Bramshill Gdns. *NW5* —5D **9**

Bramshill Rd. *NW10* —1A **32**
Bramshot Av. *SE7* —2C **72**
Bramston Rd. *NW10* —1C **32**
Bramston Rd. *SW17* —3E **91**
Bramwell Ho. *SE1* —4E **53**
Bramwell M. *N1* —5B **24**
Brancaster Rd. *SW16* —3A **94**
Branch Hill. *NW3* —5E **7**
Branch Hill Ho. *NW3* —5D **7**
Branch Pl. *N1* —5F **25**
Branch Rd. *E14* —1A **56**
Branch St. *SE15* —3B **68**
Brandlehow Rd. *SW15* —2B **76**
Brandon Est. *SE17* —2D **67**
Brandon Ho. Beck —5D **99**
  (off Beckenham Hill Rd.)
Brandon Mans. *W14* —2A **62**
  (off Queen's Club Gdns.)
Brandon M. *EC2* —4F **39**
  (off Barbican)
Brandon N. *N7* —4A **24**
Brandon St. *SE17* —5E **53**
  (in three parts)
Brandram Rd. *SE13* —1A **86**
Brandreth Rd. *SW17* —2D **93**
Brand St. *SE10* —3E **71**
Brangbourne Rd. *Brom*
                       —5E **99**
Brangton Rd. *SE11* —1C **66**
Brangwyn Ct. *W14* —4A **48**
  (off Blythe Rd.)
Branksea St. *SW6* —3A **62**
Branksome Ho. *SW8* —3B **66**
  (off Meadow Rd.)
Branksome Rd. *SW2* —3A **80**
Branscombe St. *SE13* —1D **85**
Bransdale Clo. *NW6* —5C **20**
Brantwood Ho. SE5 —3E **67**
  (off Wyndam Est.)
Brantwood Rd. *SE24* —3E **81**
Brassett Point. E15 —5A **30**
  (off Abbey Rd.)
Brassey Ho. *NW6* —3B **20**
Brassey Sq. *SW11* —1C **78**
Brassie Av. *W3* —5A **32**
Brass Tally All. *SE16* —3F **55**
Brasted Clo. *SE26* —4E **97**
Brathway Rd. *SW18* —5D **77**
Bratley St. *E1* —3C **40**
Bravington Pl. *W9* —3B **34**
Bravington Rd. *W9* —2B **34**
Braxfield Rd. *SE4* —2A **84**
Braxted Pk. *SW16* —5B **94**
Brayards Rd. *SE15* —5D **69**
Brayards Rd. Est. SE15 —5E **69**
  (off Brayards Rd.)
Braybrook St. *W12* —4B **32**
Brayburne Av. *SW4* —5E **65**
Bray Ct. *SW16* —5A **94**
Bray Cres. *SE16* —3F **55**
Braydon Rd. *N16* —3C **12**
Bray Dri. *E16* —1B **58**
Brayfield Ter. *N1* —4C **24**
Brayford Sq. *E1* —5E **41**
Bray Pas. *E16* —1C **58**
Bray Pl. *SW3* —5B **50**
Bread St. *EC4* —5E **39**
Breakspears M. *SE4* —5B **70**

Breakspears Rd. *SE4* —2B **84**
Breamore Clo. *SW15* —1C **88**
Bream's Bldgs. *EC4* —5C **38**
Bream St. *E3* —4C **28**
Breasley Clo. *SW15* —2E **75**
Brechin Pl. *SW7* —5E **49**
Brecknock M. *N7* —2F **23**
Brecknock Rd. *N19 & N7*
                       —1E **23**
Brecknock Rd. Est. *N19*
                       —1E **23**
Brecon Grn. *NW9* —1A **4**
Brecon Rd. *W6* —2A **62**
Bredgar Rd. *N19* —4E **9**
Bredhurst Clo. *SE20* —5E **97**
Breer St. *SW6* —1D **77**
Breezer's Hill. *E1* —1C **54**
Bremner Rd. *SW7* —4E **49**
Brenchley Gdns. *SE23* —4E **83**
Brenda Rd. *SW17* —2B **92**
Brendon Av. *NW10* —2A **18**
Brendon St. *W1* —5A **36**
Brenley Gdns. *SE9* —2F **87**
Brent Ct. *NW19* —5E **9**
Brent Ct. *NW11* —2F **5**
Brent Cross Fly-Over. *NW4*
                       —2F **5**
Brent Cross Gdns. *NW4* —1F **5**
Brent Cross Interchange.
              (Junct.) —2F **5**
Brent Cross Shop. Cen. *NW4*
                       —2E **5**
Brentfield Gdns. *NW2* —2F **5**
Brentfield Ho. *NW10* —4A **18**
Brentfield Rd. *NW10* —3A **18**
Brent Grn. *NW4* —1E **5**
Brenthouse Rd. *E9* —3E **27**
Brenthurst Rd. *NW10* —3B **18**
Brentmead Pl. *NW11* —1F **5**
Brenton St. *E14* —5A **42**
Brent Pk. Rd. *NW9 & NW4*
  (in two parts) —2C **4**
Brent Rd. *E16* —5C **44**
Brent St. *NW4* —1F **5**
Brent Ter. *NW2* —3E **5**
Brent Trad. Cen. *NW10*
                       —2A **18**
Brent View Rd. *NW9* —1C **4**
Brentwood Lodge. NW4 —1F **5**
  (off Holmdale Gdns.)
Bressenden Pl. *SW1* —4D **51**
Breton Highwalk. EC2 —4E **39**
  (off Golden La.)
Breton Ho. EC1 —4E **39**
  (off Barbican)
Brett Clo. *N16* —4A **12**
Brettell St. *SE17* —1F **67**
Brett Ho. Clo. *SW15* —5F **75**
Brett Pas. *E8* —2D **27**
Brett Rd. *E8* —2D **27**
Brewers Grn. SW1 —4E **51**
  (off Buckingham Ga.)
Brewer's Hall Garden. EC2
  (off London Wall) —4E **39**
Brewer St. *W1* —1E **51**
Brewery Rd. *N7* —4A **24**
Brewery Sq. SE1 —2B **54**
  (off Horselydown La.)

Brewhouse La. *E1* —2D **55**
Brewhouse St. *SW15* —1A **76**
Brewhouse Wlk. *SE16* —2A **56**
Brewhouse Yd. *EC1* —3D **39**
Brewster Gdns. *W10* —4E **33**
Brewster Rd. *E10* —3D **15**
Briant Ho. SE1 —4B **52**
  (off Hercules Rd.)
Briant St. *SE14* —4F **69**
Briar Ct. *E8* —4B **26**
Briardale Gdns. *NW3* —5C **6**
Briar Rd. *NW2* —1E **19**
Briar Wlk. *SW15* —2D **75**
Briar Wlk. *W10* —3A **34**
Briarwood Rd. *SW4* —3F **79**
Briary Clo. *NW3* —4A **22**
Briary Gdns. *Brom* —5D **101**
Brick Ct. *EC4* —5C **38**
Brickfield Rd. *SW19* —4D **91**
Brick La. *E2 & E1* —2B **40**
Bricklayers Arms. *(Junct.)*
                       —4F **53**
Bricklayers Arms Bus. Cen. *SE1*
                       —5A **54**
Brick St. *W1* —2D **51**
Brickwood Clo. *SE26* —3D **97**
Brideale Clo. *SE15* —2B **68**
Bride Ct. EC4 —5D **39**
  (off Bride La.)
Bride La. *EC4* —5D **39**
Bride St. *N7* —3B **24**
Bridewain St. *SE1* —4B **54**
Bridewell Pl. *E1* —2D **55**
Bridewell Pl. *EC4* —5D **39**
Bridford M. *W1* —4D **37**
Bridge App. *NW1* —4C **22**
Bridge Av. *W6* —5E **47**
Bridge Clo. *W10* —5F **33**
Bridge Ct. *E10* —3B **14**
Bridgefoot. *SE1* —1A **66**
Bridge Ho. E9 —3F **27**
  (off Shepherds La.)
Bridge Ho. *SE4* —2B **84**
Bridge Ho. Quay. *E14* —2E **57**
Bridgeland Rd. *E16* —1C **58**
Bridge La. *NW11* —1B **6**
Bridge La. *SW11* —4A **64**
Bridgeman Rd. *N1* —4B **24**
Bridgeman St. *NW8* —1A **36**
Bridge Meadows. *SE14*
                       —2F **69**
Bridgend Rd. *SW18* —2E **77**
Bridgepark. *SW18* —3C **76**
Bridge Pl. *SW1* —5D **51**
Bridgeport Pl. *E1* —2C **54**
Bridge Rd. *E15* —4F **29**
Bridge Rd. *E17* —2B **14**
Bridge Rd. *NW10* —3A **18**
Bridges Ct. *SW11* —5F **63**
  (in two parts)
Bridges Ho. SE5 —3F **67**
  (off Elmington Est.)
Bridges Pl. *SW6* —4B **62**
Bridge St. *SW1* —3A **52**
Bridge Ter. *E15* —4F **29**
  (in two parts)
Bridgetown Clo. *SE19* —5A **96**
Bridge View. *W6* —1E **61**

Bridgewalk Heights. *SE1*
(off Weston St.) —3F *53*
Bridgewater Highwalk. *EC2*
(off Aldersgate St.) —4E *39*
Bridgewater Rd. *E15* —5E *29*
Bridgewater Sq. *EC2* —4E *39*
Bridgewater St. *EC2* —4E *39*
Bridge Way. *NW11* —1B *6*
Bridgeway St. *NW1* —1E *37*
Bridge Wharf. *E3* —1F *41*
Bridge Yd. *SE1* —2F *53*
Bridgford St. *SW18* —3E *91*
Bridle La. *W1* —1E *51*
Bridport Ho. *N1* —5F *25*
(off Colville Est.)
Bridport Pl. *N1* —5F *25*
(in two parts)
Bridport Ter. *SW8* —4F *65*
Bridstow Pl. *W2* —5C *34*
Brief St. *SE5* —4D *67*
Brierley Rd. *E11* —1F *29*
Brierley Rd. *SW12* —2E *93*
Brierly Gdns. *E2* —1E *41*
Brigade St. *SE3* —5B *72*
Briggeford Clo. *E5* —4C *12*
Brightfield Rd. *SE12* —3A *86*
Brightling Rd. *SE4* —4B *84*
Brightlingsea Pl. *E14* —1B *56*
Brightman Rd. *SW18* —1F *91*
Brighton Av. *E17* —1B *14*
Brighton Bldgs. *SE1* —4A *54*
(off Tower Bri. Rd.)
Brighton Gro. *SE14* —4A *70*
Brighton Rd. *N16* —1A *26*
Brighton Ter. *SW9* —2B *80*
Brightside Rd. *SE13* —4F *85*
Bright St. *E14* —5D *43*
Brightwell Cres. *SW17* —5B *92*
Brig M. *SE8* —2C *70*
Brigstock Ho. *SE5* —5E *67*
Brill Pl. *NW1* —1F *37*
Brimstone Ho. *E15* —4A *30*
(off Victoria St.)
Brindley St. *SE14* —4A *70*
Brindley Way. *Brom* —5C *100*
Brinklow Ho. *W2* —4D *35*
(off Torquay St.)
Brinkworth Way. *E9* —3B *28*
Brinsley St. *E1* —5D *41*
Brinton Wlk. *SE1* —2D *53*
(off Chancel St.)
Brion Pl. *E14* —4E *43*
Brisbane Rd. *E10* —4D *15*
Brisbane St. *SE5* —3F *67*
Briscoe Clo. *E11* —5B *16*
Briscoe Rd. *SW19* —5F *91*
Briset Rd. *SE9* —1F *87*
Briset St. *EC1* —4D *39*
Briset Way. *N7* —4B *10*
Bristol Gdns. *SW15* —5E *75*
Bristol Gdns. *W9* —3D *35*
Bristol Ho. *SE11* —4C *52*
(off Lambeth Wlk.)
Bristol M. *W9* —3D *35*
Bristol Rd. *E7* —3E *31*
Briston Gro. *N8* —1A *10*
Bristow Rd. *SE19* —5A *96*
Britannia Clo. *SW4* —2F *79*

Britannia Ga. *E16* —2C *58*
Britannia Junction. (Junct.)
—5D *23*
Britannia Rd. *E14* —5C *56*
Britannia Rd. *SW6* —3D *63*
Britannia Row. *N1* —5D *25*
Britannia St. *WC1* —2B *38*
Britannia Wlk. *N1* —1F *39*
(in two parts)
Britannia Way. *SW6* —3D *63*
(off Britannia Rd.)
Britannic Highwalk. *EC2*
(off Moor La.) —4F *39*
Britannic Tower. *EC2* —4F *39*
(off Finsbury Cir.)
British Gro. *W4* —1B *60*
British Gro. Pas. *W4* —1B *60*
British Gro. S. *W4* —1C *60*
British St. *E3* —2B *42*
British Wharf Ind. Est. *SE14*
—2F *69*
Brittain Ho. *SE9* —1F *101*
Brittany Point. *SE11* —5C *52*
Britten Clo. *NW11* —3D *7*
Britten Ct. *E15* —1F *43*
Brittens Ct. *E1* —1C *54*
Britten St. *SW3* —1A *64*
Britton Clo. *SE6* —5F *85*
Britton St. *EC1* —3D *39*
Brixton Hill. *SW2* —5A *80*
Brixton Hill Ct. *SW2* —3B *80*
Brixton Hill Pl. *SW2* —5A *80*
Brixton Oval. *SW2* —2C *80*
Brixton Rd. *SW9 & SE11*
—2C *80*
Brixton Sta. Rd. *SW9* —1C *80*
Brixton Water La. *SW2*
—3B *80*
Broadbent Clo. *N6* —3D *9*
Broadbent St. *W1* —1D *51*
Broadbridge Clo. *SE3* —3C *72*
Broad Comn. Est. *N16* —3C *12*
(off Osbaldeston Rd.)
Broad Ct. *WC2* —5A *38*
Broadfield Clo. *NW2* —5E *5*
Broadfield La. *NW1* —4F *23*
Broadfield Rd. *SE6* —5A *86*
Broadfields Way. *NW10*
—2B *18*
Broadgate. *EC2* —3A *40*
Broadgate Circ. *EC2* —4A *40*
(off Broadgate)
Broadgate Cir. *EC2* —4A *40*
Broadgate St. *EC2* —4A *40*
Broadgate Rd. *E16* —5F *45*
Broadgates Ct. *SE11* —1C *66*
(off Cleaves St.)
Broadgates Rd. *SW18* —1F *91*
Broadhinton Rd. *SW4* —1D *79*
Broadhurst Clo. *NW6* —3E *21*
Broadhurst Gdns. *NW6*
—3D *21*
Broadlands Av. *SW16* —2A *94*
Broadlands Clo. *N6* —2C *8*
Broadlands Clo. *SW16* —2A *94*
Broadlands Lodge. *N6* —2B *8*
Broadlands Rd. *N6* —2B *8*
Broadlands Rd. *Brom* —4D *101*

Broad La. *EC2* —4A *40*
Broad La. *N8* —1B *10*
Broadley St. *NW8* —4F *35*
Broadley Ter. *NW1* —3A *36*
Broadmead. *SE6* —3C *98*
Broadoak Ct. *SW9* —1C *80*
Broad Sanctuary. *SW1* —3F *51*
Broadstone Ho. *SW8* —3B *66*
(off Dorset Rd.)
Broadstone Pl. *W1* —4C *36*
Broad St. Av. *EC2* —4A *40*
Broad St. Pl. *EC2* —4F *39*
(off Blomfield St.)
Broad Wlk. *NW1* —5C *22*
Broad Wlk. *SE3* —5E *73*
Broad Wlk. *W2 & W1* —1B *50*
Broadwalk Ct. *W8* —2D *49*
(off Palace Gdns. Ter.)
Broad Wlk. La. *NW11* —2B *6*
Broad Wlk., The. *W8* —2D *49*
Broadwall. *SE1* —2C *52*
Broadwater Rd. *SW17* —4A *92*
Broadway. *E13* —1D *45*
Broadway. *E15* —4F *29*
(in two parts)
Broadway. *SW1* —4F *51*
Broadway Arc. *W6* —5E *47*
(off Hammersmith B'way.)
Broadway Cen., The. *W6*
—5E *47*
Broadway Ho. *Brom* —5F *99*
(off Bromley Rd.)
Broadway Mkt. *E8* —5D *27*
Broadway Mkt. *SW17* —4B *92*
Broadway M. *E5* —2B *12*
Broadway Pde. *N8* —1A *10*
Broadway Shop. Mall. *SW1*
—4F *51*
Broadway, The. *N8* —1A *10*
Broadway, The. *NW9* —1B *4*
Broadway, The. *SW13* —5A *60*
Broadwick St. *W1* —1E *51*
Broadwood Ter. *W8* —5B *48*
(off Warwick Rd.)
Broad Yd. *EC1* —3D *39*
Brocas Clo. *NW3* —4A *22*
Brockbridge Ho. *SW15* —4B *74*
Brocket Ho. *SW8* —5F *65*
Brockham Clo. *SW19* —5B *90*
Brockham Dri. *SW2* —5B *80*
Brockham Ho. *SW2* —5B *80*
(off Brockham Dri.)
Brockham St. *SE1* —4E *53*
Brockill Cres. *SE4* —2A *84*
Brocklebank Rd. *SE7* —5D *58*
Brocklebank Rd. *SW18*
—5E *77*
Brocklebank Rd. Ind. Est. *SE7*
—5C *58*
Brocklehurst St. *SE14* —3F *69*
Brockley Cross. *SE4* —1A *84*
Brockley Cross Bus. Cen. *SE4*
—1A *84*
Brockley Footpath. *SE4*
(in two parts) —3A *84*
Brockley Footpath. *SE15*
—2E *83*
Brockley Gdns. *SE4* —5B *70*

Brockley Gro. *SE4* —3B **84**
Brockley Hall Rd. *SE4* —3A **84**
Brockley M. *SE4* —3A **84**
Brockley M. *SE22* —3A **84**
Brockley Pk. *SE23* —5A **84**
Brockley Rise. *SE23* —1A **98**
Brockley Rd. *SE4* —1B **84**
Brockley View. *SE23* —5A **84**
Brockley Way. *SE4* —3F **83**
Brockman Rise. *Brom* —4F **99**
Brockmer Ho. *E1* —1D **55**
(off Crowder St.)
Brock Pl. *E3* —3D **43**
Brock Rd. *E13* —3D **45**
Brock St. *SE15* —1E **83**
Brockway Clo. *E11* —4A **16**
Brockwell Ct. *SW2* —3C **80**
Brockwell Ho. *SE11* —2B **66**
(off Vauxhall St.)
Brockwell Pk. Gdns. *SE24*
—5D **81**
Brockworth Clo. *SE15* —2A **68**
Brodia Rd. *N16* —5A **12**
Brodie Ho. *SE1* —1B **68**
Brodie St. *SE1* —1B **68**
Brodlove La. *E1* —1F **55**
Brodrick Rd. *SW17* —2A **92**
Broken Wharf. *EC4* —1E **53**
Brokesley St. *E3* —2B **42**
Broke Wlk. *E8* —5C **26**
Bromar Rd. *SE5* —1A **82**
Bromell's Rd. *SW4* —2E **79**
Bromfelde Rd. *SW4* —1F **79**
Bromfelde Wlk. *SW4* —5F **65**
Bromfield St. *N1* —1C **38**
Bromhead St. *E1* —5E **41**
Bromleigh Ct. *SE23* —2D **97**
Bromley Hall Rd. *E14* —4E **43**
Bromley High St. *E3* —2D **43**
Bromley Hill. *Brom* —5A **100**
Bromley Pl. *W1* —4E **37**
Bromley Rd. *E10* —1D **15**
Bromley Rd. *SE6 & Brom*
—1D **99**
Bromley St. *E1* —4F **41**
Brompton Arc. *SW3* —3B **50**
(off Brompton Rd.)
Brompton Pk. Cres. *SW6*
—2D **63**
Brompton Pl. *SW3* —4A **50**
Brompton Rd. *SW3, SW7 &*
SW1 —5A **50**
Brompton Sq. *SW3* —4A **50**
Bromwich Av. *N6* —4C **8**
Bromyard Av. *W3* —1A **46**
Brondesbury M. *NW6* —4C **20**
Brondesbury Pk. *NW2 & NW6*
—3D **19**
Brondesbury Rd. *NW6* —1B **34**
Brondesbury Vs. *NW6* —1B **34**
Bronsart Rd. *SW6* —3A **62**
Bronte Clo. *E7* —1C **30**
Bronte Ho. *N16* —2A **26**
Bronte Ho. *SW4* —5E **79**
Bronti Clo. *SE17* —1E **67**
Bronze St. *SE8* —3C **70**
Brookbank Rd. *SE13* —1C **84**
Brook Ct. *E11* —5A **16**

Brook Ct. *E15* —2D **29**
(off Clays La.)
Brookdale Rd. *SE6* —5D **85**
Brook Dri. *SE11* —4D **52**
Brookehowse Rd. *SE6* —2C **98**
Brooke Rd. *E5* —5C **12**
Brooke Rd. *N16* —5B **12**
Brooke's Ct. *EC1* —4C **38**
Brooke's Mkt. *EC1* —4C **38**
(off Dorrington St.)
Brooke St. *EC1* —4C **38**
Brookfield. *N6* —5C **8**
Brookfield Pk. *NW5* —5D **9**
Brookfield Rd. *E9* —3A **28**
Brookfield Rd. *W4* —3A **46**
Brook Gdns. *SW13* —1B **74**
Brook Ga. *W1* —1B **50**
Brook Grn. *W6* —4F **47**
Brooking Rd. *E7* —2C **30**
Brooklands Av. *SW19* —2D **91**
Brooklands Pk. *SE3* —1C **86**
Brooklands Pas. *SW8* —4F **65**
Brooklands St. *SW8* —4F **65**
Brook La. *SE3* —5D **73**
Brook La. *Brom* —5C **100**
Brookmarsh Ind. Est. *SE10*
—3D **71**
Brook M. N. *W2* —1E **49**
Brookmill Rd. *SE8* —4C **70**
Brook Pas. *SW6* —3C **62**
Brook Rd. *NW2* —4B **4**
Brooksbank St. *E9* —3F **27**
Brooksby M. *N1* —4C **24**
Brooksby St. *N1* —4C **24**
Brooksby's Wlk. *E9* —2F **27**
Brooks Ct. *SW8* —3E **65**
(off Cringle St.)
Brookside Rd. *N19* —4E **9**
Brookside Rd. *NW11* —1A **6**
Brooks M. *W1* —1D **51**
Brooks Rd. *E13* —5C **30**
Brookstone Ct. *SE15* —2D **83**
Brook St. *W1* —1D **51**
Brook St. *W2* —1F **49**
Brooksville Av. *NW6* —5A **20**
Brookview Rd. *SW16* —5E **93**
Brookville Rd. *SW6* —3B **62**
Brookway. *SE3* —1C **86**
Brookwood Av. *SW13* —5B **60**
Brookwood Rd. *SW18* —1B **90**
Broome Way. *SE5* —3F **67**
Broomfield. *E17* —2B **14**
Broomfield Ct. *SE16* —4C **54**
(off John Roll Way)
Broomfield St. *E14* —4C **42**
Broomgrove Rd. *SW9* —5B **66**
Broomhill Rd. *SW18* —3C **76**
Broomhouse La. *SW6* —5C **62**
Broomhouse Rd. *SW6* —5C **62**
Broomsleigh Bus. Pk. *SE26*
—5B **98**
(off Worsley Bri. Rd.)
Broomsleigh St. *NW6* —2B **20**
Broomwood Rd. *SW11* —4B **78**
Broseley Gro. *SE26* —5A **98**
Brougham Rd. *E8* —5C **26**
Brougham St. *SW11* —5B **64**
Brough Clo. *SW8* —3A **66**

Brough St. *SW8* —3A **66**
Broughton Dri. *SW9* —2D **81**
Broughton Gdns. *N6* —1E **9**
Broughton Rd. *SW6* —5D **63**
Broughton St. *SW8* —5C **64**
Brownfield St. *E14* —5D **43**
Brown Hart Gdns. *W1* —1C **50**
Brownhill Rd. *SE6* —5D **85**
Browning Clo. *W9* —3E **35**
Browning M. *W1* —4D **37**
Browning Rd. *E11* —2B **16**
Browning St. *SE17* —1E **67**
Brownlow Ho. *SE16* —3C **54**
(off George Row)
Brownlow M. *WC1* —3B **38**
Brownlow Rd. *E7* —1C **30**
Brownlow Rd. *E8* —5C **26**
Brownlow Rd. *NW10* —4A **18**
Brownlow M. *WC1* —4B **38**
Browns Arc. *W1* —1E **51**
(off Regent St.)
Brown's Bldgs. *EC3* —5A **40**
Browns La. *NW5* —2D **23**
Brown St. *W1* —5B **36**
Brownswood Rd. *N4* —5D **11**
Broxash Rd. *SW11* —4C **78**
Broxbourne Rd. *E7* —5C **16**
Broxholme Ho. *SW6* —4D **63**
(off Harwood Rd.)
Broxholm Rd. *SE27* —3C **94**
Broxted Rd. *SE6* —2B **98**
Broxwood Way. *NW8* —5A **22**
Bruce Clo. *W10* —4F **33**
Bruce Hall M. *SW17* —4C **92**
Bruce Rd. *E3* —2D **43**
Bruce Rd. *NW10* —4A **18**
Bruckner St. *W10* —2B **34**
Brudenell Rd. *SW17* —3B **92**
Bruges Pl. *NW1* —4E **23**
Brune Ho. *E1* —4B **40**
(off Bell La.)
Brunel Est. *W2* —4C **34**
Brunel Rd. *E17* —1A **14**
Brunel Rd. *SE16* —3E **55**
Brunel Rd. *W'way E* —4A **32**
Brunel St. *E16* —5B **44**
Brune St. *E1* —4B **40**
Brunner Clo. *NW11* —1D **7**
Brunner Ho. *SE6* —4E **99**
Brunner Rd. *E17* —1A **14**
Brunswick Cen. *WC1* —3A **38**
Brunswick Clo. Est. *EC1*
—2D **39**
Brunswick Ct. *EC1* —2D **39**
(off Tompion St.)
Brunswick Ct. *SE1* —3A **54**
Brunswick Gdns. *W8* —2C **48**
Brunswick M. *SW16* —5F **93**
Brunswick M. *W1* —5B **36**
Brunswick Pk. *SE5* —4A **68**
Brunswick Pl. *N1* —2F **39**
Brunswick Quay. *SE16* —4F **55**
Brunswick Rd. *E10* —3E **15**
Brunswick Rd. *E14* —5E **43**
Brunswick Sq. *WC1* —3A **38**
Brunswick Vs. *SE5* —4A **68**
Brunton Pl. *E14* —5A **42**
Brushfield St. *E1* —4A **40**

Brussels Rd. *SW11* —2F **77**
Bruton La. *W1* —1D **51**
Bruton Pl. *W1* —1D **51**
Bruton St. *W1* —1D **51**
Brutus Ct. *SE11* —5D **53**
  (off Kennington La.)
Bryan Av. *NW10* —4D **19**
Bryan Ho. *SE16* —3B **56**
Bryan Rd. *SE16* —3B **56**
Bryanston Ct. *W1* —5B **36**
  (off York St.)
Bryanstone Rd. *N8* —1F **9**
Bryanston M. E. *W1* —4B **36**
Bryanston M. W. *W1* —4B **36**
Bryanston Pl. *W1* —4B **36**
Bryanston Sq. *W1* —5B **36**
Bryanston St. *W1* —5B **36**
Bryant Ct. *E2* —1B **40**
  (off Whiston Rd.)
Bryant St. *E15* —4F **29**
Bryantwood Rd. *N7* —2C **24**
Bryden Clo. *SE26* —5A **98**
Brydges Pl. *WC2* —1A **52**
Brydges Rd. *E15* —2F **29**
Brydon Wlk. *N1* —5A **24**
Bryer Ct. *EC2* —4E **39**
  (off Barbican)
Bryet Rd. *N7* —5A **10**
Bryher Ct. *SE11* —1C **66**
  (off Sancroft St.)
Brymay Clo. *E3* —1C **42**
Brynmaer Rd. *SW11* —4B **64**
Bryony Rd. *W12* —1C **46**
Buccleugh Ho. *E5* —2C **12**
Buchanan Ct. *SE16* —5F **55**
  (off Worgan St.)
Buchanan Gdns. *NW10*
  —1D **33**
Buchan Rd. *SE15* —1E **83**
Bucharest Rd. *SW18* —5E **77**
Buckden Clo. *SE12* —4B **86**
Buckfast St. *E2* —2C **40**
Buck Hill Wlk. *W2* —1F **49**
Buckhold Rd. *SW18* —4C **76**
Buckhurst Ho. *N7* —2F **23**
Buckhurst St. *E1* —3D **41**
Buckingham Arc. *WC2* —1A **52**
  (off Strand)
Buckingham Ga. *SW1* —4E **51**
Buckingham La. *SE23* —5A **84**
Buckingham Mans. *NW6*
  (off W. End La.) —2D **21**
Buckingham M. *N1* —3A **26**
  (off Culford Rd.)
Buckingham M. *NW10*
  —1B **32**
Buckingham M. *SW1* —4E **51**
  (off Stafford Pl.)
Buckingham Pal. Rd. *SW1*
  —5D **51**
Buckingham Pl. *SW1* —4E **51**
Buckingham Rd. *E10* —5D **15**
Buckingham Rd. *E11* —1E **17**
Buckingham Rd. *E15* —2B **30**
Buckingham Rd. *N1* —3A **26**
Buckingham Rd. *NW10*
  —1B **32**
Buckingham St. *WC2* —2A **52**

Buckland Ct. *N1* —1A **40**
  (off St Johns Est.)
Buckland Cres. *NW3* —4F **21**
Buckland Rd. *E10* —4E **15**
Buckland St. *N1* —1F **39**
Bucklers All. *SW6* —2B **62**
Bucklersbury. *EC4* —5F **39**
  (in two parts)
Buckle St. *E1* —5B **40**
Buckley Ct. *NW6* —4B **20**
Buckley Rd. *NW6* —4B **20**
Buckmaster Clo. *SW9* —1C **80**
Buckmaster Ho. *N7* —1B **24**
Buckmaster Rd. *SW11* —2A **78**
Bucknall St. *WC2* —5A **38**
Bucknell Clo. *SW2* —2B **80**
Buckner Rd. *SW2* —2B **80**
Buckstone Clo. *SE23* —4E **83**
Buck St. *NW1* —4D **23**
Buckters Rents. *SE16* —2A **56**
Buckthorne Rd. *SE4* —3A **84**
Budge Row. *EC4* —1F **53**
Budge's Wlk. *W2* —2E **49**
  (off North Wlk.)
Buer Rd. *SW6* —5A **62**
Bugsby's Way. *SE10 & SE7*
  —5B **58**
Bulinga St. *SW1* —5A **52**
Bullace Row. *SE5* —4F **67**
Bull All. *SE1* —1C **52**
Bullard's Pl. *E2* —2F **41**
Bulleid Way. *SW1* —5D **51**
Bullen St. *SW11* —5A **64**
Buller Clo. *SE15* —3C **68**
Buller Rd. *NW10* —2F **33**
Bullingham Mans. *W8* —3C **48**
  (off Pitt St.)
Bull Inn Ct. *WC2* —1A **52**
  (off Strand)
Bullivant St. *E14* —1E **57**
Bull Rd. *E15* —1B **44**
Bulls Gdns. *SW3* —5A **50**
Bulls Head Pas. *EC3* —5A **40**
  (off Gracechurch St.)
Bull Yd. *SE15* —4C **68**
Bulmer M. *W11* —1C **48**
Bulmer Pl. *W11* —2C **48**
Bulow Est. *SW6* —4D **63**
  (off Pearscroft Rd.)
Bulstrode Pl. *W1* —1C **36**
Bulstrode St. *W1* —5C **36**
Bulwer Ct. *E11* —3F **15**
Bulwer Ct. Rd. *E11* —3F **15**
Bulwer Rd. *E11* —2F **15**
Bulwer St. *W12* —2E **47**
Bungalows, The. *E10* —1E **15**
Bunhill Row. *EC1* —3F **39**
Bunhouse Pl. *SW1* —1C **64**
Bunkers Hill. *NW11* —2E **7**
Bunning Way. *N7* —4A **24**
Bunsen St. *E3* —1A **42**
Bunyan Ct. *EC2* —4E **39**
  (off Barbican)
Buonaparte M. *SW1* —1F **65**
Burbage Clo. *SE1* —4F **53**
Burbage Ho. *N1* —5F **25**
  (off Poole St.)
Burbage Rd. *SE24 & SE21*
  —4E **81**

Burcham St. *E14* —5D **43**
Burchell Ho. *SE11* —1B **66**
  (off Jonathan St.)
Burchell Rd. *E10* —3D **15**
Burchell Rd. *SE15* —4D **69**
Burcote Rd. *SW18* —5F **77**
Burden Ho. *SW8* —3A **66**
  (off Thorncroft St.)
Burden Way. *E11* —4D **17**
Burder Clo. *N1* —3A **26**
Burder Rd. *N1* —3A **26**
Burdett M. *NW3* —3F **21**
Burdett M. *W2* —5D **35**
Burdett Rd. *E3 & E14* —3A **42**
Burdett St. *SE1* —4C **52**
Burfield Clo. *SW17* —4F **91**
Burford Rd. *E6* —2F **45**
Burford Rd. *E15* —5F **29**
Burford Rd. *SE6* —2B **98**
Burford Wlk. *SW6* —3E **63**
Burge Rd. *E7* —1F **31**
Burges Gro. *SW13* —3D **61**
Burgess Av. *NW9* —1A **4**
Burgess Hill. *NW2* —1C **20**
Burgess Ind. Pk. *SE5* —3F **67**
Burgess Rd. *E15* —1A **30**
Burgess St. *E14* —4C **42**
Burge St. *SE1* —4F **53**
Burghill Rd. *SE26* —4A **98**
Burghley Hall Clo. *SW19*
  —1A **90**
Burghley Rd. *E11* —3A **16**
Burghley Rd. *NW5* —1D **23**
Burghley Rd. *SW19* —4F **89**
Burghley Tower. *W3* —1B **46**
Burgh St. *N1* —1D **39**
Burgon St. *EC4* —5D **39**
Burgos Gro. *SE10* —4D **71**
Burgoyne Rd. *N4* —1D **11**
Burgoyne Rd. *SW9* —1B **80**
Burke Clo. *SW15* —2A **74**
Burke Lodge. *E13* —2D **45**
Burke St. *E16* —4B **44**
Burland Rd. *SW11* —3B **78**
Burleigh Ho. *SW3* —2F **63**
  (off Beaufort St.)
Burleigh Ho. *W10* —2A **34**
  (off St Charles Sq.)
Burleigh Pl. *SW15* —3F **75**
Burleigh St. *WC2* —1B **52**
Burleigh Wlk. *SE6* —1E **99**
Burley Rd. *E16* —5E **45**
Burlington Arc. *W1* —1E **51**
Burlington Clo. *W9* —3C **34**
Burlington Gdns. *W1* —1E **51**
Burlington Pl. *SW6* —5A **62**
Burlington La. *W4* —3A **60**
Burlington Rd. *SW6* —5A **62**
Burma M. *N16* —1F **25**
Burma Rd. *N16* —1F **25**
Burma Ter. *SE19* —5A **96**
Burmester Rd. *SW17* —3E **91**
Burnaby St. *SW10* —3E **63**
Burnard Pl. *N7* —2B **24**
Burnaston Ho. *E5* —5C **12**
Burnbury Rd. *SW12* —1E **93**
Burne Jones Ho. *W14* —5A **48**
  (off N. End Rd.)

Burnell Wlk. *SE1* —1B **68**
(off Abingdon Clo.)
Burness Clo. *N7* —3B **24**
Burne St. *NW1* —4A **36**
Burnett Clo. *E9* —2E **27**
Burnett Ho. *SE13* —5E **71**
(off Lewisham Hill)
Burney St. *SE10* —3E **71**
Burnfoot Av. *SW6* —4A **62**
Burnham Clo. *SE1* —1B **68**
Burnham St. *E2* —2E **41**
Burnham Way. *SE26* —5B **98**
Burnhill Clo. *SE15* —3D **69**
Burnley Rd. *NW10* —2B **18**
Burnley Rd. *SW9* —5B **66**
Burnsall St. *SW3* —1A **64**
Burnsbury Ho. *SW4* —4F **79**
Burns Clo. *SW19* —5F **91**
Burns Ho. *SE17* —1D **67**
(off Doddington Gro.)
Burnside Clo. *SE16* —2F **55**
Burns Rd. *NW10* —5B **18**
Burns Rd. *SW11* —5B **64**
Burnt Ash Hill. *SE12* —4B **86**
(in two parts)
Burnt Ash La. *Brom* —5C **100**
Burnt Ash Rd. *SE12* —3B **86**
Burnthwaite Rd. *SW6* —3B **62**
Burntwood Clo. *SW18* —1A **92**
Burntwood Grange Rd. *SW18*
—1F **91**
Burntwood La. *SW17* —3E **91**
Burntwood View. *SW19* —5B **96**
Buross St. *E1* —5D **41**
Burrage Ct. *SE16* —5F **55**
(off Worgan St.)
Burrard Rd. *E16* —5D **45**
Burrard Rd. *NW6* —2C **20**
Burr Clo. *E1* —2C **54**
Burrell St. *SE1* —2D **53**
Burrell's Wharf Sq. *E14*
—1D **71**
Burrell Towers. *E10* —2C **14**
Burrmill Ct. *SE16* —5F **55**
(off Worgan St.)
Burrow Ho. *SW9* —5B **66**
(off Stockwell Pk. Rd.)
Burrow Rd. *SE22* —2A **82**
Burrows M. *SE1* —3D **53**
Burrows Rd. *NW10* —2E **33**
Burrow Wlk. *SE21* —5E **81**
Burr Rd. *SW18* —1C **90**
Bursar St. *SE1* —2A **54**
(off Tooley St.)
Burslem St. *E1* —5C **40**
Burstock Rd. *SW15* —2A **76**
Burston Rd. *SW15* —3F **75**
Burtley Clo. *N4* —3E **11**
Burton Gro. *SE17* —1F **67**
Burton Ho. *SE16* —3D **55**
(off Cherry Garden St.)
Burton La. *SW9* —5C **66**
(in two parts)
Burton M. *SW1* —5C **50**
Burton Pl. *WC1* —3F **37**
Burton Rd. *NW6* —4B **20**
Burton Rd. *SW9* —5C **66**
(in two parts)

Burtons Ct. *E15* —4F **29**
Burton St. *WC1* —2F **37**
Burtonwood Ho. *N4* —2F **11**
Burt Rd. *E16* —2E **59**
Burtwell La. *SE27* —4F **95**
Burwell Clo. *E1* —5D **41**
Burwell Rd. *E10* —3A **14**
Burwell Rd. Ind. Est. *E10*
—3A **14**
Burwell Wlk. *E3* —3C **42**
Burwood Ho. *SW9* —2D **81**
Burwood Pl. *W2* —5A **36**
Bury Clo. *SE16* —2F **55**
Bury Ct. *EC3* —5A **40**
Bury Pl. *WC1* —4A **38**
Bury St. *EC3* —5A **40**
Bury St. *SW1* —2E **51**
Bury Wlk. *SW3* —5A **50**
Busby M. *NW5* —3F **23**
Busby Pl. *NW5* —3F **23**
Bushbaby Clo. *SE1* —4A **54**
Bushberry Rd. *E9* —3A **28**
Bush Cotts. *SW18* —3C **76**
Bush Ct. *W12* —3F **47**
Bushell Clo. *SW2* —2B **94**
Bushell St. *E1* —2C **54**
Bushey Down. *SW12* —2D **93**
Bushey Hill Rd. *SE5* —4A **68**
Bushey Rd. *E13* —1E **45**
Bushey Rd. *N15* —1A **12**
Bush Ind. Est. *N19* —5E **9**
Bush La. *EC4* —1F **53**
Bushnell Rd. *SW17* —2D **93**
Bush Rd. *E8* —5D **27**
Bush Rd. *E11* —2B **16**
Bush Rd. *SE8* —5F **55**
Bushwood. *E11* —2B **16**
Bushwood Dri. *SE1* —5B **54**
Butcher Row. *E14* & *E1*
—1F **55**
Butchers Rd. *E16* —5C **44**
Bute Gdns. *W6* —5F **47**
Bute St. *SW7* —5F **49**
Bute Wlk. *N1* —3F **25**
Butler Pl. *SW1* —4F **51**
(off Palmer St.)
Butler Rd. *NW10* —4A **18**
Butler St. *E2* —2E **41**
Butlers Wharf. *SE1* —3B **54**
(off Shad Thames)
Butterfield Clo. *SE16* —3D **55**
Butterfields. *E17* —1E **15**
Butterfly Wlk. *SE5* —5F **67**
Buttermere Clo. *SE1* —5B **54**
Buttermere Ct. *NW8* —5F **21**
Buttermere Dri. *SW15* —3A **76**
Buttermere Wlk. *E8* —3B **26**
Butterwick. *W6* —5E **47**
Buttesland St. *N1* —2F **39**
Butts Rd. *Brom* —5A **100**
Buxted Rd. *E8* —4B **26**
Buxted Rd. *SE22* —2A **82**
Buxton Dri. *N1* —2E **39**
(off Thoresby St.)
Buxton Rd. *E6* —2F **45**
Buxton Rd. *E15* —2A **30**
Buxton Rd. *N19* —3F **9**
Buxton Rd. *NW2* —3D **19**

Buxton Rd. *SW14* —1A **74**
Buxton St. *E1* —3B **40**
Byam St. *SW6* —5E **63**
Byards Ct. *SE16* —5F **55**
(off Worgan St.)
Byelands Clo. *SE16* —2F **55**
Bye, The. *W3* —5A **32**
Byfeld Gdns. *SW13* —4C **60**
Byfield Clo. *SE16* —3A **56**
Byfield Clo. *SE16* —4A **56**
Byford Clo. *E15* —4A **30**
Bygrove St. *E14* —5D **43**
Byne Rd. *SE26* —5E **97**
Byng Pl. *WC1* —3F **37**
Byng St. *E14* —3C **56**
Byrne Rd. *SW12* —1D **93**
Byron Av. *E12* —3F **31**
Byron Clo. *E8* —5C **26**
Byron Clo. *SE26* —5A **98**
Byron Dri. *N2* —1F **7**
Byron M. *NW3* —2B **22**
Byron Rd. *E10* —3D **15**
Byron Rd. *NW2* —4D **5**
Byron St. *E14* —5E **43**
Bythorn St. *SW9* —1B **80**
Byton Rd. *SW17* —5B **92**
Byward St. *EC3* —1A **54**
Bywater Pl. *SE16* —2F **55**
Bywater St. *SW3* —1B **64**
Byway. *E11* —1E **17**
Bywell Pl. *W1* —4E **37**
(off Wells St.)
Byworth Wlk. *N19* —3A **10**

Cabbell St. *NW1* —4A **36**
Cable Pl. *SE10* —4E **71**
Cable St. *E1* —1C **54**
Cabot Ct. *SE16* —5F **55**
(off Worgan St.)
Cabot Sq. *E14* —2C **56**
Cabot Way. *E6* —5F **31**
Cab Rd. *SE1* —3C **52**
Cabul Rd. *SW11* —5A **64**
Cactus Clo. *SE15* —5A **68**
Cactus Wlk. *W12* —5B **32**
Cadbury Way. *SE16* —5B **54**
(in two parts)
Caddington Rd. *NW2* —5A **6**
Cadell Clo. *E2* —1B **40**
Cade Rd. *SE10* —4F **71**
Cader Rd. *SW18* —4E **77**
Cadet Dri. *SE1* —1B **68**
Cadet Pl. *SE10* —1A **72**
Cadiz St. *SE17* —1E **67**
Cadley Ter. *SE23* —2E **97**
Cadman Clo. *SW9* —3D **67**
Cadmus Clo. *SW4* —1F **79**
Cadogan Gdns. *SW3* —5B **50**
Cadogan Ga. *E9* —4B **28**
Cadogan Ga. *SW1* —5B **50**
Cadogan Ho. *SW3* —2F **63**
(off Beaufort St.)
Cadogan La. *SW1* —4C **50**
Cadogan Pl. *SW1* —4B **50**
Cadogan Sq. *SW1* —4B **50**
Cadogan St. *SW3* —5B **50**
Cadogan Ter. *E9* —3B **28**
Cadoxton Av. *N15* —1B **12**

Caedmon Rd. *N7* —1B **24**
Cahill St. *EC1* —3E **9**
Cahir St. *E14* —5D **57**
Caird St. *W10* —2A **34**
Cairnfield Av. *NW2* —5A **4**
Cairns Rd. *SW11* —3A **78**
Caister Ho. *N7* —3B **24**
Caistor M. *SW12* —5D **79**
Caistor Pk. Rd. *E15* —5B **30**
Caistor Rd. *SW12* —5D **79**
Caithness Ho. *N1* —5B **24**
  (off Twyford St.)
Caithness Rd. *W14* —4F **47**
Calabria Rd. *N5* —3D **25**
Calais Ga. *SE5* —4D **67**
Calais St. *SE5* —4D **67**
Calbourne Rd. *SW12* —5B **78**
Calcott Ct. *W14* —4A **48**
  (off Blythe Rd.)
Calcott Wlk. *SE9* —4F **101**
Caldecot Rd. *SE5* —5E **67**
Caldecott Way. *E5* —5F **13**
Calder Ct. *SE16* —2A **56**
Calderon Pl. *W10* —4E **33**
Calderon Rd. *E11* —1E **29**
Caldervale Rd. *SW4* —3F **79**
Caldew St. *SE5* —3F **67**
Caldicot Grn. *NW9* —1A **4**
Caldwell St. *SW9* —3B **66**
Caldy Wlk. *N1* —3E **25**
Caleb St. *SE1* —3E **53**
Caledonian Rd. *N1 & N7*
  —1A **38**
Caledonian Wharf. *E14*
  —5F **57**
Caledonia St. *N1* —1A **38**
Cale St. *SW3* —1A **64**
Caletock Way. *SE10* —1B **72**
Caliban Tower. *N1* —1A **40**
  (off Arden Est.)
Calico Row. *SW11* —1E **77**
Calidore Clo. *SW2* —4B **80**
Callaby Ter. *N1* —3F **25**
Callaghan Clo. *SE13* —2A **86**
Callander Rd. *SE6* —2D **99**
Callcott Ct. *NW6* —4B **20**
Callcott Rd. *NW6* —4B **20**
Callcott St. *W8* —2C **48**
Callendar Rd. *SW7* —4F **49**
Callingham Clo. *E14* —4B **42**
Callis Rd. *E17* —1B **14**
Callow St. *SW3* —2F **63**
Callum Welch Ho. *EC1* —3E **39**
  (off Goswell Rd.)
Calmington Rd. *SE5* —2A **68**
Calmont Rd. *Brom* —5F **99**
Calonne Rd. *SW19* —4F **89**
Calshot St. *N1* —1B **38**
Calstock Ho. *SE11* —1C **66**
  (off Kennings Way)
Calthorpe St. *WC1* —3B **38**
Calton Av. *SE21* —4A **82**
Calverley Clo. *Beck* —5D **99**
Calverley Gro. *N19* —3F **9**
Calvert Av. *E2* —2B **40**
Calverton. *SE17* —2A **68**
  (off Albany Rd.)
Calvert Rd. *SE10* —1B **72**

Calvert's Bldgs. *SE1* —2F **53**
  (off Southwark St.)
Calvert St. *NW1* —5C **22**
Calvin St. *E1* —3B **40**
Calydon Rd. *SE7* —1D **73**
Calypso Way. *SE16* —4B **56**
Cambalt Rd. *SW15* —3F **75**
Camber Ho. *SE15* —2E **69**
Cambert Way. *SE3* —2D **87**
Camberwell Chu. St. *SE5*
  —4F **67**
Camberwell Glebe. *SE5*
  —4A **68**
Camberwell Grn. *SE5* —4F **67**
Camberwell Green. (Junct.)
  —4F **67**
Camberwell Gro. *SE5* —4F **67**
Camberwell New Rd. *SE5*
  —2C **66**
Camberwell Pl. *SE5* —4E **67**
Camberwell Rd. *SE17 & SE5*
  —2E **67**
Camberwell Sta. Rd. *SE5*
  —4E **67**
Camberwell Trad. Est. *SE5*
  —4E **67**
Camborne M. *W11* —5A **34**
Camborne Rd. *SW18* —5C **76**
Cambourne M. *W11* —5A **34**
  (off St Mark's Rd.)
Cambray Rd. *SW12* —1E **93**
Cambria Ho. *SE26* —4C **96**
  (off High Level Dri.)
Cambrian Grn. *NW9* —1A **4**
  (off Snowden Dri.)
Cambrian Rd. *E10* —2C **14**
Cambria Rd. *SE5* —1E **81**
Cambria St. *SW6* —3D **63**
Cambridge Av. *NW6* —1C **34**
Cambridge Av. *NW10* —2E **33**
Cambridge Cir. *WC2* —5D **37**
Cambridge Ct. *N16* —2A **12**
  (off Amhurst Pk.)
Cambridge Cres. *E2* —1D **41**
Cambridge Dri. *SE12* —3C **86**
Cambridge Gdns. *NW6*
  —1C **34**
Cambridge Gdns. *W10* —5F **33**
Cambridge Ga. *NW1* —3D **37**
Cambridge Ga. M. *NW1*
  —3D **37**
Cambridge Gro. *W6* —5D **47**
Cambridge Heath Rd. *E1 & E2*
  —3D **41**
Cambridge Lodge Vs. *E8*
  —5D **27**
Cambridge Pk. *E11* —2C **16**
Cambridge Pk. Rd. *E11*
  —2B **16**
Cambridge Pl. *W8* —3D **49**
Cambridge Rd. *E11* —1B **16**
Cambridge Rd. *NW6* —1C **34**
  (in three parts)
Cambridge Rd. *SW11* —4B **64**
Cambridge Rd. *SW13* —5B **60**
Cambridge Sq. *W2* —5A **36**
Cambridge St. *SW1* —5D **51**

Cambridge Ter. *NW1* —2D **37**
Cambridge Ter. M. *NW1*
  —2D **37**
Cambus Rd. *E16* —4C **44**
Cam Ct. *SE15* —2B **68**
  (off Bibury Clo.)
Camden Est. *SE15* —4B **68**
Camden Gdns. *NW1* —4D **23**
Camden High St. *NW1* —4D **23**
Camden Hill Rd. *SE19* —5A **96**
Camden Ho. *SE8* —1B **70**
Camdenhurst St. *E14* —5A **42**
Camden La. *N7* —2F **23**
Camden Lock Pl. *NW1* —4D **23**
Camden M. *NW1* —4E **23**
Camden Pk. Rd. *NW1* —3F **23**
Camden Pas. *N1* —5D **25**
Camden Rd. *E11* —1D **17**
Camden Rd. *E17* —1B **14**
Camden Rd. *NW1 & N7*
  —4E **23**
Camden Row. *SE3* —5A **72**
Camden Sq. *NW1* —3F **23**
Camden Sq. *SE15* —4B **68**
Camden St. *NW1* —4E **23**
Camden Ter. *NW1* —3F **23**
Camden Wlk. *N1* —5D **25**
Cameford Ct. *SW2* —5A **80**
Camelford Ct. *W11* —5A **34**
Camelford Ho. *SE1* —1A **66**
  (off Albert Embkmt.)
Camelford Wlk. *W11* —5A **34**
Camellia Ho. *SE8* —3B **70**
  (off Idonia St.)
Camellia St. *SW8* —3A **66**
Camelot Clo. *SW19* —4C **90**
Camel Rd. *E16* —2F **59**
Camera Pl. *SW10* —2F **63**
Cameron Ho. *SE5* —3E **67**
Cameron Pl. *E1* —5D **41**
Cameron Rd. *SE6* —2B **98**
Cameron Ter. *SE12* —3D **101**
Camerton Clo. *E8* —3B **26**
Camilla Rd. *SE16* —5D **55**
Camlan Rd. *Brom* —4B **100**
Camlet St. *E2* —3B **40**
Camley St. *NW1* —4F **23**
Camomile St. *EC3* —5A **40**
Campana Rd. *SW6* —4C **62**
Campbell Clo. *SW16* —4F **93**
Campbell Ct. *SE22* —1C **96**
Campbell Ct. *SW7* —4E **49**
  (off Gloucester Rd.)
Campbell Gordon Way. *NW2*
  —1D **19**
Campbell Ho. *W12* —1D **47**
  (off White City Est.)
Campbell Rd. *E3* —2C **42**
Campbell Rd. *E15* —1B **30**
Campbell Wlk. *N1* —5A **24**
  (off Outram Pl.)
Campdale Rd. *N7* —5F **9**
Campden Gro. *W8* —3C **48**
Campden Hill. *W8* —3C **48**
Campden Hill Ct. *W8* —3A **48**
  (off Campden Hill Rd.)
Campden Hill Gdns. *W8*
  —2C **48**

Campden Hill Ga. *W8* —3C **48**
Campden Hill Pl. *W11* —2B **48**
Campden Hill Rd. *W8* —2C **48**
Campden Hill Sq. *W8* —2B **48**
Campden Ho. Clo. *W8* —3C **48**
Campden Houses. *W8*
Campden St. *W8* —2C **48**
Campen Clo. *SW19* —2A **90**
Camperdown St. *E1* —5B **40**
Campfield Rd. *SE9* —5F **87**
Campion Clo. *E6* —5F **19**
Campion Ter. *NW2* —5F **5**
Camplin St. *SE14* —3F **69**
Camp Rd. *SW19* —5D **89**
Campshill Pl. *SE13* —3E **85**
Campshill Rd. *SE13* —3E **85**
Campus Rd. *E17* —1B **14**
Camp View. *SW19* —5D **89**
Cam Rd. *E15* —5F **29**
Canada Est. *SE16* —4E **55**
Canada Gdns. *SE13* —3E **85**
Canada Sq. *E14* —2D **57**
Canada St. *SE16* —3F **55**
Canada Way. *W12* —1D **47**
Canada Wharf. *SE16* —2B **56**
Canadian Av. *SE6* —5D **85**
Canal App. *SE8* —2A **70**
Canal Bridge. (Junct.) —2C **68**
Canal Clo. *E1* —3A **42**
Canal Clo. *W10* —3F **33**
Canal Gro. *SE15* —2C **68**
Canal Head. *SE15* —4C **68**
Canal Path. *E2* —5B **26**
Canal Rd. *E3* —3A **42**
Canal St. *SE5* —2F **67**
Canal Wlk. *N1* —5F **25**
Canal Wlk. *SE26* —5E **97**
Canal Way. *W10* —3F **33**
Canberra Rd. *SE7* —2E **73**
Canbury M. *SE26* —3C **96**
Cancell Rd. *SW9* —4C **66**
Candahar Rd. *SW11* —5A **64**
Candler St. *N15* —1F **11**
Candover St. *W1* —4E **37**
Candy St. *E3* —5B **28**
Caney M. *NW2* —4F **5**
Canfield Gdns. *NW6* —4D **21**
Canfield Rd. *N15* —1A **12**
  (off Albert Rd.)
Canfield Pl. *NW6* —4D **21**
Canford Rd. *SW11* —3C **78**
Canham Rd. *W3* —3A **46**
Cann Hall Rd. *E11* —1A **30**
Canning Cross. *SE5* —5A **68**
Canning Ho. *W12* —1D **47**
  (off White City Est.)
Canning Pas. *W8* —4E **49**
Canning Pl. *W8* —4E **49**
Canning Pl. M. *W8* —4E **49**
  (off Canning Pl.)
Canning Rd. *E15* —1F **43**
Canning Rd. *N5* —5D **11**
Canning Town. (Junct.)
  —4A **44**
Cannizaro Rd. *SW19* —5E **89**
Cannock Ho. *N4* —2E **11**
Cannon Dri. *E14* —1C **56**
Cannon Hill. *NW6* —2C **20**

Cannon Ho. *SE11* —5B **52**
  (off Beaufoy Wlk.)
Cannon La. *NW3* —5F **7**
Cannon Pl. *NW3* —5F **7**
Cannon St. *EC4* —5E **39**
Cannon St. Rd. *E1* —5D **41**
Cannon Wharf Bus. Pk. *SE8*
  —5A **56**
Canon Beck Rd. *SE16* —3E **55**
Canonbie Rd. *SE23* —5E **83**
Canonbury Bus. Cen. *N1*
  —5E **25**
Canonbury Cres. *N1* —4E **25**
Canonbury Gro. *N1* —4E **25**
Canonbury La. *N1* —4D **25**
Canonbury Pk. N. *N1* —3E **25**
Canonbury Pk. S. *N1* —3E **25**
Canonbury Pl. *N1* —3D **25**
Canonbury Rd. *N1* —3D **25**
Canonbury Sq. *N1* —4D **25**
Canonbury St. *N1* —4E **25**
Canonbury Vs. *N1* —4E **25**
Canon Murnane Rd. *SE1*
  —4B **54**
Canon Row. *SW1* —3A **52**
Canon's Clo. *N2* —2F **7**
Canon St. *N1* —5E **25**
Canrobert St. *E2* —1D **41**
Cantelowes Rd. *NW1* —3F **23**
Canterbury Av. *Ilf* —2F **17**
Canterbury Clo. *SE5* —5E **67**
Canterbury Cres. *SW9* —1C **80**
Canterbury Gro. *SE27* —4C **94**
Canterbury Ho. *SE1* —4B **52**
Canterbury Ho. *SE5* —3C **66**
Canterbury Ind. Est. *SE15*
  —2E **69**
Canterbury Pl. *SE17* —5D **53**
Canterbury Rd. *E10* —2E **15**
Canterbury Rd. *NW6* —1C **34**
Canterbury Ter. *NW6* —1C **34**
Canthus Dri. *SE1* —1C **68**
Cantium Retail Pk. *SE1* —2C **68**
  (off Olmar St.)
Canton St. *E14* —5C **42**
Cantrell Rd. *E3* —3B **42**
Canute Gdns. *SE16* —5F **55**
Canvey St. *SE1* —2E **53**
Capel Rd. *E7 & E12* —1D **31**
Capel Rd. *NW10* —1B **32**
Capper St. *WC1* —3E **37**
Capstan Rd. *SE8* —5B **56**
Capstan Sq. *E14* —3E **57**
Capstan Way. *SE16* —2A **56**
Capstone Rd. *Brom* —4B **100**
Capulet M. *E16* —2C **58**
Capworth St. *E10* —3C **14**
Caracas Clo. *W2* —5C **34**
Caradoc Clo. *W2* —5C **34**
Caradoc St. *SE10* —1A **72**
Caradon Clo. *E11* —3A **16**

Caravel Clo. *E14* —4C **56**
Caravel M. *SE8* —2C **70**
Caraway Clo. *E13* —4D **45**
Carbis Rd. *E14* —5B **42**
Carburton St. *W1* —4D **37**
Cardale St. *E14* —3E **57**
Carden Rd. *SE15* —1D **83**
Cardigan Rd. *E3* —1B **42**
Cardigan Rd. *SW13* —5C **60**
Cardigan St. *SE11* —1C **66**
Cardigan Wlk. *N1* —4E **25**
  (off Ashby Gro.)
Cardinal Bourne St. *SE1*
  —4F **53**
  (off Burge St.)
Cardinal Cap All. *SE1* —2E **53**
Cardinal Pl. *SW15* —2F **75**
Cardinals Way. *N19* —3F **9**
Cardine M. *SE15* —3D **69**
Cardington St. *NW1* —2E **37**
Cardozo Rd. *N7* —2A **24**
Cardross St. *W6* —4D **47**
Cardwell Rd. *N7* —1A **24**
Carew Clo. *N7* —4B **10**
Carew St. *SE5* —5E **67**
Carey Gdns. *SW8* —4E **65**
Carey La. *EC2* —5E **39**
Carey Pl. *SW1* —5F **51**
Carey St. *WC2* —5B **38**
Carfax Pl. *SW4* —2F **79**
Carfree Clo. *N1* —4C **24**
Cargill Rd. *SW18* —1D **91**
Carholme Rd. *SE23* —1B **98**
Carina M. *SE27* —4E **95**
Carisbrooke Gdns. *SE15*
  —3B **83**
Carker's La. *NW5* —2D **23**
Carleton Gdns. *N19* —2E **23**
Carleton Rd. *N7* —2F **23**
Carleton Vs. *NW5* —2E **23**
Carlile Clo. *E3* —1B **42**
Carlingford Rd. *NW3* —1F **21**
Carlisle Av. *EC3* —5B **40**
Carlisle Av. *W3* —5A **32**
Carlisle Gdns. *Ilf* —1F **17**
Carlisle La. *SE1* —4B **52**
Carlisle Mans. *SW1* —5E **51**
  (off Carlisle Pl.)
Carlisle M. *NW8* —4F **35**
Carlisle Pl. *SW1* —4E **51**
Carlisle Rd. *E10* —3C **14**
Carlisle Rd. *N4* —2C **10**
Carlisle Rd. *NW6* —5A **20**
Carlisle St. *W1* —5F **37**
Carlisle Wlk. *E8* —3B **26**
Carlisle Way. *SW17* —5C **92**
Carlos Pl. *W1* —1C **50**
Carlow St. *NW1* —1E **37**
Carlton Clo. *NW3* —4C **6**
Carlton Ct. *SW9* —4D **67**
Carlton Dri. *SW15* —3F **75**
Carlton Gdns. *SW1* —2F **51**
Carlton Gro. *SE15* —4D **69**
Carlton Hill. *NW8* —1D **35**
Carlton Ho. Ter. *SW1* —2F **51**
Carlton Lodge. *N4* —2C **10**
  (off Carlton Rd.)
Carlton Mans. *W9* —2D **35**
Carlton Rd. *E11* —3B **16**

Carlton Rd. *E12* —1F **31**
Carlton Rd. *N4* —2C **10**
Carlton Sq. *E1* —3F **41**
(in two parts)
Carlton St. *SW1* —1F **51**
Carlton Ter. *E7* —4E **31**
Carlton Ter. *SE26* —3E **97**
Carlton Tower Pl. *SW1* —5B **50**
(off Cadogan Pl.)
Carlton Vale. *NW6* —1B **34**
Carlwell St. *SW17* —5A **92**
Carlyle Clo. *N2* —1E **7**
Carlyle Clo. *NW10* —5A **18**
Carlyle Ct. *SW6* —4D **63**
(off Maltings Pl.)
Carlyle Ct. *SW10* —4E **63**
(off Chelsea Harbour)
Carlyle Pl. *SW15* —2F **75**
Carlyle Pl. *E12* —1F **31**
Carlyle Sq. *SW3* —1F **63**
Carmalt Gdns. *SW15* —2E **75**
Carmarthen Grn. *NW9* —1A **4**
Carmarthen Pl. *SE1* —3A **54**
Carmel Ct. *W8* —3D **49**
(off Holland St.)
Carmelite St. *EC4* —1C **52**
Carmen St. *E14* —5D **43**
Carmichael Clo. *SW11* —1F **77**
Carmichael M. *SW18* —5F **77**
Carminia Rd. *SW17* —2D **93**
Carnaby St. *W1* —5E **37**
Carnac St. *SE27* —4F **95**
Carnarvon Rd. *E10* —1E **15**
Carnarvon Rd. *E15* —3B **30**
Carnbrook Rd. *SE3* —1F **87**
Carnegie Pl. *SW19* —3F **89**
Carnegie St. *N1* —5B **24**
Carnie Hall. *SW17* —3D **93**
Carnoustie Dri. *N1* —4A **24**
Carnwath Rd. *SW6* —1C **76**
Carolina Clo. *E15* —2A **30**
Carolina Rd. *SW16* —3B **94**
Caroline Clo. *W2* —1D **49**
(off Bayswater Rd.)
Caroline Ct. *Brom* —4F **99**
Caroline Gdns. *E2* —2A **40**
Caroline Gdns. *SE15* —3C **68**
Caroline Pl. *SW11* —1C **64**
Caroline Pl. *W2* —1D **49**
Caroline Pl. M. *W2* —1D **49**
Caroline Pl. *E1* —5F **41**
Caroline Ter. *SW1* —5C **50**
Caroline Wlk. *W6* —2A **62**
Carol St. *NW1* —5E **23**
Carpenter Ho. *NW11* —1E **7**
Carpenters M. *N7* —2A **24**
Carpenters Pl. *SW4* —2F **79**
Carpenter's Rd. *E15* —3C **28**
Carpenter St. *W1* —1D **51**
Carrara Wlk. *SW9* —2C **80**
Carriage Dri. E. *SW11* —3C **64**
Carriage Dri. N. *SW11* —3B **64**
(in two parts)
Carriage Dri. S. *SW11* —4B **64**
Carriage Dri. W. *SW11*
                                    —3B **64**
Carrick Ho. *N7* —3B **24**
(off Caledonian Rd.)

Carrick Ho. *SE11* —1D **67**
Carrick M. *SE8* —2C **70**
Carrington Gdns. *E7* —1C **30**
Carrington St. *W1* —2D **51**
Carrol Clo. *NW5* —1D **23**
Carroll Clo. *E15* —2B **30**
Carron Clo. *E14* —5D **43**
Carrou Rd. *SW8* —3B **66**
Carr St. *E14* —4A **42**
(in two parts)
Carslake Rd. *SW15* —4E **75**
Carson Rd. *E16* —3C **44**
Carson Rd. *SE21* —2F **95**
Carstairs Rd. *SE6* —3E **99**
Carston Clo. *SE12* —3B **86**
Carswell Rd. *SE6* —5E **85**
Carter Ct. *EC4* —5D **39**
(off Carter La.)
Carteret St. *SW1* —3F **51**
Carteret Way. *SE8* —5A **56**
Carter Ho. *E1* —4B **40**
(off Brune St.)
Carter La. *EC4* —5D **39**
Carter Pl. *SE17* —1E **67**
Carter Rd. *E13* —5D **31**
Carter Rd. *SW19* —5F **91**
Carters Hill Clo. *SE9* —1E **101**
Carters La. *SE23* —2A **98**
Carter St. *SE17* —2E **67**
Carter's Yd. *SW18* —3C **76**
Carthew Rd. *W6* —4D **47**
Carthew Vs. *W6* —4D **47**
Carthusian St. *EC1* —4E **39**
Cartier Circ. *E14* —2D **57**
Carting La. *WC2* —1A **52**
Carton Ho. *SE16* —4C **54**
(off Marine St.)
Cartwright Gdns. *WC1* —2A **38**
Cartwright St. *E1* —1B **54**
Cartwright Way. *SW13*
                                    —3D **61**
Carver Rd. *SE24* —4E **81**
Cary Rd. *E11* —1A **30**
Carysfort Rd. *N16* —5F **11**
Cascades Tower. *E14* —2B **56**
Casella Rd. *SE14* —3F **69**
Casewick Rd. *SE27* —5C **94**
Casimir Rd. *E5* —4E **13**
Casino Av. *SE24* —3E **81**
Caspian St. *SE5* —3F **67**
Caspian Wlk. *E16* —5F **45**
Casselden Rd. *NW10* —4A **18**
Cassell Ho. *SW9* —5B **66**
(off Stockwell Gdns. Est.)
Cassidy Rd. *SW6* —3C **62**
Cassiobury Rd. *E17* —1A **14**
Cassland Rd. *E9* —4F **27**
Casslee Rd. *SE6* —5B **84**
Casson St. *E1* —4C **40**
Castalia Sq. *E14* —3C **57**
Castellain Mans. *W9* —3D **35**
(off Castellain Rd.)
Castellain Rd. *W9* —3D **35**
Castell Ho. *SE8* —3C **70**
Castello Av. *SW15* —3E **75**
Castelnau. *SW13* —4C **60**
Castelnau Gdns. *SW13* —2D **61**
Castelnau Pl. *SW13* —2D **61**

Castelnau Row. *SW13* —2D **61**
Casterbridge Rd. *SE3* —1C **86**
Casterton St. *E8* —3D **27**
Castillon Rd. *SE6* —2A **100**
Castlands Rd. *SE6* —2B **98**
Castle Baynard St. *EC4*
                                    —1D **53**
Castle Clo. *E9* —2A **28**
Castle Clo. *SW19* —3F **89**
Castlecombe Dri. *SW19*
                                    —5F **75**
Castlecombe Rd. *SE9* —4F **101**
Castle Ct. *EC3* —5A **39**
(off Birchin La.)
Castle Ct. *SE26* —4A **98**
Castle Dri. *Ilf* —1F **17**
Castlehaven Rd. *NW1* —4D **23**
Castle Ho. *SE1* —5E **53**
(off Walworth Rd.)
Castle Ind. Est. *SE17* —5E **53**
Castle La. *SW1* —4E **51**
Castle Mead. *SE5* —3E **67**
(off Camberwell Rd.)
Castle Mead. *SE17* —3E **67**
Castle M. *NW1* —3D **23**
Castle Pl. *NW1* —3D **23**
Castle Pl. *W4* —5A **46**
Castle Point. *E13* —1E **45**
(off Boundary Rd.)
Castlereagh St. *W1* —5A **36**
Castle Rd. *NW1* —3D **23**
Castle Rd. *E6* —1E **45**
Castleton Rd. *SE9* —4F **101**
Castletown Rd. *W14* —1A **62**
Castleview Clo. *N4* —4E **11**
Castle Way. *SW19* —3F **89**
Castlewood Rd. *N15 & N16*
                                    —1C **12**
Castle Yd. *N6* —2C **8**
Castle Yd. *SE1* —2D **53**
Castor La. *E14* —1D **57**
Caterham Rd. *SE13* —1E **85**
Catesby St. *SE17* —5F **53**
Catford B'way. *SE6* —5D **85**
Catford Gyratory. (Junct.)
                                    —5D **85**
Catford Hill. *SE6* —2B **98**
Catford M. *SE6* —5D **85**
Catford Rd. *SE6* —5C **84**
Catford Trad. Est. *SE6*
                                    —2D **99**
Cathall Rd. *E11* —4F **15**
Cathay Ho. *SE16* —3D **55**
Cathay St. *SE16* —3D **55**
Cathcart Hill. *N19* —5E **9**
Cathcart Rd. *SW10* —2D **63**
Cathcart St. *NW5* —3D **23**
Cathedral Lodge. *EC1* —4E **39**
(off Aldersgate St.)
Cathedral Piazza. *SW1* —4E **51**
Cathedral Pl. *EC4* —5E **39**
(off Paternoster Row)
Cathedral St. *SE1* —2F **53**
Catherall Rd. *N5* —5E **11**
Catherine Ct. *SW19* —5B **90**
Catherine Griffiths Ct. *EC1*
                                    —3C **38**
(off Pine St.)
Catherine Gro. *SE10* —4D **71**

Catherine Ho. N1 —5A **26**
(off Whitmore Est.)
Catherine Pl. SW1 —4E **51**
Catherine St. WC2 —1B **52**
Catherine Wheel All. E1
 —4A **4**
Catherine Wheel Yd. SW1
 —2E **51**
(off Lit. St James's St.)
Catherwood Ct. N1 —2F **39**
(off Murray Gro.)
Cathles Rd. SW12 —4D **79**
Cathnor Hall Ct. W12 —3D **47**
Cathnor Rd. W12 —3D **47**
Catling Clo. SE23 —3E **97**
Catlin St. SE16 —1C **68**
Cato Rd. SW4 —1F **79**
Cator Rd. SE26 —5F **97**
Cator St. SE15 —2B **68**
(in two parts)
Cato St. W1 —5A **36**
Catton St. WC1 —4B **38**
Caughley Ho. SE11 —4C **52**
(off Lambeth Wlk.)
Caulfield Rd. SE15 —5D **69**
Causeway, The. SW18 —3D **77**
Causeway, The. SW19 —5E **89**
Causton Rd. N6 —2D **9**
Causton St. SW1 —5F **51**
Cautley Av. SW4 —3E **79**
Cavalry Gdns. SW15 —3B **76**
Cavaye Pl. SW10 —1E **63**
Cavell St. E1 —4D **41**
Cavendish Av. NW8 —1F **35**
Cavendish Clo. NW6 —3B **20**
Cavendish Clo. NW8 —2F **35**
Cavendish Ct. EC3 —5A **40**
(off Devonshire Row)
Cavendish Dri. E11 —3F **15**
Cavendish Gdns. SW4 —4E **79**
Cavendish Mans. NW6 —2C **20**
Cavendish M. N. W1 —4D **37**
Cavendish M. S. W1 —4D **37**
Cavendish Pl. W1 —5D **37**
Cavendish Rd. N4 —1D **11**
Cavendish Rd. NW6 —4A **20**
Cavendish Rd. SW12 —4D **79**
Cavendish Sq. W1 —5D **37**
Cavendish St. N1 —1F **39**
Cave Rd. E13 —2D **45**
Caversham M. SW3 —2B **64**
Caversham Rd. NW5 —3E **23**
Caversham St. SW3 —2B **64**
Caverswall St. W12 —5E **33**
Cawnpore St. SE19 —5A **96**
Caxton Ct. SW11 —5A **64**
Caxton Gro. E3 —2C **42**
Caxton Rd. SW19 —5E **91**
Caxton Rd. W12 —3F **47**
Caxton St. SW1 —4F **51**
Caxton St. N. E16 —5B **44**
Caxton St. S. E16 —1C **58**
Caxton Wlk. WC2 —5F **37**
Cayenne Ct. SE1 —3B **54**
(off Lafone St.)
Cayton Pl. EC1 —2F **39**
(off Cayton St.)
Cayton St. EC1 —2F **39**

Cazenove Rd. N16 —4B **12**
Cearns Ho. E6 —5F **31**
Cecil Ct. WC2 —1A **52**
Cecile Pk. N8 —1A **10**
Cecilia Rd. E8 —2B **26**
Cecil Rd. E11 —5B **16**
Cecil Rd. E13 —5C **30**
Cecil Rd. NW10 —5A **18**
Cedar Clo. SE21 —1E **95**
Cedar Ct. E8 —4B **26**
Cedar Ct. N1 —4E **25**
Cedar Ct. SE7 —2E **73**
Cedar Ct. SW19 —3F **89**
Cedar Ho. SE14 —4F **69**
Cedar Ho. W8 —4D **49**
(off Marloes Rd.)
Cedarhurst Dri. SE9 —3E **87**
Cedar M. SE9 —1F **101**
Cedarne Rd. SW6 —3D **63**
Cedar Pl. SE7 —1E **73**
Cedar Rd. NW2 —1E **19**
Cedars Av. E17 —1C **14**
Cedars M. SW4 —2D **79**
(in two parts)
Cedars Rd. E15 —3A **30**
Cedars Rd. SW4 —1D **79**
Cedars Rd. SW13 —5C **60**
Cedar Tree Gro. SE27 —5D **95**
Cedar Way. NW1 —4F **23**
Cedar Way Ind. Est. NW1
 —4F **23**
Cedra Ct. N16 —3C **12**
Celandine Clo. E14 —4C **42**
Celandine Way. E15 —2A **44**
Celbridge M. W2 —4D **35**
Celestial Gdns. SE13 —2F **85**
Celia Ho. N1 —1A **40**
(off Arden Est.)
Celia Rd. N19 —1E **23**
Celtic St. E14 —4D **43**
Cemetery La. SE7 —2F **73**
Cemetery Rd. E7 —1B **30**
Cenacle Clo. NW3 —5C **6**
Centaur St. SE1 —4B **52**
Central Av. E11 —4F **15**
Central Av. SW11 —3B **64**
Central Bus. Cen. NW10
 —2A **18**
Central Cir. NW4 —1D **5**
Central Hill. SE19 —5F **95**
Central Ho. E15 —1E **43**
Central Mans. NW4 —1D **5**
(off Watford Way)
Central Markets. EC1 —4D **39**
(off Charterhouse St.)
Central Pk. E6 —1F **45**
Central Sq. NW11 —1D **7**
Central St. EC1 —2E **39**
Centre Av. NW10 —2E **33**
Centre Av. W3 —2A **46**
Centre Ct. W2 —1E **49**
(off Princes Sq.)
Centre Shop. Cen. NW10
 —5B **90**
Centre Dri. E7 —1E **31**
Centre Point. SE1 —1C **68**
Centrepoint. WC2 —5F **37**
(off St Giles High St.)

Centre Rd. E11 & E7 —4C **16**
Centre St. E2 —1D **41**
Centric Clo. NW1 —5C **22**
Centurion Clo. N7 —4B **24**
Centurion La. E3 —1B **42**
Century Clo. NW4 —1E **5**
Century Ho. SW15 —2F **75**
Cephas Av. E1 —3E **41**
Cephas St. E1 —3E **41**
Cerise Rd. SE15 —4C **68**
Cerney M. W2 —1F **49**
Cervantes Ct. W2 —5D **35**
Cester St. E2 —5C **26**
Ceylon Rd. W14 —4F **47**
Chadacre Ct. E13 —5C **30**
(off Vicars Clo.)
Chadacre Ho. SW9 —2D **81**
(off Loughborough Pk.)
Chadbourn St. E14 —4D **43**
Chadd Grn. E13 —5C **30**
(in two parts)
Chadwell St. EC1 —2C **38**
Chadwick Av. SW19 —5C **90**
Chadwick Rd. E11 —2A **16**
Chadwick Rd. NW10 —5B **18**
Chadwick Rd. SE15 —5B **68**
Chadwick St. SW1 —4F **51**
Chadwin Rd. E13 —4D **45**
Chadworth Ho. N4 —3E **11**
Chagford St. NW1 —3B **36**
Chailey St. E5 —5E **13**
Chalbury Wlk. N1 —1C **38**
Chalcot Cres. NW1 —5B **22**
Chalcot Gdns. NW3 —3B **22**
Chalcot M. SW16 —3A **94**
Chalcot Rd. NW1 —4C **22**
Chalcot Sq. NW1 —4C **22**
Chalcroft Rd. SE13 —3A **86**
Chaldon Rd. SW6 —3A **62**
Chale Rd. SW2 —4A **80**
Chalfont Ho. SE16 —4D **55**
(off Keetons Rd.)
Chalford Rd. SE21 —4C **95**
Chalk Farm Rd. NW1 —4C **22**
Chalkhill Rd. W6 —5F **47**
Chalk Rd. E13 —4D **45**
Challice Way. SW2 —1B **94**
Challoner Cres. W14 —1B **62**
Challoner St. W14 —1B **62**
Chalmer's Wlk. SE17 —2D **67**
(off Hillingdon St.)
Chalsey Rd. SE4 —2B **84**
Chalton Dri. N2 —1F **7**
Chalton St. NW1 —1E **37**
Chamberlain Cotts. SE5
 —4F **67**
Chamberlain St. NW1 —4B **22**
Chamberlayne Rd. NW10
 —4E **19**
Chambers La. NW10 —4D **19**
Chambers Rd. N7 —1A **24**
Chambers St. SE16 —3C **54**
Chambers, The. SW10 —4E **63**
(off Chelsea Harbour)
Chamber St. E1 —1B **54**
Chambers Wharf. SE16
 —3C **54**
Chambon Pl. W6 —5C **46**

Chambord St. *E2* —2B **40**
Chamomile Ct. *E11* —1C **14**
  (off Yunus Khan Clo.)
Champion Cres. *SE26* —5A **98**
Champion Gro. *SE5* —1F **81**
Champion Hill. *SE5* —1F **81**
Champion Hill Est. *SE5*
  —1A **82**
Champion Pk. *SE5* —5F **67**
Champion Rd. *SE26* —4A **98**
Champlain Ho. *W12* —1D **47**
  (off White City Est.)
Champness Clo. *SE27* —4F **95**
Chancel Ind. Est. *NW10*
  —3B **18**
Chancellor Gro. *SE21* —2E **95**
Chancellor Pas. *E14* —2C **56**
Chancellors Ct. *WC1* —4B **38**
  (off Olde Hall St.)
Chancellor's Rd. *W6* —1E **61**
Chancellor's St. *W6* —1E **61**
Chancellors Wharf. *W6*
  —1E **61**
Chancel St. *SE1* —2D **53**
Chancery La. *WC2* —5C **38**
Chance St. *E2 & E1* —3B **40**
Chandler Av. *E16* —4C **44**
Chandlers M. *E14* —3C **56**
Chandler St. *E1* —2D **55**
Chandlers Way. *SW2* —5C **80**
Chandler Way. *SE15* —3B **68**
Chandos Pl. *WC2* —1A **52**
Chandos Rd. *E15* —2F **29**
Chandos Rd. *NW2* —2E **19**
Chandos Rd. *NW10* —3A **32**
Chandos St. *W1* —4D **37**
Chandos Way. *NW11* —3D **7**
Change All. *EC3* —5F **39**
Channel Ga. Rd. *NW10*
  —2A **32**
Channelsea Rd. *E15* —5F **29**
Chantrey Rd. *SW9* —1B **80**
Chantry Clo. *W9* —3B **34**
Chantry Sq. *W8* —4D **49**
Chantry St. *N1* —5D **25**
Chant Sq. *E15* —4F **29**
Chant St. *E15* —4F **29**
Chapel Ct. *SE1* —3F **53**
  (off Borough High St.)
Chapel Ct. *SW1* —3F **53**
Chapel Ho. St. *E14* —1D **71**
Chapel Mkt. *N1* —1C **38**
Chapel Path. *E11* —1C **16**
  (off Woodbine Pl.)
Chapel Pl. *EC2* —2A **40**
Chapel Pl. *N1* —1C **38**
Chapel Pl. *W1* —5D **37**
Chapel Rd. *SE27* —4D **95**
Chapel Side. *W2* —1D **49**
Chapel St. *NW1* —4A **36**
Chapel St. *SW1* —4C **50**
Chapel Way. *N7* —5B **10**
Chapel Yd. *SW18* —3C **76**
  (off Wandsworth High St.)
Chaplin Clo. *SE1* —3D **53**
Chaplin Rd. *E15* —1B **44**
Chaplin Rd. *NW2* —3C **18**
Chapman Rd. *E9* —3B **28**

Chapmans Pk. Ind. Est. *NW10*
  —3B **18**
Chapman St. *E1* —1D **55**
Chapone Pl. *W1* —5F **37**
  (off Dean St.)
Chapter Ho. Ct. *EC4* —5E **39**
  (off St Paul's All.)
Chapter Rd. *NW2* —2C **18**
Chapter Rd. *SE17* —1D **67**
Chapter St. *SW1* —5F **51**
Chapter Ter. *SE17* —2D **67**
Charcroft Ct. *W14* —3F **47**
  (off Minford Gdns.)
Chardin Rd. *W4* —5A **46**
Chardmore Rd. *N16* —3C **12**
Charecroft Way. *W12* —3F **47**
Charfield Ct. *W9* —3D **35**
  (off Shirland Rd.)
Charford Rd. *E16* —4C **44**
Chargeable La. *E13* —3B **44**
Chargeable St. *E16* —3B **44**
Chargrove Clo. *SE16* —3F **55**
Charing Cross. *SW1* —2A **52**
  (off Whitehall)
Charing Cross Rd. *WC2*
  —5F **37**
Charing Ho. *SE1* —3C **52**
  (off Windmill Wlk.)
Charlbert Ct. *NW8* —1A **36**
  (off Charlbert St.)
Charlbert St. *NW8* —1A **36**
Charlecote Gro. *SE26* —3D **97**
Charles Barry Clo. *SW4*
  —1E **79**
Charlesfield. *SE9* —3E **101**
Charles Flemwell M. *E16*
  —2C **58**
Charles Gardner Ct. *N1* —2F **39**
  (off Haberdasher Est.)
Charles La. *NW8* —1A **36**
Charles Pl. *NW1* —2C **37**
Charles Rowan Ho. *WC1*
  (off Margery St.) —2C **38**
Charles II Pl. *SW3* —1A **64**
Charles II St. *SW1* —2F **51**
Charles Sq. *N1* —2F **39**
Charles Sq. Est. *N1* —2F **39**
  (off Charles Sq.)
Charles St. *E16* —2E **59**
Charles St. *SW13* —5A **60**
Charles St. *W1* —2D **51**
Charles St. Trad. Est. *E16*
  —2E **59**
Charleston St. *SE17* —5E **53**
Charles Uton Ct. *E8* —1C **26**
Charles Whincup Rd. *E16*
  —2D **59**
Charleville Cir. *SE26* —5C **96**
Charleville Mans. *W14* —1A **62**
  (off Charleville Rd.)
Charleville Rd. *W14* —1A **62**
Charlmont Rd. *SW17* —5A **92**
Charlotte Ct. *N8* —1F **9**
Charlotte Ct. *SE1* —5A **54**
  (off Old Kent Rd.)
Charlotte Ct. *SE17* —5A **54**
  (off Mason St.)

Charlotte Despard Av. *SW11*
  —4C **64**
Charlotte M. *W1* —4E **37**
Charlotte M. *W10* —5F **33**
Charlotte M. *W14* —5A **48**
Charlotte Pl. *SW1* —5E **51**
Charlotte Pl. *W1* —4E **37**
Charlotte Rd. *EC2* —2A **40**
Charlotte Rd. *SW13* —4B **60**
Charlotte Row. *SW4* —1E **79**
Charlotte St. *W1* —4E **37**
Charlotte Ter. *N1* —5B **24**
Charlow Clo. *SW6* —5E **63**
Charlton Chu. La. *SE7* —1E **73**
Charlton Ct. *E2* —5B **26**
Charlton Dene. *SE7* —3E **73**
Charlton King's Rd. *NW5*
  —2F **23**
Charlton La. *SE7* —5F **59**
Charlton Pk. La. *SE7* —3F **73**
Charlton Pk. Rd. *SE7* —2F **73**
Charlton Pl. *N1* —1D **39**
Charlton Rd. *NW10* —5A **18**
Charlton Rd. *SE3 & SE7*
  —3C **72**
Charlton Way. *SE3* —4A **72**
Charlwood Pl. *SW1* —5E **51**
Charlwood Rd. *SW15* —2F **75**
Charlwood St. *SW1* —1E **65**
  (in two parts)
Charlwood Ter. *SW15* —2F **75**
Charminster Rd. *SE9* —4F **101**
Charmouth Ho. *SW8* —3B **66**
Charnock Rd. *E5* —5D **13**
Charnwood Gdns. *E14* —5C **56**
Charnwood St. *E5* —4D **13**
Charrington St. *NW1* —1F **37**
Charsley Rd. *SE6* —2D **99**
Charter Ct. *N4* —3C **10**
Charterhouse Bldgs. *EC1*
  —3D **39**
Charterhouse M. *EC1* —4D **39**
Charterhouse Sq. *EC1* —4D **39**
Charterhouse St. *EC1* —4C **38**
Charteris Rd. *N4* —3C **10**
Charteris Rd. *NW6* —5B **20**
Charters Clo. *SE19* —5A **96**
Chartfield Av. *SW15* —3D **75**
Chartfield Sq. *SW15* —3F **75**
Chartham Ct. *SW9* —1C **80**
  (off Canterbury Cres.)
Chartham Gro. *SE27* —3D **95**
Chartley Av. *NW2* —5A **4**
Chart St. *N1* —2F **39**
Char Wood. *SW16* —4C **94**
Chasefield Rd. *SW17* —4B **92**
Chaseley St. *E14* —5A **42**
Chase Rd. *NW10* —3A **32**
Chase Rd. Trad. Est. *NW10*
  —3A **32**
Chase, The. *E12* —1F **31**
Chase, The. *SW4* —2D **79**
Chaston St. *NW5* —2C **22**
  (off Grafton Ter.)
Chatfield Rd. *SW11* —1E **77**
Chatham Clo. *NW11* —1C **6**
Chatham Pl. *E9* —3E **27**
Chatham Rd. *SW11* —4B **78**

Chatham St. *SE17* —5F **53**
Chatsworth Av. *Brom*
　　　　　　　—4D **101**
Chatsworth Ct. W8 —5C **48**
(off Pembroke Rd.)
Chatsworth Est. *E5* —1F **27**
Chatsworth Lodge. W4 —1A **60**
(off Bourne Pl.)
Chatsworth Rd. *E5* —5E **13**
Chatsworth Rd. *E15* —2B **30**
Chatsworth Rd. *NW2* —3E **19**
Chatsworth Way. *SE27*
　　　　　　　—3D **95**
Chatterton Rd. *N4* —5D **11**
Chatto Rd. *SW11* —3B **78**
Chaucer Dri. *SE1* —5B **54**
Chaucer Mans. W14 —2A **62**
(off Queen's Club Gdns.)
Chaucer Rd. *E7* —3C **30**
Chaucer Rd. *E11* —1C **16**
Chaucer Rd. *SE24* —3C **80**
Chaucer Way. *SW19* —5F **91**
Chaulden Ho. EC1 —2F **39**
(off Cranwood St.)
Chauntler Clo. *E16* —1D **59**
Cheam St. *SE15* —1E **83**
Cheapside. *EC2* —2E **39**
Chedworth Clo. *E16* —5B **44**
Cheesemans Ter. *W14* —1B **62**
(in two parts)
Chelford Rd. *Brom* —5F **99**
Chelmer Rd. *E9* —2F **27**
Chelmsford Clo. *W6* —2F **61**
Chelmsford Ho. N7 —1B **24**
(off Holloway Rd.)
Chelmsford Rd. *E11* —3F **15**
Chelmsford Rd. *E17* —1C **14**
Chelmsford Sq. *NW10* —5E **19**
Chelsea Bri. *SW1 & SW8*
　　　　　　　—2D **65**
Chelsea Bri. Bus. Cen. *SW8*
　　　　　　　—3D **65**
Chelsea Bri. Rd. *SW1* —1C **64**
Chelsea Bri. Wharf. *SW8*
　　　　　　　—2D **65**
Chelsea Cloisters. *SW3*
　　　　　　　—5A **50**
Chelsea Clo. *NW10* —5A **18**
Chelsea Cres. *SW10* —4E **63**
Chelsea Embkmt. *SW3*
　　　　　　　—2A **64**
Chelsea Garden Mkt. *SW10*
　　　　　　　—4E **63**
Chelsea Grn. SW1 —1C **64**
(off Chelsea Bri. Rd.)
Chelsea Harbour. *SW10*
　　　　　　　—4E **63**
Chelsea Harbour Dri. *SW10*
　　　　　　　—4E **63**
Chelsea Mnr. Ct. *SW3* —2A **64**
Chelsea Mnr. Gdns. *SW3*
　　　　　　　—1A **64**
Chelsea Mnr. St. *SW3* —1A **64**
Chelsea Pk. Gdns. *SW3*
　　　　　　　—2F **63**
Chelsea Reach Tower. SW10
(off Worlds End Est.) —3F **63**
Chelsea Sq. *SW3* —1F **63**

Chelsea Towers. *SW3* —2A **64**
(off Chelsea Mnr. Gdns.)
Chelsea Wharf. SW10 —3F **63**
(off Lots Rd.)
Chelsfield Gdns. *SE26* —3E **97**
Chelsham Rd. *SW4* —1F **79**
Cheltenham Gdns. *E6* —1F **45**
Cheltenham Rd. *E10* —1E **15**
Cheltenham Rd. *SE15* —2E **83**
Cheltenham Ter. *SW3* —1B **64**
Chelverton Rd. *SW15* —2F **75**
Chelwood Wlk. *SE4* —2A **84**
Chenappa Clo. *E13* —2C **44**
Cheney Ct. *SE23* —1F **97**
Cheney Rd. *N1* —1A **38**
Cheneys Rd. *E11* —5A **16**
Chenies Ho. W4 —2B **60**
(off Corney Reach Way)
Chenies M. *WC1* —3F **37**
Chenies Pl. *NW1* —1F **37**
Chenies St. *WC1* —4F **37**
Cheniston Gdns. *W8* —4D **49**
Chepstow Clo. *SW15* —3A **76**
Chepstow Cres. *W11* —1C **48**
Chepstow Pl. *W2* —5C **34**
Chepstow Rd. *W2* —5C **34**
Chepstow Vs. *W11* —1B **48**
Chepstow Way. *SE15* —4B **68**
Chequer St. *EC1* —3E **39**
(in two parts)
Cherbury Ct. N1 —1F **39**
(off St Johns Est.)
Cherbury St. *N1* —1F **39**
Cheriton Ct. *SE12* —5C **86**
Cheriton Sq. *SW17* —2C **92**
Cherry Clo. *SW2* —5C **80**
Cherry Ct. *W3* —2A **46**
Cherry Garden St. SE16
　　　　　　　—3D **55**
Cherry Laurel Wlk. *SW2*
　　　　　　　—4B **80**
Cherry Orchard. *SE7* —2E **73**
Cherry Tree Ct. *SE7* —2E **73**
Cherrytree Dri. *SW16* —3A **94**
Cherry Tree Rd. *E15* —2A **30**
Cherry Tree Wlk. *EC1* —3E **39**
Cherrywood Clo. *E3* —2A **42**
Cherrywood Dri. SW15 —3F **75**
Chertsey Rd. *E11* —4F **15**
Chertsey St. *SW17* —5C **92**
Cheryls Clo. *SW6* —4D **63**
Cheseman St. *SE26* —3D **97**
Chesham Clo. SW1 —4C **50**
(off Lyall St.)
Chesham M. *SW1* —4C **50**
(off Belgrave M. W.)
Chesham Pl. *SW1* —4C **50**
(in two parts)
Chesham Rd. *SW19* —5F **91**
Chesham St. *SW1* —4C **50**
Cheshire Clo. *SE4* —5B **70**
Cheshire St. *E2* —3B **40**
Chesholm Rd. *N16* —5A **12**
Cheshunt Rd. *E7* —3D **31**
Chesil Ct. *E2* —1E **41**
Chesil Ct. *SW3* —2A **64**
Chesilton Rd. *SW6* —4B **62**
Chesley Gdns. *E6* —1F **45**

Chesney Ho. *SE13* —2F **85**
(off Mercator Rd.)
Chesney St. *SW11* —4C **64**
Chessington Ho. *SW8* —5F **65**
Chessington Mans. *E10*
　　　　　　　—2C **14**
Chessington Mans. *E11*
　　　　　　　—2A **16**
Chesson Rd. *W14* —2B **62**
Chester Clo. *SW1* —3D **51**
Chester Clo. *SW15* —1D **75**
Chester Clo. N. *NW1* —2D **37**
Chester Clo. S. *NW1* —2D **37**
Chester Cotts. SW1 —5C **50**
(off Bourne St.)
Chester Ct. *NW1* —2D **37**
Chester Cres. *E8* —2B **26**
Chesterfield Clo. *SE13* —5F **71**
Chesterfield Gdns. *N4* —1D **11**
Chesterfield Gdns. *SE10*
　　　　　　　—3F **71**
Chesterfield Gdns. *W1* —2D **51**
Chesterfield Gro. *SE22* —3B **82**
Chesterfield Hill. *W1* —2D **51**
Chesterfield Rd. *E10* —1E **15**
Chesterfield St. *W1* —2D **51**
Chesterfield Wlk. *SE10* —4F **71**
Chesterfield Way. *SE15*
　　　　　　　—3E **69**
Chesterford Gdns. *NW3*
　　　　　　　—1D **21**
Chester Ga. *NW1* —2D **37**
Chester Ho. *SE8* —2B **70**
Chester Ho. SW9 —3C **66**
(off Brixton Rd.)
Chesterman Ct. W4 —3A **60**
(off Corney Reach Way)
Chester M. *SW1* —4D **51**
Chester Pl. *NW1* —2D **37**
Chester Rd. *E7* —4F **31**
Chester Rd. *E11* —1D **17**
Chester Rd. *E16* —3A **44**
Chester Rd. *E17* —1F **13**
Chester Rd. *N19* —4D **9**
Chester Rd. *NW1* —2C **36**
Chester Rd. *SW19* —5E **89**
Chester Row. *SW1* —5C **50**
Chester Sq. *SW1* —5C **50**
Chester Sq. M. SW1 —4D **51**
(off Chester Sq.)
Chester St. *E2* —3C **40**
(Vallance Rd.)
Chester St. *E2* —5C **26**
(Whiston Rd.)
Chester St. *SW1* —4C **50**
Chester Ter. *NW1* —2D **37**
Chesterton Clo. *SW18* —3C **76**
Chesterton Rd. *E13* —2C **44**
Chesterton Rd. *W10* —4F **33**
Chesterton Sq. *W8* —5B **48**
Chesterton Ter. *E13* —2C **44**
Chester Way. *SE11* —5C **52**
Chestnut All. *SW6* —2B **62**
Chestnut Av. *E7* —1D **31**
Chestnut Clo. *N16* —4F **11**
Chestnut Clo. *SE6* —5C **99**
Chestnut Clo. *SW16* —4C **94**
Chestnut Ct. *SW6* —2B **62**

Chestnut Dri.—Church Path

Chestnut Dri. *E11* —1C **16**
Chestnut Gro. *SW12* —5C **78**
Chestnut Ho. *W4* —5A **46**
(off Orchard, The)
Chestnut Rd. *SE27* —3D **95**
Chestnuts, The. *N5* —1E **25**
(off Highbury Grange)
Chettle Clo. *SE1* —4F **53**
(off Spurgeon St.)
Chettle Ct. *N8* —1C **10**
Chetwode Rd. *SW17* —3B **92**
Chetwynd Rd. *NW5* —1D **23**
Cheval Pl. *SW7* —4A **50**
Cheval St. *E14* —4C **56**
Chevening Rd. *NW6* —1F **33**
Chevening Rd. *SE10* —1B **72**
Cheverton Rd. *N19* —3F **9**
Chevet St. *E9* —2A **28**
Cheviot Gdns. *NW2* —4F **5**
Cheviot Gdns. *SE27* —4D **95**
Cheviot Ga. *NW2* —4A **6**
Cheviot Rd. *SE27* —5C **94**
Chevron Clo. *E16* —5C **44**
Cheyne Clo. *NW4* —1E **5**
Cheyne Ct. *SW3* —2B **64**
Cheyne Gdns. *SW3* —2A **64**
Cheyne M. *SW3* —2A **64**
Cheyne Pl. *SW3* —2B **64**
Cheyne Row. *SW3* —2A **64**
Cheyne Wlk. *NW4* —1E **5**
Cheyne Wlk. *SW10 & SW3*
(in three parts) —3F **63**
Chichele Rd. *NW2* —2F **19**
Chicheley St. *SE1* —3B **52**
Chichester Bldgs. *SE1* —4A **54**
(off Swan Mead)
Chichester Clo. *SE3* —4E **73**
Chichester Ho. *SW9* —3C **66**
(off Brixton Rd.)
Chichester M. *SE27* —4C **94**
Chichester Rents. *WC2* —5C **38**
(off Chancery La.)
Chichester Rd. *E11* —5A **16**
Chichester Rd. *NW6* —1C **34**
Chichester Rd. *W2* —4D **35**
Chichester St. *SW1* —1E **65**
Chichester Way. *E14* —5F **57**
Chicksand St. *E1* —4B **40**
Chiddingstone. *SE13* —3E **85**
Chiddingstone St. *SW6*
—5C **62**
Chigwell Hill. *E1* —1D **55**
Chilcot Clo. *E14* —5D **43**
Childebert Rd. *SW17* —2D **93**
Childeric Rd. *SE14* —3A **70**
Childerley St. *SW6* —4A **62**
Childers St. *SE8* —2A **70**
Childs Hill Wlk. *NW2* —5B **6**
(off Cricklewood La.)
Child's Pl. *SW5* —5C **48**
Child's St. *SW5* —5C **48**
Child's Wlk. *SW5* —5C **48**
Chillerton Rd. *SW17* —5C **92**
Chillingworth Rd. *N7* —2C **24**
Chiltern Gdns. *NW2* —5F **5**

Chiltern Ho. *SE17* —2F **67**
(off Portland St.)
Chiltern Rd. *E3* —3C **42**
Chiltern St. *W1* —4C **36**
Chilthorne Clo. *SE6* —5B **84**
Chilton Gro. *SE8* —5F **55**
Chiltonian Ind. Est. *SE12*
—4B **86**
Chilton St. *E2* —3B **40**
Chilver St. *SE10* —1B **72**
Chilworth Ct. *SW19* —1F **89**
Chilworth M. *W2* —5F **35**
Chilworth St. *W2* —5E **35**
Chimney Ct. *E1* —2D **55**
(off Brewhouse La.)
China Wharf. *SE1* —3C **54**
(off Mill St.)
Chinbrook Cres. *SE12*
—3D **101**
Chinbrook Rd. *SE12* —3D **101**
Ching Ct. *WC2* —5A **38**
(off Monmouth St.)
Chingley Clo. *Brom* —5A **100**
Chipka St. *E14* —3E **57**
Chipley St. *SE14* —2A **70**
Chippendale St. *E5* —5F **13**
Chippenham Gdns. *NW6*
—2C **34**
Chippenham M. *W9* —3C **34**
Chippenham Rd. *W9* —3C **34**
Chipstead Gdns. *NW2* —4D **5**
Chipstead St. *SW6* —4C **62**
Chip St. *SW4* —1F **79**
Chisenhale Rd. *E3* —1A **42**
Chisledon Wlk. *E9* —3B **28**
(off Eastway)
Chisley Rd. *N15* —1A **12**
Chiswell Sq. *SE3* —5D **73**
Chiswell St. *EC1* —4F **39**
Chiswick Comn. Rd. *W4*
—5A **46**
Chiswick La. N. *W4* —1A **60**
Chiswick La. S. *W4* —2B **60**
Chiswick Mall. *W4 & W6*
—2B **60**
Chiswick Sq. *W4* —2A **60**
Chiswick Wharf. *W4* —2B **60**
Chitty St. *W1* —4E **37**
Chivalry Rd. *SW11* —3A **78**
Chiver St. *SE10* —1B **72**
Chobham Gdns. *SW19* —2F **89**
Chobham Rd. *E15* —2F **29**
Cholmeley Cres. *N6* —2C **9**
Cholmeley Lodge. *N6* —3D **9**
Cholmeley Pk. *N6* —3D **9**
Cholmley Gdns. *NW6* —2C **20**
Cholmondeley Av. *NW10*
—1C **32**
Choppin's Ct. *E1* —2D **55**
Chopwell Clo. *E15* —4A **30**
Choumert Gro. *SE15* —5C **68**
Choumert Rd. *SE15* —1B **82**
Choumert Sq. *SE15* —5C **68**
Chow Sq. *E8* —2B **26**
(off Arcola St.)
Chrisp St. *E14* —4D **43**
(in two parts)
Christchurch Av. *NW6* —5F **19**

Christchurch Ct. *NW10*
—5A **18**
Christchurch Hill. *NW3* —5F **7**
Christchurch Ho. *SW2* —1B **94**
(off Christchurch Rd.)
Christchurch Pas. *NW3* —5E **7**
Christchurch Pl. *SW8* —5F **65**
Christchurch Rd. *N8* —1A **10**
Christchurch Rd. *SW2* —1B **94**
Christchurch Sq. *E9* —5E **27**
Christchurch St. *SW3* —2B **64**
Christchurch Ter. *SW3* —2B **64**
(off Christchurch St.)
Christchurch Way. *SE10*
—1A **72**
Christian Ct. *SE16* —2B **56**
Christian Pl. *E1* —5C **40**
(off Burslem St.)
Christian St. *E1* —5C **40**
Christie Ct. *N19* —4A **10**
Christie Rd. *E9* —3A **28**
Christina Sq. *N4* —3D **11**
Christina St. *EC2* —3A **40**
Christopher Clo. *SE16* —3F **55**
Christopher Pl. *NW1* —2F **37**
Christophers M. *W11* —2A **48**
Christopher St. *EC2* —3F **39**
Chryssell Rd. *SW9* —3C **66**
Chubworthy St. *SE14* —2A **70**
Chudleigh Rd. *NW6* —4F **19**
Chudleigh Rd. *SE4* —3B **84**
Chudleigh St. *E1* —5F **41**
Chulsa Rd. *SE26* —5D **97**
Chumleigh St. *SE5* —2A **68**
Church App. *SE21* —3F **95**
Church Av. *NW1* —3D **23**
Church Av. *SW6* —1A **78**
Church Cres. *E9* —4F **27**
Churchcroft Clo. *SW12* —5C **78**
Churchdown. *Brom* —4A **100**
Church Entry. *EC4* —5D **39**
(off Carter La.)
Churchfield Mans. *SW6*
(off New King's Rd.) —5B **62**
Churchfields. *SE10* —2E **71**
Church Ga. *SW6* —1A **78**
Church Gro. *SE13* —3D **85**
Church Hill. *SW19* —5B **90**
Churchill Ct. *N4* —2C **10**
Churchill Gdns. *SW1* —1E **65**
Churchill Gdns. *SW7* —4F **49**
Churchill Gdns. Rd. *SW1*
—1D **65**
Churchill Pl. *E14* —2D **57**
Churchill Rd. *E16* —5E **45**
Churchill Rd. *NW2* —3D **19**
Churchill Rd. *NW5* —1D **23**
Churchill Wlk. *E9* —2E **27**
Church La. *E11* —3A **16**
Church La. *SW17* —5B **92**
Churchley Rd. *SE26* —4D **97**
Churchmead Rd. *NW10*
—3C **18**
Church Mt. *N2* —1F **7**
Church Path. *E11* —1C **16**

Church Path. N5 —2D 25
Church Path. NW10 —4A 18
Church Pl. SW1 —1E 51
Church Rise. SE23 —2F 97
Church Rd. E10 —3C 14
Church Rd. E12 —2F 31
Church Rd. N6 —1C 8
Church Rd. NW10 —4A 18
Church Rd. SW13 —5B 60
Church Rd. SW19 —5A 90
Church Rd. Almshouses. E10
—4D 15
Church Rd. Ind. Est. E10
—3C 14
Church Row. NW3 —1E 21
Church St. E15 —5A 30
Church St. W2 & NW8 —4F 35
Church St. W4 —2B 60
Church St. Est. NW8 —3F 35
Church St. N. E15 —5A 30
Church St. Pas. E15 —5A 30
Church Ter. SE13 —1A 86
Church Vale. SE23 —2F 97
Church Wlk. N6 —5C 8
Church Wlk. N16 —5F 11
Church Wlk. NW2 —5B 6
Church Wlk. SW13 —4C 60
Church Wlk. SW15 —3D 75
Churchward Ho. W14 —1B 62
(off Ivatt Pl.)
Churchway. NW1 —2F 37
Churchwell Path. E9 —2E 27
Churchyard Pas. SE5 —4F 67
Churchyard Row. SE11
—5D 53
Churnfield. N4 —4C 10
Churston Av. E13 —5D 31
Churston Clo. SW2 —1C 94
Churton Pl. SW1 —5E 51
Churton St. SW1 —5E 51
Chusan Pl. E14 —5B 42
Chute Ho. SW9 —5C 66
(off Stockwell Pk. Rd.)
Cibber Rd. SE23 —2F 97
Cicada Rd. SW18 —4E 77
Cicely Rd. SE15 —4C 68
Cinderford Way. Brom
—4A 100
Cinnamon Row. SW11 —1E 77
Cinnamon St. E1 —2D 55
Cinnamon Wharf. SE1 —3B 54
(off Shad Thames)
Circle, The. NW2 —5A 4
Circus Lodge. NW8 —2F 35
(off Circus Rd.)
Circus M. W1 —4B 36
(off Enford St.)
Circus Pl. EC2 —4F 39
Circus Rd. NW8 —2F 35
Circus St. SE10 —3E 71
Cirencester St. W2 —4D 35
Cissbury Ho. SE26 —3C 96
Cissbury Rd. N15 —1F 11
Citadel Pl. SE11 —1B 66
Citizen Rd. N7 —1C 24
City Garden Row. N1 —1D 39
City Heights. SE1 —2A 54
(off Tooley St.)

City Rd. EC1 —1D 39
City View Ct. SE22 —5D 83
Clabon M. SW1 —4B 50
Clack St. SE16 —3E 55
Clacton Rd. E6 —2F 45
Clacton Rd. E17 —1A 14
Claire Ct. NW2 —3A 20
Claire Pl. E14 —4C 56
Clairvew Rd. SW16 —5D 93
Clairville Point. SE23 —3F 97
(off Dacres Rd.)
Clancarty Rd. SW6 —5C 62
Clandeboyne Ho. E15 —5B 30
(off John St.)
Clandon St. SE8 —5C 70
Clanfield Way. SE15 —3B 68
Clanricarde Gdns. W2 —1C 48
Clapham Common. (Junct.)
—2E 79
Clapham Comn. N. Side. SW4
—2B 78
Clapham Comn. S. Side. SW4
—4D 79
Clapham Comn. W. Side. SW4
(in two parts) —2B 78
Clapham Cres. SW4 —2F 79
Clapham High St. SW4 —2F 79
Clapham Junction App. SW11
—2A 78
Clapham Mnr. Ct. SW4
—1E 79
Clapham Mnr. St. SW4
—1E 79
Clapham Pk. Est. SW4 —4F 79
Clapham Pk. Rd. SW4 —2F 79
Clapham Rd. SW9 —1A 80
Clapham Rd. Est. SW4 —1A 80
Clapton Comn. E5 —2B 12
Clapton Pk. Est. E5 —1F 27
Clapton Pas. E5 —2E 27
Clapton Sq. E5 —2E 27
Clapton Ter. N16 —3C 12
Clapton Way. E5 —1C 26
Clara Nehab Ho. NW11 —1B 6
(off Leeside Cres.)
Claredale St. E2 —1C 40
Clare Gdns. E7 —1C 30
Clare Gdns. W11 —5A 34
Clare La. N1 —4E 25
Clare Lawn Av. SW14 —3A 74
Clare Mkt. WC2 —5B 38
Clare M. SW6 —3D 63
Claremont Clo. N1 —1C 38
Claremont Clo. SW2 —1A 94
Claremont Gro. W4 —3A 60
Claremont Rd. E7 —2D 31
Claremont Rd. E11 —5F 15
Claremont Rd. N6 —2E 9
Claremont Rd. NW2 —2F 5
Claremont Rd. W9 —1A 34
Claremont Sq. N1 —1C 38
Claremont St. SE10 —2D 71
Claremont Way. NW2 —3E 5
(in two parts)
Claremont Way Ind. Est. NW2
—3E 5
Clarence Av. SW4 —5F 79
Clarence Cres. SW4 —4F 79

Clarence Gdns. NW1 —2D 37
Clarence Ga. Gdns. NW1
(off Glentworth St.) —3B 36
Clarence La. SW15 —4A 74
Clarence M. E5 —2D 27
Clarence M. SE16 —1F 55
Clarence Pas. NW1 —1A 38
Clarence Pl. E5 —2D 27
Clarence Rd. E5 —1D 27
Clarence Rd. E12 —2F 31
Clarence Rd. E16 —3A 44
Clarence Rd. NW6 —4B 20
Clarence Rd. SE9 —2F 101
Clarence Rd. SW19 —5D 91
Clarence Ter. NW1 —3B 36
Clarence Wlk. SW4 —5A 66
Clarence Way. NW1 —4D 23
Clarence Yd. SE17 —1E 67
(off Penton Pl.)
Clarendon Clo. W2 —1A 50
Clarendon Cross. W11 —1A 48
Clarendon Dri. SW15 —2E 75
Clarendon Gdns. W9 —3E 35
Clarendon Gro. NW1 —2F 37
Clarendon M. W2 —1A 50
Clarendon Pl. W2 —1A 50
Clarendon Rise. SE13 —2E 85
Clarendon Rd. E11 —3F 15
Clarendon Rd. E17 —1D 15
Clarendon Rd. W11 —1A 48
Clarendon St. SW1 —1D 65
Clarendon Ter. W9 —3E 35
Clarendon Wlk. W11 —5A 34
Clarens St. SE6 —2B 98
Clare Pl. SW15 —5B 74
Clare Rd. E11 —1F 15
Clare Rd. NW10 —4C 18
Clare Rd. SE14 —5B 70
Clare St. E2 —1D 41
Clareville Gro. SW7 —5E 49
Clareville Gro. M. SW7 —5E 49
Clareville St. SW7 —5E 49
Clarewood Wlk. SW9 —2C 80
Clarges M. W1 —2D 51
Clarges St. W1 —2D 51
Claribel Rd. SW9 —5D 67
Claridge Ct. SW6 —5B 62
Clarissa St. E8 —5B 26
Clarke Path. N16 —3C 12
Clarke's M. W1 —4C 36
(off Beaumont St.)
Clark's La. WC2 —5B 38
Clarkson Rd. E16 —5B 44
Clarkson Row. NW1 —1E 37
(off Mornington Ter.)
Clarkson St. E2 —2D 41
Clark's Pl. EC2 —5A 40
Clark St. E1 —4E 41
Claude Rd. E10 —4E 15
Claude Rd. E13 —5D 31
Claude Rd. SE15 —5D 69
Claude St. E14 —5C 56
Claudia Jones Way. SW2
—4A 80
Claudia Pl. SW19 —1A 90
Claughton Rd. E13 —1E 45
Clavell St. SE10 —2E 71
Claverdale Rd. SW2 —5B 80

Clavering Av. *SW13* —2D **61**
Clavering Ho. *SE13* —2F **85**
(off Blessington Rd.)
Clavering Rd. *E12* —3F **17**
Claverton St. *SW1* —1E **65**
Clave St. *E1* —2E **55**
Claxton Gro. *W6* —1F **61**
Claxton Path. *SE4* —2F **83**
(off Coston Wlk.)
Claybank Gro. *SE13* —1D **85**
Claybridge Rd. *SE12* —4E **101**
Claybrook Rd. *W6* —2F **61**
Clayhill Cres. *SE9* —4F **101**
Claylands Pl. *SW8* —3C **66**
Claylands Rd. *SW8* —2B **66**
Claypole Ct. *E17* —1C **14**
(off Yunus Khan Cl.)
Claypole Rd. *E15* —1E **43**
Clays La. *E15* —2D **29**
Clays La. Clo. *E15* —2D **29**
Clay St. *W1* —4B **36**
Clayton St. *SE15* —4C **68**
Clayton St. *SE11* —2C **66**
Clearbrook Way. *E1* —5E **41**
Clearwell Dri. *W9* —3D **35**
Cleaver Sq. *SE11* —1C **66**
Cleaver St. *SE11* —1C **66**
Cleeve Hill. *SE23* —1D **97**
Clegg St. *E1* —2D **55**
Clegg St. *E13* —1C **44**
Clematis St. *W12* —1C **46**
Clem Attlee Ct. *SW6* —2B **62**
Clem Attlee Ct. *SW6* —2B **62**
Clem Attlee Pde. *SW6* —2B **62**
(off N. End Rd.)
Clemence St. *E14* —4B **42**
Clement Av. *SW4* —2F **79**
Clement Clo. *NW6* —4E **19**
Clement Ho. *SE8* —5A **56**
Clementina Rd. *E10* —3B **14**
Clement Rd. *SW19* —5A **90**
Clement's Av. *E16* —1C **58**
Clement's Inn. *WC2* —5B **38**
Clement's Inn Pas. *WC2*
(off Grange Ct.) —5B **38**
Clements La. *EC4* —1F **53**
Clement's St. *SE16* —4C **54**
Clemson Ho. *E8* —5B **26**
Clennam St. *SE1* —3E **53**
Clenston M. *W1* —5B **36**
Clephane Rd. *N1* —3E **25**
Clephane Rd. N. *N1* —3E **25**
Ciere Pl. *EC2* —3F **39**
Clere St. *EC2* —3F **39**
Clermont Rd. *E9* —5E **27**
Clevedon Clo. *N16* —5B **12**
Clevedon Mans. *NW5* —1C **22**
Clevedon Pas. *N16* —4B **12**
Cleveland Av. *W4* —5B **46**
Cleveland Gdns. *N4* —1E **11**
Cleveland Gdns. *NW2* —4F **5**
Cleveland Gdns. *SW13*
—5B **60**
Cleveland Gdns. *W2* —5E **35**

Cleveland Gro. *E1* —3E **41**
Cleveland Mans. *SW9* —3C **66**
(off Mowll St.)
Cleveland M. *W1* —4E **37**
Cleveland Pl. *SW1* —2E **51**
Cleveland Rd. *N1* —4F **25**
Cleveland Rd. *SW13* —5B **60**
Cleveland Row. *SW1* —2E **51**
Cleveland Sq. *W2* —5E **35**
Cleveland St. *W1* —3D **37**
Cleveland Ter. *W2* —5E **35**
Cleveland Way. *E1* —3E **41**
Cleveley Clo. *SE7* —5F **59**
Cleveleys Rd. *E5* —5D **13**
Cleverly Est. *W12* —2C **46**
Cleve Rd. *NW6* —4C **20**
Cleves Rd. *E6* —5F **31**
Clewer Ct. *E10* —3C **14**
Cley Ho. *SE4* —2F **83**
Clichy Est. *E1* —4E **41**
Clifden Rd. *E5* —2E **27**
Clifford Dri. *SW9* —2D **81**
Clifford Gdns. *NW10* —1E **33**
Clifford Rd. *E16* —3B **44**
Clifford's Inn Pas. *EC4*
—5C **51**
Clifford St. *W1* —1E **51**
Clifford Way. *NW10* —1B **18**
Cliff Rd. *NW1* —3F **23**
Cliffsend Ho. *SW9* —4C **66**
(off Cowley Rd.)
Cliff Ter. *SE8* —5C **70**
Cliffview Rd. *SE13* —1C **84**
Cliff Vs. *NW1* —3F **23**
Cliff Wlk. *E16* —4B **44**
(in two parts)
Clifton Av. *W12* —2B **46**
Clifton Copse. *SE8* —1B **70**
Clifton Ct. *N4* —4C **10**
(off Playford Rd.)
Clifton Ct. *SE15* —3D **69**
Clifton Ct. *W9* —3F **35**
(off Maida Vale)
Clifton Cres. *SE15* —3D **69**
Clifton Est. *SE15* —4D **69**
Clifton Gdns. *N15* —1B **12**
Clifton Gdns. *NW11* —1B **6**
Clifton Gdns. *W4* —5A **46**
Clifton Gdns. *W9* —3E **35**
Clifton Gro. *E8* —3C **26**
Clifton Hill. *NW8* —1D **35**
Clifton Ho. *E11* —4A **16**
Clifton Pl. *SE16* —3E **55**
Clifton Pl. *W2* —5F **35**
Clifton Rise. *SE14* —3A **70**
(in two parts)
Clifton Rd. *E7* —3F **31**
Clifton Rd. *E16* —4A **44**
Clifton Rd. *N8* —1F **9**
Clifton Rd. *NW10* —1C **32**
Clifton Rd. *SW19* —5F **89**
Clifton Rd. *W9* —3E **35**
Clifton St. *EC2* —4A **40**
Clifton Ter. *N4* —4C **10**
Clifton Vs. *W9* —4E **35**
Clifton Wlk. *W6* —5D **47**
(off King St.)

Clifton Way. *SE15* —3E **69**
Clinch Ct. *E16* —4C **44**
(off Plymouth Rd.)
Clinger Ct. *N1* —5A **26**
Clink St. *SE1* —2F **53**
Clinton Ho. *SE8* —2C **70**
Clinton Rd. *E3* —2A **42**
Clinton Rd. *E7* —1C **30**
Clipper Clo. *SE16* —3F **55**
Clipper Way. *SE13* —2E **85**
Clipstone M. *W1* —4E **37**
Clipstone St. *W1* —4D **37**
Clissold Ct. *N16* —4E **11**
Clissold Cres. *N16* —5F **11**
Clissold Rd. *N16* —5F **11**
Clitheroe Rd. *SW9* —5A **66**
Clitterhouse Cres. *NW2* —3E **5**
Clitterhouse Rd. *NW2* —3E **5**
Clive Ct. *W9* —3E **35**
(off Maida Vale)
Cliveden Pl. *SW1* —5C **50**
Clive Lloyd Ho. *N15* —1E **11**
(off Woodlands Pk. Rd.)
Clive Lodge. *NW4* —1F **5**
Clive Pas. *SE21* —3F **95**
Clive Rd. *SE21* —3F **95**
Clive Rd. *SW19* —5A **92**
Cloak La. *EC4* —1E **53**
Clochar Ct. *NW10* —5B **18**
Clockhouse Clo. *SW19*
—2E **89**
Clockhouse Pl. *SW15* —4A **76**
Clock Pl. *SE1* —5D **53**
(off Newington Butts)
Clock Tower M. *N1* —5E **25**
Clock Tower Pl. *N7* —3A **24**
Cloister Rd. *NW2* —5A **6**
Cloisters Bus. Cen. *SW8*
—3D **65**
(off Battersea Pk. Rd.)
Cloisters, The. *E1* —4B **40**
(off Commercial St.)
Cloisters, The. *SW9* —4C **66**
Clonbrock Rd. *N16* —1A **26**
Cloncurry St. *SW6* —5F **61**
Clonmel Rd. *SW6* —3B **62**
Clonmore St. *SW18* —1B **90**
Clorane Gdns. *NW3* —5C **6**
Cloth Ct. *EC1* —4D **39**
(off Cloth Fair)
Cloth Fair. *EC1* —4D **39**
Clothier St. *E1* —5A **40**
Cloth St. *EC1* —4E **39**
Cloudesdale Rd. *SW17*
—2D **93**
Cloudesley Pl. *N1* —5C **24**
Cloudesley Rd. *N1* —5C **24**
Cloudesley Sq. *N1* —5C **24**
Cloudesley St. *N1* —5C **24**
Clova Rd. *E7* —3B **30**
Clove Cres. *E14* —1E **57**
Clove Hitch Quay. *SW11*
—1E **77**
Clovelly Way. *E1* —5E **41**
Clover Clo. *E11* —4F **15**
Clover M. *SW3* —2B **64**
Clove St. *E13* —3C **44**
Clowders Rd. *SE6* —3B **98**

Cloysters Grn. *E1* —2C **54**
Club Row. *E2 & E1* —3B **40**
Clunbury St. *N1* —1F **39**
Cluny Est. *SE1* —4A **54**
Cluny M. *SW5* —5C **48**
Cluny Pl. *SE1* —4A **54**
Clutton St. *E14* —4D **43**
Clyde Pl. *E10* —2D **15**
(off Sumner Est.)
Clyde Pl. *E10* —2D **15**
Clydesdale Rd. *W11* —5B **34**
Clyde St. *SE8* —2B **90**
Clyde Ter. *SE23* —2E **97**
Clyde Vale. *SE23* —2E **97**
Clyde Wharf. *E16* —2C **58**
Clyston St. *SW8* —5E **65**
Cmabrian Clo. *SE27* —3D **95**
Coach & Horses Yd. *W1*
—1E **51**
Coach Ho. La. *N5* —1D **25**
Coach Ho. La. *SW19* —4F **89**
Coach Ho. M. *SE23* —4F **83**
Coach Ho. Yd. NW3 —1F **21**
(off Hampstead High St.)
Coach Ho. Yd. *SW18* —2D **77**
Coaldale Wlk. *SE21* —5E **81**
Coalecroft Rd. *SW15* —2E **75**
Coalport Ho. SE11 —5C 52
(off Walnut Tree Wlk.)
Coal Wharf Rd. *W12* —2F **47**
Coates Av. *SW18* —4A **78**
Coate St. *E2* —1C **40**
Cobalt Sq. SW8 —2B 66
(off S. Lambeth Rd.)
Cobbetts Av. *Ilf* —1F **17**
Cobbett St. *SW8* —3B **66**
Cobble La. *N1* —4D **25**
Cobbold M. *W12* —3B **46**
Cobbold Rd. *E11* —5B **16**
Cobbold Rd. *NW10* —3B **18**
Cobbold Rd. *W12* —3A **46**
Cobb's Ct. EC4 —5D 39
(off Carter La.)
Cobb St. *E1* —4B **40**
Cobden Ho. NW1 —1E 37
(off Arlington St.)
Cobden Rd. *E11* —5A **16**
Cobden St. *E14* —4D **43**
Cobham Clo. *SW11* —4A **78**
Cobham M. *NW1* —4F **23**
Cobland Rd. *SE12* —4E **101**
Coborn Rd. *E3* —2B **42**
Coborn St. *E3* —2B **42**
Cobourg Rd. *SE5* —2B **68**
Cobourg St. *NW1* —2E **37**
Coburg Clo. SW1 —5E 51
(off Windsor Pl.)
Coburg Cres. *SW2* —1B **94**
Cochrane Clo. E14 —3C 56
(off Admirals Way)
Cochrane Clo. NW8 —1F 35
(off Cochrane St.)
Cochrane Ct. *E10* —3C **14**
Cochrane M. *NW8* —1F **35**
Cochrane St. *NW8* —1F **35**
Cockayne Way. *SE8* —5A **56**
Cockerell Rd. *E17* —2A **14**
Cock Hill. *E1* —4A **40**

Cock La. *EC1* —4D **39**
Cockpit Steps. SW1 —3F 51
(off Birdcage Wlk.)
Cockpit Yd. *WC1* —4B **38**
Cockspur Ct. *SW1* —2F **51**
Cockspur St. *SW1* —2F **51**
Coda Cen., The. *SW6* —4A **62**
Code St. *E1* —3B **40**
Codicote Ter. *N4* —4E **11**
Codling Clo. *E1* —2C **54**
Codrington Ct. *E1* —3D **41**
Codrington Ct. *SE16* —2A **56**
Codrington Hill. *SE23* —5A **84**
Codrington M. *W11* —5A **34**
Cody Rd. *E16* —3F **43**
Coin St. *SE1* —2C **52**
Coity Rd. *NW5* —3C **22**
Cokers La. *SE21* —1F **95**
Coke St. *E1* —5C **40**
Colas M. *NW6* —5C **20**
Colbeck M. *SW7* —5D **49**
Colberg Pl. *N16* —2B **12**
Colby M. *SE19* —5A **96**
Colby Rd. *SE19* —5A **96**
Colchester Rd. *E10* —2E **15**
Colchester Rd. *E17* —1C **14**
Colchester St. *E1* —5B **40**
Coldbath Sq. *EC1* —3C **38**
Coldbath St. *SE13* —4D **71**
Cold Blow La. *SE14* —3F **69**
(in two parts)
Coldharbour. *E14* —3E **57**
Coldharbour La. *SW9 & SE5*
—2C **80**
Coldharbour Pl. *SE5* —5E **67**
Coldstream Gdns. *SW18*
—4B **76**
Colebeck M. *N1* —3D **25**
Colebert Av. *E1* —3E **41**
Colebrook Clo. *SW15* —5F **75**
Colebrooke Dri. *E11* —2D **17**
Colebrooke Pl. *N1* —5D **25**
Colebrooke Row. *N1* —1D **39**
(in two parts)
Coleby Path. *SE5* —3F **67**
Coleford Rd. *SW18* —3E **77**
Colegrave Rd. *E15* —2F **29**
Colegrove Rd. *SE15* —2B **68**
Coleherne Ct. *SW5* —1D **63**
Coleherne M. *SW10* —1D **63**
Coleherne Rd. *SW10* —1D **63**
Colehill Gdns. *SW6* —4A **62**
Colehill La. *SW6* —4A **62**
Cole Ho. SE1 —3C 52
(off Baylis Rd.)
Coleman Fields. *N1* —5E **25**
Coleman Mans. *N8* —2A **10**
Coleman Rd. *SE5* —3A **68**
Coleman St. *EC2* —5F **39**
Coleman St. Bldgs. EC2
(off Colman St.) —5F **39**
Colenso Rd. *E5* —1E **27**
Coleraine Rd. *SE3* —2B **72**
Coleridge Av. *E12* —3F **31**
Coleridge Av. *SW8* —5D **65**
Coleridge Ct. W14 —4F 47
(off Blythe Rd.)
Coleridge Gdns. *NW6* —4E **21**

Coleridge Ho. *SE17* —1E **67**
(off Browning St.)
Coleridge La. *N8* —1A **10**
Coleridge Rd. *N4* —4C **10**
Coleridge Rd. *N8* —1F **9**
Colesbourne Ct. SE15 —3A 68
(off Birdlip Clo.)
Coles Grn. Ct. *NW2* —4C **4**
Coles Grn. Rd. *NW2* —3C **4**
Coleshill Flats. SW1 —1C 64
(off Pimlico Rd.)
Colestown St. *SW11* —5A **64**
Cole St. *SE1* —3E **53**
Colet Gdns. *W14* —5F **47**
Colet Ho. SE17 —1D 67
(off Doddington Gro.)
Coley St. *WC1* —3B **38**
Colfe & Hatcliffe Glebe. SE13
—3E **85**
(off Lewisham High St.)
Colfe Rd. *SE23* —1A **98**
Colin Dri. *NW9* —1B **4**
Colinette Rd. *SW15* —2E **75**
Colin Rd. *NW10* —3C **18**
Colin Winter Ho. E1 —3E 41
(off Nicholas Rd.)
Coliston Pas. *SW18* —5C **76**
Coliston Rd. *SW18* —5C **76**
Collamore Av. *SW18* —1A **92**
Collard Pl. *NW1* —4D **23**
College App. *SE10* —2E **71**
College Clo. *E9* —2E **27**
College Ct. SW3 —1B 64
(off West Rd.)
College Ct. W6 —1E 61
(off Queen Caroline St.)
College Cres. *NW3* —3E **21**
(in two parts)
College Cross. *N1* —4C **24**
College E. *E1* —4B **40**
College Gdns. *SE21* —1A **96**
College Gdns. *SW17* —2A **92**
College Gdns. *Ilf* —1F **17**
College Gro. *NW1* —5E **23**
College Hill. *EC4* —1E **53**
College La. *NW5* —1D **23**
College M. SW1 —4A 52
(off Gt. College St.)
College M. *SW18* —3D **77**
College Pk. Clo. *SE13*
—2F **85**
College Pl. *NW1* —5E **23**
College Pl. *SW10* —3E **63**
College Point. *E15* —3B **30**
College Rd. *E17* —1E **15**
College Rd. *NW10* —1E **33**
College Rd. *SE21 & SE19*
—5A **82**
College Row. *E9* —2F **27**
College St. *EC4* —1E **53**
College Ter. *E3* —2B **42**
College View. *SE9* —1F **101**
College Yd. *NW5* —1D **23**
Collent St. *E9* —3E **27**
Colleraine Rd. *SE3* —2B **72**
Colless Rd. *N15* —1B **12**
Collett Rd. *SE16* —4D **55**
Collier St. *N1* —1B **38**

Collingbourne Rd. *W12*
—2D **47**
Collingham Gdns. *SW5*
—5D **49**
Collingham Pl. *SW5* —5D **49**
Collingham Rd. *SW5* —5D **49**
Collington St. *SE10* —1F **71**
Collingtree Rd. *SE26* —4E **97**
Collingwood Rd. *E17* —1C **14**
Collingwood St. *E1* —3D **41**
Collins Ct. *E8* —3C **26**
Collins Ho. E15 —5B 30
(off John St.)
Collinson St. *SE1* —3E **53**
Collinson Wlk. *SE1* —3E **53**
Collins Rd. *N5* —1E **25**
Collins Sq. *SE3* —5B **72**
Collins St. *SE3* —1A **86**
Collin's Yd. *N1* —5D **25**
Colls Rd. *SE15* —4E **69**
Collyer Pl. *SE15* —4C **68**
Colman Rd. *E16* —4E **45**
Colmar Clo. *E1* —3F **41**
Colmore M. *SE15* —4D **69**
Colnbrook St. *SE1* —4D **53**
Colne Rd. *E5* —1A **28**
Colne St. *E13* —2C **44**
Cologne Rd. *SW11* —2F **77**
Colombo St. *SE1* —2D **53**
Colomb St. *SE10* —1A **72**
Colonnade. *WC1* —3A **38**
Colonnades, The. *W2* —5D **35**
Colonnade, The. *SE8* —5B **56**
Colonnade Wlk. *SW1* —5D **51**
Colosseum Ter. NW1 —2D 37
(off Albany St.)
Colour St. SW1 —2E 51
(off St James' Pal.)
Colson Way. *SW16* —4E **93**
Colston Rd. *E7* —3F **31**
Columbia Rd. *E2* —2B **40**
Columbia Rd. *E13* —3B **44**
Columbia Row. *E2* —2B **40**
Columbia Wharf. *SE16* —2B **56**
Columbine Av. *E6* —4F **45**
Columbine Way. *SE13* —5E **71**
Columbus Courtyard. *E14*
—2C **56**
Colva Wlk. *N19* —4D **9**
Colvestone Cres. *E8* —2B **26**
Colview Ct. *SE9* —1F **101**
Colville Est. N1 —5A 26
(off Whitmore Rd.)
Colville Gdns. *W11* —5B **34**
(in two parts)
Colville Houses. W11 —5B 34
Colville M. *W11* —5B **34**
Colville Pl. *W1* —4E **37**
Colville Rd. *E11* —5E **15**
Colville Rd. *W3* —4A **62**
Colville Rd. *W11* —5B **34**
Colville Sq. *W11* —5B **34**
Colville Sq. M. *W11* —5B **34**
Colville Ter. *W11* —5B **34**
Colvin Clo. *SE26* —5E **97**
Colvin Rd. *E6* —4F **31**
Colwell Rd. *SE22* —3B **82**
Colwick Clo. *N6* —2F **9**
Colwith Rd. *W6* —2E **61**

Colworth Gro. *SE17* —5E **53**
Colworth Rd. *E11* —1A **16**
Colwyn Clo. *SW16* —5E **93**
Colwyn Grn. NW9 —1A 4
(off Snowden Dri.)
Colwyn Ho. SE1 —4C 52
(off Hercules Rd.)
Colwyn Rd. *NW2* —5D **5**
Colyer Clo. *N1* —1B **38**
Colyton Rd. *SE22* —3D **83**
Combe Av. *SE3* —3B **72**
Combedale Rd. *SE10* —1C **72**
Combe Lodge. *SE7* —2E **73**
Combemartin Rd. *SW18*
—5A **76**
Combe M. *SE3* —3B **72**
Comber Clo. *NW2* —5D **3**
Comber Gro. *SE5* —3E **67**
Comber Ho. *SE5* —3E **67**
Combermere Rd. *SW9* —1B **80**
Comberton Rd. *E5* —4D **13**
Combe, The. *NW1* —2E **37**
Comeragh M. *W14* —1A **62**
Comeragh Rd. *W14* —1A **62**
Comerell Pl. *SE10* —1B **72**
Comerford Rd. *SE4* —2A **84**
Comet Clo. *E12* —1F **31**
Comet Pl. *SE8* —3C **70**
Comet St. *SE8* —3C **70**
Commercial Rd. *E1 & E14*
—5C **40**
Commercial St. *E1* —3B **40**
Commercial Way. *SE15*
—3B **68**
Commerell St. *SE10* —1A **72**
Commodity Quay. *E1* —1B **54**
Commodore Ct. SE8 —4C 70
(off Albyn Rd.)
Commodore Sq. *SW10* —4E **63**
Commodore St. *E1* —3A **42**
Commondale. *SW15* —1E **75**
Commonfield La. *SW17*
—5A **92**
Common Rd. *SW13* —1D **75**
Commonwealth Av. *W12*
(in three parts) —1D **47**
Community La. *N7* —2F **23**
Community Rd. *E15* —2F **29**
Como Rd. *SE23* —2A **98**
Compass Point. E14 —1B 56
(off Grenade St.)
Compayne Gdns. *NW6* —4D **21**
Compton Av. *E6* —1F **45**
Compton Av. *N1* —3D **25**
Compton Av. *N6* —2A **8**
Compton Clo. *E3* —4C **42**
Compton Clo. NW1 —2D 37
(off Robert St.)
Compton Ct. *SE19* —5A **96**
Compton Pas. *EC1* —3D **39**
Compton Pl. *WC1* —3A **38**
Compton Rd. *N1* —3D **25**
Compton Rd. *NW10* —2F **33**
Compton Rd. *SW19* —5B **90**
Compton St. *EC1* —3D **39**
Compton Ter. *N1* —3D **25**
Comus Pl. *SE17* —5A **54**
Comyn Rd. *SW11* —2A **78**

Comyns Clo. *E16* —4B **44**
Conant M. *E1* —1C **54**
Concanon Rd. *SW2* —2B **80**
Concert Hall App. *SE1* —2B **52**
Concord Cen., The. W12
—3F **47**
Condell Rd. *SW8* —4E **65**
Conder St. *E14* —5A **42**
Condray Pl. *SW11* —3A **64**
Conduit Ct. WC2 —1A 52
(off Floral St.)
Conduit M. *W2* —5F **35**
Conduit Pas. W2 —5F 35
(off Conduit Pl.)
Conduit Pl. *W2* —5F **35**
Conduit St. *W1* —1D **51**
Conewood St. *N5* —5D **11**
Coney Acre. *SE21* —1E **95**
Coney Way. *SW8* —2B **66**
Congers Ho. *SE8* —3C **70**
Congreve Ct. *SE11* —5C **52**
Congreve Ho. *N16* —2A **26**
Congreve St. *SE17* —5A **54**
Congreve Wlk. E16 —4F 45
(off Stansfield Rd.)
Conifer Gdns. *SW16* —3B **94**
Conifer Ho. SE4 —2B 84
(off Brockley Rd.)
Coniger Rd. *SW6* —5C **62**
Coningham M. *W12* —2C **46**
Coningham Rd. *W12* —3D **47**
Coningsby Rd. *N4* —2D **11**
Conington Rd. *SE13* —5D **71**
Conisborough Cres. *SE6*
—3E **99**
Coniston Clo. *SW13* —3B **60**
Conistone Way. *N7* —4A **24**
Coniston Gdns. *NW9* —1A **4**
Coniston Rd. Brom —5A 100
Coniston Wlk. *E9* —2E **27**
Conlan St. *W10* —3A **34**
Conley Rd. *NW10* —3A **18**
Conley St. *SE10* —1A **72**
Connaught Bri. *E16* —2F **59**
Connaught Bus. Cen. *NW9*
—1B **4**
Connaught Clo. *E10* —4A **14**
Connaught Clo. W2 —5A 36
(off Connaught St.)
Connaught Lodge. N4 —2C 10
(off Connaught Rd.)
Connaught M. *W2* —5B **36**
Connaught Pl. *W2* —1B **50**
Connaught Rd. *E11* —3F **15**
Connaught Rd. *E16* —2F **59**
Connaught Rd. *E17* —1C **14**
Connaught Rd. *N4* —2C **10**
Connaught Rd. *NW10* —5A **18**
Connaught Sq. *W2* —5B **36**
Connaught St. *W2* —5A **36**
Connor Ct. *SW11* —4D **65**
Connor St. *E9* —5F **27**
Conrad Ho. *N16* —2A **26**
(off Mayville Est.)
Conrad Ho. SW8 —3A 66
(off Wyvil Rd.)
Consort Rd. *SE15* —4D **69**
Cons St. *SE1* —3C **52**

Constable Av. *E16* —2D **59**
Constable Clo. *NW11* —1D **7**
Constable Ho. *E16* —5F **45**
Constable Wlk. *SE21* —3A **96**
Constance St. *E16* —2F **59**
Constantine Ho. *NW3* —1A **22**
Constitution Hill. *SW1* —3D **51**
Content St. *SE17* —5F **53**
Convent Gdns. *W11* —5A **34**
Convent Hill. *SE19* —5E **95**
Conway Gro. *W3* —4A **32**
Conway M. *W1* —3E **37**
 (off Conway St.)
Conway Rd. *NW2* —4E **5**
Conway St. *W1* —3E **37**
 (in two parts)
Conybeare. *NW3* —4A **22**
Conyer's Rd. *SW16* —5F **93**
Conyer St. *E3* —1A **42**
Cook All. *EC2* —5E **39**
Cookes Clo. *E11* —4B **16**
Cookham Cres. *SE16* —3F **55**
Cook's Rd. *E15* —1D **43**
Cook's Rd. *SE17* —2D **67**
Coolfin Rd. *E16* —5C **44**
Coolhurst Rd. *N8* —1F **9**
Cool Oak La. *NW9* —3A **4**
Coomassie Rd. *W9* —3B **34**
Coombe Ho. *N7* —2F **23**
Coombe Pk. *King T* —5A **88**
Coomber Ho. *SW6* —1D **77**
 (off Wandsworth Bri. Rd.)
Coombe Rd. *NW10* —5A **4**
Coombe Rd. *SE26* —4D **97**
Coombe Rd. *W4* —1A **60**
Coombs St. *N1* —1D **39**
Coomer M. *SW6* —2B **62**
Coomer Pl. *SW6* —2B **62**
Coomer Rd. *SW6* —2B **62**
Cooper Clo. *SE1* —3C **52**
Cooper Ct. *E15* —2D **29**
Cooper Rd. *NW4* —1F **5**
Cooper Rd. *NW10* —2B **18**
Coopersale Rd. *E9* —2F **27**
Coopers Clo. *E1* —3E **41**
Coopers La. *E10* —3D **15**
Coopers La. *NW1* —1F **37**
Cooper's La. *SE12* —2D **101**
Cooper's Rd. *SE1* —1B **68**
Cooper's Row. *EC3* —1B **54**
Cooper St. *E16* —4B **44**
Coopers Wlk. *E15* —2A **30**
Cooper's Yd. *SE19* —5A **96**
Copeland Dri. *E14* —5C **56**
Copeland Ho. *SE11* —4B **52**
 (off Lambeth Wlk.)
Copeland Rd. *E17* —1D **15**
Copeland Rd. *SE15* —5D **69**
Copeman Clo. *SE26* —5E **97**
Copenhagen Ho. *N1* —5C **24**
 (off Barnsbury Est.)
Copenhagen Pl. *E14* —5B **42**
Copenhagen St. *N1* —5A **24**
Cope Pl. *W8* —4C **48**
Copers Cope Rd. *Beck* —5B **98**
Cope St. *SE16* —5F **55**
Copford Wlk. *N1* —5E **25**
 (off Popham St.)

Copleston M. *SE15* —5B **68**
Copleston Pas. *SE15* —5B **68**
Copleston Rd. *SE15* —1B **82**
Copley Clo. *SE17* —2E **67**
Copley Pk. *SW16* —5B **94**
Copley St. *E1* —4F **41**
Copnor Way. *SE15* —3B **68**
Coppelia Rd. *SE3* —2B **86**
Copperas St. *SE8* —2D **71**
Copperbeech Clo. *NW3*
 —2F **21**
Copperfield Ho. *SE1* —3C **54**
 (off Wolseley St.)
Copperfield Rd. *E3* —3A **42**
Copperfield St. *SE1* —3D **53**
Copper Mead Clo. *NW2* —5E **5**
Coppermill La. *E17* —1E **13**
Copper Mill La. *SW17* —4E **91**
Copper Row. *SE1* —2B **54**
 (off Horselydown La.)
Coppice Dri. *SW15* —4D **75**
Coppock Clo. *SW11* —5A **64**
Copse Clo. *SE7* —2D **73**
Copthall Av. *EC2* —5F **39**
Copthall Bldgs. *EC2* —5F **39**
 (off Copthall Av.)
Copthall Clo. *EC2* —5F **39**
Copthorne Av. *SW12* —5F **79**
Coptic St. *WC1* —4A **38**
Coral Row. *SW11* —1E **77**
Coral St. *SE1* —3C **52**
Coram Ho. *W4* —1A **60**
 (off Wood St.)
Coram Ho. *WC1* —3A **38**
 (off Herbrand St.)
Coram St. *WC1* —3A **38**
Corbet Ct. *EC3* —5F **39**
Corbet Pl. *E1* —4B **40**
Corbett Ct. *SE26* —4A **98**
Corbett Rd. *E11* —1E **17**
Corbetts La. *SE16* —5E **55**
 (in two parts)
Corbetts Pas. *SE16* —5E **55**
 (off Corbetts La.)
Corbett W. *E11* —1E **17**
Corbicum. *E11* —2A **16**
Corbridge Cres. *E2* —1D **41**
Corbyn St. *N4* —3A **10**
Corby Way. *E3* —3C **42**
Cordelia Clo. *SE24* —2D **81**
Cordelia Ho. *N1* —1A **40**
 (off Arden Est.)
Cordelia St. *E14* —5D **43**
Cording St. *E14* —4D **43**
Cordwainers Wlk. *E13* —1C **44**
Cord Way. *E14* —4C **56**
Cordwell Rd. *SE13* —3A **86**
Corelli Ct. *SW5* —5C **48**
 (off W. Cromwell Rd.)
Corelli Rd. *SE3* —5F **73**
Corfe Ho. *SW8* —3B **66**
 (off Dorset Rd.)
Corfield St. *E2* —2D **41**
Coriander Av. *E14* —5F **43**
Corinne Rd. *N19* —1E **23**
Corker Wlk. *N7* —4B **10**
Cork Sq. *E1* —2D **55**
Cork St. *W1* —1E **51**

Cork St. M. *W1* —1E **51**
 (off Cork St.)
Cork Tree Ho. *SE27* —5D **95**
 (off Lakeview Rd.)
Corlett St. *NW1* —4A **36**
Cormont Rd. *SE5* —4D **67**
Cormorant Ct. *SE8* —2B **70**
 (off Pilot Clo.)
Cormorant Ho. *E7* —2B **30**
Cornbury Ho. *SE8* —2B **70**
 (off Evelyn St.)
Cornelia St. *N7* —3B **24**
Corner Fielde. *SW2* —1B **94**
Corner Grn. *SE3* —5C **72**
Corner Ho. St. *WC2* —2A **52**
 (off Lit. Britain)
Corney Reach Way. *W4*
 —2A **60**
Corney Rd. *W4* —2A **60**
Cornflower Ter. *SE22* —4D **83**
Cornford Gro. *SW12* —2D **93**
Cornhill. *EC3* —5F **39**
Cornmill La. *SE13* —1E **85**
Cornmow Dri. *NW10* —2B **18**
Cornthwaite Rd. *E5* —5E **13**
Cornwall Av. *E2* —2E **41**
Cornwall Cres. *W11* —5A **34**
Cornwall Gdns. *NW10* —3D **19**
Cornwall Gdns. *SW7* —4D **49**
Cornwall Gdns. Wlk. *SW7*
 —4D **49**
Cornwall Gro. *W4* —1A **60**
Cornwallis Ct. *SW8* —4A **66**
 (off Lansdowne Grn.)
Cornwallis Ho. *W12* —1D **47**
 (off India Way)
Cornwallis Rd. *N19* —4A **10**
Cornwallis Sq. *N19* —4A **10**
Cornwall M. S. *SW7* —4E **49**
Cornwall M. W. *SW7* —4D **49**
Cornwall Rd. *N4* —2C **10**
Cornwall Rd. *N15* —1F **11**
Cornwall Rd. *SE1* —2C **52**
Cornwall St. *E1* —1D **55**
Cornwall Ter. *NW1* —3B **36**
Cornwall Ter. M. *NW1* —3B **36**
 (off Allsop Pl.)
Corn Way. *E11* —5F **15**
Cornwell Cres. *E7* —1E **31**
Cornwood Dri. *E1* —5E **41**
Corona Rd. *SE12* —5C **86**
Coronation Av. *N16* —1B **26**
Coronation Ct. *E15* —3B **30**
Coronation Rd. *E13* —2E **45**
Coronet St. *N1* —2A **40**
Corporation Row. *EC1* —3C **38**
Corporation St. *E15* —1A **44**
Corporation St. *N7* —2A **24**
Corrance Rd. *SW2* —2A **80**
Corringham Ct. *NW11* —2C **6**
Corringham Rd. *NW11* —2C **6**
Corringway. *NW11* —2D **7**
Corris Grn. *NW9* —1A **4**
Corsehill St. *SW16* —5E **93**
Corsham St. *N1* —2F **39**
Corsica St. *N5* —3D **25**
Corsley Way. *E9* —3B **28**
 (off Silkmills Sq.)

Cortayne Rd. *SW6* —5B **62**
Cortis Rd. *SW15* —4D **75**
Cortis Ter. *SW15* —4D **75**
Corunna Rd. *SW8* —4E **65**
Corunna Ter. *SW8* —4E **65**
Corvette Sq. *SE10* —2F **71**
Coryton Path. *W9* —3B **34**
Cosbycote Av. *SE24* —3E **81**
Cosmo Pl. *WC1* —4A **38**
Cosmur Clo. *W12* —4B **46**
Cossall Wlk. *SE15* —5D **69**
Cosser St. *SE1* —4C **52**
Costa St. *SE15* —5C **68**
Coston Wlk. *SE4* —2F **83**
Cosway St. *NW1* —4A **36**
Cotall St. *E14* —4C **42**
Coteford St. *SW17* —4B **92**
Cotesbach Rd. *E5* —5E **13**
Cotham St. *SE17* —5E **53**
Cotherstone Rd. *SW2* —1B **94**
Cotleigh Rd. *NW6* —4C **20**
Cotman Clo. *NW11* —1E **7**
Cotman Clo. *SW15* —4F **75**
Cotswold Ct. *EC1* —3E **39**
(off Gee St.)
Cotswold Gdns. *E6* —2F **45**
Cotswold Gdns. *NW2* —4F **5**
Cotswold Ga. *NW2* —3A **6**
Cotswold M. *SW11* —4F **63**
Cotswold St. *SE27* —4D **95**
Cottage Grn. *SE5* —3F **67**
Cottage Gro. *SW9* —1A **80**
Cottage Pl. *SW3* —4A **50**
Cottage St. *E14* —1D **57**
Cottage Wlk. *N16* —5B **12**
Cottage Wlk. *SE15* —4B **68**
Cottage Wlk. *SW1* —4B **50**
Cottesbrook St. *SE14* —3A **70**
Cottesloe M. SE4 —4C **52**
(off Emery St.)
Cottesmore Ct. W8 —4D **49**
(off Stanford Rd.)
Cottesmore Gdns. *W8* —4D **49**
Cottingham Rd. *SW8* —3B **66**
Cottington St. *SE11* —1D **67**
Cotton Av. *W3* —5A **32**
Cotton Hill. *Brom* —4E **99**
Cotton Ho. *SW2* —5A **80**
Cotton Row. *SW11* —1F **77**
Cottons Cen. *SE1* —2A **54**
Cotton's Gdns. *E2* —2A **40**
Cottons La. *SE1* —2F **53**
Cotton St. *E14* —1E **57**
Coulgate St. *SE4* —1A **84**
Coulson St. *SW3* —1B **64**
Coulter Rd. *W6* —4D **47**
Councillor St. *SE5* —3E **67**
Counter Ct. SE1 —2F **53**
(off Borough High St.)
Counter St. SE1 —2A **54**
(off Hays La.)
Countess Rd. *NW5* —2E **23**
County Gro. *SE5* —4E **67**
County St. *SE1* —4E **53**
Courland Gro. *SW8* —4F **65**
Courland St. *SW8* —4F **65**
(in two parts)
Courtauld Rd. *N19* —3A **10**

Courtenay Av. *N6* —2A **8**
Courtenay M. *E17* —1A **14**
Courtenay Pl. *E17* —1A **14**
Courtenay Rd. *E11* —5B **18**
Courtenay Sq. *SE11* —1C **66**
Courtenay St. *SE11* —1C **66**
Court Farm Rd. *SE9* —2F **101**
Courtfield Gdns. *SW5* —5D **49**
Courtfield M. *SW7* —5D **49**
Courtfield Rd. *SW7* —5E **49**
Court Gdns. *N1* —3D **25**
Courthill Rd. *SE13* —2E **85**
Courthouse Ho. SW8 —3A **66**
(off Hartington Rd.)
Courthope Rd. *NW3* —1B **22**
Courthouse Rd. *NW19* —5A **90**
Courtland Rd. *E6* —5F **31**
Courtlands Av. *SE12* —3D **87**
Court La. *SE21* —4A **82**
Court La. Gdns. *SE21* —5A **82**
Courtleigh. *NW11* —1B **6**
Courtmead Clo. *SE24* —4E **81**
Courtnell St. *W2* —5C **34**
Courtney Ct. *N7* —2C **24**
Courtney Rd. *N7* —2C **24**
Courtrai Rd. *SE23* —4A **84**
Courtside. *N8* —1F **9**
Courtside. *SE26* —3D **97**
Court St. *E1* —4D **41**
Courtyard, The. *N1* —4B **24**
Courtyard, The. *NW1* —4C **22**
Cousin La. *EC4* —1F **53**
Couthurst Rd. *SE3* —3D **73**
Coutt's Cres. *NW5* —5C **8**
Covell Ct. *SE8* —3C **70**
Covent Garden. *WC2* —1A **52**
Coventry Clo. *NW6* —1C **34**
Coventry Cross. *E3* —3E **43**
Coventry Hall. *SW16* —5A **94**
Coventry Rd. *E1 & E2* —3D **41**
Coventry St. *W1* —1F **51**
Coverdale Rd. *NW2* —4F **19**
Coverdale Rd. *W12* —3D **47**
Coverley Clo. *E1* —4C **40**
Coverton Way. *SW17* —5A **92**
Covington Way. *SW16* —5B **94**
(in two parts)
Cowcross St. *EC1* —4D **38**
Cowdenbeath Path. *N1* —5B **24**
Cowden St. *SE6* —4C **98**
Cowdrey Rd. *SW19* —5D **91**
Cowdry Rd. *E9* —3A **28**
Cowick Rd. *SW17* —4B **92**
Cowley La. *E11* —5A **16**
Cowley Rd. *E11* —1D **17**
Cowley Rd. *SW9* —4C **66**
Cowley Rd. *SW14* —1A **74**
Cowley Rd. *Act V* —2B **46**
Cowley St. *SW1* —4A **52**
Cowling Clo. *W11* —1A **48**
Cowper Av. *E6* —4F **31**
Cowper Ho. SE17 —1E **67**
(off Browning St.)
Cowper Rd. *N16* —2A **26**
Cowper Rd. *SW19* —5E **91**
Cowper's Ct. EC3 —5F **39**
(off Birchin La.)
Cowper St. *EC2* —3F **39**

Cowper Ter. *W10* —4F **33**
Cowthorpe Rd. *SW8* —4F **65**
Cox Ho. W6 —2A **62**
(off Field Rd.)
Coxmount Rd. *SE7* —1F **73**
Cox's Ct. E1 —4B **40**
(off Bell La.)
Coxson Way. *SE1* —3B **54**
Cox's Wlk. *SE21 & SE26*
—1C **96**
Crabtree Clo. *E2* —1B **40**
Crabtree Ct. *E15* —2D **29**
Crabtree La. *SW6* —3E **61**
(in two parts)
Crabtree Wlk. SE15 —4B **68**
(off Exeter Rd.)
Crace St. *NW1* —2F **37**
Craddock St. *NW5* —3C **22**
Cragie Ho. SE1 —5B **54**
(off Balaclava Rd.)
Craigerne Rd. *SE3* —3D **73**
Craignair Rd. *SW2* —5C **80**
Craig's Ct. *SW1* —2A **52**
Crail Row. *SE17* —5A **54**
Cramer St. *W1* —4C **36**
Crammond Clo. *W6* —2A **62**
Crampton Rd. *SE20* —5E **97**
Crampton St. *SE17* —5E **53**
Cranberry La. *E16* —3A **44**
Cranbourn All. WC2 —1F **51**
(off Cranbourn St.)
Cranbourne Gdns. *NW11*
—1A **6**
Cranbourne Rd. *E12* —2F **31**
Cranbourne Rd. *E15* —1E **29**
Cranbourn Ho. SE16 —3D **55**
(off Marigold St.)
Cranbourn Pas. SE16 —3D **55**
(off Wilson Gro.)
Cranbourn Pl. *SE16* —3D **55**
Cranbourn St. *WC2* —1F **51**
Cranbrook Est. *E2* —1F **41**
Cranbrook Point. *E16* —2C **58**
Cranbrook Rd. *SE8* —4C **70**
Cranbrook Rd. *W4* —1A **60**
Cranbrook St. *E2* —1F **41**
Cranbury Rd. *SW6* —5D **63**
Crandley Ct. *SE8* —5A **56**
Crane Ct. *EC4* —5C **38**
Crane Gro. *N7* —3C **24**
Cranemead. *SE16* —5F **55**
Crane St. *SE10* —1F **71**
Cranfield Clo. *SE27* —3E **95**
Cranfield Ct. W1 —4A **36**
(off Homer St.)
Cranfield Rd. *SE4* —1B **84**
Cranfield Row. SE1 —4C **52**
(off Gerridge St.)
Cranford St. *E1* —1F **59**
Cranford Way. *N8* —1C **10**
Cranhurst Rd. *NW2* —2E **19**
Cranleigh M. *SW11* —5A **64**
Cranleigh St. *NW1* —1E **37**
Cranley Gdns. *SW7* —1E **63**
Cranley M. *SW7* —1E **63**
Cranley Pl. *SW7* —5E **49**
Cranley Rd. *E13* —4D **45**
Cranmer Ct. *SW3* —5A **50**

Cranmer Ct. *SW4* —1F **79**
Cranmer Ho. SW9 —3C **66**
(off Brixton Rd.)
Cranmer Rd. *E7* —1D **31**
Cranmer Rd. *SW9* —3C **66**
Cranmer Ter. *SW17* —5F **91**
Cranmore Rd. *Brom* —3B **100**
Cranston Est. *N1* —1F **39**
Cranston Rd. *SE23* —1A **98**
Cranswick Rd. *SE16* —1D **69**
Crantock Rd. *SE6* —2D **99**
Cranwell Clo. *E3* —3D **43**
Cranwich Rd. *N16* —2F **11**
Cranwood St. EC1 —2F **39**
Cranwood St. *EC1* —2F **39**
Cranworth Gdns. *SW9* —4C **66**
Craster Rd. *SW2* —5B **80**
Crathie Rd. *SE12* —4D **87**
Craven Clo. *N16* —2C **12**
Craven Ct. *NW10* —5A **18**
Craven Gdns. *SW19* —5C **90**
Craven Hill. *W2* —1E **49**
Craven Hill Gdns. *W2* —1E **49**
(in four parts)
Craven Hill M. *W2* —1E **49**
Craven M. *SW11* —1C **78**
Craven Pk. *NW10* —5A **18**
Craven Pk. M. *NW10* —4A **18**
Craven Pk. Rd. *N15* —1B **12**
Craven Pk. Rd. *NW10* —5A **18**
Craven Pas. WC2 —2A **52**
(off Craven St.)
Craven Rd. *NW10* —5A **18**
Craven Rd. *W2* —1E **49**
Craven St. *WC2* —2A **52**
Craven Ter. *W2* —1E **49**
Craven Wlk. *N16* —2C **12**
Crawford Est. *SE5* —5E **67**
Crawford M. *W1* —4B **36**
Crawford Pas. *EC1* —3C **38**
Crawford Pl. *W1* —5A **36**
Crawford Point. E16 —5B **44**
(off Wouldham Rd.)
Crawford Rd. *SE5* —4E **67**
Crawford St. *W1* —4A **36**
Crawley Rd. *E10* —3D **15**
Crawshay Ct. *SW9* —4C **66**
Crawthew Gro. *SE22* —2B **82**
Crayford Clo. *E6* —5F **45**
Crayford Rd. *N7* —1F **23**
Crealock St. *SW18* —4D **77**
Creasy Est. *SE1* —4A **54**
Crebor St. *SE22* —4C **82**
Credenhill Ho. *SE15* —3D **69**
Credenhill St. *SW16* —5E **93**
Crediton Hill. *NW6* —2D **21**
Crediton Rd. *E16* —5C **44**
Crediton Rd. *NW10* —5F **19**
Credon Rd. *E13* —1E **45**
Credon Rd. *SE16* —1D **69**
Creechurch La. *EC3* —5A **40**
*Creechurch Pl. EC3 —5A **40**
(off Creechurch La.)
*Creed Ct. EC4 —5D **39**
(off Ludgate Hill)
Creed La. *EC4* —5D **39**
Creek Rd. *SE8 & SE10* —2C **70**

Creekside. *SE8* —3D **71**
Creeland Gro. *SE6* —1B **98**
Crefeld Clo. *W6* —2A **62**
Creighton Av. *E6* —1F **45**
Creighton Clo. *W12* —1C **46**
Creighton Rd. *NW6* —1F **33**
*Cremer Bus. Cen. E2 —1B **40**
(off Cremer St.)
Cremer St. *E2* —1B **40**
Cremorne Est. *SW10* —2F **63**
Cremorne Rd. *SW10* —3E **63**
Crescent. *EC3* —1B **54**
Crescent Ct. Bus. Cen. *E16*
—3F **43**
Crescent Gdns. *SW19* —3C **90**
Crescent Gro. *SW4* —2E **79**
*Crescent Ho. EC1 —3E **39**
(off Golden La. Est.)
Crescent La. *SW4* —2E **79**
Crescent Pl. *SW3* —5A **50**
Crescent Rd. *E6* —5E **31**
Crescent Rd. *E10* —4D **15**
Crescent Rd. *E13* —5C **30**
Crescent Rd. *N8* —1F **9**
Crescent Row. *EC1* —3E **39**
Crescent Stables. *SW15*
—3A **76**
Crescent St. *N1* —4B **24**
Crescent, The. *E17* —1A **14**
Crescent, The. *NW2* —5D **5**
Crescent, The. *SW13* —5C **60**
Crescent, The. *SW19* —3C **90**
Crescent, The. *W3* —5A **32**
Crescent Way. *SE4* —1C **84**
Crescent Wharf. *E16* —3D **59**
Crescent Wood Rd. *SE26*
—3C **96**
Cresford Rd. *SW6* —4D **63**
Crespigny Rd. *NW4* —1D **5**
Cresset Rd. *E9* —3E **27**
Cresset St. *SW4* —1F **79**
Cressfield Clo. *NW5* —2C **22**
Cressida Rd. *N19* —3E **9**
Cressingham Gdns. Est. *SW2*
—5C **80**
Cressingham Rd. *SE13*
—1E **85**
Cressington Clo. *N16* —2A **26**
Cresswell Gdns. *SW5* —1E **63**
Cresswell Pk. *SE3* —1B **86**
Cresswell Pl. *SW10* —1E **63**
Cressy Ct. *E1* —4E **41**
Cressy Ct. *W6* —4D **47**
*Cressy Houses. E1 —4E **41**
(off Hannibal Rd.)
Cressy Pl. *E1* —4E **41**
Cressy Rd. *NW3* —2B **22**
Crestfield St. *WC1* —2A **38**
Crest Rd. *NW2* —4C **4**
Crestway. *SW15* —4C **74**
Creswick Wlk. *E3* —2C **42**
Crewdson Rd. *SW9* —3C **66**
Crewe Pl. *NW10* —2B **32**
Crews St. *E14* —5C **56**
Crewys Rd. *NW2* —4B **6**
Crewys Rd. *SE15* —5D **69**
Crichton St. *SW8* —5E **65**
Cricketer's Ct. *SE11* —5D **53**

Cricketers Wlk. *SE26* —5E **97**
Cricketfield Rd. *E5* —1D **27**
Cricket La. *Beck* —5A **98**
Cricklade Av. *SW2* —2A **94**
Cricklewood B'way. *NW2*
—5E **5**
Cricklewood La. *NW2* —1F **19**
Cricklewood Trad. Est. *NW2*
—5F **5**
Cridland St. *E15* —5B **30**
Crieff Rd. *SW18* —4E **77**
Criffel Av. *SW2* —2F **93**
Crimscott St. *SE1* —4A **54**
Crimsworth Rd. *SW8* —4F **65**
Crinan St. *N1* —1A **38**
Cringle St. *SW8* —3E **65**
Cripplegate St. *EC2* —4E **39**
*Crispe Ho. N1 —5B **24**
(off Barnsbury Est.)
Crispian Clo. *NW10* —1A **18**
Crispin St. *E1* —4B **40**
Crisp Rd. *W6* —1E **61**
Cristowe Rd. *SW6* —5B **62**
Criterion M. *N19* —4F **9**
Crockerton Rd. *SW17* —2B **92**
Croft. *SE13* —4E **85**
Croftdown Rd. *NW5* —5C **8**
Crofters Way. *NW1* —5F **23**
Croftongate Way. *SE4* —3A **84**
Crofton Pk. Rd. *SE4* —4B **84**
Crofton Rd. *E13* —3D **45**
Crofton Rd. *SE5* —5A **68**
Crofton Ter. *E5* —2A **28**
Crofts St. *E1* —1C **54**
Croft St. *SE8* —5A **56**
Croft, The. *NW10* —1B **32**
Croftway. *NW3* —1C **20**
Crogsland Rd. *NW1* —4C **22**
Cromartie Rd. *N19* —2F **9**
Cromarty Ct. *SW2* —3B **80**
Crombie M. *SW11* —5A **64**
Cromer Rd. *E10* —2F **15**
Cromer Rd. *SW17* —5C **92**
Cromer St. *WC1* —2A **38**
Cromer Ter. *E8* —2C **26**
Cromer Vs. Rd. *SW18* —4B **76**
Cromford Path. *E5* —1F **27**
Cromford Rd. *SW18* —3C **76**
Crompton St. *W2* —3F **35**
Cromwell Av. *N6* —3D **9**
Cromwell Av. *W6* —1D **61**
Cromwell Clo. *E1* —2C **54**
Cromwell Cres. *SW5* —5C **48**
Cromwell Gdns. *SW7* —4F **49**
Cromwell Gro. *W6* —4E **47**
Cromwell Highwalk. EC2
—4E **39**
(off Barbican)
Cromwell Ind. Est. *E10*
—3A **14**
Cromwell M. *SW7* —5F **49**
*Cromwell Pl. EC2 —4E **39**
(off Barbican)
Cromwell Pl. *N6* —3D **9**
Cromwell Pl. *SW7* —5F **49**
Cromwell Rd. *E7* —4E **31**
Cromwell Rd. *E17* —1E **15**
Cromwell Rd. *SW5 & SW7*
—5C **48**

Cromwell Rd. *SW9* —4D 67
Cromwell Rd. *SW19* —5C 90
Cromwell Tower. *EC2* —4E 39
(off Barbican)
Crondace Rd. *SW6* —4C 62
Crondall St. *N1* —1F 39
(off St Johns Est.)
Crondall St. *N1* —1F 39
Cronin St. *SE15* —3B 68
(off Shanklin Way)
Crooked Billet. *SW19* —5E 89
Crooked Billet Yd. *E2* —2A 40
Crooke Rd. *SE8* —1A 70
Crookham Rd. *SW6* —4B 62
Coombs Rd. *E16* —4E 45
Croom's Hill. *SE10* —3E 71
Croom's Hill Gro.
—3E 71
Cropley St. *N1* —1F 39
Cropthorne Ct. *W9* —2E 35
(off Maida Vale)
Crosby Ho. *E7* —3C 30
Crosby. *E7* —3C 30
Crosby Row. *SE1* —3F 53
Crosby Sq. *EC3* —5A 40
Crosby Wlk. *E8* —3B 26
Crosby Wlk. *SW2* —5C 80
Crosby Way. *SW2* —5C 80
Crosland Pl. *SW11* —1C 78
Cross Av. *SE10* —2F 71
Crossbrook Rd. *SE3* —1F 87
Crossfield Ho. *W11* —1A 48
(off Mary Pl.)
Crossfield Rd. *NW3* —3F 21
Crossfield St. *SE8* —3C 70
Crossford St. *SW9* —5B 66
Cross Keys Clo. *W1* —4C 36
Cross Keys Sq. *EC1* —4E 39
(off Lit. Britain)
Cross La. *EC3* —1A 54
Crossleigh Ct. *SE14* —3B 70
(off New Cross Rd.)
Crosslet St. *SE17* —5F 53
Crosslet Vale. *SE10* —4D 71
Crossley St. *N7* —3C 24
Crossthwaite Av. *SE5* —2F 81
Crosswall. *EC3* —1B 54
Crossway. *N16* —2A 26
Crossway Ct. *SE4* —5A 70
Crossways Ter. *E5* —1E 27
Crossway, The. *SE9* —2F 101
Croston St. *E8* —5C 26
Crouch End Hill. *N8* —2F 9
Crouch Hall Ct. *N19* —3A 10
Crouch Hall Rd. *N8* —1F 9
Crouch Hill. *N8 & N4* —1A 10
Crouchman's Clo. *SE26*
—3B 95
Crowborough Rd. *SW17*
—5C 92
Crowder St. *E1* —1D 55
Crowfield Ho. *N5* —1E 25

Crowfoot Clo. *E9* —2B 28
Crowhurst Clo. *SW9* —5C 66
Crowhurst Ho. *SW9* —5B 66
(off Aytoun Rd.)
Crowland Rd. *N15* —1B 12
Crowland Ter. *N1* —4F 25
Crowlin Wlk. *N1* —3F 25
Crowmarsh Gdns. *SE23*
—5E 83
Crown Clo. *E3* —5C 28
Crown Clo. *NW6* —3D 21
Crown Clo. Bus. Cen. *E3*
(off Crown Clo.) —5C 28
Crown Ct. *EC2* —5E 39
(off Cheapside)
Crown Ct. *SE12* —4D 87
Crown Ct. *WC2* —5A 38
Crown Dale. *SE19* —5D 95
Crowndale Rd. *NW1* —1E 37
Crownfield Rd. *E15* —1F 29
Crown Hill Rd. *NW10* —5B 18
Crown La. *SW16* —5C 94
Crown La. Gdns. *SW16*
—5C 94
Crown M. *E13* —5E 31
Crown M. *W6* —5C 46
Crown Office Row. *EC4*
—1C 52
Crown Pde. *SE19* —5D 95
Crown Pas. *SW1* —2E 51
Crown Pl. *NW5* —3D 23
Crownstone Ct. *SW2* —3C 80
Crownstone Rd. *SW2* —3C 80
Crown St. *SE5* —3E 67
Crows Rd. *E15* —2F 43
Crowthorne Clo. *SW18* —5B 76
Crowthorne Rd. *W10* —5F 33
Croxley Rd. *W9* —2B 34
Croxted Clo. *SE21* —5E 81
Croxted M. *SE24* —4E 81
Croxted Rd. *SE24 & SE21*
—4E 81
Croxteth Ho. *SW8* —5F 65
Croydon Ho. *SE1* —3C 52
(off Wootton St.)
Croydon Rd. *E13* —3B 44
Crozier Ho. *SW8* —3B 66
(off Wilkinson St.)
Crozier Ter. *E9* —2F 27
Crucifix La. *SE1* —3A 54
Cruden St. *N1* —5D 25
Cruikshank Rd. *E15* —1A 30
Cruikshank St. *WC1* —2C 38
Crummock Gdns. *NW9* —1A 4
Crutched Friars. *EC3* —1A 54
Crutchley Rd. *SE6* —2A 100
Crystal Pal. Pde. *SE19* —5B 96
Crystal Pal. Pk. Rd. *SE26*
—5C 96
Crystal Pal. Rd. *SE22* —4B 82
Crystal Ter. *SE19* —5F 95
Crystal View Ct. *Brom* —4F 99
Cuba St. *E14* —3C 56
Cubitt Ho. *SW4* —4E 79
Cubitt Steps. *E14* —2C 56
Cubitt St. *WC1* —2B 38
Cubitt's Yd. *WC2* —1A 52
(off James St.)

Cubitt Ter. *SW4* —1E 79
Cudham St. *SE6* —5E 85
Cudworth St. *E1* —3D 41
Cuff Cres. *SE9* —4F 87
Culford Gdns. *SW3* —5B 50
Culford Gro. *N1* —3A 26
Culford M. *N1* —3A 26
Culford Rd. *N1* —4A 26
Culling Rd. *SE16* —4E 55
Cullingworth Rd. *NW10*
—2C 18
Culloden Clo. *SE16* —1C 68
Culloden St. *E14* —5E 43
Cullum St. *EC3* —1A 54
Cullum Welch Ct. *N1* —2F 39
(off Haberdasher Est.)
Culmore Rd. *SE15* —3D 69
Culmstock Rd. *SW11* —3C 78
Culpepper Ct. *SE11* —5C 52
(off Kennington Rd.)
Culross St. *W1* —1C 50
Culverden Rd. *SW12* —2E 93
Culverhouse Gdns. *SW16*
—3B 94
Culverley Rd. *SE6* —1D 99
Culvert Pl. *SW11* —5C 64
Culvert Rd. *N15* —1A 12
Culvert Rd. *SW11* —5B 64
Culworth St. *NW8* —1A 36
Cumberland Clo. *E8* —3B 26
Cumberland Cres. *W14*
(in two parts) —5A 48
Cumberland Gdns. *WC1*
—2C 38
Cumberland Ga. *W1* —1B 50
Cumberland Mans. *W1* —5B 36
(off George St.)
Cumberland Mkt. *NW1* —2D 37
Cumberland Mills Sq. *E14*
—1F 71
Cumberland Pk. Ind. Est. *NW10*
—2C 32
Cumberland Pl. *NW1* —2D 37
Cumberland Pl. *SE6* —5B 86
Cumberland Rd. *E12* —1F 31
Cumberland Rd. *E13* —4D 45
Cumberland Rd. *SW13*
—4B 60
Cumberland St. *SW1* —1D 65
Cumberland Ter. *NW1* —1D 37
Cumberland Ter. M. *NW1*
(in three parts) —1D 37
Cumbrian Gdns. *NW2* —4F 5
Cumming St. *N1* —1B 38
Cunard Pl. *EC3* —5A 40
Cunard Rd. *NW10* —2A 32
Cunard Wlk. *SE16* —5F 55
Cundy Rd. *E16* —5E 45
Cundy St. *SW1* —5C 50
Cunliffe St. *SW16* —5E 93
Cunningham Ho. *SE5* —3F 67
(off Elmington Est.)
Cunningham Pl. *NW8* —3F 35
Cupar Rd. *SW11* —4C 64
Cupola Clo. *Brom* —5D 101
Cureton St. *SW1* —5F 51
Curlew Ho. *SE4* —2A 84
(off St Norbert Rd.)

Curlew St. *SE1* —3B **54**
Curnick's La. *SE27* —4E **95**
Curricle St. *W3* —2A **46**
Currie Hill Clo. *SW19* —4B **90**
Cursitor St. *EC4* —5C **38**
Curtain Pl. *EC2* —3A **40**
(off Curtain Rd.)
Curtain Rd. *EC2* —3A **40**
(in two parts)
Curtis Dri. *W3* —5A **32**
Curtis Field Rd. *SW16* —4B **94**
Curtis Ho. *SE17* —1F **67**
(off Morecambe St.)
Curtis St. *SE1* —5B **54**
Curtis Way. *SE1* —5B **54**
Curve, The. *W12* —1C **46**
Curwen Av. *E7* —1D **31**
Curwen Rd. *W12* —3C **46**
Curzon Clo. *SW6* —4D **63**
(off Maltings Pl.)
Curzon Cres. *NW10* —4A **18**
Curzon Ga. *W1* —2C **50**
Curzon Pl. *W1* —2C **50**
Curzon St. *W1* —2C **50**
Custance Ho. *N1* —1F **39**
(off Provost Est.)
Custom Ho. Reach. *SE16*
—3B **56**
Custom Ho. Wlk. *EC3* —1A **54**
(off Lwr. Thames St.)
Cutbush Ho. *N7* —2F **23**
Cutcombe Rd. *SE5* —5E **67**
Cuthbert Harrowing Ho. *EC1*
(off Golden La. Est.) —3E **39**
Cuthberts Rd. *NW2* —3B **20**
Cuthbert St. *W2* —4F **35**
Cuthill Wlk. *SE5* —4F **67**
Cutlers Gdns. *E1* —5A **40**
(off Cutlers St.)
Cutlers Sq. *E14* —5C **56**
Cutler St. *E1* —5A **40**
Cut, The. *SE1* —3D **53**
Cyclops M. *E14* —5C **56**
Cygnet Clo. *NW10* —2A **18**
Cygnet St. *E1* —3B **40**
Cygnus Bus. Cen. *NW10*
—3B **18**
Cynthia St. *N1* —1B **38**
Cyntra Pl. *E8* —4D **27**
Cypress Gdns. *SE14* —3A **84**
Cypress Ho. *SE14* —4F **69**
Cypress Pl. *W1* —3F **37**
Cyprus Clo. *N4* —1D **11**
Cyprus Pl. *E2* —1E **41**
Cyprus St. *E2* —1E **41**
(in two parts)
Cyrena Rd. *SE22* —4B **82**
Cyril Mans. *SW11* —4B **64**
Cyrus St. *EC1* —3D **39**
Czar St. *SE8* —2C **70**

Dabbs La. *EC1* —3C **38**
(off Farringdon Rd.)
Dabin Cres. *SE10* —4E **71**
Dacca St. *SE8* —2B **70**
Dace Rd. *E3* —5C **28**
Dacre Gdns. *SE13* —2A **86**

Dacre Ho. *SW3* —2F **63**
(off Beaufort St.)
Dacre Pk. *SE13* —1A **86**
Dacre Pl. *SE13* —1A **86**
Dacre Rd. *E11* —3B **16**
Dacre Rd. *E13* —5D **31**
Dacres Ho. *SW4* —2D **65**
Dacres Rd. *SE23* —2F **97**
Dacre St. *SW1* —4F **51**
Daffodil St. *W12* —1B **46**
Dafforne Rd. *SW17* —3C **92**
Dagenham Rd. *E10* —3B **14**
Dagmar Ct. *E14* —4E **57**
Dagmar Gdns. *NW10* —1F **33**
Dagmar Pas. *N1* —5D **25**
(off Cross St.)
Dagmar Rd. *N4* —2C **10**
Dagmar Rd. *SE5* —4A **68**
Dagmar Ter. *N1* —5D **25**
Dagnall St. *SW11* —5B **64**
Dagnan Rd. *SW12* —5D **79**
Dagonet Gdns. *Brom* —3C **100**
Dagonet Rd. *Brom* —3C **100**
Dahomey Rd. *SW16* —5E **93**
Dain Ct. *W8* —5C **48**
(off Lexham Gdns.)
Dainford Clo. *Brom* —5F **99**
Daintry Way. *E9* —3B **28**
Dairy M. *SW9* —1A **80**
Dairy Wlk. *SW19* —4A **90**
Daisy Dobbins Wlk. *N19*
—2A **10**
(off Jessie Blythe La.)
Daisy La. *SW6* —1C **76**
Daisy Rd. *E16* —3A **44**
Dakota Gdns. *E6* —4F **45**
Dalberg Rd. *SW2* —2C **80**
Dalby Rd. *SW18* —2E **77**
Dalby St. *NW5* —3D **23**
Dalebury Rd. *SW17* —2B **92**
Dale Clo. *SE3* —1C **86**
Daleham Gdns. *NW3* —2F **21**
Daleham M. *NW3* —3F **21**
Dale Ho. *SE4* —2A **84**
Dale Lodge. *N6* —1E **9**
Dalemain M. *E16* —2C **58**
Dale Rd. *NW5* —2C **22**
Dale Rd. *SE17* —2D **67**
Dale Row. *W11* —5A **34**
Daleside Rd. *SW16* —5D **93**
Dale St. *W4* —1A **60**
Daleview Rd. *N15* —1A **12**
Daley Ho. *W12* —5D **33**
Daley St. *E9* —3F **27**
Daley Thompson Way. *SW8*
—1D **79**
Dalgarno Gdns. *W10* —4E **33**
Dalgarno Way. *W10* —3E **33**
Dalgleish St. *E14* —5A **56**
Daling Way. *E3* —1A **42**
Dalkeith Rd. *SE21* —1E **95**
Dallas Rd. *NW4* —2C **4**
Dallas Rd. *SE26* —3D **97**
Dallinger Rd. *SE12* —4B **86**
Dalling Rd. *W6* —5D **47**
Dallington St. *EC1* —3D **39**
Dalmain Rd. *SE23* —1F **97**
Dalmeny Av. *N7* —1F **23**

Dalmeny Rd. *N7* —5F **9**
Dalmeyer Rd. *NW10* —3B **18**
Dalmore Rd. *SE21* —2E **95**
Dalrymple Rd. *SE4* —2A **84**
Dalston Cross Shop. Cen. *E8*
—3B **26**
Dalston La. *E8* —3B **26**
Dalton St. *SE27* —2D **95**
Dalwood St. *SE5* —4A **68**
Daly Ct. *E15* —2D **29**
Dalyell Rd. *SW9* —1B **80**
Damascene Wlk. *SE21* —1C **88**
Damask Cres. *E16* —3A **44**
Damer Ter. *SW10* —3E **63**
Dames Rd. *E7* —5C **16**
Dame St. *N1* —1E **39**
Damien St. *E1* —5D **41**
Danbury St. *N1* —1D **39**
Danby St. *SE15* —1B **82**
Dancer Rd. *SW6* —4B **62**
Dando Cres. *SE3* —1D **87**
Dandridge Clo. *SE10* —1B **72**
Danebury Av. *SW15* —4A **74**
(in two parts)
Daneby Rd. *SE6* —3D **99**
Danecroft Rd. *SE24* —3E **81**
Danehurst St. *SW6* —4A **62**
Danemere St. *SW15* —1E **75**
Dane Pl. *E3* —1B **42**
Danescombe. *SE12* —1C **100**
Danescroft. *NW4* —1F **5**
Danescroft Av. *NW4* —1F **5**
Danescroft Gdns. *NW4* —1F **5**
Danesdale Rd. *E9* —3A **28**
Danesfield. *SE17* —2A **68**
(off Albany Rd.)
Dane St. *WC1* —4B **38**
Daneswood Av. *SE6* —3E **99**
Daneville Rd. *SE5* —4F **67**
Dangan Rd. *E11* —1C **16**
Daniel Bolt Clo. *E14* —4D **43**
Daniel Clo. *SW17* —5A **92**
Daniel Gdns. *SE15* —3B **68**
Daniel Ho. *N1* —1F **39**
(off Cranston Est.)
Daniel Pl. *NW4* —2D **5**
Daniels Rd. *SE15* —1E **83**
Dan Leno Wlk. *SW6* —3D **63**
Dansey Pl. *W1* —1F **51**
(off Wardour St.)
Danson Rd. *SE17* —1D **67**
Dante Pl. *SE11* —5D **53**
(off Dante Rd.)
Dante Rd. *SE11* —5D **53**
Danube St. *SW3* —1A **64**
Danvers Ho. *E1* —5C **40**
(off Christian St.)
Danvers St. *SW3* —2F **63**
Da Palma Ct. *SW6* —2C **62**
(off Anselm Rd.)
Daphne St. *SW18* —4E **77**
Daplyn St. *E1* —4C **40**
D'Arblay St. *W1* —5E **37**
Dare Ct. *E10* —2E **15**
Darent Ho. *Brom* —5F **99**
Darenth Rd. *N16* —2B **12**
Darfield Rd. *SE4* —3B **84**
Darfield Way. *W10* —5F **33**

Darfur St. *SW15* —1F **75**
Darien Rd. *SW11* —1F **77**
Dark Ho. Wlk. *EC3* —1F **53**
Darlan Rd. *SW6* —3B **62**
Darley Clo. *SE11* —1B **66**
(off Laud St.)
Darley Rd. *SW11* —4B **78**
Darling Rd. *SE4* —1C **84**
Darling Row. *E1* —3D **41**
Darlington Rd. *SE27* —5D **95**
Darnay Ho. *SE16* —4C **54**
Darnley Rd. *E9* —3E **27**
Darnley Ter. *W11* —2F **47**
Darrell Rd. *SE22* —3C **82**
Darren Clo. *N4* —2B **10**
Darsley Dri. *SW8* —4F **65**
Dartford Ho. *SE1* —5B **54**
(off Longfield Est.)
Dartford St. *SE17* —2E **67**
Dartington Ho. *SW8* —5F **65**
(off Union Gro.)
Dartle Ct. *SE16* —3C **54**
(off Dickens Est.)
Dartmoor Wlk. *E14* —5C **56**
(off Charnwood Gdns.)
Dartmouth Clo. *W11* —5C **34**
Dartmouth Ct. *SE10* —4F **71**
Dartmouth Gro. *SE10* —4E **71**
Dartmouth Hill. *SE10* —4E **71**
Dartmouth Pk. Av. *NW5*
—5D **9**
Dartmouth Pk. Hill. *N19 & NW5*
—3D **9**
Dartmouth Pk. Rd. *NW5*
—1D **23**
Dartmouth Pl. *SE23* —2E **97**
Dartmouth Pl. *W4* —2A **60**
Dartmouth Rd. *NW2* —3F **19**
Dartmouth Rd. *NW4* —1C **4**
Dartmouth Rd. *SE26 & SE23*
—3D **97**
Dartmouth Row. *SE10* —4E **71**
Dartmouth St. *SW1* —3F **51**
Dartmouth Ter. *SE10* —4F **71**
Dartrey Tower. *SW10* —3E **63**
(off Worlds End Est.)
Dartrey Wlk. *SW10* —3F **63**
Dart St. *W10* —2A **34**
Darville Rd. *N16* —5B **12**
Darwin St. *SE17* —5F **53**
(in two parts)
Daryngton Ho. *SW8* —3A **66**
(off Hartington Rd.)
Dashwood Rd. *N8* —1B **10**
Dassett Rd. *SE27* —5D **95**
Data Point Bus. Cen. *E16*
—3F **43**
Datchelor Pl. *SE5* —4F **67**
Datchet Rd. *SE6* —2B **98**
Date St. *SE17* —1F **67**
Daubeney Rd. *E5* —1A **28**
Daubeney Tower. *SE8* —1B **70**
(off Bowditch)
Dault Rd. *SW18* —4E **77**
Dauncey Ho. *SE1* —3D **53**
(off Webber Row)
Davenant Rd. *N19* —4F **9**
Davenant St. *E1* —4C **40**

Davenport Ho. *SE11* —5C **52**
(off Walnut Tree Wlk.)
Davenport Rd. *SE6* —4D **85**
Daventry Av. *E17* —1C **14**
Daventry St. *NW1* —4A **36**
Daver Ct. *SW3* —1A **64**
Davern Clo. *SE10* —5B **58**
Davey Clo. *N7* —3B **24**
Davey Rd. *E9* —4C **28**
Davey St. *SE15* —2B **68**
Davidge Ho. *SE1* —3D **53**
(off Coral St.)
Davidge St. *SE1* —3D **53**
David Ho. *SW8* —3A **66**
(off Wyvil Rd.)
David Lee Point. *E15* —5A **30**
(off Leather Gdns.)
David M. *W1* —4A **36**
Davidson Gdns. *SW8* —3A **66**
Davidson Ter. *E7* —2D **31**
(off Claremont Rd.)
Davidson Ter. *E7* —2D **31**
(off Windsor Rd.)
Davidson Tower. *Brom*
—5D **101**
David's Rd. *SE23* —1E **97**
David St. *E15* —3F **29**
Davies La. *E11* —4A **16**
Davies St. *W1* —5D **37**
Davis Rd. *W3* —2B **46**
Davis St. *E13* —1D **45**
Davisville Rd. *W12* —3C **46**
Dawes Rd. *SW6* —3A **62**
Dawes St. *SE17* —1F **67**
Dawlish Av. *SW18* —2D **91**
Dawlish Rd. *E10* —3E **15**
Dawlish Rd. *NW2* —3F **19**
Dawnay Gdns. *SW18* —2F **91**
Dawnay Rd. *SW18* —2E **91**
Dawn Cres. *E15* —5F **29**
Dawpool Rd. *NW2* —4B **4**
Dawson Pl. *W2* —1C **48**
Dawson Rd. *NW2* —2E **19**
Dawson St. *E2* —1B **40**
Daylesford Av. *SW15* —2C **74**
Daysbrook Rd. *SW2* —1B **94**
Dayton Gro. *SE15* —4E **69**
Deacon M. *N1* —4F **25**
Deacon Rd. *NW2* —2C **18**
Deacon Way. *SE17* —5E **53**
Deal Porters Way. *SE16*
—4E **55**
Deal Rd. *SW17* —5C **92**
Deal's Gateway. *SE10* —4C **70**
Deal St. *E1* —4C **40**
Dealtry Rd. *SW15* —2E **75**
Deal Wlk. *SW9* —3C **66**
Dean Bradley St. *SW1* —4A **52**
Dean Clo. *E9* —2E **27**
Dean Clo. *SE16* —2F **55**
Dean Ct. *SW8* —3A **66**
(off Thorncroft St.)
Deancross St. *E1* —5E **41**
Deanery M. *W1* —2C **50**
(off Deanery St.)

Deanery Rd. *E15* —4A **30**
Deanery St. *W1* —2C **50**
Dean Farrar St. *SW1* —4F **51**
Dean Rd. *NW2* —3E **19**
Dean Ryle St. *SW1* —5A **52**
Dean's Bldgs. *SE17* —5F **53**
Dean's Ct. *EC4* —5D **39**
Deans Ga. Clo. *SE23* —3F **97**
Dean's M. *W1* —5D **37**
Dean's Pl. *SW1* —1F **65**
Dean Stanley St. *SW1* —4A **52**
Deanston Wharf. *E16* —3D **59**
Dean St. *E7* —2C **30**
Dean St. *W1* —5F **37**
Dean's Yd. *SW1* —4F **51**
(off Sanctuary, The)
Dean Trench St. *SW1* —4A **52**
Deason St. *E15* —5E **29**
Deauville Ct. *SW4* —4E **79**
De Barowe M. *N5* —1D **25**
De Beauvoir Cres. *N1* —5A **26**
De Beauvoir Est. *N1* —5A **26**
De Beauvoir Pl. *N1* —3A **26**
De Beauvoir Rd. *N1* —5A **26**
De Beauvoir Sq. *N1* —5A **26**
De Beauvoir St. *SE16* —5E **55**
De Bruin Ct. *E14* —1E **71**
Decima St. *SE1* —4A **54**
Deck Clo. *SE16* —2F **55**
De Crespigny Pk. *SE5* —5F **67**
Deeley Rd. *SW8* —4F **65**
Deepdale. *SW19* —4F **89**
Deepdene Gdns. *SW2* —5B **80**
Deepdene Point. *SE23* —3F **97**
Deepdene Rd. *SE5* —2F **81**
Deerbrook Rd. *SE24* —1D **95**
Deerdale Rd. *SE24* —2E **81**
Deerfield Cotts. *NW9* —1B **4**
Deerhurst Rd. *NW2* —3F **19**
Deerhurst Rd. *SW16* —5B **94**
Deeside Rd. *SW17* —3F **91**
Dee St. *E14* —5E **43**
Defoe Clo. *SE16* —3B **56**
Defoe Clo. *SW17* —5A **92**
Defoe Ho. *EC2* —4E **39**
(off Barbican)
Defoe Pl. *EC2* —4E **39**
(off Beech St.)
Defoe Rd. *N16* —5A **12**
De Frene Rd. *SE26* —4F **97**
Dehar Cres. *NW9* —2B **4**
Dekker Rd. *SE21* —4A **82**
Delacourt Rd. *SE3* —3D **73**
Delafield Ho. *E1* —5C **40**
(off Christian St.)
Delafield Rd. *SE7* —1D **73**
Delaford Rd. *SE16* —1D **69**
Delaford St. *SW6* —3A **62**
Delamere St. *W2* —4E **35**
Delamere Ter. *W2* —4D **35**
Delancey Pas. *NW1* —5D **23**
(off Delancey St.)
Delancey St. *NW1* —5D **23**
De Laune St. *SE17* —1D **67**
Delaware Mans. *W9* —3D **35**
(off Delaware Rd.)
Delaware Rd. *W9* —3D **35**
Delawyk Cres. *SE24* —4E **81**

Delft Way. *SE22* —3A **82**
Delhi St. *N1* —5A **24**
Delia St. *SW18* —5D **77**
Delius Clo. *E15* —1E **43**
Della Path. *E5* —5C **12**
Dell Clo. *E15* —5F **29**
Dellow St. *E1* —1D **55**
Dell's M. *SW1* —5E **51**
(off Churton Pl.)
Delmare Clo. *SW9* —2B **80**
Delme Cres. *SE3* —5D **73**
Deloraine Ho. *SE8* —4C **70**
Delorme St. *W6* —2F **61**
Delta Bus. Pk. SW18 —2D **77**
(off Smugglers Way)
Delta Ct. *NW2* —4C **4**
Delta Est. *E2* —2C **40**
Delta St. *E2* —2C **40**
Delverton Rd. *SE17* —1D **67**
Delvino Rd. *SW6* —4C **62**
Demead Way *SE15* —3B **68**
(off Pentridge St.)
De Montfort Pde. *SW16*
—3A **94**
De Montfort Rd. *SW16*
—2A **94**
De Morgan Rd. *SW6* —1D **77**
Dempster St. *SW18* —3E **77**
Denbigh Clo. *NW10* —4A **18**
Denbigh Clo. *W11* —1B **48**
Denbigh Ct. *E6* —2F **45**
Denbigh M. SW1 —5E **51**
(off Denbigh St.)
Denbigh Pl. *SW1* —1E **65**
Denbigh Rd. *E6* —2F **45**
Denbigh Rd. *W11* —1B **48**
Denbigh St. *SW1* —5E **51**
(in two parts)
Denbigh Ter. *W11* —1B **48**
Denby Ct. SE11 —5B **52**
(off Lambeth Wlk.)
Denchworth Ho. *SW9* —5C **66**
Dene Clo. *SE4* —1A **84**
Denehurst Gdns. *NW4* —1E **5**
Denesmead. *SE24* —3E **81**
Denewood Rd. *N6* —1B **8**
Denford St. *SE10* —1B **72**
Dengie Wlk. N1 —5E **25**
(off Basire St.)
Denham Ct. *SE26* —3D **97**
(off Kirkdale)
Denham Ho. *W12* —1D **47**
(off White City Est.)
Denham St. *SE10* —1C **72**
Denholme Rd. *W9* —2B **34**
Denison Rd. *SW19* —5F **91**
Denis Way. *SW4* —1F **79**
Denman Dri. *NW11* —1C **6**
Denman Pl. W1 —2F **51**
(off Denman St.)
Denman Rd. *SE15* —4B **68**
Denman St. *W1* —1F **51**
Denmark Gro. *N1* —1C **38**
Denmark Hill. *SE5* —4F **67**
Denmark Hill Est. *SE5*
—2F **81**
Denmark Mans. *SE5* —5E **67**
Denmark Pl. *WC2* —5F **37**

Denmark Rd. *NW6* —1B **34**
(in two parts)
Denmark Rd. *SE5* —4E **67**
Denmark St. *E11* —5A **16**
Denmark St. *E13* —4D **45**
Denmark St. *WC2* —5F **37**
Denmark Wlk. *SE27* —4E **95**
Denmead Ho. SW15 —4B **74**
(off Highcliffe Dri.)
Denne Ter. *E8* —5B **26**
Dennetts Gro. *SE14* —4E **69**
Dennett's Rd. *SE14* —5F **69**
Denning Clo. *NW8* —2E **35**
Denning Rd. *NW3* —1F **21**
Dennington Clo. *E5* —4E **13**
Dennington Pk. Rd. *NW6*
—3C **20**
Dennison Gro. *SW14* —1A **74**
Dennison Point. *E15* —4E **29**
Denny Clo. *E6* —4F **45**
Denny Cres. *SE11* —1C **66**
Denny St. *SE11* —1C **66**
Densham Rd. *E15* —5A **30**
Denton. *NW1* —3C **22**
Denton Rd. *N8* —1B **10**
Denton St. *SW18* —4D **77**
Denton Way. *E5* —5F **13**
Dents Rd. *SW11* —4B **78**
Denver Rd. *N16* —2A **12**
Denwood. *SE23* —3F **97**
Denyer St. *SW3* —5A **50**
Denzil Rd. *NW10* —2B **18**
Deodar Rd. *SW15* —2A **76**
Depot App. *NW2* —1F **19**
Depot Rd. W12 —1E **47**
Depot St. *SE5* —2F **67**
Deptford Bri. *SE8* —4C **70**
Deptford B'way. *SE8* —4C **70**
Deptford Chu. St. *SE8* —2C **70**
Deptford Ferry Rd. *E14*
—5C **56**
Deptford Grn. *SE8* —2C **70**
Deptford High St. *SE8* —2C **70**
Deptford Pk. Bus. Cen. SE8
—1A **70**
Deptford Strand. *SE8* —5B **56**
Deptford Wharf. *SE8* —5B **56**
De Quincey M. *E16* —2C **58**
Derando Clo. *W12* —1D **47**
Derby Ga. *SW1* —3A **52**
Derby Hill. *SE23* —2E **97**
Derby Hill Cres. *SE23* —2E **97**
Derby Ho. SE11 —5C **52**
(off Walnut Tree Wlk.)
Derby Rd. *E7* —4F **31**
Derby Rd. *E9* —5F **27**
Derbyshire St. *E2* —2C **40**
Derby St. W1 —2C **50**
Dereham Ho. *SE4* —2F **83**
(off Frendsbury Rd.)
Dereham Pl. *EC2* —2A **40**
Derek Walcott Clo. *SE24*
—3D **81**
Dericote St. *E8* —5D **27**
Dering St. *W1* —5D **37**
Dering Yd. *W1* —5D **37**
Derinton Rd. *SW17* —4B **92**
Dermody Gdns. *SE13* —3F **85**

Dermody Rd. *SE13* —3F **85**
Deronda Est. *SW2* —1D **95**
Deronda Rd. *SE24* —1D **95**
Derrick Gdns. *SE7* —5E **59**
Derry St. *W8* —3D **49**
Dersingham Rd. *NW2* —5A **6**
Derwent Av. *NW9* —1A **4**
Derwent Av. *SW15* —4A **88**
Derwent Gro. *SE22* —2B **82**
Derwent Rise. *NW9* —1A **4**
Derwent St. *SE10* —1A **72**
Desborough Clo. W2 —4D **35**
(off Bourne Ter.)
Desborough Ho. W14 —2B **62**
(off N. End Rd.)
Desenfans Rd. *SE21* —4A **82**
Desford Rd. *E16* —3A **44**
Desmond St. *SE14* —3A **70**
Despard Rd. *N19* —3E **9**
Detling Rd. *Brom* —5C **100**
Detmold Rd. *E5* —4D **13**
Devas St. *E3* —3D **43**
Devenay Rd. *E15* —4B **30**
Deventer Cres. *SE22* —3A **82**
De Vere Gdns. *W8* —3E **49**
Deverell St. *SE1* —4F **53**
De Vere M. W8 —4E **49**
(off De Vere Gdns.)
Devereux Ct. *WC2* —5C **38**
(off Essex St.)
Devereux La. *SW13* —3D **61**
Devereux Rd. *SW11* —4B **78**
Devon Gdns. *N4* —1D **11**
Devonia Rd. *N1* —1D **39**
Devonport. W2 —5A **36**
Devonport M. *W12* —3D **47**
Devonport Rd. *W12* —2D **47**
Devonport St. *E1* —5F **41**
Devons Est. *E3* —2D **43**
Devonshire Clo. *E15* —1A **30**
Devonshire Clo. *W1* —4D **37**
Devonshire Dri. *SE10* —3D **71**
Devonshire Gro. *SE15* —2D **69**
Devonshire M. *W4* —1A **60**
Devonshire M. N. *W1* —4D **37**
Devonshire M. S. *W1* —4D **37**
Devonshire M. W. *W1* —3C **36**
Devonshire Pas. *W4* —1A **60**
Devonshire Pl. *NW2* —4A **6**
Devonshire Pl. *W1* —3C **36**
Devonshire Pl. *W4* —1A **60**
Devonshire Pl. *W8* —4D **49**
Devonshire Pl. M. *W1* —4C **36**
Devonshire Rd. *E15* —1A **30**
Devonshire Rd. *E16* —5D **45**
Devonshire Rd. *E17* —1C **14**
Devonshire Rd. *SE9* —2F **101**
Devonshire Rd. *SE23* —1E **97**
Devonshire Rd. *W4* —1A **60**
Devonshire Row. *EC2* —4A **40**
Devonshire Row M. W1
(off Devonshire St.) —3D **37**
Devonshire Sq. *E1* —5A **40**
Devonshire Sq. *EC2* —5A **40**
Devonshire St. *W1* —4C **36**
Devonshire St. *W4* —1A **60**
Devonshire Ter. *W2* —5E **35**
Devons Rd. *E3* —4C **42**

Devon St.—Dorrien Wlk.

Devon St. *SE15* —2D **69**
De Walden St. *W1* —4C **36**
Dewar St. *SE15* —1C **82**
Dewberry Gdns. *E14* —4E **45**
Dewberry St. *E14* —4E **43**
Dewey Rd. *N1* —1C **38**
Dewey St. *SW17* —5B **92**
Dewhurst Rd. *W14* —4F **47**
Dewsbury Rd. *NW10* —2C **18**
Dewsbury Ter. *NW1* —5D **23**
D'Eynsford Rd. *SE5* —4F **67**
Dhonau Ho. SE1 —5B 54
(off Longfield Est.)
Diadem Ct. W1 —5F 37
(off Dean St.)
Dial Wlk., The. W8 —3D 43
(off Broad Wlk., The)
Diamond St. *SW17* —3A **92**
Diamond St. *SE15* —3A **68**
Diamond Ter. *SE10* —4E **71**
Diana Ho. *SW13* —4B **60**
Diana Pl. *NW1* —3D **37**
Dibden Ho. *SE5* —3A **68**
Dibden St. *N1* —5E **25**
Dibdin Row. *SE1* —4C **52**
Dicey Av. *NW2* —1E **19**
Dickens Est. *SE1* —3C **54**
Dickens Est. *SE16* —4C **54**
Dickens Ho. SE17 —1D 67
(off Doddington Gro.)
Dickens Ho. WC1 —3A 38
(off Herbrand St.)
Dickenson Ho. *N8* —1B **10**
Dickenson Rd. *N8* —2A **10**
Dickenson St. *NW5* —3C **22**
Dickens Rd. *E6* —1F **45**
Dickens Sq. *SE1* —4E **53**
Dickens St. *SW8* —5D **65**
Dickson Rd. *SE9* —1F **87**
Digby Cres. *N4* —4E **11**
Digby Mans. W6 —1D 61
(off Hammersmith Bri. Rd.)
Digby Rd. *E9* —3F **27**
Digby St. *E2* —2E **41**
Diggon St. *E1* —4F **41**
Dighton Ct. SE5 —2E 67
(off John Ruskin St.)
Dighton Rd. *SW18* —3E **77**
Dignum St. *N1* —1C **38**
Digswell St. *N7* —3C **24**
Dilhorne Clo. *SE12* —3D **101**
Dilke St. *SW3* —2B **64**
Dillwyn Clo. *SE26* —4A **98**
Dilston Gro. *SE16* —5E **55**
Dilton Gdns. *SW15* —1C **88**
Dimes Pl. *W6* —5D **47**
Dimond Clo. *E7* —1C **30**
Dimsdale Wlk. *E13* —1C **44**
Dimson Cres. *E3* —2C **42**
Dingle Gdns. *E14* —1C **56**
Dingley La. *SW16* —2F **93**
Dingley Pl. *EC1* —2E **39**
Dingley Rd. *EC1* —2E **39**
Dingwall Gdns. *NW11* —1C **6**
Dingwall Rd. *SW18* —5E **77**
Dinmont Est. *E2* —1C **40**
Dinmont St. *E2* —1D **41**
Dinsdale Rd. *SE3* —2B **72**

Dinsmore Rd. *SW12* —5D **79**
Dinton Rd. *SW19* —5F **91**
Dirleton Rd. *E15* —5B **30**
Disbrowe Rd. *W6* —2A **62**
Discovery Wlk. *E1* —1D **55**
Disney Pl. *SE1* —3E **53**
Disney St. *SE1* —3E **53**
Disraeli Gdns. *SW15* —2B **76**
Disraeli Rd. *E7* —3C **30**
Disraeli Rd. *NW10* —1A **20**
Disraeli Rd. *SW15* —2A **76**
Diss St. *E2* —2B **40**
Distaff La. *EC4* —1E **53**
Distillery La. *W6* —1E **61**
Distillery Rd. *W6* —1E **61**
Distin St. *SE11* —5C **52**
Ditch All. *SE10* —5D **71**
Ditchburn St. *E14* —1E **57**
Dittisham Rd. *SE9* —4F **101**
Divis Way *SW15* —4D **75**
(off Dover Pk. Dri.)
Dixon Clark Ct. *N1* —3D **25**
Dixon Rd. *SE14* —4A **70**
Dixon's All. *SE16* —3D **55**
Dobree Av. *NW10* —4D **19**
Dobson Ho. *NW6* —4F **21**
Dobson Ho. SE5 —3F 67
(off Edmund St.)
Doby Ct. EC4 —1E 53
(off Skinners La.)
Dockers Tanner Rd. *E14*
　　　　　　　　　 —5C **56**
Dockhead. *SE1* —3B **54**
Dock Hill Av. *SE16* —2F **55**
Dockley Rd. *SE16* —4C **54**
Dockley Rd. Ind. Est. SE16
(off Dockley Rd.) —4C **54**
Dock Rd. *E16* —1B **58**
Dock St. *E1* —1C **54**
Doctor Johnson Av. SW17
　　　　　　　　　 —3D **93**
Doctors Clo. *SE26* —5E **97**
Docwra's Bldgs. *N1* —3A **26**
Dodbrooke Rd. *SE27* —3C **94**
Doddington Gro. *SE17* —2D **67**
Doddington Pl. *SE17* —2D **67**
Dodson St. *SE1* —3C **52**
Dod St. *E14* —5C **42**
Dog and Duck Yd. WC1
(off Princeton St.) —4B **38**
Doggett Rd. *SE6* —5C **84**
Dog Kennel Hill *SE22* —1A **82**
Dog Kennel Hill Est. SE22
　　　　　　　　　 —1A **82**
Dog La. *NW10* —1A **18**
Doherty Rd. *E13* —3C **44**
Dolben Ct. *SE8* —5B **56**
Dolben St. SE1 —2D 53
(in two parts)
Dolby Rd. *SW6* —5B **62**
Dolland Ho. SE11 —1B 66
(off Newburn St.)
Dolland St. *SE11* —1B **66**
Dollis Hill Av. *NW2* —5D **5**
Dollis Hill La. *NW2* —5C **4**
Dollis Hill La. *NW2* —1B **18**
Dolman Rd. *W4* —5A **46**
Dolman St. *SW4* —2B **80**
Dolphin Clo. *SE16* —3F **55**

Dolphin Ct. *NW11* —1A **6**
Dolphin Ct. SE8 —2B 70
(off Wotton Rd.)
Dolphin La. *E14* —1D **57**
Dolphin Sq. *SW1* —1E **65**
Dolphin Sq. *W4* —3A **60**
Dolphin Tower. SE8 —2B 70
(off Abinger Gro.)
Dombey Ho. SE1 —3C 54
(off Wolseley St.)
Dombey St. *WC1* —4B **38**
Dome Hill Pk. *SE26* —4B **96**
Domett Clo. *SE5* —2F **81**
Domfe Pl. *E5* —1E **27**
Domingo St. *EC1* —3E **39**
Dominica Clo. *E6* —1F **45**
Dominion St. *EC2* —4F **39**
Domville Gro. *SE5* —1B **68**
Donald Rd. *E13* —5D **31**
Donaldson Rd. *NW6* —5B **20**
Doncaster Gdns. *N4* —1E **11**
Donegal St. *N1* —1B **38**
Doneraile St. *SW6* —5F **61**
Dongola Rd. *E13* —2D **45**
Dongola Rd. W. *E13* —2D **45**
Donkey All. *SE22* —5C **82**
Donne Ct. *SE24* —4E **81**
Donnelly Ct. SW6 —3A 62
(off Dawes Rd.)
Donne Pl. *SW3* —5A **50**
Donnington Rd. *NW10*
　　　　　　　　　 —4D **19**
Don Phelan Clo. *SE5* —4F **67**
Doon St. *SE1* —2C **52**
Doran Mnr. N2 —1B 8
(off Gt. North Rd.)
Doran Wlk. *E15* —4E **29**
Dora Rd. *SW19* —5C **90**
Dora St. *E14* —5B **42**
Dorchester Ct. *NW2* —5F **5**
Dorchester Ct. *SE24* —2E **81**
Dorchester Dri. *SE24* —3E **81**
Dorchester Gro. *W4* —1A **60**
Dordrecht Rd. *W3* —2A **46**
Doreen Av. *NW9* —3A **4**
Doreen Capstan Ho. E11
　　　　　　　　　 —5A **16**
Doria Rd. *SW6* —5B **62**
Doric Way. *NW1* —2F **37**
Dorinda St. *N7* —3C **24**
Doris Emmerton Ct. SW11
　　　　　　　　　 —2E **77**
Doris Rd. *E7* —4C **30**
Dorking Clo. *SE8* —2B **70**
Dorking Ho. *SE1* —4F **53**
Dorlcote Rd. *SW18* —5A **78**
Dorman Way. *NW8* —5F **21**
Dorma Trad. Pk. *E10* —3F **13**
Dormay St. *SW18* —3D **77**
Dormer Clo. *E15* —3B **30**
Dornberg Clo. *SE3* —3C **72**
Dornberg Rd. *SE3* —3D **73**
Dorncliffe Rd. *SW6* —5A **62**
Dornfell St. *NW6* —2B **20**
Dornton Rd. *SW12* —2D **93**
Dorothy Rd. *SW11* —1B **78**
Dorrell Pl. *SW9* —2C **80**
Dorrien Wlk. *SW16* —2F **93**

Dorrington St. *EC1* —4C **38**
Dorrit St. *SE1* —3E **53**
(off Quilp St.)
Dorryn St. *SE26* —5F **97**
Dors Clo. *NW9* —3A **4**
Dorset Bldgs. *EC4* —5D **39**
Dorset Clo. *NW1* —4B **36**
Dorset M. *SW1* —4D **51**
Dorset Pl. *E15* —3F **29**
Dorset Rise. *EC4* —5D **39**
Dorset Rd. *E7* —4E **31**
Dorset Rd. *SE9* —2F **101**
Dorset Rd. *SW8* —3A **66**
Dorset Sq. *NW1* —3B **36**
Dorset St. *W1* —4B **36**
Dorville Cres. *W6* —4D **47**
Dorville Rd. *SE12* —3B **86**
Doughty Ho. *SW10* —2E **63**
Doughty M. *WC1* —3B **38**
Doughty St. *WC1* —3B **38**
Douglas Est. *N1* —3E **25**
Douglas Johnston Ho. *SW6*
(off Clem Attlee Ct.) —2B **62**
Douglas M. *NW2* —5A **6**
Douglas Pl. *E14* —5E **57**
Douglas Rd. *E16* —4C **44**
Douglas Rd. *N1* —4E **25**
Douglas Rd. *NW6* —5B **20**
Douglas Rd. S. *N1* —3E **25**
Douglas St. *SW1* —5F **51**
Douglas Waite Ho. *NW6*
—4D **21**
Douglas Way. *SE8* —3B **70**
(in two parts)
Doulton M. *NW6* —3D **21**
Dounesforth Gdns. *SW18*
—1D **91**
Dourdan Ct. *EC1* —4C **38**
(off Greville St.)
Douro Pl. *W8* —4D **49**
Douro St. *E3* —1C **42**
Douthwaite Sq. *E1* —2C **54**
Dove App. *E6* —4F **45**
Dove Commercial Cen. *NW5*
—2E **23**
Dovecote Gdns. *SW14* —1A **74**
Dove Ct. *EC2* —5F **39**
(off Old Jewry)
Dovedale Rd. *SE22* —3D **83**
Dovehouse St. *SW3* —1F **63**
Dove M. *SW5* —5E **49**
Dover Clo. *NW2* —4F **5**
Dovercourt Est. *N1* —3F **25**
Dovercourt Rd. *SE22* —4A **82**
Doverfield Rd. *SW2* —5A **80**
Dover Flats. *SE1* —5A **54**
Dover Ho. *SE15* —2E **69**
Dover Ho. *SW15* —2C **74**
Dove Rd. *N1* —3F **25**
Dove Row. *E2* —5C **26**
Dover Pk. Dri. *SW15* —4D **75**
Dover Patrol. *SE3* —5D **73**
Dover Rd. *E12* —4E **17**
Dover Rd. *SE19* —5F **95**
Dover St. *W1* —1D **51**
Dover Yd. *W1* —2E **51**
(off Berkeley St.)
Doves Yd. *N1* —5C **24**

Dovet Ct. *SW8* —4B **66**
Doveton St. *E1* —3E **41**
Dove Wlk. *SW1* —1C **64**
Dowanhill Rd. *SE6* —1F **99**
Dowdeswell Clo. *SW15*
—2A **74**
Dowding Ho. *N6* —2C **8**
(off Hillcrest)
Dowend Ct. *SE15* —2A **68**
(off Longhope Clo.)
Dowes Ho. *SW16* —3A **94**
Dowgate Hill. *EC4* —1F **53**
Dowland St. *W10* —2A **34**
Dowlas St. *SE5* —3A **68**
Dowler Ho. *E1* —5C **40**
(off Burslem St.)
Downbury M. *SW18* —3C **76**
Downderry Rd. *Brom* —3F **99**
Downer's Cottage. *SW4*
—2E **79**
Downes Ho. *SE15* —2C **68**
Downfield Clo. *W9* —3D **35**
Downham Enterprise Cen. *SE6*
—2B **100**
Downham La. *Brom* —5F **99**
Downham Rd. *N1* —4E **25**
Downham Way. *Brom* —5F **99**
Downing St. *SW1* —3A **52**
Down Pl. *W6* —5D **47**
Downsell Rd. *E15* —1E **29**
Downsfield Rd. *E17* —1A **14**
Downshire Hill. *NW3* —1F **21**
Downside Cres. *NW3* —2A **22**
Downs La. *E5* —1D **27**
Downs Pk. Rd. *E8 & E5*
—2B **26**
Downs Rd. *E5* —1C **26**
Down St. *W1* —2D **51**
Down St. M. *W1* —2D **51**
Downton Av. *SW2* —2A **94**
Downtown Rd. *SE16* —3A **56**
Dowrey St. *N1* —5C **24**
Dowson Clo. *SE5* —2F **81**
Dowson Ct. *SE13* —1F **85**
Doyce St. *SE1* —3E **53**
Doyle Gdns. *NW10* —5C **18**
D'Oyley St. *SW1* —5C **50**
Doynton St. *N19* —4D **9**
Draco Ga. *SW15* —1E **75**
Draco St. *SE17* —2E **67**
Dragonfly Clo. *E13* —2D **45**
Dragon Yd. *WC1* —5A **38**
(off High Holborn)
Dragoon Rd. *SE8* —1B **70**
Drake Clo. *SE16* —3F **55**
Drakefell Rd. *SE14 & SE4*
—5F **69**
Drakefield Rd. *SW17* —3C **92**
Drakeley Ct. *N5* —1D **25**
Drake Rd. *SE4* —1C **84**
Drakes Ct. *SE23* —1E **97**
Drakes Courtyard. *NW6*
—4B **20**
Drake St. *WC1* —4B **38**
Draper Ho. *SE1* —5E **53**
(off Elephant & Castle)
Draper Pl. *N1* —5D **25**
(off Dagmar Ter.)

Drapers Gdns. *EC2* —5F **39**
Drapers Rd. *E15* —1F **29**
Drappers Way. *SE16* —5C **54**
Drawdock Rd. *SE10* —3F **57**
Draxmont App. *SW19* —5A **90**
Draycot Rd. *E11* —1D **17**
Draycott Av. *SW3* —5A **50**
Draycott Pl. *SW3* —5B **50**
Draycott Ter. *SW3* —5B **50**
Drayford Clo. *W9* —3B **34**
Dray Gdns. *SW2* —3B **80**
Drayson M. *W8* —3C **48**
Drayton Gdns. *SW10* —1E **63**
Drayton Ho. *E11* —3F **15**
Drayton Pk. *N5* —1C **24**
Drayton Rd. *E11* —3F **15**
Drayton Rd. *NW10* —5B **18**
Dreadnought St. *SE10* —4A **58**
Dresden Clo. *NW6* —3D **21**
Dresden Rd. *N19* —3E **9**
Dressington Av. *SE4* —4C **84**
Drewery Ct. *SE3* —1A **86**
Drewett Ho. *E1* —5C **40**
(off Christian St.)
Drew Ho. *SW16* —3A **94**
Drew Rd. *E16* —2F **59**
(in three parts)
Drewstead Rd. *SW16* —2F **93**
Driffield Rd. *E3* —1A **42**
Drinkwater Ho. *SE5* —3F **67**
(off Picton St.)
Drive Mans. *SW6* —5A **62**
(off Fulham Rd.)
Drive, The. *N7* —3B **24**
Drive, The. *NW10* —5B **18**
Drive, The. *NW11* —2A **6**
Driveway, The. *E17* —1D **15**
(off Hoe St.)
Droitwich Clo. *SE26* —3C **96**
Droitwich Ho. *SE15* —3B **68**
(off Commercial Way)
Dromore Rd. *SW15* —4A **76**
Droop St. *W10* —2F **33**
Drover La. *SE15* —3D **69**
Drovers Pl. *SE15* —3E **69**
Druce Rd. *SE21* —4A **82**
Druid St. *SE1* —3A **54**
Druid Tower. *SE14* —2A **70**
Drummond Cres. *NW1* —2F **37**
Drummond Ga. *SW1* —1F **65**
Drummond Rd. *E11* —1E **17**
Drummond Rd. *SE16* —4D **55**
Drummond St. *NW1* —3E **37**
Drum St. *E1* —5B **40**
Drury La. *WC2* —5A **38**
Dryad St. *SW15* —1F **75**
Dryburgh Rd. *SW15* —1D **75**
Dryden Ct. *SE11* —5D **53**
Dryden Mans. *W14* —2A **62**
(off Queen's Club Gdns.)
Dryden Rd. *SW19* —5E **91**
Dryden St. *WC2* —5A **38**
Dryfield Wlk. *SE8* —2C **70**
Drylands Rd. *N8* —1A **10**
Drysdale Ho. *N1* —2A **40**
(off Drysdale St.)
Drysdale Pl. *N1* —2A **40**

Drysdale St. *N1* —2A **40**
Dublin Av. *E8* —5C **26**
Ducal St. *E2* —2B **40**
Du Cane Clo. *W12* —5E **33**
Du Cane Ct. *SW12* —1C **92**
Du Cane Rd. *W12* —5B **32**
Ducavel Ho. *SW2* —1B **94**
Duchess M. *W1* —4D **37**
Duchess of Bedford's Wlk. *W8*
   —3C **48**
Duchess St. *W1* —4D **37**
Duchy St. *SE1* —2C **52**
Ducie St. *SW4* —2B **80**
Duckett St. *N4* —1C **10**
Duckett St. *E1* —3F **41**
Duck La. *W1* —5F **37**
   (off Broadwick St.)
Du Cros Rd. *W3* —2A **46**
Dudden Hill La. *NW10* —1B **18**
Dudden Hill Pde. *NW10*
   —1B **18**
Duddington Clo. *SE9* —4E **101**
Dudley Ct. *WC2* —5A **38**
   (off Endell St.)
Dudley Rd. *NW6* —1A **34**
Dudley Rd. *SW19* —5C **90**
Dudley St. *W2* —4F **35**
Dudlington Rd. *E5* —4E **13**
Dudmaston M. SW3 —1F 63
   (off Fulham Rd.)
Duffell Ho. SE11 —1B 66
   (off Loughborough St.)
Dufferin Av. *EC1* —3F **39**
   (off Loughborough St.)
Dufferin St. *EC1* —3E **39**
Duff St. *E14* —5D **43**
Dufour's Pl. *W1* —5E **37**
Dugard Way. *SE11* —5D **53**
Duke Humphrey Rd. *SE3*
   (in two parts) —4A **72**
Duke of Wellington Pl. *SW1*
   —3C **50**
Duke of York St. *SW1* —2E **51**
Duke Rd. *W4* —1A **60**
Duke's Av. *W4* —1A **60**
Dukes Ct. *SE13* —5E **71**
Duke's Head Yd. *N6* —3D **9**
Duke Shore Pl. *E14* —1B **56**
Duke's La. *W8* —3D **49**
Duke's M. W1 —5C 36
   (off Duke St.)
Duke's Pl. *EC3* —5A **40**
Duke's Rd. *WC1* —2F **37**
Dukesthorpe Rd. *SE26*
   —4F **97**
Duke St. *SW1* —2E **51**
Duke St. *W1* —5C **36**
Duke St. Hill. *SE1* —2F **53**
Duke's Yd. *W1* —1C **50**
Dulas St. *N4* —3C **10**
Dulford St. *W11* —1A **48**
Dulka Rd. *SW11* —3B **78**
Dulverton Mans. WC1 —3B 38
   (off Grays Inn Rd.)
Dulwich Comn. *SE21 & SE22*
   —1A **96**
Dulwich Lawn Clo. *SE22*
   —3B **82**

Dulwich Oaks Pl. *SE21* —3B **96**
Dulwich Rise Gdns. *SE22*
   —3B **82**
Dulwich Rd. *SE24* —3C **80**
Dulwich Village. *SE21* —4A **82**
Dulwich Wood Av. *SE19*
   —4A **96**
Dulwich Wood Pk. *SE19*
   —4A **96**
Dumbarton Ct. *SW2* —5A **80**
Dumbarton Rd. *SW2* —4A **80**
Dumont Rd. *N16* —5A **12**
Dumpton Pl. *NW1* —4C **22**
Dunbar Rd. *E7* —3C **30**
Dunbar St. *SE27* —3E **95**
Dunbar Wharf. E14 —1B 56
   (off Narrow St.)
Dunboyne Rd. *NW3* —2B **22**
Dunbridge Ho. SW15 —4B 74
   (off Highcliffe Dri.)
Dunbridge St. *E2* —3C **40**
Duncan Rd. *E8* —5D **27**
Duncannon St. *WC2* —1A **52**
Duncan Rd. *E8* —5D **27**
Duncan St. *N1* —1D **39**
Duncan Ter. *N1* —1D **39**
Duncombe Hill. *SE23* —5A **84**
Duncombe Rd. *N19* —3F **9**
Duncrievie Rd. *SE13* —4F **85**
Dundalk Rd. *SE4* —1A **84**
Dundas Rd. *SE15* —5E **69**
Dundee Rd. *E13* —1D **45**
Dundee St. *E1* —2D **55**
Dundee Wharf. E14 —1B 56
Dundonald Rd. *NW10* —5F **19**
Dundry Ho. *SE26* —3C **96**
Dunedin Rd. *E10* —5D **15**
Dunelm Gro. *SE27* —3E **95**
Dunelm St. *E1* —5F **41**
Dunfield Gdns. *SE6* —5D **99**
Dunfield Rd. *SE6* —5D **99**
   (in two parts)
Dunford Rd. *N7* —1B **24**
Dungarvan Av. *SW15* —2C **74**
Dunkery Rd. *SE9* —4F **101**
Dunkirk St. *SE27* —4E **95**
Dunlace Rd. *E5* —1E **27**
Dunloe Ct. *E2* —1B **40**
Dunloe St. *E2* —1B **40**
Dunlop Pl. *SE16* —4B **54**
Dunmore Rd. *NW6* —5A **20**
Dunmow Ct. SE11 —5D 53
   (off Opal St.)
Dunmow Ho. SE11 —1B 66
   (off Newburn St.)
Dunmow Rd. *E15* —1F **29**
Dunmow Wlk. N1 —5E 25
   (off Popham St.)
Dunnage Cres. *SE16* —5A **56**
Dunn's Pas. WC1 —5A 38
   (off High Holborn)
Dunn St. *E8* —2B **26**
Dunollie Pl. *NW5* —2E **23**
Dunollie Rd. *NW5* —2E **23**
Dunoon Gdns. *SE23* —5F **83**
Dunoon Ho. N1 —5B 24
   (off Bemerton Est.)
Dunoon Rd. *SE23* —5E **83**

Dunraven Rd. *W12* —2C **46**
Dunraven St. *W1* —1B **50**
Dunsany Rd. *W14* —4F **47**
Dunsdale Rd. *SE3* —2B **72**
Dunsford Way. *SW15* —4D **75**
Dunsmure Rd. *N16* —3A **12**
Dunstable M. *W1* —4C **36**
Dunstan Houses. E1 —4E 41
   (off Stepney Grn.)
Dunstan Rd. *E8* —5B **26**
Dunstan Rd. *NW11* —3B **6**
Dunstan's Gro. *SE22* —4D **83**
Dunstan's Rd. *SE22* —5C **82**
Dunster Ct. *EC3* —1A **54**
Dunster Gdns. *NW6* —4B **20**
Dunster Ho. *SE6* —3E **99**
Dunsterville Way. *SE1* —3F **53**
Dunston Rd. *E8* —5B **26**
Dunston Rd. *SW11* —5C **64**
Dunston St. *E8* —5B **26**
Dunton Ct. *SE23* —2D **97**
Dunton Rd. *E10* —2D **15**
Dunton Rd. *SE1* —1B **68**
Duntshill Rd. *SW18* —1D **91**
Dunworth M. *W11* —5B **34**
Duplex Ride. *SW1* —3B **50**
Dupont St. *E14* —5A **42**
Dupree Rd. *SE7* —1D **73**
Durand Gdns. *SW9* —4B **66**
Durands Wlk. *SE16* —3B **56**
Durant St. *E2* —1C **40**
Durban Rd. *E7* —4F **31**
Durban Rd. *E15* —2A **44**
Durban Rd. *SE27* —4E **95**
Durfey Ho. SE5 —3F 67
   (off Edmund St.)
Durford Cres. *SW15* —1D **89**
Durham Rd. *Brom* —4B **100**
Durham Ho. St. WC2 —1A 52
   (off John Adam St.)
Durham Pl. *SW3* —1B **64**
Durham Rd. *E12* —1F **31**
Durham Rd. *E16* —3A **44**
Durham Rd. *N7* —4B **10**
Durham Row. *E1* —4F **41**
Durham St. *SE11* —1B **66**
Durham Ter. *W2* —5D **35**
Durham Yd. *E2* —2D **41**
Durley Rd. *N16* —2A **12**
Durlston Rd. *E5* —4C **12**
Durnford Ho. *SE6* —3E **99**
Durnford St. *N15* —1A **12**
Durnford St. *SE10* —2E **71**
Durning Rd. *SE19* —5F **95**
Durnsford Av. *SW19* —2C **90**
Durnsford Rd. *SW19* —2C **90**
Durrell Rd. *SW6* —5B **62**
Durrington Rd. *E5* —1A **28**
Durrington Tower. *SW8*
   —5E **65**
Durrisdeer Ho. NW2 —1B 20
   (off Lyndale)
Dursley Clo. *SE3* —5E **73**
Dursley Ct. SE15 —2A 68
   (off Lydney Clo.)
Dursley Gdns. *SE3* —4F **73**
Dursley Rd. *SE3* —5E **73**
Durward St. *E1* —4D **41**

Durweston M. W1 —4B 36
(off Crawford St.)
Durweston St. W1 —4B 36
Dutch Yd. SW18 —3C 76
Duthie St. E14 —1E 57
Dutton St. SE10 —4E 71
Dye Ho. La. E3 —5C 28
Dyer's Bldgs. EC1 —4C 38
Dyers Hall Rd. E11 —4A 16
Dyers La. SW15 —2D 75
Dyke Ct. E17 —1B 14
Dylan Rd. SE24 —2D 81
Dylways. SE5 —2F 81
Dymes Path. SW19 —2F 89
Dymock St. SE15 —2A 68
(off Lydney Clo.)
Dymock St. SW6 —1D 77
Dyneley Rd. SE12 —3E 101
Dyne Rd. NW6 —4A 20
Dynevor Rd. N16 —5A 12
Dynham Rd. NW6 —4C 20
Dyott St. WC1 —5F 37
Dysart St. EC2 —3F 39
Dyson Clo. NW2 —2E 5
Dyson Ho. SE10 —1B 72
(off Blackwall La.)
Dyson Rd. E11 —1A 16
Dyson Rd. E15 —3B 30

E ade Rd. N4 —2E 11
Eagle Ct. EC1 —4D 39
Eagle Hill. SE19 —5F 95
Eagle M. N1 —3A 26
Eagle Pl. SW1 —1E 51
(off Piccadilly)
Eagle Pl. SW7 —1E 63
(off Rolandway)
Eagle St. WC1 —4B 38
Eagle Wharf E. E14 —1A 56
(off Narrow St.)
Eagle Wharf Rd. N1 —1E 39
Eagle Wharf W. E14 —1A 56
(off Narrow St.)
Ealdham Sq. SE9 —2E 87
Eamont Ct. NW8 —1A 36
(off Eamont St.)
Eamont St. NW8 —1A 36
Eardley Cres. SW5 —1C 62
Eardley Rd. SW16 —5E 93
Earldom Rd. SW15 —2E 75
Earlham Gro. E7 —2B 30
Earlham St. WC2 —5A 38
Earls Ct. Gdns. SW5 —5D 49
Earl's Ct. Rd. W8 & SW5
—4C 48
Earl's Ct. Sq. SW5 —1D 63
Earlsferry Way. N1 —4B 24
Earlsfield Rd. SW18 —1E 91
Earlsmead Rd. NW10 —2E 33
Earls Ter. W8 —4B 48
Earlsthorpe M. SW12 —4C 78
Earlsthorpe Rd. SE26 —4F 97
Earlstoke St. EC1 —2D 39
Earlston Gro. E9 —5D 27
Earl St. EC2 —4F 39
Earls Wlk. W8 —4C 48

Earlswood Clo. SE10 —2A 72
Earlswood St. SE10 —1A 72
Early M. NW1 —5D 23
Earnshaw St. WC2 —5B 37
Earsby St. W14 —5A 48
(in two parts)
Easley's M. W1 —5C 36
(off Wigmore St.)
E. Acton Ct. W3 —1A 46
E. Acton La. W3 —2A 46
E. Arbour St. E1 —5F 41
E. Bank. N16 —2A 12
Eastbourne M. W2 —5E 35
Eastbourne Rd. E15 —5A 30
Eastbourne Rd. N15 —1A 12
Eastbourne Rd. SW17 —5C 92
Eastbourne Ter. W2 —5E 35
Eastbrook Rd. SE3 —4D 73
Eastbury Gro. W4 —1A 60
Eastbury Ter. E1 —3F 41
Eastcastle St. W1 —5E 37
Eastcheap. EC3 —1F 53
E. Churchfield Rd. W3 —2A 46
Eastcombe Av. SE7 —2D 73
Eastcote St. SW9 —5B 66
E. Cross Route. E9 & E3
—4B 28
Eastdown Ct. SE13 —2F 85
Eastdown Ho. E8 —1C 26
Eastdown Pk. SE13 —2F 85
Eastern Av. E11 —1D 17
Eastern Av. IIf & Romf —1F 17
Eastern Rd. E13 —1D 45
Eastern Rd. E17 —1E 15
Eastern Rd. SE4 —2C 84
E. Ferry Rd. E14 —5D 57
East Gdns. SW17 —5A 92
E. Ham Ind. Est. E6 —3F 45
E. Harding St. EC4 —5C 38
E. Heath Rd. NW3 —5E 7
East Hill. SW18 —3D 77
E. India Dock Ho. E14 —5E 43
E. India Dock Rd. E14 —5C 42
E. India Dock Wall Rd. E14
—1F 57
Eastlake Ho. NW8 —3F 35
(off Frampton St.)
Eastlake Rd. SE5 —5E 67
Eastlands Cres. SE21 —4B 82
East La. SE16 —3C 54
Eastlea M. E16 —3A 44
Eastleigh Clo. NW2 —5A 4
Eastleigh Wlk. SW15 —5C 74
Eastman Ho. SW4 —4D 79
Eastman Rd. W3 —3A 46
Eastmearn Rd. SE21 —2E 95
Eastmoor Pl. SE7 —4F 59
Eastmoor St. SE7 —4F 59
E. Mount St. E1 —4D 41
Eastney St. SE10 —1F 71
Easton St. WC1 —3C 38
East Pas. EC1 —4E 39
(off Cloth St.)
East Pier. E1 —2D 55
East Pl. SE27 —4E 95

East Point. SE1 —1C 68
E. Poultry Av. EC1 —4D 39
East Rd. E15 —5A 30
East Rd. N1 —2F 39
East Rd. SW19 —5E 91
East Row. E11 —1C 16
East Row. W10 —3A 34
E. Sheen Av. SW14 —3A 74
E. Smithfield. E1 —1B 54
East St. SE17 —1E 67
E. Surrey Gro. SE15 —3B 68
E. Tenter St. E1 —5B 40
East Vale. W3 —2B 46
Eastville Av. NW11 —1B 6
Eastway. E9 —3B 28
Eastway Commercial Cen. E9
—2C 28
Eatington Rd. E10 —1F 15
Eaton Clo. SW1 —5C 50
Eaton Dri. SW9 —2D 81
Eaton Ga. SW1 —5C 50
Eaton Gro. N19 —5F 9
Eaton La. SW1 —4D 51
Eaton M. N. SW1 —5C 50
Eaton M. S. SW1 —5C 50
Eaton M. W. SW1 —5C 50
Eaton Pl. SW1 —5C 50
Eaton Row. SW1 —4D 51
Eaton Sq. SW1 —5C 50
Eaton Ter. E3 —2A 42
Eaton Ter. SW1 —5C 50
Eaton Ter. M. SW1 —5C 50
(off Eaton Ter.)
Eatonville Rd. SW17 —2B 92
Eatonville Vs. SW17 —2B 92
Eaton Wlk. SE15 —3B 68
(off Commercial Way)
Ebbisham Dri. SW8 —2B 66
Ebbsfleet Rd. NW2 —2A 20
Ebdon Way. SE3 —1D 87
Ebenezer Ho. SE11 —5D 53
Ebenezer St. N1 —2F 39
Ebley Clo. SE15 —2B 68
Ebner St. SW18 —3D 77
Ebon Way. SE3 —1D 87
Ebor Cotts. SW15 —3A 88
Ebor St. E1 —3B 40
Ebsworth St. SE23 —5F 83
Eburne Rd. N7 —5A 10
Ebury Bri. SW1 —1D 65
Ebury Bri. Est. SW1 —1D 65
(off Ebury Bri. Rd.)
Ebury Bri. Rd. SW1 —1C 64
Ebury M. SE27 —3D 95
Ebury M. SW1 —5D 51
Ebury M. E. SW1 —4D 51
Ebury Sq. SW1 —5C 50
Ebury St. SW1 —5C 50
Ecclesbourne Rd. N1 —4E 25
Eccles Rd. SW11 —2B 78
Eccleston Bri. SW1 —5D 51
Eccleston Ho. SW2 —4C 80
Eccleston M. SW1 —4C 50
Eccleston Pl. SW1 —5D 51
Eccleston Sq. SW1 —5D 51
Eccleston Sq. M. SW1 —5E 51
Eccleston St. SW1 —4C 50
Eckford St. N1 —1C 38

Eckington Ho. *N15* —1F **11**
(off Fladbury Rd.)
Eckstein Rd. *SW11* —2A **78**
Eclipse Rd. *E13* —4D **45**
Ector Rd. *SE6* —2A **100**
Edans Ct. *W12* —3B **46**
Edbrooke Rd. *W9* —3C **34**
Eddington St. *N4* —3C **10**
Eddisbury Ho. *SE26* —3C **96**
Eddiscombe Rd. *SW6* —5B **62**
Eddystone Rd. *SE4* —3A **84**
Eddystone Tower. *SE8*
—1A **70**
Edenbridge Clo. *SE16* —1D **69**
(off Masters Dri.)
Edenbridge Rd. *E9* —4F **27**
Eden Clo. *W8* —4C **48**
Edencourt Rd. *SW16* —5D **93**
Eden Gro. *N7* —2B **24**
Edenham Way. *W10* —3B **34**
Edenhurst Av. *SW6* —1B **76**
Eden M. *SW17* —3F **91**
Eden St. *SE27* —4D **95**
Edensor Gdns. *W4* —3A **60**
Edensor Rd. *W4* —3A **60**
Edenvale St. *SW6* —5D **63**
Edgar Ho. *E9* —2A **28**
(off Homerton Rd.)
Edgar Ho. *E11* —2C **16**
Edgar Ho. *SW8* —3A **66**
(off Wyvil Rd.)
Edgar Kail Way. *SE22* —2A **82**
Edgarley Ter. *SW6* —4A **62**
Edgar Rd. *E3* —2D **43**
Edge Bus. Cen., The. *NW2*
—4D **5**
Edgecombe Ho. *SE5* —5A **68**
Edgecote Gro. *N15* —1A **12**
Edgefoot Gro. *N15* —1A **12**
Edgehill Ho. *SW9* —5D **67**
Edgeley La. *SW4* —1F **79**
Edgeley Rd. *SW4* —1F **79**
Edgel St. *SW18* —2D **77**
Edgepoint Clo. *SE27* —5D **95**
Edge St. *W8* —2C **48**
Edgeworth Rd. *SE9* —2E **87**
Edgware Rd. *NW2* —3D **5**
Edgware Rd. *W2* —3F **35**
Edinburgh Clo. *E2* —1E **41**
Edinburgh Ga. *SW1* —3B **50**
Edinburgh Ho. *W9* —5D **21**
(off Maida Vale)
Edinburgh Rd. *E13* —1D **45**
Edison Rd. *N8* —1F **9**
Edis St. *NW1* —5C **22**
Edith Cavell Clo. *N19* —2A **10**
Edith Gro. *SW10* —2E **63**
Edith Ho. *W6* —1E **61**
(off Queen Caroline St.)
Edithna St. *SW9* —1A **80**
Edith Rd. *E6* —4F **31**
Edith Rd. *E15* —2F **29**
Edith Rd. *SW19* —5D **91**
Edith Rd. *W14* —5A **48**
Edith Row. *SW6* —4D **63**
Edith St. *E2* —1C **40**
Edith Summerskill Ho. *SW6*
(off Clem Attlee Est.) —3B **62**

Edith Ter. *SW10* —3E **63**
Edith Vs. *W14* —5B **48**
Edith Yd. *SW10* —3E **63**
Edmeston Clo. *E9* —3A **28**
Edmond Ct. *SE14* —4E **69**
Edmund Ho. *SE17* —1D **67**
Edmundsbury Ct. Est. *SW9*
—2B **80**
Edmund St. *SE5* —3F **67**
Edna St. *SW11* —4A **64**
Edred Ho. *E9* —1A **28**
(off Homerton Rd.)
Edrich Ho. *SW4* —4A **66**
Edric Rd. *SE14* —3F **69**
Edward Ct. *E16* —4C **44**
Edward Dodd Ct. *N1* —2F **39**
(off Chart St.)
Edward Edward's Ho. *SE1*
(off Nicholson St.) —2D **53**
Edwardes Pl. *W8* —4B **48**
Edwardes Sq. *W8* —4B **48**
Edward Ho. *SE11* —1B **66**
(off Newburn St.)
Edward M. *NW1* —2D **37**
Edward Pl. *SE8* —2B **70**
Edward Rd. *E17* —1F **13**
Edwards Cotts. *N1* —3D **25**
Edwards La. *N16* —4A **12**
Edwards M. *N1* —4C **24**
Edwards M. *W1* —5C **36**
Edward Sq. *N1* —5B **24**
Edward Sq. *SE16* —2A **56**
Edward St. *E16* —3C **44**
Edward St. *SE8* —2B **70**
Edward St. *SE14* —3A **70**
Edward Temme Av. *E15*
—4B **30**
Edward Tyler Rd. *SE12*
—2D **101**
Edwina Gdns. *Ilf* —1F **17**
Edwin's Mead. *E9* —1A **28**
Edwin St. *E1* —3E **41**
Edwin St. *E16* —4C **44**
Edwis Ho. *SE15* —3C **68**
Effie Pl. *SW6* —3C **62**
Effie Rd. *SW6* —3C **62**
Effingham Rd. *SE12* —3A **86**
Effort St. *SW17* —5A **92**
Effra Ct. *SW2* —3B **80**
(off Brixton Hill)
Effra Pde. *SW2* —3C **80**
Effra Rd. *SW2* —2C **80**
Effra Rd. *SW19* —5D **91**
Egbert St. *NW1* —5C **22**
Egbury Ho. *SW15* —4B **74**
(off Tangley Gro.)
Egerton Ct. *E11* —2F **15**
Egerton Cres. *SW3* —5A **50**
Egerton Dri. *SE10* —4D **71**
Egerton Gdns. *NW10* —5E **19**
Egerton Gdns. *SW3* —4A **50**
Egerton Gdns. M. *SW3*
—4A **50**
Egerton Pl. *SW3* —5A **50**
Egerton Rd. *N16* —2B **12**
Egerton Ter. *SW3* —4A **50**
Egham Clo. *SW19* —2A **90**
Egham Rd. *E13* —4D **45**

Eglantine Rd. *SW18* —3E **77**
Eglington Ct. *SE17* —2E **67**
Egliston M. *SW15* —1E **75**
Egliston Rd. *SW15* —1E **75**
Eglon M. *NW1* —4B **22**
Egmont St. *SE14* —3F **69**
Egremont Rd. *SE27* —3C **94**
Eider Clo. *E7* —2B **30**
Elaine Gro. *NW5* —2C **22**
Elam Clo. *SE5* —5D **67**
Elam St. *SE5* —5D **67**
Elan Ct. *E1* —4D **41**
Eland Rd. *SW11* —1B **78**
Elba Pl. *SE17* —5E **53**
Elbe St. *SW6* —5E **63**
Elborough St. *SW18* —1C **90**
Elbourne Ct. *SE16* —5F **55**
(off Worgan St.)
Elbury Dri. *E16* —5C **44**
Elcho St. *SW11* —3A **64**
Elcot Av. *SE15* —3D **69**
Elder Av. *N8* —1A **10**
Elderberry Gro. *SE27* —4E **95**
Elderfield Rd. *E5* —1E **27**
Elderflower Way. *E15* —4A **30**
Elder Gdns. *SE27* —4E **95**
Elder Rd. *SE27* —4E **95**
Elder St. *E1* —3B **40**
Elderton Rd. *SE26* —4A **98**
Elder Wlk. *N1* —5D **25**
(off Popham St.)
Elderwood Pl. *SE27* —5E **95**
Eldon Gro. *NW3* —2F **21**
Eldon Rd. *W8* —4D **49**
Eldon St. *EC2* —4F **39**
Eldridge Ct. *SE16* —4C **54**
Eleanor Clo. *SE16* —3F **55**
Eleanor Gro. *SW13* —1A **74**
Eleanor Rd. *E8* —3D **27**
Eleanor Rd. *E15* —3B **30**
Eleanor St. *SW9* —2C **80**
Electric Av. *SW9* —2C **80**
Electric La. *SW9* & *SW2*
(in two parts) —2C **80**
Elephant & Castle. *SE1*
—5D **53**
Elephant & Castle. (Junct.)
—4D **53**
Elephant La. *SE16* —3E **55**
Elephant Rd. *SE17* —5E **53**
Elfindale Rd. *SE24* —3E **81**
Elford Clo. *SE3* —2D **87**
Elford M. *SW4* —3E **79**
Elfort Rd. *N5* —1C **24**
Elfrida Cres. *SE6* —4C **98**
Elf Row. *E1* —1E **55**
Elgar Av. *NW10* —3A **18**
(in two parts)
Elgar Clo. *E13* —1E **45**
Elgar Clo. *SE8* —3C **70**
Elgar Ct. *W14* —4A **48**
(off Blythe Rd.)
Elgar St. *SE16* —4A **56**
Elgin Av. *W9* —3B **34**
Elgin Av. *W9* —3D **35**
Elgin Cres. *W11* —1A **48**
Elgin Est. *W9* —3C **34**
(off Elgin Av.)

Elgin M. *W11* —5A **34**
Elgin M. N. *W9* —2D **35**
Elgin M. S. *W9* —2D **35**
Elgood Clo. *W11* —1A **48**
Elham Ho. *E5* —2D **27**
Elia M. *N1* —1D **39**
Elias Pl. *SW8* —2C **66**
Elia St. *N1* —1D **39**
Elim Est. *SE1* —4A **54**
Elim St. *SE1* —4F **53**
(in two parts)
Elim Way. *E13* —2B **44**
Eliot Bank. *SE23* —2D **97**
Eliot Cotts. *SE3* —5A **72**
Eliot Gdns. *SW15* —2C **74**
Eliot Hill. *SE13* —5E **71**
Eliot M. *NW8* —1E **35**
Eliot Pk. *SE13* —5E **71**
Eliot Pl. *SE3* —5A **72**
Eliot Vale. *SE3* —5F **71**
Elizabeth Av. *N1* —5E **25**
Elizabeth Bri. *SW1* —5D **51**
Elizabeth Clo. *E14* —5D **43**
Elizabeth Clo. *W9* —3E **35**
Elizabeth Ct. *SW1* —4F **51**
(off Milmans Ct.)
Elizabeth Fry Rd. *E8* —4D **27**
Elizabeth Gdns. *W3* —2B **46**
Elizabeth Ho. *SE11* —5C **52**
(off Reedworth St.)
Elizabeth Ind. Est. *SE14*
—2F **69**
Elizabeth M. *NW3* —3A **22**
Elizabeth Newcomen Ho. *SE1*
(off Newcomen St.) —3F **53**
Elizabeth Rd. *E6* —5F **31**
Elizabeth Rd. *N15* —1A **12**
Elizabeth Sq. *SE16* —1A **56**
(off Sovereign Cres.)
Elizabeth St. *SW1* —5C **50**
Elkington Point. *SE11* —5C **52**
(off Lollard St.)
Elkington Rd. *E13* —3D **45**
Elkstone Ct. *SE15* —2A **68**
(off Birdlip Clo.)
Elkstone Rd. *W10* —4B **34**
Ellaline Rd. *W6* —2F **61**
Elland Rd. *SE15* —2E **83**
Ella Rd. *N8* —2A **10**
Ellenborough Ho. *W12* —1D **47**
(off White City Est.)
Ellenborough Pl. *SW15*
—2C **74**
Ellen St. *E1* —5C **40**
Ellen Wilkinson Ho. *SW6*
(off Lillie Rd.) —2B **62**
Ellerby St. *SW6* —4F **61**
Ellerdale Clo. *NW3* —1E **21**
Ellerdale Rd. *NW3* —2E **21**
Ellerdale St. *SE13* —2D **85**
Ellerslie Gdns. *NW10* —5C **18**
Ellerslie Rd. *W12* —2D **47**
Ellerslie Sq. Ind. Est. *SW2*
—3A **80**
Ellerton Rd. *SW13* —4C **60**
Ellerton Rd. *SW18* —1F **91**
Ellery Ho. *SE17* —5F **53**
Ellery St. *SE15* —5D **69**

Ellesmere Clo. *E11* —1B **16**
Ellesmere Ct. *W4* —2A **60**
Ellesmere Rd. *E3* —1A **42**
Ellesmere Rd. *NW10* —2C **18**
Ellesmere St. *E14* —5D **43**
Ellingfort Rd. *E8* —4D **27**
Ellingham Rd. *E15* —1F **29**
Ellingham Rd. *W12* —3C **46**
Ellington Ho. *SE1* —4E **53**
Ellington St. *N7* —3C **24**
Elliot Clo. *E15* —4A **30**
Elliot Rd. *NW4* —1D **5**
Elliott Rd. *SW9* —3D **67**
Elliott Rd. *W4* —5A **46**
Elliott's Pl. *N1* —5D **25**
Elliott Sq. *NW3* —4A **22**
Elliotts Row. *SE11* —5D **53**
Ellis Clo. *NW10* —3D **19**
Elliscombe Rd. *SE7* —2E **73**
Ellisfield Dri. *SW15* —5C **74**
Ellis Ho. *SE17* —1F **67**
Ellis M. *SE7* —2E **73**
Ellison Rd. *SW13* —5B **60**
Ellis St. *SW1* —5C **50**
Ellora Rd. *SW16* —5F **93**
Ellsworth St. *E2* —2D **41**
Ellwood Ct. *W9* —3D **35**
(off Clearwell Dri.)
Elm Bank Gdns. *SW13* —5A **60**
Elmbourne Rd. *SW17* —3D **93**
Elmbridge Wlk. *E8* —4C **26**
Elm Clo. *E11* —1D **17**
Elm Clo. *N19* —4E **9**
Elm Clo. *NW4* —1F **5**
Elm Ct. *EC4* —1C **52**
(off Terrace, The)
Elm Ct. *SE13* —1F **85**
Elmcourt Rd. *SE27* —2D **95**
Elmcroft. *N6* —2E **9**
Elmcroft Av. *NW11* —2B **6**
Elmcroft Cres. *NW11* —2A **6**
Elmcroft St. *E5* —1E **27**
Elmer Rd. *SE6* —5E **85**
Elmfield Av. *N8* —1A **10**
Elmfield Rd. *E17* —1F **13**
Elmfield Rd. *SW17* —2C **92**
Elm Friars Wlk. *NW1* —4F **23**
Elm Grn. *W3* —5A **32**
Elmgreen Clo. *E15* —5A **30**
Elm Gro. *N8* —1A **10**
Elm Gro. *NW2* —1F **19**
Elm Gro. *SE15* —5B **68**
Elm Gro. Rd. *SW13* —4C **60**
Elm Hall Gdns. *E11* —1D **17**
(in two parts)
Elmhurst Mans. *SW4* —1F **79**
Elmhurst Rd. *E7* —4D **31**
Elmhurst St. *SE9* —2F **101**
Elmhurst St. *SW4* —1F **79**
Elmington Est. *SE5* —3F **67**
Elmington Rd. *SE5* —3F **67**
Elmira St. *SE13* —1D **85**
Elm La. *SE6* —2B **98**
Elm Lodge. *SW6* —4F **61**
Elmore Ho. *SW9* —5D **67**
Elmore Rd. *E11* —5E **15**
Elmore St. *N1* —4E **25**
Elm Pk. *SW2* —4B **80**

Elm Pk. Av. *N15* —1B **12**
Elm Pk. Gdns. *NW4* —1F **5**
Elm Pk. Gdns. *SW10* —1F **63**
Elm Pk. La. *SW3* —1F **63**
Elm Pk. Mans. *SW10* —2E **63**
(off Park Wlk.)
Elm Pk. Rd. *E10* —3A **14**
Elm Pk. Rd. *SW3* —2F **63**
Elm Pl. *SW7* —1F **63**
Elm Quay Ct. *SW8* —2F **65**
Elm Rd. *E7* —3B **30**
Elm Rd. *E11* —4F **15**
Elm Rd. *E17* —1E **15**
Elm Row. *NW3* —5E **7**
Elms Av. *NW4* —1F **5**
Elmscott Rd. *Brom* —5A **100**
Elms Cres. *SW4* —4E **79**
Elmshaw Rd. *SW15* —3C **74**
Elms M. *W2* —1F **49**
Elms Rd. *SW4* —3E **79**
Elms, The. *E12* —2F **31**
Elms, The. *SW13* —1B **74**
Elmstone Rd. *SW6* —4C **62**
Elm St. *WC1* —3B **38**
Elm Ter. *NW2* —5C **6**
Elm Ter. *NW3* —1A **22**
Elmton Way. *E5* —5C **12**
Elm Tree Clo. *NW8* —2F **35**
Elm Tree Ct. *SE7* —2E **73**
Elm Tree Rd. *NW8* —2F **35**
Elm Wlk. *NW3* —4C **6**
Elm Way. *NW10* —1A **18**
Elmwood Ct. *E10* —3C **14**
(off Goldsmith Rd.)
Elmwood Rd. *SE24* —3F **81**
Elmworth Gro. *SE21* —2F **95**
Elnathan M. *W9* —3D **35**
Elphinstone Clo. *SW16* —5A **94**
Elphinstone St. *N5* —1D **25**
Elrington Rd. *E8* —3C **26**
Elsa St. *E1* —4A **42**
Elsdale St. *E9* —3E **27**
Elsden M. *E2* —1E **41**
Elsenham St. *SW18* —1B **90**
Elsham Rd. *E11* —5A **16**
Elsham Rd. *W14* —3A **48**
Elsham Ter. *W14* —4A **48**
(off Elsham Rd.)
Elsiemaud Rd. *SE4* —3B **84**
Elsie Rd. *SE22* —2B **82**
Elsinore Gdns. *NW2* —5A **6**
Elsinore Ho. *SE5* —5E **67**
Elsinore Rd. *SE23* —1A **98**
Elsley Rd. *SW11* —1B **78**
Elspeth Rd. *SW11* —2B **78**
Elstead Ho. *SW2* —5B **80**
(off Redlands Way)
Elsted St. *SE17* —5F **53**
Elswick Rd. *SE13* —5D **71**
Elswick St. *SW6* —5E **63**
Elsworthy Rise. *NW3* —4A **22**
Elsworthy Rd. *NW3* —5A **22**
Elsworthy Ter. *NW3* —4A **22**
Elsynge Rd. *SW18* —3F **77**
Eltham Grn. *SE9* —3F **87**
Eltham Grn. Rd. *SE9* —2E **87**
Eltham Hill. *SE9* —3F **87**
Eltham Pal. Rd. *SE9* —4E **87**

Eltham Rd.—Estreham Rd.

Eltham Rd. *SE12 & SE9*
　　　　—3C **86**
Elthiron Rd. *SW6* —4C **62**
Elthorne Rd. *N19* —1F **9**
Elthorne Rd. *NW9* —2A **4**
Elthorne Way. *NW9* —2A **4**
Elthruda Rd. *SE13* —4F **85**
Elton Pl. *N16* —2A **26**
Eltringham St. *SW18* —2E **77**
Elvaston M. *SW7* —4E **49**
Elvaston Pl. *SW7* —4E **49**
Elveden Ho. *SE24* —3D **81**
Elver Gdns. *E2* —2C **40**
Elverson Rd. *SE8* —5D **71**
Elverton St. *SW1* —5F **51**
Elvino Rd. *SE26* —5A **98**
Elvis Rd. *NW2* —3E **19**
Elwin St. *E2* —2C **40**
Elwood St. *N5* —5D **11**
Elwyn Gdns. *SE12* —5C **86**
Ely Cotts. *SW8* —3B **66**
Ely Ct. *EC1* —4C **38**
　　(off Ely Pl.)
Elyne Rd. *N4* —1C **10**
Ely Pl. *EC1* —4C **38**
Ely Rd. *E10* —1E **15**
Elysium Pl. SW6 —5B **62**
　　(off Elysium St.)
Elysium St. *SW6* —5B **62**
Elystan Pl. *SW3* —1A **64**
Elystan St. *SW3* —5A **50**
Elystan Wlk. *N1* —5C **24**
Embankment. *SW15* —5F **61**
Embankment Gdns. *SW3*
　　　　—2B **64**
Embankment Pl. *WC2* —2A **52**
Embassy Ct. NW8 —1F **35**
　　(off Wellington Rd.)
Embassy Ho. *NW6* —4C **20**
Emba St. *SE16* —3C **54**
Emberton. SE17 —2A **68**
　　(off Albany Rd.)
Emberton Ct. EC1 —2D **39**
　　(off Tompion St.)
Embleton Rd. *SE13* —2D **85**
Embley Pl. E5 —1D **27**
　　(off Tiger Way)
Emden St. *SW6* —4D **63**
Emerald Clo. *E16* —5F **45**
Emerald St. *WC1* —4B **38**
Emerson Rd. *SE1* —2E **53**
Emery Hill St. *SW1* —4E **51**
Emery St. *SE1* —4C **52**
Emily Pl. *N7* —1C **24**
Emily St. E16 —5B **44**
　　(off Jude St.)
Emlyn Gdns. *W12* —3A **46**
Emlyn Rd. *W12* —3A **46**
Emmanuel Ct. *E10* —2D **15**
Emmanuel Ho. SE11 —5C **52**
　　(off Distin St.)
Emmanuel Rd. *SW12* —1E **93**
Emma Rd. *E13* —1B **44**
Emma St. *E2* —1D **41**
Emmott Clo. *E1* —3A **42**
Emmott Clo. *NW11* —1E **7**
Emperor's Ga. *SW7* —4E **49**
Empire Wharf Rd. *E14* —5F **57**

Empire Yd. *N7* —5A **10**
Empress Av. *E12* —4E **17**
Empress Pl. *SW6* —1C **62**
Empress St. *SE17* —2E **67**
Empson St. *E3* —3D **43**
Emsworth Ct. *SW16* —3A **94**
Emsworth St. *SW2* —2B **94**
Emu Rd. *SW8* —5D **65**
Enbrook St. *W10* —2A **34**
Endeavour Way. *SW19*
　　　　—4D **91**
Endell St. *WC2* —5A **38**
Enderby St. *SE10* —1A **72**
Endlesham Rd. *SW12* —5C **78**
Endsleigh Gdns. *WC1* —3F **37**
Endsleigh Pl. *WC1* —3F **37**
Endsleigh St. *WC1* —3F **37**
Endwell Rd. *SE4* —5A **70**
Endymion Rd. *N4* —2C **10**
Endymion Rd. *SW2* —4B **80**
Enfield Ho. SW9 —5A **66**
　　(off Stockwell Rd.)
Enfield Rd. *N1* —4A **26**
Enford St. *W1* —4B **36**
Engadine St. *SW18* —1C **90**
Engate St. *SE13* —2E **85**
Engine Ct. SW1 —2E **51**
　　(off St James' Pal.)
England's La. *NW3* —3B **22**
Englefield Rd. *N1* —4F **25**
Engleheart Rd. *SE6* —5D **85**
Englewood Rd. *SW12* —4D **79**
English Grounds. *SE1* —2A **54**
English St. *E3* —3B **42**
Enid St. *SE16* —4B **54**
Enmore Gdns. *SW14* —3A **74**
Enmore Rd. *SW15* —2E **75**
Ennerdale Dri. *NW9* —1A **4**
Ennersdale Rd. *SE13* —3F **85**
Ennismore Av. *W4* —5B **46**
Ennismore Gdns. *SW7* —3A **50**
Ennismore Gdns. M. *SW7*
　　　　—4A **50**
Ennismore M. *SW7* —4A **50**
Ennismore St. *SW7* —4A **50**
Ennis Rd. *N4* —3C **10**
Ensbury Ho. SW8 —3B **66**
　　(off Carroun Rd.)
Ensign Ind. Cen. E1 —1C **54**
　　(off Ensign St.)
Ensign St. *E1* —1C **54**
Ensor M. *SW7* —1F **63**
Enterprise Bus. Pk. *E14*
　　　　—3C **56**
Enterprise Cen., The. *Beck*
　　　　—5A **98**
Enterprise Ind. Est. *SE16*
　　　　—1E **69**
Enterprise Way. *NW10* —2B **32**
Enterprise Way. *SW18* —2C **76**
Enterprize Way. *SE8* —5B **56**
Epcot M. *NW10* —2F **33**
Epirus M. *SW6* —3C **63**
Epirus Rd. *SW6* —3B **62**
Epping Clo. *E14* —5C **56**
Epping Pl. *N1* —3C **24**
Epple Rd. *SW6* —4B **62**
Epsom Rd. *E10* —1E **15**

Epworth St. *EC2* —3F **39**
Equity Sq. E2 —2B **40**
　　(off Shacklewell St.)
Erasmus St. *SW1* —5B **52**
Erconwald St. *W12* —5B **32**
Eresby Pl. *NW6* —4C **20**
Erica Ho. *SE4* —1B **84**
Erica St. *W12* —1C **46**
Eric Clo. *E7* —1C **30**
Eric Rd. *E7* —1C **30**
Eric Rd. *NW10* —3B **18**
Ericson Ho. SE13 —2F **85**
　　(off Blessington Rd.)
Eric St. *E3* —3B **42**
Eridge Rd. *W4* —4A **46**
Erlanger Rd. *SE14* —4F **69**
Ermine Rd. *N15* —1B **12**
Ermine Rd. *SE13* —2D **85**
Ernest Av. *SE27* —4D **95**
Ernest St. *E1* —3F **41**
Ernshaw Pl. *SW15* —3A **76**
Erpingham Rd. *SW15* —1E **75**
Errington Rd. *W9* —3B **34**
Errol St. *EC1* —3E **39**
Erskine Hill. *NW11* —1C **6**
Erskine M. NW3 —4B **22**
　　(off Erskine Rd.)
Erskine Rd. *NW3* —4B **22**
Esam Way. *SW16* —5C **94**
Escott Gdns. *SE9* —4F **101**
Esher Gdns. *SW19* —2F **89**
Esk Rd. *E13* —3C **44**
Esmar Cres. *NW9* —2C **4**
Esmeralda Rd. *SE1* —5C **54**
Esmond Gdns. *W4* —5A **46**
Esmond Rd. *NW6* —5B **20**
Esmond Rd. *W4* —5A **46**
Esmond St. *SW15* —2A **76**
Esparto St. *SW18* —5D **77**
Essendine Rd. *W9* —3C **34**
Essex Ct. EC4 —5C **38**
　　(off Temple)
Essex Ct. *SW13* —5B **60**
Essex Gdns. *N4* —1D **11**
Essex Gro. *SE19* —5F **95**
Essex Mans. *E11* —2F **15**
Essex Pk. M. *W3* —2A **46**
Essex Rd. *E10* —1E **15**
Essex Rd. *E17* —1A **14**
Essex Rd. *N1* —5D **25**
Essex Rd. *NW10* —4A **18**
Essex Rd. S. *E11* —2F **15**
Essex St. *E7* —2C **30**
Essex St. *WC2* —1C **52**
Essex Vs. *W8* —3C **48**
Essex Wharf. *E5* —4F **13**
Essian St. *E1* —4A **42**
Estate Way. *E10* —3B **14**
Estcourt Rd. *SW6* —3B **62**
Estelle Rd. *NW3* —1B **22**
Esterbrooke St. *SW1* —5F **51**
Este Rd. *SW11* —1A **78**
Esther Rd. *E11* —2A **16**
Estoria Clo. *SW2* —5C **80**
Estreham Rd. *SW16* —5F **93**

Eswyn Rd. *SW17* —4B **92**
Etchingham Rd. *E15* —1E **29**
Eternit Wlk. *SW6* —4F **61**
Ethelbert St. *SW12* —1D **93**
Ethelburga St. *SW11* —4A **64**
Ethelden Rd. *W12* —2D **47**
Ethel Rd. *E16* —5D **45**
Ethel St. *SE17* —5E **53**
Etheridge Rd. *NW4* —2E **5**
Etherow St. *SE22* —5C **82**
Etherstone Grn. *SW16* —4C **94**
Etherstone Rd. *SW16* —4C **94**
Ethnard Rd. *SE15* —2D **69**
Etloe Rd. *E10* —4C **14**
Eton Av. *NW3* —4F **21**
Eton Clo. *SW18* —5D **77**
Eton College Rd. *NW3* —3B **22**
Eton Garages. *NW3* —3A **22**
Eton Gro. *SE13* —1A **86**
*Eton Ho. N5 —1D **25***
  (off Leigh Rd.)
Eton Mnr. *E10* —4C **14**
Eton Pl. *NW3* —4C **22**
Eton Rise. *NW3* —3B **22**
Eton Rd. *NW3* —4B **22**
Eton Vs. *NW3* —3B **22**
Etta St. *SE8* —2A **70**
Ettrick St. *E14* —5E **43**
  (in two parts)
Eugenia Rd. *SE16* —5E **55**
Eurolink Bus. Cen. *SW2*
  —3C **80**
Europa Pl. *EC1* —2E **39**
*Eustace Ho. SE11 —5B **52***
  (off Old Paradise St.)
Eustace Rd. *E6* —2F **45**
Eustace Rd. *SW6* —3C **62**
Euston Cen. *NW1* —3E **37**
*Euston Gro. NW1 —2F **37***
  (off Euston Sq.)
Euston Rd. *NW1 & N1*
  —3D **37**
Euston Sq. *NW1* —2F **37**
Euston Sta. Colonnade. *NW1*
  —2F **37**
Euston St. *NW1* —2E **37**
Euston Underpass. (Junct.)
  —3E **37**
Evandale Rd. *SW9* —5C **66**
Evangelist Rd. *NW5* —1D **23**
Evans Clo. *E8* —3B **26**
*Evans Ho. W12 —1D **47***
  (off White City Est.)
Evans Rd. *SE6* —2A **100**
Evanston Gdns. *Ilf* —1F **17**
Evelina Mans. *SE5* —3F **67**
Evelina Rd. *SE15* —1D **83**
Evelyn Ct. *E8* —1C **26**
Evelyn Dennington Ct. N1
  (off Upper St.) —4D **25**
Evelyn Fox Ct. *W10* —4A **33**
Evelyn Gdns. *SW7* —1E **63**
*Evelyn Ho. W12 —3B **46***
  (off Cobbold Rd.)
Evelyn Lowe Est. *SE16* —4C **54**
*Evelyn Wik. W14 —2A **62***
  (off Queen's Club Gdns.)

Evelyn Rd. *E16* —2C **58**
Evelyn Rd. *SW19* —5D **91**
Evelyn St. *SE8* —5A **56**
Evelyn Wik. *N1* —1F **39**
Evelyn Yd. *W1* —5F **37**
Evenwood Clo. *SW15* —3A **76**
Everall Av. *SW6* —5D **63**
Everard Ho. *E1* —5C **40**
  (off Boyd St.)
Everatt Clo. *SW18* —4B **76**
Everdon Rd. *SW13* —2C **60**
Everest Pl. *E14* —4E **43**
Everilda St. *N1* —5B **24**
Evering Rd. *N16 & E5* —5B **12**
Everington St. *W6* —2F **61**
Everitt Rd. *NW10* —2A **32**
Everleigh St. *N4* —3B **10**
Eve Rd. *E11* —1A **30**
Eve Rd. *E15* —1A **44**
Evershed Wik. *W4* —1E **37**
Evershot Rd. *N4* —3B **10**
Eversleigh Rd. *E6* —5F **31**
Eversleigh Rd. *SW11* —1B **78**
Eversley Pk. *SW19* —5D **89**
Eversley Rd. *SE7* —2D **73**
Everthorpe Rd. *SE15* —1B **82**
Evesham Rd. *E15* —4B **30**
Evesham St. *W11* —1F **47**
Evesham Wik. *SE5* —5F **67**
Evesham Wik. *SW9* —5C **66**
Evesham Way. *SW11* —1C **78**
Ewald Rd. *SW6* —5B **62**
Ewart Pl. *E3* —1B **42**
Ewart Rd. *SE23* —5F **83**
Ewe Clo. *N7* —3A **24**
Ewelme Rd. *SE23* —1E **97**
Ewen Cres. *SW2* —1C **94**
*Ewen Ho. N1 —5B **24***
  (off Barnsbury Est.)
Ewer St. *SE1* —2E **53**
Ewhurst Rd. *SE4* —4B **84**
Exbury Ho. *E9* —3E **27**
Exbury Rd. *SE6* —2C **98**
Excel Ct. *WC2* —1F **51**
  (off Whitcomb St.)
Excelsior Gdns. *SE13* —5E **71**
Exchange Arc. *EC2* —4A **40**
Exchange St. *WC2* —1A **52**
Exchange Mans. *NW11* —2B **6**
Exchange Pl. *EC2* —4A **40**
Exchange Sq. *EC2* —4A **40**
Exchange St. *EC1* —2E **39**
Exeter M. *NW6* —3D **21**
Exeter Rd. *E16* —4C **44**
Exeter Rd. *E17* —1C **14**
Exeter Rd. *NW2* —2A **20**
Exeter Rd. *SE15* —3B **68**
Exeter St. *WC2* —1A **52**
Exeter Way. *SE14* —3B **70**
Exford Gdns. *SE12* —1D **101**
Exford Rd. *SE12* —2D **101**
Exhibition Clo. *W12* —1E **47**
Exhibition Rd. *SW7* —3F **49**
Exmoor St. *W10* —4F **33**
Exmouth Mkt. *EC1* —3C **38**
Exmouth M. *NW1* —2E **37**
Exmouth Pl. *E8* —4D **27**

Exmouth Rd. *E17* —1B **14**
Exmouth St. *E1* —5E **41**
Exning Rd. *E16* —3B **44**
Exon St. *SE17* —1A **68**
Exton Ct. *SE1* —2C **52**
Eyhurst Clo. *NW2* —4C **4**
Eylewood Rd. *SE27* —5E **95**
Eynella Rd. *SE22* —5B **82**
Eynham Rd. *W12* —5E **33**
Eynsford Ho. *SE15* —2E **69**
Eyot Gdns. *W6* —1B **60**
Eyot Grn. *W4* —1B **60**
Eyre Ct. *NW8* —1F **35**
Eyre St. Hill. *EC1* —3C **38**
Eythorne Rd. *SW9* —4C **66**
Ezra St. *E2* —2B **40**

F

Faber Gdns. *NW4* —1C **4**
Fabian Rd. *SW6* —3B **62**
Factory Pl. *E14* —1D **71**
Factory Rd. *E16* —2F **59**
Fairacres. *SW15* —2C **74**
Fairbairn Grn. *SW9* —4D **67**
Fairbank St. *N1* —2F **39**
Fairbridge Rd. *N19* —4F **9**
Fairburn Ct. *SW15* —3A **76**
*Fairburn Ho. W14 —1B **62***
  (off Ivatt Pl.)
Fairby Ho. *SE1* —5B **54**
Fairby Rd. *SE12* —3D **87**
Faircharm Trad. Est. *SE8*
  —3D **71**
Fairchild Clo. *SW11* —5F **63**
*Fairchild Pl. EC2 —3A **40***
  (off Gt. Eastern St.)
Fairchild St. *EC2* —3A **40**
Fairclough St. *E1* —5C **40**
Fairdale Gdns. *SW15* —2D **75**
Fairfax Gdns. *SE3* —4E **73**
Fairfax M. *E16* —2D **59**
Fairfax Pl. *NW6* —4E **21**
Fairfax Rd. *NW6* —4E **21**
Fairfax Rd. *W4* —4A **46**
Fairfield Av. *NW4* —1D **5**
Fairfield Ct. *NW10* —5C **18**
Fairfield Dri. *SW18* —3D **77**
Fairfield Gdns. *N8* —1A **10**
Fairfield Gro. *SE7* —2F **73**
Fairfield Rd. *E3* —1C **42**
Fairfield Rd. *N8* —1A **10**
Fairfield St. *SW18* —3D **77**
Fairfoot Rd. *E3* —3C **42**
Fairford Ho. *SE11* —5C **52**
Fairhazel Gdns. *NW6* —3D **21**
Fairholme Rd. *W14* —1A **62**
Fairholt Clo. *N16* —3A **12**
Fairholt Rd. *N16* —3F **11**
Fairholt St. *SW7* —4A **50**
Fairland Rd. *E15* —3B **30**
Fairlawn. *SE7* —2E **73**
Fairlawn Ct. *SE7* —3E **73**
Fairlawn Mans. *SE14* —4F **69**
Fairlawn Pk. *SE26* —5A **98**
Fairlie Gdns. *SE23* —5E **83**
Fairlight Av. *NW10* —1A **32**
Fairlight Ct. *NW10* —1A **32**

Fairlight Rd. SW17 —4F **91**
Fairlop Ct. E11 —3F **15**
Fairlop Rd. E11 —2F **15**
Fairmead Gdns. Ilf —1F **17**
Fairmead Ho. E9 —1A **28**
Fairmead Rd. N19 —5F **9**
Fairmile Av. SW16 —5F **93**
Fairmount Rd. SW2 —4B **80**
Fairstead Wlk. N1 —5E **25**
(off Popham St.)
Fair St. SE1 —3A **54**
Fairthorn Rd. SE7 —1C **72**
Fairview Clo. SE26 —5A **98**
Fairview Ho. SW2 —5B **80**
Fairview Pl. SW2 —5B **80**
Fairview Rd. N15 —1B **12**
Fairway Clo. NW11 —2E **7**
Fairways Bus. Pk. E10
　　　　　　　　　—4B **14**
Fairway, The. W3 —5A **32**
Fairweather Rd. N16 —1C **12**
Fairwyn Rd. SE26 —4A **98**
Fakruddin St. E1 —3C **40**
Falconberg Ct. W1 —5F **37**
Falconberg M. W1 —5F **37**
Falcon Clo. SE1 —2D **53**
Falcon Ct. EC4 —5C **38**
Falcon Ct. N1 —1D **39**
(off City Garden Row)
Falconer Wlk. N7 —4B **10**
Falcon Gro. SW11 —1A **78**
Falcon La. SW11 —1B **78**
Falcon Point. SE1 —1D **53**
Falcon Rd. SW11 —5A **64**
Falcon St. E13 —3B **44**
Falcon Ter. SW11 —1A **78**
Falcon Way. E14 —5D **57**
Falconwood Ct. SE3 —5B **72**
Falkirk Ho. W9 —2D **35**
(off Maida Vale)
Falkirk St. N1 —1A **40**
Falkland Ho. SE6 —4E **99**
Falkland Ho. W8 —4D **49**
Falkland Pl. NW5 —2E **23**
Falkland Rd. NW5 —2E **23**
Fallsbrook Rd. SW16 —5E **93**
Falmouth Clo. SE12 —3B **86**
Falmouth Gdns. Ilf —1F **17**
Falmouth Ho. SE1 —4E **53**
Falmouth St. E15 —2F **29**
Falstaff Ct. SE11 —5D **53**
(off Opal St.)
Falstaff Ho. N1 —1A **40**
(off Arden Est.)
Fambridge Clo. SE26 —4B **98**
Fancett Ho. SE5 —2F **81**
Fane St. W14 —2B **62**
Fann St. EC1 & EC2 —3E **39**
Fanshaw St. N1 —2A **40**
Fanthorpe St. SW15 —1E **75**
Faraday Clo. N7 —3B **24**
Faraday Ho. E15 —3B **30**
Faraday Rd. SW19 —5C **90**
Faraday Rd. W10 —4A **34**
Faraday Way. SE18 —4F **59**
Fareham St. W1 —5F **37**
Faringford Rd. E15 —4A **30**

Farjeon Ho. NW6 —4F **21**
(off Hilgrove Rd.)
Farjeon Rd. SE3 —4F **73**
Farleigh Pl. N16 —1B **26**
Farleigh Rd. N16 —1B **26**
Farley Ho. SE26 —3D **97**
Farley Rd. SE6 —5D **85**
Farlington Pl. SW15 —5D **75**
Farlow Rd. SW15 —1F **75**
Farlton Rd. SW18 —5D **77**
Farm Av. NW2 —5A **6**
Farm Av. SW16 —4A **94**
Farmcote Rd. SE12 —1C **100**
Farmdale Rd. SE10 —1C **72**
Farmer Rd. E10 —3D **15**
Farmer's Rd. SE5 —3D **67**
Farmer St. W8 —2C **48**
Farmfield Rd. Brom —5A **100**
Farmilo Rd. E17 —2B **14**
Farm La. SW6 —2C **64**
Farm La. Clo. SW6 —3C **62**
(off Farm La.)
Farmleigh Ho. SE24 —3D **81**
Farm Pl. W8 —2C **48**
Farmstead Rd. SE6 —4D **99**
Farm St. W1 —1D **51**
Farm Wlk. NW11 —1B **6**
Farnaby Rd. SE9 —2E **87**
Farnan Rd. SW16 —5A **94**
Farnborough Way. SE15
　　　　　　　　　—3B **68**
Farncombe St. SE16 —3C **54**
Farnell M. SW5 —1D **63**
Farnell Point. E5 —1C **26**
Farnham Pl. SE1 —2D **53**
Farnham Royal. SE11 —1B **66**
Farningham Ho. N4 —2F **11**
Farnley Ho. SW8 —5F **65**
Faroe Rd. W14 —4F **47**
Farquhar Rd. SE19 —5B **96**
Farquhar Rd. SW19 —3C **90**
Farrance St. E14 —5C **42**
Farren Rd. SE23 —2A **98**
Farrer Ho. SE8 —3C **70**
Farrier St. NW1 —4D **23**
Farrier Wlk. SW10 —2E **63**
Farringdon La. EC1 —3C **38**
Farringdon Rd. EC1 —3C **38**
Farringdon St. EC4 —4D **39**
Farrins Rents. SE16 —2A **56**
Farrow La. SE14 —3E **69**
Farrow Pl. SE16 —4A **56**
Farthingale Wlk. E15 —4F **29**
Farthing All. SE1 —3C **54**
Farthing Fields. E1 —2D **55**
Fashion St. E1 —4B **40**
Fassett Rd. E8 —3C **26**
Fassett Sq. E8 —3C **26**
Faulkners All. EC1 —4D **39**
Faulkner St. SE14 —4E **69**
Faunce St. SE17 —1D **67**
Favart Rd. SW6 —4C **62**
Faversham Rd. SE6 —5B **84**
Fawcett Clo. SW11 —5F **63**
Fawcett Est. E5 —3C **12**
Fawcett Rd. NW10 —5B **18**
Fawcett St. SW10 —2E **63**
Fawe Pk. Rd. SW15 —2B **76**

Fawe St. E14 —4D **43**
Fawkham Ho. SE1 —5B **54**
(off Longfield Est.)
Fawley Ho. SE1 —2D **21**
Fawnbrake Av. SE24 —3D **81**
Fawn Rd. E13 —1E **45**
Fawood Av. NW10 —4A **18**
Faygate Rd. SW2 —2B **94**
Fayland Av. SW16 —5E **93**
Fearnley Ho. SE5 —5A **68**
Fearon St. SE10 —1C **72**
Feathers Pl. SE10 —2F **71**
Featherstone Av. SE23 —2E **97**
Featherstone St. EC1 —3F **39**
Featley Rd. SW9 —1D **81**
Felbridge Clo. SW16 —4C **94**
Felday Rd. SE13 —4D **85**
Felden St. SW6 —4B **62**
Feldman Clo. N16 —3C **12**
Felgate M. W6 —5D **47**
Felix Av. N8 —1A **10**
Felixstowe Rd. NW10 —2D **33**
Felix St. E2 —1D **41**
Fellbrigg Rd. SE22 —3B **82**
Fellbrigg St. E1 —3D **41**
Fellows Ct. E2 —1B **40**
Fellows Rd. NW3 —4F **21**
Felltram Way. SE7 —1C **72**
Felmersham Clo. SW4 —2A **80**
Felsberg Rd. SW2 —4A **80**
Felsham Rd. SW15 —1E **75**
Felstead Gdns. E14 —1E **71**
Felstead Rd. E11 —2C **16**
Felstead St. E9 —3B **28**
Felstead Wharf. E14 —1E **71**
Felsted Rd. E16 —5F **45**
Felton Ct. N1 —5F **25**
Felton Ho. N1 —5F **25**
(off Colville Est.)
Fenchurch Av. EC3 —5A **40**
Fenchurch Bldgs. EC3 —5A **40**
Fenchurch Pl. EC3 —1A **54**
Fenchurch St. EC3 —1A **54**
Fen Ct. EC3 —5A **40**
Fendall St. SE1 —4A **54**
(in two parts)
Fendt Clo. E16 —5B **44**
Fenelon Pl. W14 —5B **48**
Fenham Rd. SE15 —3C **68**
Fennel Clo. E16 —3A **44**
Fenner Clo. SE16 —5D **55**
Fenner Sq. SW11 —1F **77**
Fenning St. SE1 —3A **54**
Fenn St. E9 —2E **27**
Fen St. E16 —1B **58**
Fentiman Rd. SW8 —2A **66**
Fenton Clo. E8 —3B **26**
Fenton Clo. SW9 —5B **66**
Fenton Ho. SE14 —3A **70**
Fentons Av. E13 —2D **45**
Fenton St. E1 —5D **41**
Fenwick Gro. SE15 —1C **82**
Fenwick Pl. SW9 —1A **80**
Fenwick Rd. SE15 —1C **82**
Ferdinand Pl. NW1 —4C **22**
Ferdinand St. NW1 —4C **22**
Ferguson Clo. E14 —5C **56**
Ferguson Dri. W3 —5A **32**

Ferguson Ho. *E17* —1A **14**
Ferguson Ho. *SE10* —4E **71**
Fergus Rd. *N5* —2D **25**
Fermain Ct. E. *N1* —5A **26**
(off De Beauvoir Est.)
Fermain Ct. N. *N1* —5A **26**
(off De Beauvoir Est.)
Fermain Ct. W. *N1* —5A **26**
(off De Beauvoir Est.)
Ferme Pk. Rd. *N8 & N4*
—1A **10**
Fermor Rd. *SE23* —1A **98**
Fermoy Rd. *W9* —3B **34**
Fernbank M. *SW12* —4D **79**
Fernbrook Cres. *SE13* —4A **86**
(off Fernbrook Rd.)
Fernbrook Rd. *SE13* —4A **86**
Ferncliff Rd. *E8* —2C **26**
Fern Clo. *N1* —1A **40**
Fern Ct. *SE14* —5F **69**
Ferncroft Av. *NW3* —5C **6**
Ferndale Rd. *E7* —4D **31**
Ferndale Rd. *E11* —4A **16**
Ferndale Rd. *N15* —1B **12**
Ferndale Rd. *SW4 & SW9*
—2A **80**
Ferndene Rd. *SE24* —2E **81**
Ferndown Rd. *SE9* —5F **87**
Fernhall Dri. *Ilf* —1F **17**
Fernhead Rd. *W9* —2B **34**
Fernholme Rd. *SE15* —3F **83**
Fernhurst Rd. *SW6* —4A **62**
Fernlea Rd. *SW12* —1D **93**
Fernsbury St. *WC1* —2C **38**
Fernshaw Rd. *SW10* —2E **63**
Fernside. *NW11* —4C **6**
Fernside Rd. *SW12* —1B **92**
Ferns Rd. *E15* —3B **30**
Fern St. *E3* —3C **42**
Fernthorpe Rd. *SW16* —5E **93**
Ferntower Rd. *N5* —2F **25**
Fern Wlk. *SE16* —1C **68**
(off Argyle Way)
Fernwood Av. *SW16* —4F **93**
Ferranti Clo. *SE18* —5F **59**
Ferrers Rd. *SW16* —5F **93**
Ferriby Clo. *N1* —4C **24**
Ferrier Ind. Est. *SW18* —2D **77**
(off Ferrier St.)
Ferrier Point. *E16* —4C **44**
(off Forty Acre Rd.)
Ferrier St. *SW18* —2D **77**
Ferrings. *SE21* —3A **96**
Ferris Rd. *SE22* —2C **82**
Ferron Rd. *E5* —5D **13**
Ferrybridge Ho. *SE11* —4B **52**
(off Lambeth Wlk.)
Ferry Ho. *E5* —3D **13**
(off Harrington Hill)
Ferry La. *SW13* —2B **60**
Ferry Rd. *SW13* —3C **60**
Ferry St. *E14* —1E **71**
Festing Rd. *SW15* —1F **75**
Fetter La. *EC4* —5C **38**
(in two parts)
Ffinch St. *SE8* —3C **70**
Field Clo. *SW19* —3C **90**
Field Ct. *WC1* —4B **38**

Fieldgate Mans. *E1* —4C **40**
(off Fieldgate St.)
Fieldgate St. *E1* —4C **40**
Fieldhouse Rd. *SW12* —1E **93**
Fielding Ho. *W4* —2A **60**
(off Devonshire Rd.)
Fielding Rd. *W4* —4A **46**
Fielding Rd. *W14* —4F **47**
Fieldings, The. *SE23* —1E **97**
Fielding St. *SE17* —2E **67**
Field Point. *E7* —1C **30**
Field Rd. *E7* —1B **30**
Field Rd. *W6* —1A **62**
Fields Est. *E8* —4C **26**
Fieldside Rd. *Brom* —5F **99**
Field St. *WC1* —2B **38**
Fieldsway Ho. *N5* —2C **24**
Fieldview. *SW18* —1F **91**
Fieldview Cres. *N5* —2C **24**
Fife Rd. *E16* —4C **44**
Fife Ter. *N1* —1B **38**
Fifield Path. *SE23* —3F **97**
Fifth Av. *W10* —2A **34**
Fig Tree Clo. *NW10* —5A **18**
Filey Av. *N16* —3C **12**
Filigree Ct. *SE16* —2A **56**
Fillebrook Rd. *E11* —3A **16**
Filmer Rd. *SW6* —4A **62**
Filton Ct. *SE15* —2A **68**
(off Brockworth Clo.)
Finborough Rd. *SW10*
—1D **63**
Finch Av. *SE27* —4F **95**
Finchdean Ho. *SW15* —5B **74**
Finchdean Way. *SE15* —3B **68**
Finch La. *EC3* —5F **39**
Finchley Pl. *NW8* —1F **35**
Finchley Rd. *NW3* —1C **20**
Finchley Rd. *NW8* —5F **21**
Finchley Rd. *NW11* —1B **6**
Finch's Ct. *E14* —1D **57**
Finck St. *SE1* —3B **52**
Finden Rd. *E7* —2E **31**
Findhorn St. *E14* —5E **43**
Findon Clo. *SW18* —4C **76**
Findon Rd. *W12* —3C **46**
Fingal St. *SE10* —1B **72**
Finland Rd. *SE4* —1A **84**
Finland St. *SE16* —4A **56**
Finlay St. *SW6* —4F **61**
Finmere Ho. *N4* —2E **11**
Finnis St. *E2* —2D **41**
Finsbury Av. *EC2* —4F **39**
Finsbury Av. Sq. *EC2* —4A **40**
(off Finsbury Av.)
Finsbury Cir. *EC2* —4F **39**
Finsbury Est. *EC1* —2C **38**
Finsbury Mkt. *EC2* —3A **40**
(in two parts)
Finsbury Pk. Av. *N4* —1E **11**
Finsbury Pk. Rd. *N4* —4D **11**
Finsbury Pavement. *EC2*
—4F **39**
Finsbury Sq. *EC2* —3F **39**
Finsbury St. *EC2* —4F **39**
Finsen Rd. *SE5* —2E **81**

Finstock Rd. *W10* —5F **33**
Fiona Ct. *NW6* —1B **34**
Firbank Clo. *E16* —4F **45**
Firbank Rd. *SE15* —5D **69**
Fircroft Rd. *SW17* —2B **92**
Firecrest Dri. *NW3* —5D **7**
Firefly Gdns. *E6* —3F **45**
Firhill Rd. *SE6* —4C **98**
Firsby Rd. *N16* —3C **12**
Firs Av. *E13* —2C **44**
(in two parts)
First Av. *SW14* —1A **74**
First Av. *W3* —2A **46**
First Av. *W10* —3B **34**
Firs, The. *E6* —4F **31**
Firs, The. *SE26* —5D **97**
(Lawrie Pk. Gdns.)
Firs, The. *SE26* —5E **97**
(Venner Rd.)
First St. *SW3* —5A **50**
Firth Gdns. *SW6* —4A **62**
Firtree Clo. *SW16* —5E **93**
Fir Trees Clo. *SE16* —2A **56**
Fisher Ho. *N1* —5C **24**
(off Barnsbury Est.)
Fishermans Dri. *SE16* —3F **55**
Fisherman's Pl. *W4* —2B **60**
Fisherman's Wlk. *E14* —2C **56**
Fishers Ct. *SE14* —4F **69**
Fisher's La. *W4* —5A **46**
Fisher St. *E16* —4C **44**
Fisher St. *WC1* —4B **38**
Fisherton St. *NW8* —3F **35**
Fishmongers Hall Wharf. *EC4*
(off Swan La.) —1F **53**
Fishponds Rd. *SW17* —4A **92**
Fish St. Hill. *EC3* —1F **53**
Fish Wharf. *EC3* —1F **53**
(off Lwr. Thames St.)
Fisons Rd. *E16* —2C **58**
Fitzalan St. *SE11* —5C **52**
Fitzgeorge Av. *W14* —5A **48**
Fitzgerald Av. *SW14* —1A **74**
Fitzgerald Ct. *E10* —3D **15**
Fitzgerald Ho. *SW9* —5C **66**
Fitzgerald Rd. *E11* —1C **16**
Fitzgerald Rd. *SW14* —1A **74**
Fitzhardinge St. *W1* —5C **36**
Fitzhugh Gro. *SW18* —4F **77**
Fitzjames Av. *W14* —5A **48**
Fitzjohn's Av. *NW3* —1E **21**
Fitzmaurice Pl. *W1* —2D **51**
Fitzneal St. *W12* —5B **32**
Fitzroy Clo. *N6* —3B **8**
Fitzroy Ct. *N6* —1E **9**
Fitzroy Ct. *W1* —3E **37**
(off Tottenham Ct. Rd.)
Fitzroy M. *W1* —3E **37**
(off Cleveland St.)
Fitzroy Pk. *N6* —3B **8**
Fitzroy Rd. *NW1* —5C **22**
Fitzroy Sq. *W1* —3E **37**
Fitzroy St. *W1* —3E **37**
(in two parts)
Fitzroy Yd. *NW1* —5C **22**
(off Fitzroy Rd.)
Fitzwarren Gdns. *N19* —3E **9**

Fitzwilliam Heights. *SE23*
    —2E **97**
Fitzwilliam M. *E16* —2C **58**
Fitzwilliam Rd. *SW4* —1E **79**
Fives Ct. *SE11* —4D **53**
Fiveways Rd. *SW9* —5C **66**
Flack Ct. *E10* —2D **15**
Fladbury Rd. *N15* —1F **11**
Fladgate Rd. *E11* —1A **16**
Flamborough Ho. *SE15* —4C **68**
    (off Oliver Goldsmith Est.)
Flamborough St. *E14* —5A **42**
Flamingo Ct. *SE8* —3C **70**
    (off Hamilton St.)
Flamsteed Rd. *SE7* —1F **73**
Flanchford Rd. *W12* —4B **46**
Flanders Ct. *E17* —1A **14**
Flanders Mans. *W4* —5B **46**
Flanders Rd. *E6* —1F **59**
Flanders Rd. *W4* —5A **46**
Flanders Way. *E9* —3F **27**
Flank St. *E1* —1C **54**
Flask Wlk. *NW3* —1E **91**
Flatford Ho. *SE6* —4E **99**
Flavell M. *SE10* —1A **72**
Flaxman Ct. *W1* —5F **37**
    (off Wardour St.)
Flaxman Ho. *W4* —1A **60**
    (off Devonshire St.)
Flaxman Rd. *SE5* —1D **81**
Flaxman Ter. *WC1* —2F **37**
Fleece Wlk. *N7* —3A **24**
Fleet Bldgs. *EC4* —5D **39**
    (off Shoe Pl.)
Fleet Pl. *EC4* —5D **39**
    (off Old Fleet La.)
Fleet Rd. *NW3* —2A **22**
Fleet Sq. *WC1* —2B **38**
Fleet St. *EC4* —5C **38**
Fleet St. Hill. *E1* —3C **40**
Fleetway Bus. Cen. *NW2* —3B **4**
Fleetwood Clo. *E16* —4F **45**
Fleetwood Rd. *NW10* —2C **18**
Fleetwood St. *N16* —4A **12**
Fleming Ct. *W2* —4F **35**
    (off St Marys Sq.)
Fleming Ho. *N4* —3E **11**
Fleming Ho. *SE16* —3C **54**
    (off George Row)
Fleming Rd. *SE17* —2D **67**
Flempton Rd. *E10* —3A **14**
Fletcher La. *E10* —2E **15**
Fletcher Path. *SE8* —3C **70**
Fletcher St. *E1* —1C **54**
Fletching Rd. *E5* —5E **13**
Fletching Rd. *SE7* —2F **73**
Fleur-de-Lis Ct. *EC4* —5C **38**
    (off Fetter La.)
Fleur-de-Lis St. *E1* —3B **40**
Fleur Gates. *SW19* —5F **75**
Flimwell Clo. *Brom* —5A **100**
Flintmill Cres. *SE3* —5F **73**
Flinton St. *SE17* —1A **68**
Flint St. *SE17* —5F **53**
Flitcroft St. *WC2* —5F **37**
Flock Mill Pl. *SW18* —1D **91**
Flockton St. *SE16* —3C **54**
Flodden Rd. *SE5* —4E **67**
Flood St. *SW3* —1A **64**

Flood Wlk. *SW3* —2A **64**
Flora Clo. *E14* —5D **43**
Flora Gdns. *W6* —5D **47**
    (off Albion Gdns.)
Floral Pl. *N1* —2F **25**
Floral St. *WC2* —1A **52**
Florence Ct. *E5* —5C **12**
Florence Ct. *N1* —4D **25**
Florence Ct. *SW19* —5A **90**
Florence Ct. *W9* —2E **35**
    (off Maida Vale)
Florence Mans. *NW4* —1D **5**
    (off Vivian Av.)
Florence Rd. *E6* —5E **31**
Florence Rd. *E13* —1B **44**
Florence Rd. *N4* —2B **10**
    (in two parts)
Florence Rd. *SE14* —4B **70**
Florence Rd. *SW19* —5D **91**
Florence St. *E16* —3B **44**
Florence St. *N1* —4D **25**
Florence Ter. *SE14* —4B **70**
Florence Ter. *SW15* —3A **88**
Florence Way. *SW12* —1B **92**
Florfield Pas. *E8* —3D **27**
    (off Florfield Rd.)
Florfield Rd. *E8* —3D **27**
Florian. *SE5* —4A **68**
Florian Rd. *SW15* —2A **76**
Florida St. *E2* —2C **40**
Floss St. *SW15* —1C **87**
Flower & Dean Wlk. *E1*
    —4B **40**
Flowersmead. *SW17* —2C **92**
Flowers M. *N19* —4E **9**
Flower Wlk., The. *SW7* —3E **49**
Floyd Rd. *SE7* —1E **73**
Fludyer St. *SE13* —2A **86**
Foley M. *W1* —4E **37**
Folgate St. *E1* —4A **40**
Foliot St. *W12* —5B **32**
Follett St. *E14* —5E **43**
Follingham Ct. *N1* —2A **40**
    (off Drysdale Pl.)
Folly M. *W11* —5B **34**
Folly Wall. *E14* —3E **57**
Fontarabia Rd. *SW11* —2C **78**
Fontenelle. *SE5* —4A **68**
Fontenoy Ho. *SE11* —5D **53**
    (off Kennington La.)
Fontenoy Pas. *SE11* —5D **53**
    (off Cottington Clo.)
Fontenoy Rd. *SW12* —2D **93**
Fonthill M. *N4* —4C **10**
Fonthill Rd. *N4* —3B **10**
Fontley Way. *SW15* —5C **74**
Footpath, The. *SW15* —3C **74**
Forbes Clo. *NW2* —4C **4**
Forbes St. *E1* —5C **40**
Forburg Rd. *N16* —3C **12**
Ford Clo. *E3* —1A **42**
Fordel Rd. *SE6* —1F **99**
Fordham St. *E1* —5C **40**
Fordingley Rd. *W9* —2B **34**
Fordington Ho. *SE26* —3C **96**
Fordmill Rd. *SE6* —2C **98**
Ford Rd. *E3* —1B **42**
Fords Pk. Rd. *E16* —5C **44**

Ford Sq. *E1* —4D **41**
Ford St. *E3* —5A **28**
Ford St. *E16* —5B **44**
Fordwych Rd. *NW2* —1A **20**
Fordyce Rd. *SE13* —4E **85**
Foreign St. *SE5* —5D **67**
Foreland Ho. *W11* —1A **48**
    (off Walmer Rd.)
Foreman Ct. *W6* —5E **47**
Foreshore. *SE8* —5B **56**
Forest Bus. Pk. *E17* —2A **14**
Forest Clo. *E11* —1C **16**
Forest Croft. *SE23* —2D **97**
Forest Dri. *E12* —5F **17**
Forest Dri. E. *E11* —2F **15**
Forest Dri. W. *E11* —2E **15**
Forester Rd. *SE15* —1D **83**
Forest Glade. *E11* —1A **16**
Forest Gro. *E8* —3B **26**
Forest Hill Bus. Cen. *SE23*
    —2E **97**
Forest Hill Ind. Est. *SE23*
    —2E **97**
Forest Hill Rd. *SE22 & SE23*
    —3D **83**
Forestholme Clo. *SE23* —2E **97**
Forest La. *E15 & E7* —3A **30**
Forest Lodge. *SE23* —3E **97**
    (off Dartmouth Rd.)
Forest Point. *E7* —2D **31**
    (off Windsor Rd.)
Fore St. *EC2* —4E **39**
Fore St. Av. *EC2* —4F **39**
Forest Rd. *E7* —1C **30**
Forest Rd. *E8* —3B **26**
Forest Rd. *E11* —2F **15**
Forest Side. *E7* —1D **31**
Forest St. *E7* —2C **30**
Forest View. *E11* —2B **16**
Forest View Av. *E10* —1F **15**
Forest View Rd. *E12* —1F **31**
Forest Way. *E11* —2B **16**
Forest Way. *N19* —4E **9**
Forfar Rd. *SW11* —4C **64**
Forge Pl. *NW1* —3C **22**
Forman Pl. *N16* —1B **26**
Formby Ct. *N7* —2C **24**
    (off Morgan Rd.)
Formosa St. *W9* —3D **35**
Formunt Clo. *E16* —4B **44**
Forres Gdns. *NW11* —1C **6**
Forrester Path. *SE26* —4E **97**
Forset St. *W1* —5A **36**
Forster Ho. *Brom* —3F **99**
Forster Rd. *E17* —1A **14**
Forster Rd. *SW2* —5A **80**
Forston St. *N1* —1E **39**
Forsyth Gdns. *SE17* —2D **67**
Fortescue Av. *E8* —4D **27**
Fortess Gro. *NW5* —2E **23**
Fortess Rd. *NW5* —2D **23**
Fortess Wlk. *NW5* —2D **23**
Fortess Yd. *NW5* —2D **23**
Forthbridge Rd. *SW11* —2C **78**
Fortis Clo. *E16* —5E **45**
Fortnam Rd. *N19* —4F **9**
Fort Rd. *SE1* —5B **54**
Fortrose Gdns. *SW2* —1A **94**

Fort St. *E1* —4A **40**
Fort St. *E16* —2D **59**
Fortuna Clo. *N7* —3B **24**
Fortunegate Rd. *NW10*
—5A **18**
Fortune Grn. Rd. *NW6* —1C **20**
Fortune Ho. SE11 —5C **52**
(off Marylee Way)
Fortune St. *EC1* —3E **39**
Fortune. Wlk. *NW10* —2C **32**
Forty Acre La. *E16* —4C **44**
Forward Bus. Cen. *E16* —3F **43**
Fosbrooke Ho. SW8 —3A **66**
(off Davidson Gdns.)
Fosbury M. *W2* —1D **49**
Foscote M. *W9* —3C **34**
Foscote Rd. *NW4* —1D **5**
Foskett Rd. *SW6* —5B **62**
Fossdene Rd. *SE7* —1D **73**
Fossil Rd. *SE13* —1C **84**
Foss Rd. *SW17* —4F **91**
Foster Ho. *SE14* —4B **70**
Foster La. *EC2* —2E **39**
Foster Rd. *E13* —3C **44**
Foster Rd. *W3* —1A **46**
Foster Rd. *W4* —1A **60**
Foster's Way. *SW18* —5D **77**
Fothergill Clo. *E13* —1C **44**
Foubert's Pl. *W1* —5E **37**
Foulden Rd. *N16* —1B **26**
Foulden Ter. *N16* —1B **26**
Foulis Ter. *SW7* —1F **63**
Foulser Rd. *SW17* —3B **92**
Founders Ct. EC2 —2F **39**
(off Lothbury)
Foundry Clo. *SE16* —2A **56**
Foundry M. NW1 —3E **37**
(off Drummond St.)
Fountain Ct. *EC4* —1C **52**
Fountain Ct. *SE23* —2F **97**
Fountain Ct. SW1 —5D **51**
(off Buckingham Pal. Rd.)
Fountain Dri. *SE19* —4B **96**
Fountain Grn. Sq. *SE16*
—3C **54**
Fountain Ho. *NW6* —4A **20**
Fountain M. N5 —1E **25**
(off Highbury Grange)
Fountain M. *NW3* —3B **22**
Fountain Pl. *SW9* —4C **66**
Fountain Rd. *SW17* —5F **91**
Fountain Sq. *SW1* —5D **51**
Fountayne Rd. *N16* —4C **12**
Fount St. *SW8* —3F **65**
Fournier St. *E1* —4B **40**
Fourth Av. *W10* —2A **34**
Fovant Ct. *SW8* —5E **65**
Fowey Clo. *E1* —2D **55**
Fowey Ho. SE11 —1C **66**
(off Kennings Way)
Fowler Clo. *SW11* —1F **77**
Fowler Clo. *E7* —1C **30**
Fowler Rd. *N1* —5D **25**
Fownes St. *SW11* —1A **78**
Foxberry Ct. *SE4* —2B **84**
Foxberry Rd. *SE4* —1A **84**
Foxborough Gdns. *SE4*
—3C **84**

Foxbourne Rd. *SW17* —2C **92**
Fox Clo. *E1* —3E **41**
Fox Clo. *E16* —4C **44**
Foxcombe Clo. *E6* —1F **45**
Foxcombe Rd. *SW15* —1C **88**
Foxcote. *SE17* —1A **68**
Foxes Dale. *SE3* —1C **86**
Foxglove St. *W12* —1B **46**
Foxham Rd. *N19* —5F **9**
Foxhole Rd. *SE9* —3F **87**
Fox & Knot St. EC1 —4D **39**
(off Charterhouse Sq.)
Foxley Clo. *E8* —2C **26**
Foxley Rd. *SW9* —3C **66**
Foxley Sq. *SW9* —4D **67**
Foxmore St. *SW11* —4B **64**
Fox Rd. *E16* —4B **44**
Foxwell M. *SE4* —1A **84**
Foxwell St. *SE4* —1A **84**
Foxwood Rd. *SE3* —2B **86**
Foyle Rd. *SE3* —2B **72**
Framfield La. *SW16* —5B **94**
Framlingham Clo. *E5* —4E **13**
Frampton Pk. Est. *E9* —4E **27**
Frampton Pk. Rd. *E9* —3E **27**
Frampton St. *NW8* —3F **35**
Francemary Rd. *SE4* —3C **84**
Frances Ct. *E17* —1C **14**
Franche Ct. Rd. *SW17* —3E **91**
Francis Barber Clo. SW16
—5B **94**
Franciscan Rd. *SW17* —5B **92**
Francis Chichester Way. SW11
—4C **64**
Francis Clo. *E14* —5F **57**
Francis Ct. EC1 —4D **39**
(off Briset St.)
Francis Ho. *E10* —3B **14**
Francis M. *SE12* —5C **86**
Francis Rd. *E10* —3E **15**
Francis St. *E15* —2A **30**
Francis St. *SW1* —5E **51**
Francis Ter. *N19* —5E **9**
Francis Wlk. *N1* —5B **24**
Franconia Rd. *SW4* —3F **79**
Frank Beswick Ho. SW6
—2B **62**
(off Clem Attlee Ct.)
Frank Burton Clo. *SE7* —1D **73**
Frank Dixon Clo. *SE21*
—5A **82**
Frank Dixon Way. *SE21*
—1A **96**
Frankel Mt. *SE9* —3F **87**
Frankfurt Rd. *SE24* —3E **81**
Frankham Ho. SE8 —3C **70**
(off Frankham St.)
Frankham St. *SE8* —3C **70**
Frank Ho. SW8 —3A **66**
(off Wyvil Rd.)
Frankland Clo. *SE16* —5D **55**
Frankland Rd. *SW7* —4F **49**
Franklin Clo. *SE13* —4D **71**
Franklin Clo. *SE27* —3D **95**
Franklin Sq. *W14* —1B **62**
Franklin's Row. *SW3* —1B **64**
Franklin St. *E3* —2D **43**
Franklin St. *N15* —1A **12**
Franklyn Rd. *NW10* —3B **18**

Frank Soskice Ho. SW6
—2B **62**
(off Clem Attlee Ct.)
Frank St. *E13* —3C **44**
Fransfield Gro. *SE26* —3D **97**
Frans Hals Ct. *E14* —4F **57**
Franthorne Way. *SE6* —2D **99**
Fraser Clo. *E6* —5F **45**
Fraser Rd. *E17* —1D **15**
Fraser St. *W4* —1A **60**
Frazier St. *SE1* —3C **52**
Frean St. *SE16* —4C **54**
Freda Corbett Clo. *SE15*
—3C **68**
Frederica St. *N7* —4B **24**
Frederick Clo. *W2* —1A **50**
Frederick Cres. *SW9* —3D **67**
Frederick Rd. *SE17* —2D **67**
Frederick's Pl. EC2 —5F **39**
Frederick Sq. SE16 —1A **56**
(off Sovereign Cres.)
Frederick's Row. *EC1* —2D **39**
Frederick St. *WC1* —2B **38**
Frederick Ter. *E8* —4B **26**
Frederic M. SW1 —3B **50**
(off Kinnerton St.)
Frederic St. *E17* —1A **14**
Freedom St. *SW11* —5B **64**
Freegrove Rd. *N7* —2A **24**
Freeling St. N1 —4A **24**
(in two parts)
Freemantle St. *SE17* —1A **68**
Freemasons Rd. *E16* —4D **45**
Free Trade Wharf. *E1* —1F **55**
Freke Rd. *SW11* —1C **78**
Fremont St. *E9* —5E **27**
French Ordinary Ct. EC3
(off Crutched Friars) —1A **54**
French Pl. *E1* —3A **40**
Frendsbury Rd. *SE4* —2A **84**
Frensham Dri. *SW15* —3B **88**
Frensham St. *SE15* —2C **68**
Frere St. *SW11* —5A **64**
Freshfield Av. *E8* —4B **26**
Freshfield Clo. *SE13* —2F **85**
Freshford St. *SW18* —3E **91**
Freshwater Clo. *SW17* —5C **92**
Freshwater Rd. *SW17* —5C **92**
Freston Rd. *W10 & W11*
—1F **47**
Frewin Rd. *SW18* —1F **91**
Friar M. *SE27* —3D **95**
Friars Av. *SW15* —3B **88**
Friars Clo. SE1 —2D **53**
(off Bear La.)
Friars Gdns. *W3* —5A **32**
Friars Mead. *E14* —4E **57**
Friars Pl. La. *W3* —1A **46**
Friars Rd. *E6* —5F **31**
Friars St. *EC4* —5D **39**
Friars Way. *W3* —5A **32**
Friary Ct. SW1 —2E **51**
(off St James Pal.)
Friary Est. *SE15* —2C **68**
Friary Rd. *SE15* —2C **68**
Friary Rd. *W3* —5A **32**
Friday St. *EC4* —1E **53**
Frideswide Pl. *NW5* —2E **23**

Friendly Pl. SE10 —4D 71
Friendly St. SE8 —5C 70
Friendly St. M. SE8 —5C 70
Friend St. EC1 —2D 39
Frigate M. SE8 —2C 70
Friern Rd. SE22 —5C 82
Frimley Clo. SW19 —2A 90
Frimley Way. E1 —3F 41
Frinton Rd. E6 —2F 45
Frinton Rd. N15 —1A 12
Friston St. SW6 —5D 63
Frith Rd. E11 —1E 29
Frith St. W1 —5F 37
Frithville Gdns. W12 —2E 47
Frobisher Ct. SE23 —2D 97
Frobisher Ct. W12 —3E 47
(off Lime Gro.)
Frobisher Cres. EC2 —4E 39
(off Barbican)
Frobisher Pas. E14 —2C 56
Frobisher St. SE10 —2A 72
Frogley Rd. SE22 —2B 82
Frogmore. SW18 —3C 76
Frogmore Ind. Est. N5 —1E 25
Frognal. NW3 —1E 21
Frognal Clo. NW3 —2E 21
Frognal Ct. NW3 —3E 21
Frognal Gdns. NW3 —1E 21
Frognal La. NW3 —2D 21
Frognal Pde. NW3 —3E 21
Frognal Rise. NW3 —5E 7
Frognal Way. NW3 —1E 21
Froissart Rd. SE9 —3F 87
Frome Ho. SE15 —2D 83
Frome St. N1 —1E 39
Frostic Wlk. E1 —4C 40
Froude St. SW8 —5D 65
Fryatt St. E14 —5A 44
Fryent Cres. NW9 —1A 4
Fryent Fields. NW9 —1A 4
Fryent Gro. NW9 —1A 4
Frye's Bldgs. N1 —1C 38
Fry Ho. E6 —4E 31
Frying Pan All. E1 —4B 40
(off Bell La.)
Fry Rd. E6 —4F 31
Fry Rd. NW10 —5B 18
Fulbeck Rd. N19 —1E 23
Fulbourne St. E1 —4D 41
Fulbrook M. N19 —1E 23
Fulcher Rd. SE8 —1B 70
Fulford St. SE16 —3D 55
Fulham B'way. SW6 —3C 62
Fulham Broadway. (Junct.)
—3C 62
Fulham High St. SW6 —5A 62
Fulham Pal. Rd. W6 & SW6
—1E 61
Fulham Pk. Gdns. SW6
—5B 62
Fulham Pk. Rd. SW6 —5B 62
Fulham Rd. SW6 —5A 62
Fulham Rd. SW10 & SW3
—2E 63
Fuller Clo. E2 —3C 40
(off Kerbela St.)
Fullerton Rd. SW18 —3E 77
Fullwood's M. N1 —2F 39

Fulmead St. SW6 —4D 63
Fulmer Rd. E16 —4F 45
Fulready Rd. E10 —1F 15
Fulthorp Rd. SE3 —5B 72
Fulton M. W2 —1E 49
(off Porchester Ter.)
Fulwood Pl. WC1 —4B 38
Fulwood Wlk. SW19 —1A 90
Furber Rd. W6 —4D 47
Furley Rd. SE15 —3C 68
Furlong Rd. N7 —3C 24
Furmage St. SW18 —5D 77
Furneaux Av. SE27 —5D 95
Furness Rd. NW10 —1C 32
Furness Rd. SW6 —5D 63
Furnival St. EC4 —5C 38
Furrow La. E9 —2E 27
Fursecroft. W1 —5B 36
(off George St.)
Further Grn. Rd. SE6 —5A 86
Furzedown Dri. SW17 —5D 93
Furzedown Rd. SW17 —5D 93
Furzefield Rd. SE3 —3D 73
Furze St. E3 —4C 42
Fye Foot La. EC4 —1E 53
Fyfield. N4 —4D 10
(off Six Acres Est.)
Fyfield Ct. E7 —3C 30
Fyfield Rd. SW9 —1C 80
Fynes St. SW1 —5F 51

G
Gable Ct. SE26 —4D 97
Gables Clo. SE5 —4A 68
Gables Clo. SE12 —1C 100
Gabriel St. SE23 —5F 83
Gabriel's Wharf. SE1 —2C 52
Gad Clo. E13 —2D 45
Gaddesden Rd. EC1 —2F 39
(off Cranwood St.)
Gadsbury Clo. NW9 —1B 4
Gadwall Clo. E16 —5D 45
Gage Rd. E16 —4A 44
Gage St. WC1 —4A 38
Gainford St. N1 —5C 24
Gainsborough Ct. SE21
—2A 96
Gainsborough Ct. W12 —3E 47
Gainsborough Gdns. NW3
—5F 7
Gainsborough Gdns. NW11
—2B 6
Gainsborough M. SE26
—3D 97
Gainsborough Rd. E11 —2A 16
Gainsborough Rd. E15 —2A 44
Gainsborough Rd. W4 —5B 46
Gainsford Ct. E11 —5F 15
Gainsford St. SE1 —3B 54
Gairloch Rd. SE5 —5A 68
Gaisford St. NW5 —3E 23
Gaitskell Ho. E6 —5F 31
Galahad Rd. Brom —4C 100
Galata Rd. SW13 —3C 60
Galatea Sq. SE15 —1D 83
Galbraith St. E14 —4E 57
Galena Rd. W6 —5D 47

Galen Pl. WC1 —4A 38
Galesbury Rd. SW18 —4E 77
Gales Gdns. E2 —2D 41
Gale St. E3 —4C 42
Galgate Clo. SW19 —1A 90
Galleon Clo. SE16 —3F 55
Gallery Rd. SE21 —1F 95
Galleywall Rd. SE16 —5D 55
Gallia Rd. N5 —2D 25
Gallions Rd. SE7 —5D 59
Galliver Pl. E5 —1D 27
Galloway Rd. W12 —2C 46
Gallus Sq. SE3 —1D 87
Galsworthy Cres. SE3 —4E 73
Galsworthy Rd. NW2 —1A 20
Galsworthy Ter. N16 —5A 12
Galton St. W10 —2A 34
Galveston Rd. SW15 —3B 76
Galway Clo. SE16 —1D 69
(off Masters Dri.)
Galway Ho. EC1 —2E 39
(off Pleydell Est.)
Galway St. EC1 —2E 39
Gambetta St. SW8 —5D 65
Gambia St. SE1 —2D 53
Gambole Rd. SW17 —4A 92
Gamlen Rd. SW15 —2F 75
Gamuel Clo. E17 —1C 14
Gandhi Clo. E17 —1C 14
Ganton St. W1 —1E 51
Gap Rd. SW19 —5C 90
Garbutt Pl. W1 —4C 36
Garden Ct. SE12 —3D 101
Garden Clo. SW15 —5E 75
Garden Ct. EC4 —1C 52
(off Temple)
Garden La. SW2 —1B 94
Garden M. W2 —1C 48
Garden Rd. NW8 —2E 35
Garden Row. SE1 —4D 53
Gardens. The. SE22 —2C 82
Garden St. E1 —4F 41
Garden Ter. SW1 —1F 65
Garden Ter. SW7 —3A 50
(off Trevor Pl.)
Garden View. E7 —1E 31
Garden Wlk. EC2 —2A 40
Gardiner Av. NW2 —2E 19
Gardner Clo. E11 —1D 17
Gardner Ind. Est. Beck
—5A 98
Gardner Rd. E13 —3D 45
Gardners La. EC4 —1E 53
Gardnor Rd. NW3 —1F 21
Gard St. EC1 —2D 39
Gareth Ct. SW16 —3F 93
Gareth Gro. Brom —4C 100
Garfield M. SW11 —1D 79
Garfield Rd. E13 —3B 44
Garfield Rd. SW11 —1C 78
Garfield Rd. SW19 —5E 91
Garford St. E14 —1C 56
Garganey Ct. NW10 —3A 18
(off Elgar Av.)
Garlick Hill. EC4 —1E 53
Garlies Rd. SE23 —3A 98
Garlinge Rd. NW2 —3B 20

Garnault M. EC1 —2C **38**
(off Rosebery Av.)
Garnault Pl. EC1 —2C **38**
Garner St. E2 —1C **40**
Garnet Rd. NW10 —3A **18**
Garnet St. E1 —1E **55**
Garnett Rd. NW3 —2B **22**
Garnham Clo. N16 —4B **12**
Garnham St. N16 —4B **12**
Garnies Clo. SE15 —3B **68**
Garrad's Rd. SW16 —3F **93**
Garrard Wlk. NW10 —3A **18**
Garratt Ct. SW18 —5D **77**
Garratt La. SW18 & SW17
—4D **77**
Garratt Ter. SW17 —4A **92**
Garrett Clo. W3 —4A **32**
Garrett St. EC1 —3E **39**
Garrick Av. NW11 —1A **6**
Garrick Clo. SW18 —2E **77**
Garrick Ho. W4 —2A **60**
Garrick Ind. Est. NW4 —1B **4**
Garrick Rd. NW9 —1B **4**
Garrick St. WC2 —1A **52**
Garrick Yd. WC2 —1A **52**
(off St Martin's La.)
Garsington M. SE4 —1B **84**
Garter Way. SE16 —3F **55**
Garthorne Rd. SE23 —5F **83**
Garth Rd. NW2 —4B **6**
Gartmoor Gdns. SW19
—1B **90**
Garton Pl. SW18 —4E **77**
Gartons Way. SW11 —1E **77**
Garvary Rd. E16 —5D **45**
Garway Rd. W2 —5D **35**
Gascoigne Pl. E2 —2B **40**
Gascony Av. NW6 —4C **20**
Gascoyne Ho. E9 —4A **28**
Gascoyne Rd. E9 —4F **27**
Gaselee St. E14 —1E **57**
Gasholder Pl. SE11 —1B **66**
Gaskarth Rd. SW12 —4D **79**
Gaskell Rd. N6 —1B **8**
Gaskell St. SW4 —5A **66**
Gaskin St. N1 —5D **25**
Gaspar Clo. SW5 —5D **49**
(off Courtfield Gdns.)
Gaspar M. SW5 —5D **49**
Gassiot Rd. SW17 —4B **92**
Gastein Rd. W6 —2F **61**
Gataker St. SE16 —4D **55**
Gatcombe Rd. E16 —2C **58**
Gatcombe Rd. N19 —5F **9**
Gateforth St. NW8 —3A **36**
Gatehouse Sq. SE1 —2E **53**
(off Porter St.)
Gateley Ho. SE4 —2F **83**
(off Coston Wlk.)
Gateley Rd. SW9 —1B **80**
Gate M. SW7 —3A **50**
(off Rutland Ga.)
Gatesborough St. EC2 —3A **40**
Gatesden. WC1 —2A **38**
Gateside Rd. SW17 —3B **92**
Gate St. WC2 —5B **38**
Gateway. SE17 —2E **67**

Gateway Ind. Est. NW10
—2B **32**
Gateway M. E8 —2B **26**
Gateways, The. SW3 —1A **64**
(off Sprimont Pl.)
Gathorne St. E2 —1F **41**
Gatliff Clo. SW1 —1C **64**
(off Ebury Bri. Rd.)
Gatliff Rd. SW1 —1D **65**
Gattis Wharf. N1 —1A **38**
(off New Wharf Rd.)
Gatton Rd. SW17 —4A **92**
Gatwick Rd. SW18 —5B **76**
Gauden Clo. SW4 —1F **79**
Gauden Rd. SW4 —5F **65**
Gaunt St. SE1 —4E **53**
Gautrey Rd. SE15 —5E **69**
Gavel St. SE17 —5F **53**
Gavestone Cres. SE12 —5D **87**
Gavestone Rd. SE12 —5D **87**
Gaviller Pl. E5 —1D **27**
Gawber St. E2 —2E **41**
Gawsworth Clo. E15 —2B **30**
Gay Clo. NW2 —2D **19**
Gaydon Ho. W2 —4D **35**
(off Bourne Ter.)
Gayfere St. SW1 —4A **52**
Gayford Rd. W12 —3B **46**
Gay Ho. N16 —2A **26**
Gayhurst Rd. E8 —4C **26**
Gaynesford Rd. SE23 —2F **97**
Gay Rd. E15 —1F **43**
Gaysley Ho. SE11 —5C **52**
(off Hotspur St.)
Gay St. SW15 —1F **75**
Gayton Cres. NW3 —1F **21**
Gayton Rd. NW3 —1F **21**
Gayville Rd. SW11 —4B **78**
Gaywood Clo. SW2 —1B **94**
Gaywood St. SE1 —4D **53**
Gaza St. SE17 —1D **67**
Geary Rd. NW10 —2C **18**
Geary St. N7 —2B **24**
Gedling Pl. SE1 —4B **54**
Geere Rd. E15 —5B **30**
Gees Ct. W1 —5C **36**
Gee St. EC1 —3E **39**
Geffrye Ct. N1 —1A **40**
Geffrye Est. N1 —1A **40**
Geffrye St. E2 —1B **40**
Geldart Rd. SE15 —3D **69**
Geldeston Rd. E5 —4C **12**
Gellatly Rd. SE14 —5E **69**
Gemini Bus. Cen. E16 —3F **43**
Gemini Bus. Est. SE14 —1F **69**
General Wolfe Rd. SE10
—4F **71**
Geneva Dri. SW9 —2C **80**
Genoa Av. SW15 —3E **75**
Gentian Row. SE13 —4E **71**
Gentry Gdns. E13 —2C **44**
Geoffrey Clo. SE5 —5C **67**
Geoffrey Ct. SE4 —1B **84**
Geoffrey Gdns. E6 —1F **45**
Geoffrey Jones Ct. NW10
—5C **18**
Geoffrey Rd. SE4 —1B **84**
George Beard Rd. SE8 —5B **56**

George & Catherine Wheel All.
EC2 —4A **40**
George Ct. WC2 —1A **52**
(off John Adam St.)
George Downing Est. N16
—4B **12**
George Inn Yd. SE1 —2F **53**
George La. SE13 —4E **85**
George Lindgren Ho. SW6
(off Clem Attlee Ct.) —3B **62**
George Lowe Ct. W2 —4D **35**
(off Bourne Ter.)
George Mathers Rd. SE11
—5D **53**
George M. NW1 —2E **37**
(off N. Gower St.)
George Row. SE16 —3C **54**
George's Rd. N7 —2B **24**
George's Sq. SW6 —2B **62**
(off N. End Rd.)
George St. E16 —5B **44**
George St. W1 —5B **36**
Georgetown Clo. SE19 —5A **96**
Georgette Pl. SE10 —3E **71**
George Wyver Clo. SW19
—5A **76**
George Yd. EC3 —5F **39**
George Yd. W1 —1C **50**
Georgiana St. NW1 —5E **23**
Georgian Ct. NW4 —1D **5**
Georgian Ct. SW16 —4A **94**
Georgina Gdns. E2 —2B **40**
Geraint Rd. Brom —4C **100**
Geraldine Rd. SW18 —3E **77**
Geraldine St. SE11 —4D **53**
Gerald M. SW1 —5C **50**
(off Gerald Rd.)
Gerald Rd. E16 —3B **44**
Gerald Rd. SW1 —5C **50**
Gerard Rd. SW13 —4B **60**
Gerards Clo. SE16 —2E **69**
Germander Way. E15 —2A **44**
Gernon Rd. E3 —1A **42**
Geron Way. NW2 —4D **5**
Gerrard Pl. W1 —1F **51**
Gerrard Rd. N1 —1D **39**
Gerrard St. W1 —1F **51**
Gerridge St. SE1 —4C **52**
Gerry Raffles Sq. E15 —4F **29**
Gertrude St. SW10 —2E **63**
Gervase St. SE15 —3D **69**
Ghent St. SE6 —2C **98**
Ghent Way. E8 —3B **26**
Giant Arches Rd. SE24
—5E **81**
Gibbins Rd. E15 —4E **29**
(in three parts)
Gibbon Rd. SE15 —5E **69**
Gibbon Rd. W3 —1A **46**
Gibbon's Rents. SE1 —2A **54**
(off Magdalen St.)
Gibbons Rd. NW10 —3A **18**
Gibbon Wlk. SW15 —2C **74**
Gibbs Av. SE19 —5F **95**
Gibbs Clo. SE19 —5F **95**
Gibbs Grn. W14 —1B **62**
Gibbs Sq. SE19 —5F **95**
Gibraltar Wlk. E2 —2B **40**

Gibson Clo.—Gliddon Rd.

Gibson Clo. *E1* —3E **41**
Gibson Gdns. *N16* —4B **12**
Gibson Rd. *SE11* —5B **52**
Gibsons Hill. *SW16* —5E **95**
Gibson Sq. *N1* —5C **24**
Gibson St. *SE10* —1A **72**
Gideon Rd. *SW11* —1C **78**
Giesbach Rd. *N19* —4F **9**
Giffin St. *SE8* —3C **70**
Gifford St. *N1* —4A **24**
Gift La. *E15* —5B **30**
Gilbert Bri. EC2 —4E **39**
(off Barbican)
Gilbert Ho. EC2 —4E **39**
(off Barbican)
Gilbert Ho. SW8 —3A **66**
(off Wyvil Rd.)
Gilbert Pl. *WC1* —4A **38**
Gilbert Rd. *SE11* —5C **52**
Gilbert St. *E15* —4A **18**
Gilbert St. *W1* —5C **36**
Gilbey Rd. *SW17* —4A **92**
Gilbeys Yd. *NW1* —4C **22**
Gilda Cres. *N16* —3C **12**
Gildea St. *W1* —4D **37**
Gilden Cres. *NW5* —2C **22**
Giles Coppice. *SE19* —4B **96**
Giles Ho. SE16 —4C **54**
(off Jamaica Rd.)
Gilesmead. *SE5* —4F **67**
Gilkes Cres. *SE21* —4A **82**
Gilkes Pl. *SE21* —4A **82**
Gillan Ct. *SE12* —3D **101**
Gill Av. *E16* —5C **44**
Gillender St. *E3 & E14* —3E **43**
Gillespie Rd. *N5* —5C **10**
Gillett Av. *E6* —1F **45**
Gillett Pl. *N16* —2A **26**
Gillett St. *N16* —2A **26**
Gillian St. *SE13* —3D **85**
Gillies St. *NW5* —2C **22**
Gilling Ct. *NW3* —3A **22**
Gillingham M. *SW1* —5E **51**
Gillingham Rd. *NW2* —5A **6**
Gillingham Row. *SW1* —5E **51**
Gillingham St. *SW1* —5E **51**
Gillison Wlk. *SE16* —4D **55**
Gillman Dri. *E15* —5B **30**
Gill St. *E14* —5B **42**
Gilmore Rd. *SE13* —2F **85**
Gilpin Av. *SW14* —2A **74**
Gilpin Rd. *E5* —1A **28**
Gilstead Rd. *SW6* —5D **63**
Gilston Rd. *SW10* —1E **63**
Gilton Rd. *SE6* —3A **100**
Giltspur St. *EC1* —5D **39**
Ginsburg Yd. *NW3* —1E **21**
Gipsy Hill. *SE19* —4A **96**
Gipsy La. *SW15* —1D **75**
Gipsy Rd. *SE27* —4E **95**
Gipsy Rd. Gdns. *SE27* —4E **95**
Giralda Clo. *E16* —4F **45**
Giraud St. *E14* —5D **43**
Girdler's Rd. *W14* —5F **47**
Girdlestone Wlk. *N19* —4E **9**
Girdwood Rd. *SW18* —5A **76**
Gironde Rd. *SW6* —3B **62**
Girton Rd. *SE26* —5F **97**

Girton Vs. *W10* —5F **33**
Gissing Wlk. *N1* —4C **24**
Gittens Clo. *Brom* —4B **100**
Given Wilson Wlk. *E13*
—1B **44**
Gladding Rd. *E12* —1F **31**
Gladesmore Rd. *N15* —1B **12**
Glade, The. *SE7* —3E **73**
Gladiator St. *SE23* —5A **84**
Glading Ter. *N16* —5B **12**
Gladsmuir Rd. *N19* —3E **9**
Gladstone M. *NW6* —4B **20**
Gladstone Pk. Gdns. *NW2*
—5D **5**
Gladstone Pl. *E3* —1B **42**
Gladstone St. *SE1* —4D **53**
Gladstone Ter. *SW8* —4D **65**
Gladwell Rd. *N8* —1B **10**
Gladwell Rd. *Brom* —5C **100**
Gladwyn Rd. *SW15* —1F **75**
Gladys Dimson Ho. *E7* —2B **30**
Gladys Rd. *NW6* —4C **20**
Glaisher St. *SE10* —3E **71**
Glamis Pl. *E1* —1E **55**
Glamis Rd. *E1* —1E **55**
Glanville Rd. *SW2* —3A **80**
Glasbrook Rd. *SE9* —5F **87**
Glaserton Rd. *N16* —2A **12**
Glasford St. *SW17* —5B **92**
Glasgow Ho. W9 —1D **35**
(off Maida Vale)
Glasgow Rd. *E13* —1D **45**
Glasgow Ter. *SW1* —1E **65**
Glasshill St. *SE1* —3D **53**
Glasshouse Fields. *E1* —1F **55**
Glasshouse St. *W1* —1E **51**
Glasshouse Wlk. *SE11* —1B **66**
Glasshouse Yd. *EC1* —3E **39**
Glasslyn Rd. *N8* —1F **9**
Glass St. *E2* —3D **41**
Glastonbury Ho. SE13 —3B **86**
(off Wantage Rd.)
Glastonbury St. *NW6* —2B **20**
Glaucus St. *E3* —4D **43**
Glazbury Rd. *W14* —5A **48**
Glazebrook Clo. *SE21* —2F **95**
Glebe Clo. *W4* —1A **60**
Glebe Ct. *SE3* —1A **86**
Glebe Hyrst. *SE19* —4A **96**
Glebelands. *E10* —4D **15**
Glebelands Clo. *SE5* —1A **82**
Glebe Pl. *SW3* —2A **64**
Glebe Rd. *E8* —4B **26**
Glebe Rd. *NW10* —3B **18**
Glebe Rd. *SW13* —5C **60**
Glebe St. *W4* —1A **60**
Glebe Ter. *W4* —1A **60**
Glebe, The. *SE3* —1A **86**
Glebe, The. *SW16* —4A **94**
Gledhow Gdns. *SW5* —5E **49**
Gledstanes Rd. *W14* —1A **62**
Glegg Pl. *SW15* —2F **75**
Glenaffric Av. *E14* —5E **57**
Glen Albyn Rd. *SW19* —2F **89**
Glenalvon Way. *SE18* —5F **59**
Glenarm Rd. *E5* —1E **27**
Glenavon Rd. *E15* —4A **30**
Glenbow Rd. *Brom* —5A **100**

Glenbrook Rd. *NW6* —2C **20**
Glenburnie Rd. *SW17* —3B **92**
Glencairne Clo. *E16* —4F **45**
Glencoe Mans. SW9 —3C **66**
(off Mowll St.)
Glendale Dri. *SW19* —5B **90**
Glendall St. *SW9* —2B **80**
Glendarvon St. *SW15* —1F **75**
Glendower Gdns. *SW14*
—1A **74**
Glendower Pl. *SW7* —5F **49**
Glendown Rd. *SE1* —1A **74**
Glendown Ho. *E8* —2C **26**
Glendun Ct. *W3* —1A **46**
Glendun Rd. *W3* —1A **46**
Gleneagle M. *SW16* —5F **93**
Gleneagle Rd. *SW16* —5F **93**
Gleneagles Clo. SE16 —1D **69**
(off Ryder Dri.)
Gleneldon M. *SW16* —4A **94**
Gleneldon Rd. *SW16* —4A **94**
Glenelg Rd. *SW2* —3A **80**
Glenfarg Rd. *SE6* —1E **99**
Glenfield Rd. *SW12* —1E **93**
Glenfinlas Way. *SE5* —3D **67**
Glenforth St. *SE10* —1B **72**
Glengall Gro. *E14* —4D **57**
Glengall Pas. *NW6* —5C **20**
(off Priory Pk. Rd.)
Glengall Rd. *NW6* —5B **20**
Glengall Rd. *SE15* —1B **68**
Glengall Ter. *SE15* —2B **68**
Glengarnock Av. *E14* —5E **57**
Glengarry Rd. *SE22* —3A **82**
Glenhurst Av. *NW5* —1C **22**
Glenilla Rd. *NW3* —3A **22**
Glenister Rd. *SE10* —1B **72**
Glenloch Rd. *NW3* —3A **22**
Glenluce Rd. *SE3* —2C **72**
Glenmore Rd. *NW3* —3A **22**
Glennie Ho. SE10 —4E **71**
(off Blackheath Hill)
Glennie Rd. *SE27* —3C **94**
Glenparke Rd. *E7* —3D **31**
Glen Rd. *E13* —3E **45**
Glen Rd. *E17* —1B **14**
Glenrosa St. *SW6* —5E **63**
Glenroy St. *W12* —5E **33**
Glensdale Rd. *SE4* —1B **84**
Glenshaw Mans. SW9 —3C **66**
(off Brixton Rd.)
Glentanner Way. *SW17*
—3F **91**
Glentham Gdns. *SW13*
—2D **61**
Glentham Rd. *SW13* —2C **60**
Glenthorne M. *W6* —5D **47**
Glenthorne Rd. *E17* —1A **14**
Glenthorne Rd. *W6* —5D **47**
Glenton Rd. *SE13* —2A **86**
Glentworth St. *NW1* —3B **36**
Glenville Gro. *SE8* —3B **70**
Glenville Rd. *SW18* —5D **77**
Glenwood Av. *NW9* —3A **4**
Glenwood Rd. *N15* —1D **11**
Glenwood Rd. *SE6* —1C **98**
Glenworth Av. *E14* —5F **57**
Gliddon Rd. *W14* —5A **48**

Global App. *E3* —1E **43**
Globe Pond Rd. *SE16* —2A **56**
Globe Rd. *E2 & E1* —2E **41**
(in two parts)
Globe Rd. *E15* —2B **30**
Globe Stairs. *SE16* —2F **55**
Globe St. *SE1* —4F **53**
Globe Ter. *E2* —2E **41**
Globe Ter Mkt. *E2* —2F **41**
Globe Yd. *W1* —5D **37**
(off S. Molton St.)
Gloucester Arc. *SW7* —5E **49**
Gloucester Av. *NW1* —4C **22**
Gloucester Cir. *SE10* —3E **71**
Gloucester Clo. *NW10* —4A **18**
Gloucester Ct. *EC3* —1A **54**
Gloucester Ct. *NW11* —2B **6**
(off Golders Grn. Rd.)
Gloucester Cres. *NW1* —5D **23**
Gloucester Dri. *N4* —4D **11**
Gloucester Gdns. *NW11* —2B **6**
Gloucester Gdns. *W2* —5E **35**
Gloucester Ga. *NW1* —1D **37**
Gloucester Ga. M. *NW1*
—1D **37**
Gloucester Ho. *SW9 & SE5*
—3C **66**
Gloucester M. *E10* —2C **14**
Gloucester M. *W2* —5E **35**
Gloucester M. W. *W2* —5E **35**
Gloucester Pl. *NW1 & W1*
—3B **36**
Gloucester Pl. M. *W1* —4B **36**
Gloucester Rd. *E10* —2C **14**
Gloucester Rd. *E11* —1D **17**
Gloucester Rd. *SW7* —4E **49**
Gloucester Sq. *E2* —1E **41**
Gloucester Sq. *W2* —5F **35**
Gloucester St. *SW1* —1E **65**
Gloucester Ter. *W2* —5D **35**
Gloucester Wlk. *W8* —3C **48**
Gloucester Way. *EC1* —2C **38**
Glover Ho. *SE15* —2D **83**
Glycena Rd. *SW11* —1B **78**
Glyn Ct. *SE27* —3C **94**
Glynde M. *SW3* —4A **50**
(off Walton St.)
Glynde Reach. *WC1* —2A **38**
(off Harrison St.)
Glynde St. *SE4* —4B **84**
Glynfield Rd. *NW10* —4A **18**
Glyn Rd. *E5* —5F **13**
Glyn St. *SE11* —1B **66**
Glynwood Ct. *SE23* —2E **97**
Goater's All. *SW6* —3B **62**
(off Dawes Rd.)
Goat St. *SE1* —3B **54**
(off Boss St.)
Godalming Rd. *E14* —4D **43**
Godbold Rd. *E15* —3A **44**
Godfrey St. *E15* —1E **43**
Godfrey St. *SW3* —1A **64**
Goding St. *SE11* —1B **66**
Godley Rd. *SW18* —1F **91**
Godliman St. *EC4* —5D **39**
Godman Rd. *SE15* —5D **69**
Godolphin Pl. *W3* —1A **46**
Godolphin Rd. *W12* —2D **47**

Godson St. *N1* —1C **38**
Godwin Clo. *N1* —1E **39**
Godwin Rd. *E7* —1D **31**
Goffers Rd. *SE3* —4A **72**
Golborne Gdns. *W10* —3A **34**
Golborne Rd. *W10* —4A **34**
Goldbath St. *SE13* —4D **71**
Goldcrest Clo. *E16* —4F **45**
Golden La. *EC1* —3E **39**
Golden La. Est. *EC1* —3E **39**
Golden Plover Clo. *E16*
—5C **44**
Golden Sq. *W1* —1E **51**
Golders Ct. *NW11* —2B **6**
Golders Gdns. *NW11* —2A **6**
Golders Grn. Cres. *NW11*
—2B **6**
Golders Grn. Rd. *NW11* —1A **6**
Golders Mnr. Dri. *NW11* —1F **5**
Golders Pk. Clo. *NW11* —3C **6**
Golders Way. *NW11* —2B **6**
Goldeslea. *NW11* —3C **6**
Goldhawk Ind. Est. *W6*
—4D **47**
Goldhawk M. *W12* —3D **47**
Goldhawk Rd. *W6 & W12*
—5B **46**
Goldhurst Ter. *NW6* —4D **21**
Goldie Ho. *N19* —2F **9**
Golding St. *E1* —5C **40**
Golding Ter. *SW11* —5C **64**
Goldington Ct. *NW1* —5E **23**
(off Royal College St.)
Goldington Cres. *NW1* —1F **37**
Goldington St. *NW1* —1F **37**
Goldman Clo. *E2* —3C **40**
Goldney Rd. *W9* —3C **34**
Goldsborough Rd. *SW8*
—4F **65**
Goldsmith Av. *E12* —3F **31**
Goldsmith Av. *NW9* —1A **4**
Goldsmith Rd. *E10* —3C **14**
Goldsmith Rd. *SE15* —4C **68**
Goldsmith's Bldgs. *W3* —2A **46**
Goldsmiths Clo. *W3* —2A **46**
Goldsmith's Row. *E2* —1C **40**
Goldsmith's Sq. *E2* —1C **40**
Goldsmith St. *EC2* —5E **39**
Goldsworthy Gdns. *SE16*
—1E **69**
Goldwell Ho. *SE22* —1A **82**
Goldwin Clo. *SE14* —4E **69**
Goldwing Clo. *E16* —5C **44**
Gollogly Ter. *SE7* —1E **73**
Gomm Rd. *SE16* —4E **55**
Gondar Gdns. *NW6* —2B **20**
Gonson St. *SE8* —2D **71**
Gonston Clo. *SW19* —2A **90**
Gonville St. *SW6* —1A **76**
Gooch Ho. *E5* —5D **13**
Goodall Ho. *SE4* —2F **83**
Goodall Rd. *E11* —5E **15**
Goodge Pl. *W1* —4E **37**
Goodge St. *W1* —4E **37**
Goodhall St. *NW10* —2B **32**
(in two parts)

Goodhart Pl. *E14* —1A **56**
Goodinge Clo. *N7* —3A **24**
Goodman Cres. *SW2* —2A **94**
Goodman Rd. *E10* —2E **15**
Goodman's Ct. *E1* —1B **54**
Goodman's Stile. *E1* —5C **40**
Goodmans Yd. *E1* —1B **54**
Goodrich Ct. *W10* —5F **33**
Goodrich Rd. *SE22* —4B **82**
Goods Way. *NW1* —1E **33**
Goodway Gdns. *E14* —5F **43**
Goodwin Clo. *SE16* —4C **54**
Goodwin Ct. *NW1* —1E **37**
(off Chalton St.)
Goodwin Rd. *W12* —3C **46**
Goodwins Ct. *WC2* —1A **52**
Goodwin St. *N4* —4C **10**
Goodwood Rd. *SE14* —3A **70**
Goodyear Pl. *SE5* —2E **67**
Goodyers Gdns. *NW4* —1F **5**
Goosander Ct. *SE8* —2A **70**
Gophir La. *EC4* —1F **53**
Gopsall St. *N1* —5F **25**
Gordon Av. *SW14* —2A **74**
Gordonbrock Rd. *SE4* —3C **84**
Gordon Clo. *E17* —1C **14**
Gordon Clo. *N19* —4E **9**
Gordon Ct. *W12* —5E **33**
Gordondale Rd. *SW19*
—2C **90**
Gordon Gro. *SE5* —5D **67**
Gordon Ho. *E1* —1E **55**
(off Glamis Rd.)
Gordon Ho. Rd. *NW5* —1C **22**
Gordon Mans. *WC1* —3F **37**
(off Torrington Pl.)
Gordon Pl. *W8* —3C **48**
Gordon Rd. *E11* —1C **16**
Gordon Rd. *E15* —1E **29**
Gordon Rd. *SE15* —5D **69**
Gordon Sq. *WC1* —3F **37**
Gordon St. *E13* —2C **44**
Gordon St. *WC1* —3F **37**
Gorefield Pl. *NW6* —1C **34**
Gore Rd. *E9* —5E **27**
Gore St. *SW7* —4E **49**
Gorham Pl. *W11* —1A **48**
Goring St. *EC3* —5A **40**
(off Houndsditch)
Gorleston St. *W14* —5A **48**
Gorse Clo. *E16* —5C **44**
Gorse Rise. *SW17* —5C **92**
Gorst Rd. *NW10* —3A **32**
Gorst Rd. *SW11* —4B **78**
Gorsuch Pl. *E2* —2B **40**
Gorsuch St. *E2* —2B **40**
Gosberton Rd. *SW12* —1B **92**
Gosfield St. *W1* —4E **37**
Goslett Yd. *WC2* —5F **37**
Gosling Ct. *SE8* —2B **70**
(off Wotton Rd.)
Gosling Way. *SW9* —4C **66**
Gospel Oak Est. *NW5* —2B **22**
Gosport Rd. *E17* —1B **14**
Gosport Way. *SE15* —3B **68**
Gosset St. *E2* —2B **40**
Gosterwood St. *SE8* —2A **70**

Goswell Pl.—Gt. Castle St.

Goswell Pl. EC1 —2D **39**
(off Goswell Rd.)
Goswell Pl. *EC1* —1D **39**
Gottfried M. *NW5* —1E **23**
Goudhurst Rd. *Brom* —5A **100**
Gough Rd. *E15* —1B **30**
Gough Sq. *EC4* —5C **38**
Gough St. *WC1* —3B **38**
Gough Wlk. *E14* —5C **42**
Gould Ter. *E8* —2D **27**
Goulston St. *E1* —5B **40**
Goulton Rd. *E5* —1D **27**
Gourley Pl. *N15* —1A **12**
Gourley St. *N15* —1A **12**
Govan St. *E2* —5C **26**
Gover Ct. *SW4* —5A **66**
Govier Clo. *E15* —4A **30**
Gowan Av. *SW6* —4A **62**
Gowan Rd. *NW10* —3D **19**
Gower Clo. *SW4* —4E **79**
Gower Ct. *WC1* —3F **37**
Gower M. *WC1* —4F **37**
Gower Pl. *WC1* —3E **37**
Gower Rd. *E7* —2C **30**
Gower St. *WC1* —3E **37**
Gower's Wlk. *E1* —5C **40**
Gowlett Rd. *SE15* —1C **82**
Gowrie Rd. *SW11* —1C **78**
Goy Mnr. Rd. *SW19* —5F **89**
Gracechurch Ct. *EC3* —1F **53**
(off Gracechurch St.)
Gracechurch St. *EC3* —1F **53**
Grace Clo. *SE9* —3F **101**
Gracedale Rd. *SW16* —5D **93**
Gracefield Gdns. *SW16*
—3A **94**
Grace Ho. *SE11* —2B **66**
(off Vauxhall Rd.)
Grace Jones Clo. *E8* —3C **26**
Grace Path. *SE26* —4E **97**
Grace Pl. *E3* —2D **43**
Grace's All. *E1* —1C **54**
Graces M. *NW8* —1E **35**
Grace's M. *SE5* —5A **68**
Grace's Rd. *SE5* —5A **68**
Grace St. *E3* —2D **43**
Gradient, The. *SE26* —4C **96**
Grafton Cres. *NW1* —3D **23**
Grafton Gdns. *N4* —1E **11**
Grafton Ho. *SE8* —1B **70**
Grafton M. N1 —1E **39**
(off Frome St.)
Grafton M. *W1* —3E **37**
Grafton Pl. *NW1* —2F **37**
Grafton Rd. *NW5* —2C **22**
Grafton Sq. *SW4* —1E **79**
Graftons, The. *NW2* —5C **6**
Grafton St. *W1* —1D **51**
Grafton Ter. *NW5* —2B **22**
Grafton Way. *W1 & WC1*
—3E **37**
Grafton Yd. *NW5* —3D **23**
Graham Lodge. *NW4* —1D **5**
Graham Rd. *E8* —3C **26**
Graham Rd. *E13* —3C **44**
Graham Rd. *NW4* —1D **5**
Graham St. *N1* —1D **39**
Graham Ter. *SW1* —5C **50**

Grainger Ct. *SE5* —3E **67**
Gramer Clo. *E11* —4F **15**
Grampian Gdns. *NW2* —3A **6**
Grampians, The. W6 —3F **47**
(off Shepherd's Bush Rd.)
Granada St. *SW17* —5A **92**
Granard Av. *SW15* —3D **75**
Granard Ho. *E9* —3F **27**
Granard Rd. *SW12* —5B **78**
Granary Rd. *E1* —3D **41**
Granary St. *NW1* —5F **23**
Granby Bldgs. *SE11* —5B **52**
(off Black Prince Rd.)
Granby Pl. SE1 —3C **52**
(off Lwr. Marsh)
Granby St. *E2* —3B **40**
Granby Ter. *NW1* —1E **37**
Grand Av. *EC1* —4D **39**
Grandfield Ct. *W4* —2A **60**
Grandison Rd. *SW11* —3B **78**
Grand Junct. Wharf. *N1*
—1E **39**
Grand Pde. *N4* —1D **11**
Grand Pde. M. *SW15* —4A **76**
Grand Union Cen. W10 —3F **33**
(off West Row)
Grand Union Cres. *E8* —4C **26**
Grand Union Wlk. NW1
—4D **23**
(off Kentish Town Rd.)
Grand Wlk. *E1* —3A **42**
Granfield St. *SW11* —4F **63**
Grange Ct. *E8* —4B **26**
Grange Ct. *WC2* —5B **38**
Grangecourt Rd. *N16* —3A **12**
Grange Gdns. *NW3* —5D **7**
Grange Gro. *N1* —3E **25**
Grange Ho. *SE1* —4B **54**
Grange La. *SE21* —2B **96**
Grange Lodge. *SW19* —5F **89**
Grangemill Rd. *SE6* —3C **98**
Grangemill Way. *SE6* —2C **98**
Grange Pk. *E10* —4D **15**
Grange Pk. Rd. *E10* —3D **15**
Grange Pl. *NW6* —4C **20**
Grange Rd. *E10* —3C **14**
Grange Rd. *E13* —2B **44**
Grange Rd. *E17* —1A **14**
Grange Rd. *N6* —1C **8**
Grange Rd. *NW10* —3D **19**
Grange Rd. *SE1* —4A **54**
Grange Rd. *SW13* —4C **60**
Grange St. *N1* —5F **25**
Grange, The. E17 —1B **14**
(off Lynmouth Rd.)
Grange, The. *SE1* —4B **54**
Grange, The. *SW19* —5F **89**
Grange Wlk. *SE1* —4A **54**
Grange Wlk. M. SE1 —4A **54**
(off Grange Wlk.)
Grange Way. *NW6* —4C **20**
Grangewood St. *E6* —5F **31**
Grange Yd. *SE1* —4B **54**
Granleigh Rd. *E11* —4A **16**
Gransden Av. *E8* —4D **27**
Gransden Ho. *SE8* —1B **70**
Gransden Rd. *W12* —3B **46**

Grantbridge St. *N1* —1D **39**
Grantham Pl. *W1* —2D **51**
Grantham Rd. *SW9* —5A **66**
Grantham Rd. *W4* —3A **60**
Grantley St. *E1* —2F **41**
Grant Rd. *SW11* —2F **77**
Grants Quay Wharf. *EC3*
—1F **53**
Grant St. *E13* —2C **44**
Grant St. *N1* —1C **38**
Grantully Rd. *W9* —2D **35**
Granville Arc. *SW9* —2C **80**
Granville Ct. *N1* —5A **26**
Granville Ct. SE14 —3A **70**
(off Nynehead St.)
Granville Gro. *SE13* —1E **85**
Granville Pk. *SE13* —1E **85**
Granville Pl. *SW6* —3D **63**
Granville Pl. *W1* —5C **36**
Granville Point. *NW2* —4B **6**
Granville Rd. *E17* —1D **15**
Granville Rd. *N4* —1B **10**
Granville Rd. *NW2* —4B **6**
Granville Rd. *NW6* —1C **34**
(in two parts)
Granville Rd. *SW18* —5B **76**
Granville Sq. *SE15* —3A **68**
Granville Sq. *WC1* —2B **38**
Granville St. *WC1* —2B **38**
Grape St. *WC2* —5A **38**
Graphite Sq. *SE11* —1B **66**
Grasmere Av. *SW15* —4A **88**
Grasmere Ct. *SE26* —5C **96**
Grasmere Ct. *SW13* —2C **60**
Grasmere Point. SE15 —3E **69**
(off Old Kent Rd.)
Grasmere Rd. *E13* —1C **44**
Grasmere Rd. *SW16* —5B **94**
Grassmount. *SE23* —2D **97**
Grately Way. *SE15* —3D **68**
Gratton Rd. *W14* —4A **48**
Gratton Ter. *NW2* —5F **5**
Gravel La. *E1* —5B **40**
Gravenel Gdns. SW17 —5A **92**
(off Nutwell St.)
Graveney Rd. *SW17* —4A **92**
Gravesend Rd. *W12* —1C **46**
Grayling Clo. *E16* —3A **44**
Grayling Rd. *N16* —4F **11**
Grayling Sq. E2 —2C **40**
(off Nelson Gdns.)
Grayshott Rd. *SW11* —5C **64**
Gray's Inn Pl. *WC1* —4B **38**
Gray's Inn Rd. *WC1* —2A **38**
Gray's Inn Sq. *WC1* —4B **38**
Grayson Ho. EC1 —2E **39**
(off Pleydell Est.)
Gray St. *SE1* —3C **52**
Gray's Yd. W1 —5C **36**
(off James St.)
Grazebrook Rd. *N16* —4F **11**
Grazeley Ct. *SE19* —5A **96**
Gt. Acre Ct. *SW4* —2F **79**
Gt. Arthur Ho. EC1 —3E **39**
(off Golden La. Est.)
Gt. Bell All. *EC2* —5F **39**
Gt. Brownings. *SE21* —4B **96**
Gt. Castle St. *W1* —5D **37**

Gt. Central St. *NW1* —4B **36**
Gt. Central Way. *Wemb*
—1A **18**
Gt. Chapel St. *W1* —5F **37**
Gt. Chertsey Rd. *W4* —4A **60**
Gt. Church La. *W6* —5F **47**
Gt. College St. *SW1* —4A **52**
Gt. Cross Av. *SE10* —3A **72**
Gt. Cumberland M. *W1*
—5B **36**
Gt. Cumberland Pl. *W1*
—5B **36**
Gt. Dover St. *SE1* —3E **53**
Gt. Eastern Bldgs. E1 —4C **40**
(off Fieldgate St.)
Gt. Eastern Enterprise Cen. *E14*
—3D **57**
Gt. Eastern Rd. *E15* —4F **29**
Gt. Eastern St. *EC2* —2A **40**
Gt. Eastern Wlk. *EC2* —4A **40**
Greatfield Clo. *N19* —1E **23**
Greatfield Clo. *SE13* —2C **84**
Gt. George St. *SW1* —3F **51**
Gt. Guildford St. *SE1* —2E **53**
Greatham Wlk. *SW15* —1C **88**
Gt. James St. *WC1* —4B **38**
Gt. Marlborough St. *W1*
—5E **37**
Gt. Maze Pond. *SE1* —3F **53**
(in two parts)
Gt. Newport St. *WC2* —1A **52**
Gt. New St. *EC4* —5C **38**
Gt. North Rd. *N2* —1B **8**
Greatorex Ho. *E1* —4C **40**
(off Greatorex St.)
Greatorex St. *E1* —4C **40**
Gt. Ormond St. *WC1* —4A **38**
Gt. Percy St. *WC1* —2B **38**
Gt. Peter St. *SW1* —4F **51**
Gt. Portland St. *W1* —3D **37**
Gt. Pulteney St. *W1* —1E **51**
Gt. Queen St. *WC2* —5A **38**
Gt. Russell St. *WC1* —5B **38**
Gt. St Helen's. *EC3* —5A **40**
Gt. St Thomas Apostle. *EC4*
—1E **53**
Gt. Scotland Yd. *SW1* —2A **52**
Gt. Smith St. *SW1* —4F **51**
Gt. Spilmans. *SE22* —3A **82**
Gt. Suffolk St. *SE1* —2D **53**
Gt. Sutton St. *EC1* —3D **39**
Gt. Swan All. *EC2* —5F **39**
Gt. Titchfield St. *W1* —4D **37**
Gt. Tower St. *EC3* —1A **54**
Gt. Trinity La. *EC4* —1E **53**
Gt. Turnstile. *WC1* —4B **38**
Gt. Western Rd. *W9, W11 &*
W2 —4B **34**
Gt. West Rd. *W4 & W6*
—1B **60**
Gt. Winchester St. *EC2* —5F **39**
Gt. Windmill St. *W1* —1F **51**
Great Yd. SE1 —3A **54**
(off Crucifix La.)
Greaves Pl. *SW17* —4A **92**
Greaves Tower. SW10 —3E **63**
(off Worlds End Est.)
Grebe Clo. *E7* —2B **30**

Grebe Ct. *SE8* —2B **70**
(off Dorking Clo.)
Grecian Cres. *SE19* —5D **95**
Greek Ct. *W1* —5F **37**
Greek St. *W1* —5F **37**
Greenacre Sq. *SE16* —3F **55**
Green Arbour Ct. EC1 —5D **39**
(off Old Bailey)
Greenaway Gdns. *NW3*
—1D **21**
Green Bank. *E1* —2D **55**
Greenbay Rd. *SE7* —3F **73**
Greenberry St. *NW8* —1A **36**
Green Clo. *NW11* —2E **7**
Greencoat Pl. *SW1* —5E **51**
Greencoat Row. *SW1* —4E **51**
Greencrest Pl. *NW2* —5C **4**
Greencroft Clo. *E6* —4F **45**
Greencroft Gdns. *NW6*
—4D **21**
Green Dale. *SE5* —2F **81**
Green Dale. *SE22* —3A **82**
Green Dale Clo. *SE22* —3A **82**
Green Dragon Ct. SE1 —2F **53**
(off Bedale St.)
Green Dragon Yd. E1 —4C **40**
Greenend Rd. *W4* —3A **46**
Greener Ho. *SW4* —1F **79**
(off Comber Gro.)
Greenfell Ho. SE5 —3E **67**
(off Comber Gro.)
Greenfell St. *SE10* —4A **58**
Greenfield Gdns. *NW2* —4A **4**
Greenfield Rd. *E1* —4C **40**
Greenfield Rd. *N15* —1A **12**
Greengate Lodge. E13 —1D **45**
(off Hollybush St.)
Greengate St. *E13* —1D **45**
Greenham Clo. *SE1* —3C **52**
Greenhill. *NW3* —1F **21**
Greenhill Gro. *E12* —1F **31**
Greenhill Pk. *NW10* —5A **18**
Greenhill Rd. *NW10* —5A **18**
Greenhill's Rents. *EC1* —4E **39**
Greenhills Ter. *N1* —3F **25**
Green Hundred Rd. *SE15*
—2C **68**
Greenhurst Rd. *SE27* —5C **94**
Greenland M. *SE8* —1F **69**
Greenland Pl. *NW1* —5D **23**
Greenland Quay. *SE16* —5A **56**
Greenland Rd. *NW1* —5D **23**
Greenland Rd. *NW1* —5D **23**
Green La. *NW4* —1F **5**
Green Lanes. *N8 & N4*
—1D **11**
Greenleaf Clo. *SW2* —5C **80**
Greenleaf Rd. *E6* —5E **31**
Green Man Roundabout.
(Junct.) —2B **16**
Greenman St. *N1* —4E **25**
Greenoak Way. *SW19* —4F **89**
Green Point. *E15* —3A **30**
Green's Ct. W1 —1F **51**
(off Brewer St.)
Greenshields Ind. Est. *E16*
—3C **58**
Greenside Clo. *SE6* —2F **99**
Greenside Rd. *W12* —4C **46**

Greenstead Gdns. *SW15*
—3D **75**
Greenstone M. *E11* —1C **16**
Green St. *E7 & E13* —3D **31**
Green St. *W1* —1C **50**
Green Ter. *EC1* —2C **38**
Green, The. *E11* —1D **17**
Green, The. *E15* —3B **30**
Green, The. *SW19* —5F **89**
Green, The. *W3* —5A **32**
Green, The. *Brom* —3C **100**
(in two parts)
Green Wlk. *SE1* —4A **54**
Green Way. *SE9* —3F **87**
Greenway Clo. *N4* —4E **11**
Greenwell St. *W1* —3D **37**
Greenwich Chu. St. *SE10*
—2E **71**
Greenwich Cres. *E6* —4F **45**
Greenwich High Rd. *SE10*
—4D **71**
Greenwich Mkt. *SE10* —2E **71**
Greenwich Pk. St. *SE10*
—2F **71**
Greenwich S. St. *SE10*
—4D **71**
Greenwich View Pl. E14
—4D **57**
Greenwood Ct. SW1 —1E **65**
(off Cambridge St.)
Greenwood Ho. *SE4* —2F **83**
Greenwood Pl. *NW5* —2D **23**
Greenwood Rd. *E8* —3C **26**
Greenwood Rd. *E13* —1C **44**
Greenwood Ter. *NW10* —5A **18**
Green Yd., The. EC3 —5A **40**
(off Leadenhall St.)
Greet Ho. SE1 —3C **52**
(off Frazier St.)
Greet St. *SE1* —2C **52**
Greg Clo. *E10* —1E **15**
Gregor M. *SE3* —3C **72**
Gregory Cres. *SE9* —5F **87**
Gregory Pl. *W8* —3D **49**
Greig Ter. *SE17* —2D **67**
Grenada Rd. *SE7* —3E **73**
Grenade St. *E14* —1B **56**
Grendon St. *NW8* —3A **36**
Grenfell Ho. *SE5* —3E **67**
Grenfell Rd. *W11* —1F **47**
Grenfell Tower. *W11* —1F **47**
Grenfell Wlk. *W11* —1F **47**
Grenville M. SW7 —5E **49**
(off Harrington Gdns.)
Grenville Pl. *SW7* —4E **49**
Grenville Rd. *N19* —3A **10**
Grenville St. *WC1* —3A **38**
Gresham Gdns. *NW11* —3A **6**
Gresham Lodge. *E17* —1D **15**
Gresham Rd. *E16* —5D **45**
Gresham Rd. *NW10* —2A **18**
Gresham Rd. *SW9* —1C **80**
Gresham St. *EC2* —5E **39**
Gresham Way. *SW19* —3D **91**
Gresley Clo. *E17* —1A **14**
Gresley Rd. *N19* —3B **10**
Gressenhall Rd. *SW18* —4B **76**
Gresse St. *W1* —5F **37**

Greswell St. SW6 —4F 61
Greville Lodge. E13 —5D 31
Greville M. NW6 —5D 21
(off Greville Rd.)
Greville Pl. NW6 —1D 35
Greville Rd. NW6 —1D 35
Greville St. EC1 —4C 38
(in two parts)
Grey Clo. NW11 —1E 7
Greycoat Gdns. SW1 —4F 51
(off Greycoat St.)
Greycoat Pl. SW1 —4F 51
Greycoat St. SW1 —4F 51
Greycot Rd. Beck —5C 98
Grey Eagle St. E1 —3B 40
Greyfriars. SE26 —3C 96
(off Wells Pk. Rd.)
Greyfriars Pas. EC1 —5D 39
Greyhound La. SW16 —5A 94
Greyhound Mans. W6 —2A 62
(off Greyhound Rd.)
Greyhound Rd. NW10 —2D 33
Greyhound Rd. W6 & W14
—2F 61
Grey Ho. W12 —1D 47
(off White City Est.)
Greyladies Gdns. SE10
—5E 71
Greystead Rd. SE23 —5E 83
Greystoke Pl. EC4 —5C 38
Greystone Path. E11 —2B 16
(off Mornington Rd.)
Greyswood St. SW16 —5D 93
Grey Turner Ho. W12 —5C 32
Grierson Rd. SE23 —5F 83
Griffin Clo. NW10 —2D 19
Griffin Ct. W4 —1B 60
Grigg's Pl. SE1 —4A 54
(off Grange Rd.)
Griggs Rd. E10 —1E 15
Grimsby St. E2 —3B 40
Grimsel Path. SE5 —3D 67
Grimshaw Clo. N6 —2C 8
Grimston Rd. SW6 —5B 62
Grimthorpe Ho. EC1 —3C 38
(off Agdon St.)
Grimwade Clo. SE15 —1E 83
Grindal St. SE1 —3C 52
Grinling Pl. SE8 —2C 70
Grinstead Rd. SE8 —1A 70
Grittleton Rd. W9 —3C 34
Grizedale Ter. SE23 —2D 97
Grocer's Hall Ct. EC2 —5F 39
Grocer's Hall Gdns. EC2
—5F 39
Groombridge Rd. E9 —4F 27
Groom Cres. SW18 —5F 77
Groome Ho. SE11 —5B 52
Groomfield Clo. SW17 —4C 92
Groom. Pl. SW1 —4C 50
Grosse Way. SW15 —4D 75
Grosvenor Av. N5 —2E 25
Grosvenor Av. SW14 —1A 74
Grosvenor Cotts. SW1 —5C 50
Grosvenor Ct. E10 —3D 15
Grosvenor Ct. NW6 —5F 19
Grosvenor Cres. SW1 —3C 50

Grosvenor Cres. M. SW1
—3C 50
Grosvenor Est. SW1 —5F 51
Grosvenor Gdns. E6 —2F 45
Grosvenor Gdns. NW2 —2E 19
Grosvenor Gdns. NW11 —1B 6
Grosvenor Gdns. SW1 —4D 51
Grosvenor Gdns. SW14
—1A 74
Grosvenor Gdns. M. E. SW1
(off Beeston Pl.) —4D 51
Grosvenor Gdns. M. N. SW1
(off Ebury St.) —4D 51
Grosvenor Gdns. M. S. SW1
(off Ebury St.) —4D 51
Grosvenor Ga. W1 —1C 50
Grosvenor Hill. SW19 —5A 90
Grosvenor Hill. W1 —1D 51
Grosvenor Pk. SE5 —3E 67
Grosvenor Pk. Rd. E17
—1C 14
Grosvenor Pl. SW1 —3C 50
Grosvenor Rise E. E17 —1D 15
Grosvenor Rd. E6 —5F 31
Grosvenor Rd. E7 —3D 31
Grosvenor Rd. E10 —3E 15
Grosvenor Rd. E11 —1D 17
Grosvenor Rd. SW1 —2D 65
Grosvenor Sq. W1 —1C 50
Grosvenor St. W1 —1D 51
Grosvenor Ter. SE5 —3E 67
Grosvenor Way. E5 —4E 13
Grosvenor Wharf Rd. E14
—5F 57
Grotes Bldgs. SE3 —5A 72
Grote's Pl. SE3 —5A 72
Groton Rd. SW18 —2D 91
Grotto Ct. SE1 —3E 53
Grotto Pas. W1 —4C 36
Grove Clo. SE23 —1A 98
Grove Ct. NW8 —2F 35
(off Grove End Rd.)
Grove Cres. SE5 —5A 68
Grove Cres. E15 —3F 29
Grovedale Rd. N19 —4F 9
Grove Dwellings. E1 —4E 41
Grove End. NW3 —1D 23
Grove End Gdns. NW8 —3F 35
Grove End Rd. NW8 —1F 35
Grove Gdns. E15 —3A 30
Grove Gdns. NW8 —2A 36
Grove Grn. Rd. E11 —5E 15
Grove Hall Ct. NW8 —2F 35
Grovehill Ct. Brom —5B 100
Grove Hill Rd. SE5 —1A 82
Groveland Ct. EC4 —5E 39
(off Bow La.)
Grovelands Clo. SE5 —5A 68
Grovelands Rd. N15 —1C 12
Grove La. SE5 —4F 67
Grove La.Ter. SE5 —5F 67
Grove M. W6 —4E 47
Grove M. W11 —5B 34
Grove Pk. E11 —1D 17
Grove Pk. SE5 —5A 68
Grove Pk. Rd. SE9 —3E 101
Grove Pas. E2 —1D 41

Grove Pl. NW3 —5F 7
Grover Ct. SE13 —5B 57
Grover Ho. SE11 —1B 66
Grove Rd. E3 —5F 27
Grove Rd. E11 —2B 16
Grove Rd. E17 —1D 15
Grove Rd. N15 —1A 12
Grove Rd. NW2 —3E 19
Grove Rd. SW13 —5B 60
Grove St. SE8 —5B 56
Grove Ter. NW5 —5C 8
Grove Ter. M. NW5 —5D 9
Grove, The. E15 —3A 30
Grove, The. N4 —2B 10
Grove, The. N6 —3C 8
Grove, The. N8 —1F 9
Grove, The. NW11 —2A 6
Grove, The. (Junct.) —1C 96
Grove Vale. SE22 —2B 82
Grove Vs. E14 —1F 57
Groveway. SW9 —4B 66
Grummant Rd. SE15 —4B 68
Grundy St. E14 —5D 43
Guardian Ct. SE12 —3A 86
Gubyon Av. SE24 —3D 81
Guerin Sq. E3 —2B 42
Guernsey Gro. SE24 —5E 81
Guernsey Ho. N1 —3E 25
Guernsey Rd. E11 —3F 15
Guernsey Rd. N1 —3E 25
Guest St. EC1 —3E 39
(off Chequer St.)
Guibal Rd. SE12 —5D 87
Guildford Gro. SE10 —4D 71
Guildford Rd. SW8 —4A 66
Guildhall Bldgs. EC2 —5F 39
(off Basinghall St.)
Guildhall Yd. EC2 —5E 39
Guildhouse St. SW1 —5E 51
Guild Rd. SE7 —1F 73
Guilford Pl. WC1 —3B 38
Guilford St. WC1 —3A 38
Guillemot Ct. SE8 —2B 70
Guilsborough Clo. NW10
—4A 18
Guinness Clo. E9 —4A 28
Guinness Ct. E1 —5B 40
(off Mansell St.)
Guinness Ct. EC1 —2E 39
(off Lever St.)
Guinness Ct. NW8 —5A 22
Guinness Ct. SE1 —3A 54
(off Snowsfields)
Guinness Ct. SW3 —5B 50
Guinness Ct. SW10 —3E 63
Guinness Sq. SE1 —5A 54
Guinness Trust Bldgs. SE17
—1D 67
Guinness Trust Bldgs. W6
(off Fulham Pal. Rd.) —1F 61
Guinness Trust Est. N16
—3A 12
Guion Rd. SW6 —5B 62
Gulland Wlk. N1 —3E 25
(off Oronsay Wlk.)
Gulliver's Ho. EC1 —3E 39
(off Goswell Rd.)
Gulliver St. SE16 —4A 56

Gulston Wlk. *SW3* —5B **50**
(off Blackland Ter.)
Gunmaker's La. *E3* —5A **28**
Gunnell Clo. *SE26* —4C **96**
Gunners Rd. *SW18* —2F **91**
Gunpowder Sq. *EC4* —5C **38**
(off Gough Sq.)
Gunstor Rd. *N16* —1A **26**
Gun St. *E1* —4B **40**
Gunter Gro. *SW10* —2E **63**
Gunterstone Rd. *W14* —5A **48**
Gunthorpe St. *E1* —4B **40**
Gunton Rd. *E5* —5D **13**
Gunwhale Clo. *SE16* —2F **55**
Gurdon Rd. *SE7* —1C **72**
Gurney Rd. *E15* —2A **30**
Gurney Rd. *E15* —2A **30**
Guthrie St. *SE1* —3C **52**
(off Morley St.)
Guthrie St. *SW3* —1F **63**
Gutter La. *EC2* —5E **39**
Guy Barnett Gro. *SE3* —1C **86**
Guybon Av. *SE24* —3D **81**
Guyscliff Rd. *SE13* —3E **85**
Guy St. *SE1* —3F **53**
Gwalior Rd. *SW15* —1F **75**
Gwendolen Av. *SW15* —2F **75**
Gwendolen Clo. *SW15* —3F **75**
Gwendoline Av. *E13* —5D **31**
Gwendwr Rd. *W14* —1A **62**
Gwyn Clo. *SW6* —3E **63**
Gwynne Pl. *WC1* —2B **38**
Gwynne Rd. *SW11* —5F **63**
Gylcote Clo. *SE5* —2F **81**

Haarlem Rd. *W14* —4F **47**
Haberdasher Est. *N1* —2F **39**
Haberdasher Pl. *N1* —2F **39**
Haberdashers Ct. *SE14*
                        —5F **69**
Haberdasher St. *N1* —2F **39**
Habington Ho. *SE5* —3F **67**
(off Notley St.)
Hackford Rd. *SW9* —4B **66**
Hackford Wlk. *SW9* —4B **66**
Hackington Cres. *Beck* —5C **98**
Hackney Gro. *E8* —3D **27**
Hackney Rd. *E2* —2B **40**
Hackney Wick. (Junct.)
                        —3A **28**
Haddington Rd. *Brom* —3F **99**
Haddon Ct. *W3* —1B **46**
Haddo St. *SE10* —2E **71**
Haden Ct. *N4* —4C **10**
Hadfield Ho. *E1* —5C **40**
(off Ellen St.)
Hadleigh Clo. *E1* —3E **41**
Hadleigh St. *E2* —2E **41**
Hadley Ct. *N16* —3C **12**
Hadley Gdns. *W4* —1A **60**
Hadley St. *NW1* —3D **23**
Hadrian Est. *E2* —1C **40**
Hadrian St. *SE10* —1A **72**
Hadyn Pk. Ct. *W12* —3C **46**
(off Curwen Rd.)
Hadyn Pk. Rd. *W12* —3C **46**

Hafer Rd. *SW11* —2B **78**
Hafton Rd. *SE6* —1A **100**
Haggerston Rd. *E8 & E2*
                        —4B **26**
Hague St. *E2* —2C **40**
Haig Rd. E. *E13* —2E **45**
Haig Rd. W. *E13* —2E **45**
Hailes Clo. *SW19* —5E **91**
Hailsham Av. *SW2* —2B **94**
Haimo Rd. *SE9* —3F **87**
Hainault Rd. *E11* —3E **15**
Haines St. *SW8* —3E **65**
Hainford Clo. *SE4* —2F **83**
Hainthorpe Rd. *SE27* —3D **95**
Hainton Clo. *E1* —5D **41**
Hainton Pl. *E1* —5D **41**
Halberd M. *E5* —4D **13**
Halcomb St. *N1* —5A **26**
Halcrow St. *E1* —4D **41**
Haldane Pl. *SW18* —1D **91**
Haldane Rd. *E6* —2F **45**
Haldane Rd. *SW6* —3B **62**
Haldon Rd. *SW18* —4B **76**
Hale Path. *SE27* —4D **95**
Hale Rd. *E6* —3F **45**
Hales St. *SE8* —3C **70**
Hale St. *E14* —1D **57**
Halesworth Clo. *E5* —4E **13**
Halesworth Rd. *SE13* —1D **85**
Haley Rd. *NW4* —1E **5**
Half Moon Ct. *EC1* —4E **39**
(off Bartholomew Clo.)
Half Moon Cres. *N1* —1B **38**
Half Moon La. *SE24* —4E **81**
Half Moon Pas. *E1* —5B **40**
Half Moon St. *W1* —2D **51**
Halford Rd. *E10* —1F **15**
Halford Rd. *SW6* —2C **62**
Haliday Ho. *N1* —3F **25**
(off Mildmay St.)
Haliday Wlk. *N1* —3F **25**
Halidon Clo. *E9* —2E **27**
Halifax St. *SE26* —3D **97**
Halkin Arc. *SW1* —4B **50**
Halkin M. *SW1* —4C **50**
Halkin Pl. *SW1* —4C **50**
Halkin St. *SW1* —3C **50**
Hallam M. *W1* —4D **37**
Hallam St. *SW13* —1D **75**
Hallam St. *W1* —4D **37**
Hallane Ho. *SE27* —5E **95**
Hall Dri. *SE26* —5E **97**
Halley Gdns. *SE13* —2F **85**
Halley Pl. *E14* —4A **42**
Halley Rd. *E7 & E12* —3E **31**
Halley St. *E14* —4A **42**
Hallfield Est. *W2* —5E **35**
Hall Ga. *NW8* —2F **35**
Halliford St. *N1* —4E **25**
Halliwell Ct. *SE22* —3C **82**
Halliwell Rd. *SW2* —4B **80**
Hall Oak Wlk. *NW6* —3B **20**
Hall Pl. *W2* —3F **35**
Hall Rd. *E15* —1F **29**
Hall Rd. *NW8* —2E **35**
Hall St. *EC1* —2D **39**
Hallsville Rd. *E16* —5B **44**
Hallswelle Rd. *NW11* —1B **6**

Hall, The. *SE3* —1C **86**
Hall Tower. *W2* —2F **35**
(off Hall Pl.)
Hall View. *SE9* —2F **101**
Halpin Pl. *SE17* —5F **53**
Halsbrook Rd. *SE3* —1F **87**
Halsbury Rd. *W12* —2D **47**
Halsey M. *SW3* —5B **50**
Halsey St. *SW3* —5B **50**
Halsmere Rd. *SE5* —4D **67**
Halstead Ct. *N1* —1F **39**
(off Fairbank Est.)
Halstead Rd. *E11* —1C **16**
Halston Clo. *SW11* —4B **78**
Halstow Rd. *NW10* —2F **33**
Halstow Rd. *SE10* —1C **72**
Halton Cross St. *N1* —5D **25**
Halton Mans. *N1* —4D **25**
Halton Rd. *N1* —4D **25**
Hambalt Rd. *SW4* —3E **79**
Hambleden Ct. *SE22* —2A **82**
Hambleden Pl. *SE21* —1A **96**
Hambledon Rd. *SW18* —5B **76**
Hamble St. *SW6* —1D **77**
Hambridge Way. *SW2* —5C **80**
Hambro Rd. *SW16* —5F **93**
Hambury Ho. *SW8* —3A **66**
(off Rite Rd.)
Hamfrith Rd. *E15* —3B **30**
Hamilton Bldgs. *EC2* —3A **40**
(off Gt. Eastern St.)
Hamilton Clo. *NW8* —2F **35**
Hamilton Clo. *SE16* —3A **56**
Hamilton Clo. *SW15* —1A **76**
Hamilton Ct. *W9* —2E **35**
(off Maida Vale)
Hamilton Gdns. *NW8* —2E **35**
Hamilton Ho. *NW8* —2F **35**
(off Hall Rd.)
Hamilton Ho. *W4* —2A **60**
Hamilton La. *N5* —1D **25**
Hamilton M. *W1* —3D **51**
Hamilton Pk. *N5* —1D **25**
Hamilton Pk. W. *N5* —1D **25**
Hamilton Pl. *W1* —2C **50**
Hamilton Rd. *E15* —2A **44**
Hamilton Rd. *NW10* —2C **18**
Hamilton Rd. *NW11* —2F **5**
Hamilton Rd. *SE27* —4F **95**
Hamilton Rd. *W4* —3A **46**
Hamilton Rd. Ind. Est. *SE27*
                        —4F **95**
Hamilton Sq. *SE1* —3F **53**
(off Kipling St.)
Hamilton St. *SE8* —2C **70**
Hamilton Ter. *NW8* —1D **35**
Hamlea Clo. *SE12* —3C **86**
Hamlet Clo. *SE13* —2A **86**
Hamlet Ct. *SE11* —1D **67**
(off Opal St.)
Hamlet Ct. *W6* —5C **46**
Hamlet Gdns. *W6* —5C **46**
Hamlet Ind. Est. *E9* —4C **28**
Hamlet Sq. *NW2* —5A **6**
Hamlets Way. *E3* —3B **42**
Hamlet, The. *SE5* —1F **81**
Hamlet Way. *SE1* —3F **53**
Hammelton Grn. *SW9* —4D **67**

Hammersmith Bri. SW13 & W6 —2D 61
Hammersmith Bri. Rd. W6 (in two parts) —1D 61
Hammersmith B'way. W6 —5E 47
Hammersmith Broadway. (Junct.) —5E 47
Hammersmith Broadway. (off Hammersmith B'way.)
Hammersmith Flyover. W6 —1E 61
Hammersmith Flyover. (Junct.) —1E 61
Hammersmith Gro. W6 —3E 47
Hammersmith Ind. Est. W6 —2E 61
Hammersmith Rd. W6 & W14 —5F 47
Hammersmith Ter. W6 —1C 60
Hammett St. EC3 —1B 54
Hammond Ct. E10 —4D 15
Hammond Ho. SE14 —3E 69 (off Lubbock St.)
Hammond St. NW5 —3E 23
Hamond Sq. N1 —1A 40 (off Hoxton St.)
Ham Pk. Rd. E15 & E7 —4B 30
Hampden Clo. NW1 —1F 37
Hampden Gurney St. W1 —5B 36
Hampden Ho. SW9 —5C 66
Hampden N19 —4F 9
Hampshire Hog La. W6 —5D 47
Hampshire St. NW5 —3F 23
Hampson Way. SW8 —4B 66
Hampstead Gdns. NW11 —1C 6
Hampstead Grn. NW3 —2A 22
Hampstead Gro. NW3 —5E 7
Hampstead High St. NW3 —1F 21
Hampstead Hill Gdns. NW3 —1F 21
Hampstead La. NW3 & N6 —3F 7
Hampstead Rd. NW1 —1E 37
Hampstead Sq. NW3 —5E 7
Hampstead Wlk. E3 —5B 28
Hampstead Way. NW11 —1B 6
Hampstead W. NW6 —3C 20 (off Iverson Rd.)
Hampton Clo. NW6 —2C 34
Hampton Ct. N1 —3D 25
Hampton Ho. E7 —2D 31
Hampton Rd. E11 —3F 15
Hampton St. SE17 & SE1 —5D 53
Hamsworth M. SE11 —4D 53
Ham Yd. W1 —1F 51
Hanameel St. E16 —2C 58
Hanbury Ho. E1 —4C 40 (off Hanbury St.)
Hanbury M. N1 —5E 25
Hanbury St. E1 —4B 40
Hancock E3 —2E 43

Hancock Rd. SE19 —5F 95
Handa Wlk. N1 —3F 25
Hand Ct. WC1 —4B 38
Handel Mans. SW13 —3E 61
Handel Pl. NW10 —3A 18
Handel St. WC1 —3A 38
Handen Rd. SE12 —3A 86
Handforth Rd. SW9 —3C 66
Handley Rd. E9 —5E 27
Hands Wlk. E16 —5C 44
Hanford Clo. SW18 —1C 90
Hanford St. SW19 —5E 89
Hanging Sword All. EC4 —5C 38 (off Hood Ct.)
Hankey Pl. SE1 —3F 53
Hanley Gdns. N4 —3B 10
Hanley Rd. N4 —3A 10
Hanmer Wlk. N7 —4B 10
Hannah Barlow Ho. SW8 —4A 66
Hannah Mary Way. SE1 —5C 42
Hannay La. N8 —2F 9
Hannay Wlk. SW16 —2F 93
Hannell Rd. SW6 —3A 62
Hannen Rd. SE27 —3D 95
Hannibal Rd. E1 —4E 41
Hannington Point. E9 —3B 28 (off Eastway)
Hannington Rd. SW4 —1D 79
Hanover Av. E16 —2C 58
Hanover Ct. SW15 —2B 74
Hanover Ct. W12 —2C 46 (off Uxbridge Rd.)
Hanover Flats. W1 —1C 50 (off Binney St.)
Hanover Gdns. SE11 —2C 66
Hanover Ga. NW1 —2A 36
Hanover Ho. NW8 —1A 36 (off St John's Wood High St.)
Hanover Ho. SW9 —1C 80
Hanover Mead. NW11 —1A 6
Hanover Pk. SE15 —4C 68
Hanover Pl. WC2 —5A 38
Hanover Rd. NW10 —4E 19
Hanover Sq. W1 —5D 37
Hanover Steps. W2 —5A 36 (off St George's Fields)
Hanover St. W1 —5D 37
Hanover Ter. NW1 —2A 36
Hanover Ter. M. NW1 —2A 36
Hanover Trad. Est. N7 —2A 24
Hanover Yd. N1 —1E 39 (off Noel Rd.)
Hansard M. W14 —3F 47
Hans Cres. SW1 —4B 50
Hansler Rd. SE22 —3B 82
Hanson Clo. SW12 —5D 79
Hanson Ct. E17 —1D 15
Hanson St. W1 —4E 37
Hans Pl. SW1 —4B 50
Hans Rd. SW3 —4B 50
Hans St. SW1 —4B 50
Hanway Pl. W1 —5F 37
Hanway St. W1 —5F 37
Hanworth Ho. SE5 —3D 67
Harad's Pl. E1 —1C 54
Harben Rd. NW6 —4E 21

Harberson Rd. E15 —5B 30
Harberson Rd. SW12 —1D 93
Harberton Rd. N19 —3E 9
Harbet Rd. W2 —4F 35
Harbinger Rd. E14 —5D 57
Harbledown Rd. SW6 —4C 62
Harbord Clo. SE5 —5F 67
Harbord St. SW6 —4F 61
Harborough Rd. SW16 —4B 94
Harbour Av. SW10 —4E 63
Harbour Exchange Sq. E14 —3D 57
Harbour Quay. E14 —2E 57
Harbour Rd. SE5 —1E 81
Harbour Yd. SW10 —4E 63
Harbridge Av. SW15 —5B 74
Harbut Rd. SW11 —2F 77
Harcombe Rd. N16 —5A 12
Harcourt Bldgs. EC4 —1C 52 (off Temple)
Harcourt Rd. E15 —1B 44
Harcourt Rd. SE4 —1B 84
Harcourt St. W1 —4A 36
Harcourt Ter. SW10 —1D 63
Hardel Rise. SW2 —1D 95
Hardel Wlk. SW2 —5C 80
Harden Ho. SE5 —5A 68
Harden's Mnr. Way. SE7 —4F 59
Harders Rd. SE15 —5D 69
Hardess St. SE24 —1E 81
Harding Clo. SE17 —2E 67
Hardinge La. E1 —5E 41
Hardinge Rd. NW10 —5D 19
Hardinge St. E1 —5E 41
Hardman Rd. SE7 —1D 73
Hardwicke M. WC1 —2B 38 (off Lloyd Baker M.)
Hardwick St. EC1 —2C 38
Hardwicks Way. SW18 —3C 76
Hardwidge St. SE1 —3A 54
Hardy Av. E16 —2C 58
Hardy Clo. SE16 —3F 55
Hardy Cotts. SE10 —2F 71
Hardy Ho. SW4 —5E 79
Hardy Rd. SE3 —2B 72
Hare & Billet Rd. SE3 —4F 71
Hare Ct. EC4 —5C 38
Harecourt Rd. N1 —3E 25
Haredale Rd. SE24 —2E 81
Haredon Clo. SE23 —5F 83
Harefield M. SE4 —1B 84
Harefield Rd. SE4 —1B 84
Hare Marsh. E2 —3C 40
Hare Pl. EC4 —5C 38 (off Pleydell St.)
Hare Row. E2 —1D 41
Hare Wlk. N1 —1A 40
Harewood Av. NW1 —3A 36
Harewood Pl. W1 —5D 37
Harewood Row. NW1 —4A 36
Harfield Gdns. SE5 —1A 82
Harfleur Ct. SE11 —5D 53 (off Opal St.)
Harford Ho. W11 —4B 34
Harford St. E1 —3A 42
Hargood Rd. SE3 —4E 73

Hargrave Mans. *N19* —4F **9**
Hargrave Pk. *N19* —4E **9**
Hargrave Pl. *N7* —2F **23**
Hargrave Rd. *N19* —4E **9**
Hargraves Ho. *W12* —1D **47**
(off White City Est.)
Hargwyne St. *SW9* —1B **80**
Haringey Pk. *N8* —1A **10**
Harkness Ho. *E1* —5C **40**
(off Christian St.)
Harland Rd. *SE12* —1C **100**
Harlequin Ct. *NW10* —3A **18**
(off Mitchellbrook Way)
Harlescott Rd. *SE15* —2F **83**
Harlesden Gdns. *NW10*
—5B **18**
Harlesden La. *NW10* —5C **18**
Harlesden Plaza. *NW10*
—1B **32**
Harlesden Rd. *NW10* —5C **18**
Harleston Clo. *E5* —4E **13**
Harley Ct. *E11* —2C **16**
Harleyford Ct. *SW8* —2B **66**
(off Harleyford Rd.)
Harleyford Rd. *SE11* —2B **66**
Harleyford St. *SE11* —2C **66**
Harley Gdns. *SW10* —1E **63**
Harley Gro. *E3* —2B **42**
Harley Ho. *E11* —2F **15**
Harley Ho. *NW1* —3C **36**
(off Marylebone Rd.)
Harley Pl. *W1* —4D **37**
Harley Rd. *NW3* —4F **21**
Harley Rd. *NW10* —1A **32**
Harley St. *W1* —3D **37**
Harlinger St. *SE18* —4F **59**
Harlowe Clo. *E8* —5C **26**
Harman Clo. *NW2* —5A **6**
Harman Clo. *SE1* —1C **68**
Harman Dri. *NW2* —5A **6**
Harmon Ho. *SE8* —5B **56**
Harmony Clo. *NW11* —1A **6**
Harmood Gro. *NW1* —4D **23**
Harmood Ho. *NW1* —4D **23**
Harmood St. *NW1* —3D **23**
Harmsworth M. *SE11* —4D **53**
Harmsworth St. *SE17* —2D **67**
Harold Est. *SE1* —4A **54**
Harold Pl. *SE11* —1C **66**
Harold Rd. *E11* —3A **16**
Harold Rd. *E13* —5D **31**
Haroldstone Rd. *E17* —1F **13**
Harold Wilson Ho. *SW6*
(off Clem Attlee Ct.) —2B **62**
Harp All. *EC4* —5D **39**
Harp Bus. Cen. *NW2* —4C **4**
(off Apsley Way)
Harpenden Rd. *E12* —4E **17**
Harpenden Rd. *SE27* —3D **95**
Harpenmead Point. *NW2*
—4B **6**
Harper Ho. *SW9* —1D **81**
Harper Rd. *SE1* —4E **53**
Harp Island Clo. *NW10* —4A **4**
Harp La. *EC3* —1A **54**
Harpley Sq. *E1* —3F **41**
Harpsden St. *SW11* —4C **64**
Harpur M. *WC1* —4B **38**

Harpur Rd. *WC1* —4B **38**
Harraden Rd. *SE3* —4E **73**
Harriet Clo. *E8* —5C **26**
Harriet St. *SW1* —3B **50**
Harriet Tubman Clo. *SW2*
—5B **80**
Harriet Wlk. *SW1* —3B **50**
Harringtons Gdns. *SW7* —5D **49**
Harrington Hill. *E5* —3D **13**
Harrington Rd. *E11* —3A **16**
Harrington Rd. *SW7* —5F **49**
Harrington Sq. *NW1* —1E **37**
Harrington St. *NW1* —1E **37**
Harrington Way. *SE18* —4F **59**
Harriott Clo. *SE10* —5B **58**
Harris Bldgs. *E1* —5C **40**
(off Burslem St.)
Harris Ho. *SW9* —1C **80**
(off St James's Cres.)
Harrison Ho. *SW12* —5F **79**
Harrison St. *WC1* —2A **38**
Harris St. *E17* —2B **14**
Harris St. *SE5* —3F **67**
Harrogate Ct. *SE12* —5C **86**
Harrogate Ct. *SE26* —3C **96**
(off Droitwich Clo.)
Harroway Rd. *SW11* —5F **63**
Harrowby St. *W1* —5A **36**
Harrowgate Ho. *E9* —3F **27**
Harrowgate Rd. *E9* —3A **28**
Harrow Grn. *E11* —5A **16**
Harrow La. *E14* —1E **57**
Harrow Pl. *E1* —5A **40**
Harrow Rd. *E6* —5F **31**
Harrow Rd. *E11* —5A **16**
Harrow Rd. *NW10* —2C **32**
Harrow Rd. *W2* —4D **35**
Harrow Rd. *W10 & W9*
—3F **33**
Harrow Rd. Bri. *W2* —4E **35**
Harry Lambourn Ho. *SE15*
(off Gervase St.) —3D **69**
Hartfield Ter. *E3* —1C **42**
Hartham Clo. *N7* —2A **24**
Hartham Rd. *N7* —2A **24**
Harting Rd. *SE9* —3F **101**
Hartington Ct. *SW8* —4A **66**
Hartington Rd. *E16* —5D **45**
Hartington Rd. *E17* —1A **14**
Hartington Rd. *SW8* —4A **66**
Hartismere Rd. *SW6* —3B **62**
Hartlake Rd. *E9* —3F **27**
Hartland Rd. *E15* —4B **30**
Hartland Rd. *NW1* —4D **23**
Hartland Rd. *NW6* —1B **34**
Hartley Av. *E6* —5F **31**
Hartley Ho. *SE1* —5B **54**
(off Longfield Est.)
Hartley Rd. *E11* —3B **16**
Hartley St. *E2* —2E **41**
(in two parts)
Hartman Rd. *E16* —2F **59**
Hartnoll St. *N7* —2B **24**
Harton St. *SE8* —4C **70**
Hartop Point. *SW6* —3A **62**
(off Pellant Rd.)
Hartswood All. *EC3* —5A **40**
(off Leadenhall St.)

Hart's La. *SE14* —4A **70**
Hart St. *EC3* —1A **54**
Hartswood Gdns. *W12* —4B **46**
Hartswood Rd. *W12* —3B **46**
Hartsworth Clo. *E13* —1B **44**
Hartwell St. *E8* —3B **26**
Harvard Ct. *NW6* —2D **21**
Harvard Rd. *SE13* —3E **85**
Harvey Ct. *E17* —1C **14**
Harvey Gdns. *E11* —3B **16**
Harvey Gdns. *SE7* —5F **59**
Harvey Ho. *N1* —5F **25**
(off Colville Est.)
Harvey Point. *E16* —4C **44**
(off Fife Rd.)
Harvey Rd. *E11* —3A **16**
Harvey Rd. *SE5* —4F **67**
(in two parts)
Harvey's Bldgs. *WC2* —1A **52**
Harvey St. *N1* —5F **25**
Harvington Wlk. *E8* —4C **26**
Harvist Est. *N7* —1C **24**
Harvist Rd. *NW6* —1F **33**
Harwich La. *EC2* —4A **40**
Harwood Ct. *N1* —5F **25**
(off Colville Est.)
Harwood Rd. *SW6* —3C **62**
Harwood Ter. *SW6* —4D **63**
Haseley End. *SE23* —5E **83**
Haselrigge Rd. *SW4* —2F **79**
Haseltine Rd. *SE26* —4B **98**
Hasker St. *SW3* —5A **50**
Haslam Clo. *N1* —4C **24**
Haslam St. *SE15* —4B **68**
Haslemere Av. *NW4* —1F **5**
Haslemere Rd. *SW18* —2D **91**
Haslemere Rd. *N8* —2F **9**
Hassard St. *E2* —1B **40**
Hassendean Rd. *SE3* —2D **73**
Hassett Rd. *E9* —3F **27**
Hassocks Clo. *SE26* —3D **97**
Hassop Rd. *NW2* —1F **19**
Hassop Wlk. *SE9* —4F **101**
Hasted Rd. *SE7* —1F **73**
Hastings Clo. *SE15* —3C **68**
Hastings Ho. *W12* —1D **47**
(off White City Est.)
Hastings St. *WC1* —2A **38**
Hastlemere Ind. Est. *SW18*
—2D **91**
Hatcham Pk. M. *SE14* —4F **69**
Hatcham Pk. Rd. *SE14*
—4F **69**
Hatcham Rd. *SE15* —2E **69**
Hatchard Rd. *N19* —4F **9**
Hatchcliffe St. *SE10* —1B **72**
Hatchfield Ho. *N15* —1A **12**
(off Albert Rd.)
Hatcliffe Clo. *SE3* —1B **86**
Hatfield Clo. *SE14* —3F **69**
Hatfield Ho. *EC1* —3E **39**
(off Golden La. Est.)
Hatfield Rd. *E15* —2A **30**
Hatfield Rd. *W4* —3A **46**
Hatfields. *SE1* —2C **52**
Hathaway Ho. *N1* —1A **40**
Hatherley Gdns. *E6* —2F **45**
Hatherley Gdns. *N8* —1A **10**

Hatherley Gro. *W2* —5D **35**
Hatherley St. *NW1* —5E **51**
Hathersage Ct. *N1* —2F **25**
Hathorne Clo. *SE15* —5D **69**
Hathway St. *SE15* —5F **69**
Hathway Ter. SE14 —5F *69*
(off Hathway St.)
Hatley Rd. *N4* —4B **10**
Hat & Mitre Ct. EC1 —3D *39*
(off St John St.)
Hatton Pl. *EC1* —4C **38**
Hatton Row. NW8 —3F *35*
(off Hatton St.)
Hatton St. *NW8* —3F **35**
Hatton Wall. *EC1* —4C **38**
Haunch of Venison Yd. *W1* —5D **37**
Havana Rd. *SW19* —2C **90**
Havannah St. *E14* —2C **56**
Havant Way. *SE15* —3B **68**
Havelock Clo. W12 —1D *47*
(off India Way)
Havelock Ho. *SE23* —1E **97**
Havelock Rd. *SW19* —5E **91**
Havelock St. *N1* —5A **24**
Havelock Ter. *SW8* —3D **65**
Havelock Wlk. *SE23* —1E **97**
Haven Clo. *SW19* —3F **89**
Haven M. *E3* —4B **42**
Haven St. *NW1* —4D **23**
Haverfield Rd. *E3* —2A **42**
Haverhill Rd. *SW12* —1E **93**
Havering St. *E1* —5F **41**
Haversham Pl. *N6* —4B **8**
Haverstock Hill. *NW3* —2A **22**
Haverstock Rd. *NW5* —2C **22**
Haverstock St. *N1* —1D **39**
Havil St. *SE5* —3A **68**
Havisham Ho. *SE16* —3C **54**
Hawarden Gro. *SE24* —5E **81**
Hawarden Hill. *NW2* —5C **4**
Hawbridge Rd. *E11* —3F **15**
Hawes St. *N1* —4D **25**
Hawgood St. *E3* —4C **42**
Hawke Pl. *SE16* —3F **55**
Hawke Rd. *SE19* —5F **95**
Hawkesbury Rd. *SW15* —3D **75**
Hawkesfield Rd. *SE23* —2A **98**
Hawke Tower. *SE14* —2A **70**
Hawkins Ho. *SE8* —2C **70**
(off New King St.)
Hawkins Way. *SE6* —5C **98**
Hawkley Gdns. *SE27* —2D **95**
Hawkshaw Clo. *SW2* —1A **94**
Hawkshead Clo. *NW10* —4B **18**
Hawkshead Rd. *W4* —3A **46**
Hawkslade Rd. *SE15* —3F **83**
Hawksley Rd. *N16* —5A **12**
Hawks M. *SE10* —3E **71**
Hawksmoor Clo. *E6* —5F **45**
Hawksmoor M. *E1* —1D **55**
Hawksmoor St. *W6* —2F **61**
Hawkstone Rd. *SE16* —5E **55**
Hawkwell Wlk. N1 —5E *25*
(off Basire St.)

Hawkwood Mt. *E5* —3D **13**
Hawley Cres. *NW1* —4D **23**
Hawley M. *NW1* —4D **23**
Hawley Rd. *NW1* —4D **23**
(in three parts)
Hawley St. *NW1* —4D **23**
Hawstead Rd. *SE6* —4D **85**
Hawthorn Cres. *SW17* —5C **92**
Hawthorne Clo. *N1* —3A **26**
Hawthorn Rd. *NW10* —4C **18**
Hawthorn Wlk. *W10* —3A **34**
Hawtrey Rd. *NW3* —4A **22**
Hay Clo. *E15* —4A **30**
Haycroft Gdns. *NW10* —5C **18**
Haycroft Rd. *SW2* —3A **80**
Hay Currie St. *E14* —5D **43**
Hayday Rd. *E16* —4C **44**
Hayden's Pl. *W11* —5B **34**
Haydon Pk. Rd. *SW19* —5C **90**
Haydons Rd. *SW19* —5D **91**
Haydon St. *EC3* —5B **40**
Haydon Wlk. *E1* —5B **40**
Haydon Way. *SW11* —2F **77**
Hayes Ct. *SW2* —1A **94**
Hayes Cres. *NW11* —1B **6**
Hayes Pl. *NW1* —3A **36**
Hayfield Pas. *E1* —3E **41**
Hayfield Yd. *E1* —3E **41**
Haygarth Pl. *SW19* —5F **89**
Hay Hill. *W1* —1D **51**
Hayles St. *SE11* —5D **53**
Hayling Clo. *N16* —2A **26**
Haymans Point. SE11 —1B *66*
(off Tyers St.)
Hayman St. *N1* —4D **25**
Haymarket. *SW1* —1F **51**
Haymarket Arc. SW1 —1F *51*
(off Haymarket)
Haymerle Rd. *SE15* —2C **68**
Hayne Ho. W11 —2A *48*
(off Penzance Pl.)
Haynes Clo. *SE3* —1A **86**
Hayne St. *EC1* —4D **39**
Hay's Galleria. *SE1* —2A **54**
Hay's La. *SE1* —2A **54**
Hay's M. *W1* —2D **51**
Hay St. *E2* —5C **26**
Hayter Ct. *E11* —4D **17**
Hayter Rd. *SW2* —3A **80**
Hayton Clo. *E8* —3B **26**
Hayward Ct. *SW9* —5A **66**
(off Clapham Rd.)
Hayward Gdns. *SW15* —4E **75**
Hayward's Pl. *EC1* —3D **39**
Haywards Yd. SE4 —3B *84*
(off Lindal Rd.)
Hazelbank Rd. *SE6* —2F **99**
Hazelbourne Rd. *SW12* —4D **79**
Hazel Clo. *N19* —4E **9**
Hazel Clo. *SE15* —5C **68**
Hazeldean Rd. *NW10* —4A **18**
Hazeldon Rd. *SE4* —3A **84**
Hazel Gro. *SE26* —4F **97**
Hazelhurst Ct. SE6 —5E *99*
(off Beckenham Hill Rd.)
Hazelhurst Rd. *SW17* —4E **91**
Hazellville Rd. *N19* —2F **9**

Hazelmere Ct. *SW2* —1B **94**
Hazelmere Rd. *NW6* —5B **20**
Hazel Rd. *E15* —2A **30**
Hazel Rd. *NW10* —2D **33**
(in two parts)
Hazel Way. *SE1* —5B **54**
Hazelwood Ct. *NW10* —5A **4**
Hazelwood Ho. *SE8* —5A **56**
Hazelwood Rd. *E17* —1A **14**
Hazlebury Rd. *SW6* —5D **63**
Hazlewell Rd. *SW15* —3E **75**
Hazlewood Clo. *E5* —5A **14**
Hazlewood Cres. *W10* —3A **34**
Hazlewood Tower. W10
*(off Golborne Gdns.) —3B *34*
Hazlitt M. *W14* —4A **48**
Hazlitt Rd. *W14* —4A **48**
Headbourne Ho. *SE1* —4F **53**
Headcorn Rd. *Brom* —5B **100**
Headfort Pl. *SW1* —3C **50**
Headington Rd. *SW18* —2E **91**
Headlam Rd. *SW4* —4F **79**
Headlam St. *E1* —3D **41**
Headley Ct. *SE26* —5E **97**
Head's M. *W11* —5C **34**
Head St. *E1* —5F **41**
(in two parts)
Heald St. *SE14* —4C **70**
Healey Ho. *SW9* —3C **66**
Healey St. *NW1* —3D **23**
Hearn's Bldgs. SE17 —5F *53*
Hearn St. *EC2* —3A **40**
Hearnville Rd. *SW12* —1C **92**
Heath Brow. *NW3* —5E **7**
Heath Clo. *NW11* —2D **7**
Heathcote St. *WC1* —3B **38**
Heathcroft. *NW11* —2D **7**
Heath Dri. *NW3* —1D **21**
Heathedge. *SE26* —2D **97**
Heather Clo. *SE13* —5F **85**
Heather Clo. *SW8* —1D **79**
Heather Gdns. *NW11* —1A **6**
Heatherley Ct. *N16* —5C **12**
Heather Rd. *NW2* —4B **4**
Heather Rd. *SE12* —1C **100**
Heather Wlk. *W10* —3A **34**
Heatherwood Clo. *E12* —4E **17**
Heathfield Av. *SW18* —5F **77**
Heathfield Clo. *E16* —4F **45**
Heathfield Gdns. *NW11* —1F **5**
Heathfield Gdns. *SW18* —4F **77**
Heathfield Ho. *SE3* —5A **72**
Heathfield Pk. *NW2* —3E **19**
Heathfield Rd. *SW18* —4E **77**
Heathfield Sq. *SW18* —5F **77**
Heathfield St. W11 —1A *48*
(off Portland Rd.)
Heathgate. *NW11* —1D **7**
Heathgate Pl. *NW3* —2B **22**
Heath Hurst Rd. *NW3* —1A **22**
Heathland Rd. *N16* —3A **12**
Heath La. *SE3* —5F **71**
Heathlee Rd. *SE3* —2B **86**
Heathmans Rd. *SW6* —4B **62**
Heath Mead. *SW19* —3F **89**
Heath Pas. *NW3* —3E **7**
Heathpool Ct. *E1* —3D **41**

Heath Rise. *SW15* —4F **75**
Heath Rd. *NW8* —5D **65**
Heath Side. *NW3* —1F **21**
Heathside. *NW11* —1C **6**
Heathside. *SE13* —5E **71**
Heathstan Rd. *W12* —5C **32**
Heath St. *NW3* —5E **7**
Heathview. *NW5* —1C **22**
Heathview Gdns.
—5E **75**
Heath Vs. *NW3* —5F **7**
Heathville Rd. *N19* —2A **10**
Heathwall St. *SW11* —1B **78**
Heathway. *SE3* —3C **72**
Heathway Ct. *NW3* —4C **6**
Heathwood Gdns. *SE7* —5F **59**
Heathwood Point. *SE23*
—3F **97**
Heaton Rd. *SE15* —5D **69**
Heaver Rd. *SW11* —1F **77**
Hebden Ct. *E2* —5B **26**
Hebdon Rd. *SW17* —3A **92**
Heber Mans. W14 —2A **62**
(off Queen's Club Gdns.)
Heber Rd. *NW2* —2F **19**
Heber Rd. *SE22* —4B **82**
Hebron Rd. *W6* —4E **47**
Heckfield Pl. *SW6* —3C **62**
Heckford St. *E1* —1F **55**
Heckford Bus. Cen. E1
(off Heckford St.) —1F **55**
Heddington Gro. *N7* —2B **24**
Heddon St. *W1* —1E **51**
Hedgers Gro. *E9* —3A **28**
Hedger St. *SE11* —5D **53**
Hedge Wlk. *SE6* —5D **99**
Hedgley M. *SE12* —3B **86**
Hedgley St. *SE12* —3B **86**
Hedingham Clo. *N1* —4E **25**
Hedley Row. *N5* —2F **25**
Heidegger Cres. *SW13*
—3D **61**
Heigham Rd. *E6* —4F **31**
Heights, The. *SE7* —1F **73**
Heiron St. *SE17* —2D **67**
Helby Rd. *SW4* —4F **79**
Heldar Ct. *SE1* —3F **53**
Helder Gro. *SE12* —5B **86**
Helena Pl. *E9* —5D **27**
Helena Rd. *E13* —1B **44**
Helena Rd. *E17* —1C **14**
Helena Rd. *NW10* —2D **19**
Helena Sq. E16 —1A **56**
(off Sovereign Cres.)
Helenslea Av. *NW11* —3C **6**
Helen's Pl. *E2* —2E **41**
Heliport Ind. Est. *SW11*
—5F **63**
Helix Gdns. *SW2* —4B **80**
Helix Rd. *SW2* —4B **80**
Hellings St. *E1* —2C **54**
Helme Clo. *SW19* —5B **90**
Helmet Row. *EC1* —2E **39**
Helmsley Pl. *E8* —4D **27**
Helmsley St. *E8* —4D **27**
Helsinki Sq. *SE16* —4A **56**
Helston Ct. N15 —1A **12**
(off Culvert Rd.)

Helston Ho. *SE11* —1C **66**
(off Kennings Way)
Helvetia St. *SE6* —2B **98**
Hemans St. *SW8* —3F **65**
Hemans St. Est. *SW8* —3F **65**
Hemberton Rd. *SW9* —1A **80**
Hemes Clo. *W9* —3C **34**
Hemingford Rd. *N1* —5B **24**
Hemlock Rd. *W12* —1B **46**
Hemming St. *E1* —3C **40**
Hemp Wlk. *SE17* —5F **53**
Hemstal Rd. *NW6* —4C **20**
Hemsworth Ct. *N1* —1A **40**
Hemsworth St. *N1* —1A **40**
Hemus Pl. *SW3* —1A **64**
Henchman St. *W12* —5B **32**
Henderson Dri. *NW8* —3F **35**
Henderson Rd. *E7* —3E **31**
Henderson Rd. *SW18* —5A **78**
Hendham Rd. *SW17* —2A **92**
Hendon Ho. *NW4* —1F **5**
Hendon Pk. Mans. *NW4* —1E **5**
Hendon Pk. Row. *NW11* —1B **6**
Hendon Way. *NW4 & NW2*
—1D **5**
Hendre Rd. *SE1* —5A **54**
Hendrick Av. *SW12* —5B **78**
Heneage La. *EC3* —5A **40**
Heneage Pl. *EC3* —5A **40**
Heneage St. *E1* —4B **40**
Henfield Clo. *N19* —3E **9**
Hengist St. *SE12* —5D **87**
Hengrave Rd. *SE23* —5E **83**
Henley Dri. *SE1* —5B **54**
Henley Rd. *NW10* —5E **19**
Henley St. *SW11* —5C **64**
Hennel Clo. *SE23* —3E **97**
Henniker Gdns. *E6* —2F **45**
Henniker M. *SW3* —2F **63**
Henniker Rd. *E15* —2F **29**
Henning St. *SW11* —4A **64**
Henrietta Ho. N15 —1A **12**
(off St Ann's Rd.)
Henrietta Ho. W6 —1E **61**
(off Queen Caroline St.)
Henrietta M. *WC1* —3A **38**
Henrietta Pl. *W1* —5D **37**
Henrietta St. *E15* —2E **29**
Henrietta St. *WC2* —1A **52**
Henriques St. *E1* —5C **40**
Henry Cooper Way. *SE9*
—3F **101**
Henry Dickens Ct. *W11*
—1F **47**
Henry Ho. SW8 —3A **66**
(off Wyvil Rd.)
Henry Jackson Rd. *SW15*
—1F **75**
Henry Rd. *N4* —3E **11**
Henryson Rd. *SE4* —3C **84**
Hensford Gdns. *SE26* —4D **97**
Henshall St. *N1* —3E **25**
Henshaw St. *SE17* —5F **53**
Henslowe Rd. *SE22* —3C **82**
Henson Av. *NW2* —2E **19**
Henstridge Pl. *NW8* —1A **36**
Henty Clo. *SW11* —3A **64**
Henty Wlk. *SW15* —3D **75**

Henwick Rd. *SE9* —1F **87**
Henwood Rd. *SE16* —4E **55**
Hepburn M. *SW11* —3B **78**
Hepplestone Clo. *SW15*
—4D **75**
Hepscott Rd. *E9* —3C **28**
Hepworth Ct. *NW3* —2C **8**
Herald's Pl. *SE11* —5D **53**
Herald St. *E2* —3D **41**
Herbal Hill. *EC1* —3C **38**
Herbal Hill Gdns. *EC1* —3C **38**
Herbal Pl. EC1 —3C **38**
(off Herbal Hill)
Herbert Cres. *SW1* —4B **50**
Herbert Gdns. *NW10* —1D **33**
Herbert Morrison Ho. SW6
(off Clem Attlee Ct.) —2B **62**
Herbert Rd. *E12* —1F **31**
Herbert Rd. *E17* —2B **14**
Herbert Rd. *NW9* —1C **4**
Herbert St. *E13* —1C **44**
Herbert St. *NW5* —3C **22**
Herbrand Est. WC1 —3A **38**
(off Herbrand St.)
Herbrand St. *WC1* —3A **38**
Hercules Pl. *N7* —5A **10**
Hercules Rd. *SE1* —4B **52**
Hercules St. *N7* —5A **10**
Hercules Tower. *SE14* —2A **70**
Hercules Yd. *N7* —5A **10**
Hereford Gdns. *SE13* —3A **86**
Hereford M. *W2* —5C **34**
Hereford Pl. *SE14* —3B **70**
Hereford Retreat. *SE15*
—3C **68**
Hereford Rd. *E11* —1D **17**
Hereford Rd. *W2* —5C **34**
Hereford Sq. *SW7* —5E **49**
Hereford St. *E2* —3C **40**
Hereward Rd. *SW17* —4B **92**
Heritage Clo. *SW9* —1D **81**
Herlwyn Gdns. *SW17* —4B **92**
Hermes Clo. *W9* —3C **34**
Hermes St. *N1* —1C **38**
Herm Ho. *N1* —3E **25**
Hermiston Av. *N8* —1A **10**
Hermitage Ct. *NW2* —5C **6**
Hermitage Gdns. *NW2* —5C **6**
Hermitage La. *NW2* —5C **6**
Hermitage Rd. *N4 & N15*
—2E **11**
Hermitage Rd. *SE19* —5F **95**
Hermitage Row. *E8* —2C **26**
Hermitage St. *W2* —4F **35**
Hermitage, The. *SE13* —5E **71**
Hermitage, The. *SE23* —1E **97**
Hermitage, The. *SW13*
—4B **60**
Hermitage Wall. *E1* —2C **54**
Hermit Pl. *NW6* —5D **21**
Hermit Rd. *E16* —4B **44**
Hermit St. *EC1* —2D **39**
Hermon Hill. *E11 & E18*
—1C **16**
Herndon Rd. *SW18* —3E **77**
Herne Clo. *NW10* —2A **18**
Herne Hill. *SE24* —4E **81**

Herne Hill Ho. *SE24* —4D **81**
(off Railton Rd.)
Herne Hill Rd. *SE24* —1E **81**
Herne Pl. *SE24* —3D **81**
Heron Clo. *NW10* —3A **18**
Herondale Av. *SW18* —1F **91**
Herongate Rd. *E12* —4E **17**
Heron Ho. *E6* —4F **31**
Heron Ind. Est. *E15* —5D **29**
Heron Pl. *SE16* —2A **56**
Heron Quay. *E14* —2C **56**
Heron Quays Development. *E14*
—2D **57**
Heron Rd. *SE24* —2E **81**
Heron's Lea. *N6* —1B **8**
Herons, The. *E11* —1B **16**
Herrick Rd. *N5* —5E **11**
Herrick St. *SW1* —5F **51**
Herries St. *W10* —2A **34**
Herringham Rd. *SE7* —4E **59**
Herring St. *SE5* —2A **68**
Hersant Clo. *NW10* —5C **18**
Herschell M. *SE5* —1E **81**
Herschell Rd. *SE23* —5A **84**
Hersham Clo. *SW15* —5C **74**
Hertford Av. *SW14* —2A **88**
Hertford Pl. *W1* —3E **37**
Hertford Rd. *N1* —5A **26**
(in two parts)
Hertford St. *W1* —2D **51**
Hertslet Rd. *N7* —5B **11**
Hertsmere Rd. *E14* —2C **56**
Hervey Rd. *SE3* —4D **73**
Hesewall Clo. *SW4* —5E **65**
Hesketh Pl. *W11* —1A **48**
Hesketh Rd. *E7* —5C **16**
Heslop Rd. *SW12* —1B **92**
Hesper M. *SW5* —5D **49**
Hesperus Cres. *E14* —5D **57**
Hessel St. *E1* —5D **41**
Hestercombe Av. *SW6* —5A **62**
Hester Rd. *SW11* —3A **64**
Heston Ho. *SE8* —4C **70**
Heston St. *SE14* —4C **70**
Hetherington Rd. *SW4* —2A **80**
Hetley Ho. *W12* —3D **47**
(off Hetley Rd.)
Hetley Rd. *W12* —2D **47**
Hevelius Clo. *SE10* —1B **72**
Hewer St. *W10* —4F **33**
Hewett St. *EC2* —3A **40**
Hewison St. *E3* —1B **42**
Hewitt Rd. *N8* —1C **10**
Hewlett Rd. *E3* —1A **42**
Hexagon, The. *N6* —3B **8**
Hexal Rd. *SE6* —3A **100**
Hexham Rd. *SE27* —2E **95**
Heybridge Av. *SW16* —5B **94**
Heybridge Way. *E10* —2A **14**
Heydon Ho. *SE14* —4E **69**
(off Kender St.)
Heyford Av. *SW8* —3A **66**
Heyford Ter. *SW8* —3A **66**
Heygate St. *SE17* —5E **53**
Heylyn Sq. *E3* —2B **42**
Heysham La. *NW3* —5D **7**
Heysham Rd. *N15* —1F **11**
Heythorp St. *SW18* —1B **90**

Heyworth Rd. *E5* —1D **27**
Heyworth Rd. *E15* —1B **30**
Hibbert Rd. *E17* —2B **14**
Hibbert St. *SW11* —1F **77**
Hichisson Rd. *SE15* —3E **83**
Hickin Clo. *SE7* —5F **59**
Hickin St. *E14* —4E **57**
Hickman Clo. *E16* —4F **45**
Hickmore Wlk. *SW4* —1E **79**
Hicks Clo. *SW11* —1A **78**
Hicks St. *SE8* —1A **70**
Hide Pl. *SW1* —5F **51**
Hides St. *N7* —3B **24**
Higgs Ind. Est. *SE24* —1D **81**
Highbank Way. *N8* —1C **10**
High Bri. *SE10* —1F **71**
Highbrook Rd. *SE3* —1F **87**
Highbury Barn. *N5* —1D **25**
Highbury Corner. (Junct.)
—3D **25**
Highbury Cres. *N5* —2D **25**
Highbury Est. *N5* —2E **25**
Highbury Grange. *N5* —1E **25**
Highbury Gro. *N5* —2D **25**
Highbury Hill. *N5* —5C **10**
Highbury M. *N7* —3C **24**
Highbury New Pk. *N5* —2E **25**
Highbury Pk. *N5* —5D **11**
Highbury Pk. M. *N5* —1E **25**
Highbury Pl. *N5* —3D **25**
Highbury Quad. *N5* —5E **11**
Highbury Rd. *SW19* —5A **90**
Highbury Sta. Rd. *N1* —3C **24**
Highbury Ter. *N5* —2D **25**
Highbury Ter. M. *N5* —2D **25**
Highclere St. *SE26* —4A **98**
Highcliffe Dri. *SW15* —4B **73**
Highcliffe Gdns. *Ilf* —1F **17**
Highcombe. *SE7* —2D **73**
Highcombe Clo. *SE9* —1F **101**
Highcroft. *N19* —2A **10**
Highcroft Gdns. *NW11* —1B **6**
Highcroft Rd. *N19* —2A **10**
Highcross Way. *SW15* —1C **88**
Highdown Rd. *SW15* —4D **75**
Highfield Av. *NW11* —2F **5**
Highfield Ct. *NW11* —1A **6**
Highfield Gdns. *NW11* —1A **6**
Highfield Rd. *NW11* —1A **6**
Highfields Gro. *N6* —3B **8**
Highgate Av. *N6* —2D **9**
Highgate Clo. *N6* —2C **8**
Highgate Edge. *N2* —1A **8**
Highgate Heights. *N6* —1E **9**
Highgate High St. *N6* —3C **8**
Highgate Hill. *N6 & N19*
—3D **9**
Highgate Rd. *SE26* —3C **96**
Highgate Rd. *NW5* —5C **8**
Highgate Spinney. *N8* —1F **9**
Highgate Wlk. *SE23* —2E **97**
Highgate W. Hill. *N6* —4C **8**
High Hill Est. *E5* —3D **13**
High Hill Ferry. *E5* —3D **13**
High Holborn. *WC1* —5A **38**
Highland Croft. *Beck* —5C **96**
Highland Rd. *SE19* —5A **96**
Highlands Clo. *N4* —2A **10**

Highlands Ct. *SE19* —5A **96**
Highlands Heath. *SW15*
—5E **75**
High Level Dri. *SE26* —4C **96**
Highlever Rd. *W10* —4E **33**
High Meads Rd. *E16* —5F **45**
Highmore Rd. *SE3* —3A **72**
High Mt. *NW4* —1C **4**
High Pde., The. *SW16* —3A **94**
Highpoint. *N6* —2C **8**
High Rd. *N15* —1B **12**
High Rd. *NW10* —3A **18**
High Rd. Leyton. *E10 & E15*
—1D **15**
High Rd. Leytonstone. *E11 &
E15* —1A **30**
High Sheldon. *N6* —1B **8**
Highshore Rd. *SE15* —5B **68**
Highstone Av. *E11* —1C **16**
Highstone Ct. *E11* —1B **16**
(off New Wanstead)
High St. Colliers Wood. *SW19*
—5F **91**
High St. Harlesden. *NW10*
—1B **32**
High St. *SW19* —5A **90**
High St. N. *E12 & E6* —2F **31**
High St. Plaistow. *E13* —1C **44**
High St. Stratford. *E15*
—1E **43**
High St. Wanstead. *E11*
—1C **16**
High St. Wimbledon. *SW19*
—5F **89**
High Timber St. *EC4* —1E **53**
High Trees. *SW2* —1C **94**
Highview. *N6* —1E **9**
Highway, The. *E1 & E14*
—1E **55**
Highway Trad. Cen., The. *E1*
(off Heckford St.) —1F **55**
Highwood Rd. *N19* —5A **10**
Hilary Clo. *E11* —1C **16**
Hilary Clo. *SW6* —3D **63**
Hilary Rd. *W12* —1B **46**
Hilborough Ct. *E8* —5B **26**
Hilda Rd. *E6* —4F **31**
Hilda Rd. *E16* —3A **44**
Hilda Ter. *SW9* —5C **66**
Hildenborough Gdns. *Brom*
—5A **100**
Hildreth St. *SW12* —1D **93**
Hildyard Rd. *SW6* —2C **62**
Hiley Rd. *NW10* —2E **33**
Hilgrove Rd. *NW6* —4E **21**
Hillbeck Clo. *SE15* —3E **69**
Hillboro Ct. *E11* —2F **15**
Hillbrook Rd. *SW17* —3B **92**
Hillbrow Rd. *Brom* —5A **100**
Hillbury Rd. *SW17* —3B **92**
Hill Clo. *NW2* —5D **5**
Hill Clo. *NW11* —1C **6**
Hillcourt Est. *N16* —3F **11**
Hillcourt Rd. *SE22* —4D **83**
Hillcrest. *N6* —2C **8**
Hillcrest. *SE5* —2F **81**
Hillcrest Clo. *SE26* —4C **96**
Hillcrest Gdns. *NW2* —5C **4**

Hillcrest Rd. *Brom* —5C **100**
Hilldrop Cres. *N7* —2F **23**
Hilldrop La. *N7* —2F **23**
Hilldrop Rd. *N7* —2F **23**
Hilldrop Rd. *Brom* —5D **101**
Hillersdon Av. *SW13* —5C **60**
Hillery Clo. *SE17* —5F **53**
Hill Farm Rd. *W10* —4E **33**
Hillfield Ct. *NW3* —2A **22**
Hillfield Rd. *N5* —2E **25**
Hillfield Rd. *NW6* —2B **20**
Hillgate Pl. *SW12* —5D **79**
Hillgate Pl. *W8* —2C **48**
Hillgate St. *W8* —2C **48**
Hill Ho. *E5* —3D **13**
   (off Harrington Hill)
Hill Ho. Rd. *SW16* —5B **94**
Hilliards Ct. *E1* —2E **55**
Hillier Rd. *SW11* —4B **78**
Hillingdon St. *SE5 & SE17*
   —3D **67**
Hillman Dri. *W10* —3E **33**
Hillman St. *E8* —3D **27**
Hillmarton Rd. *N7* —2A **24**
Hillmead Dri. *SW9* —2D **81**
Hillmore Ct. *SE13* —1F **85**
   (off Belmont Hill)
Hillmore Gro. *SE26* —5A **98**
Hill Path. *SW16* —5B **94**
Hillrise. *N19* —2A **10**
Hill Rise. *SE23* —1D **97**
Hillrise Mans. *N19* —2A **10**
   (off Warltersville Rd.)
Hillrise Rd. *N19* —2A **10**
Hill Rd. *NW8* —2E **35**
Hillsboro' Rd. *SE22* —3A **82**
Hillside. *N8* —1F **9**
Hillside. *NW5* —5C **8**
Hillside. *NW10* —5A **18**
Hillside Clo. *NW6* —1D **35**
Hillside Clo. *NW8* —1D **35**
Hillside Est. *N15* —1B **12**
Hillside Gdns. *N6* —1D **9**
Hillside Pas. *SW16* —2B **94**
Hillside Rd. *N15* —2A **12**
Hillside Rd. *SW2* —2B **94**
Hillsleigh Rd. *W8* —2B **48**
Hills Pl. *W1* —5E **37**
Hillstowe St. *E5* —5E **13**
Hill St. *W1* —2C **50**
Hilltop Rd. *NW6* —4C **20**
Hill View Gdns. *NW9* —1A **4**
Hillway. *N6* —4C **8**
Hillway. *NW9* —1A **4**
Hillworth Rd. *SW2* —5C **80**
Hillyard Ho. *SW9* —4C **66**
Hillyard St. *SW9* —4C **66**
Hilly Fields Cres. *SE4* —1C **84**
Hilsea St. *E5* —1E **27**
Hilton Ho. *SE4* —2F **83**
Hilversum Cres. *SE22* —3A **82**
Himley Rd. *SW17* —5A **92**
Hinckley Rd. *SE15* —2C **82**
Hind Ct. *EC4* —5C **38**
Hinde Ho. *W1* —5C **36**
   (off Marylebone La.)
Hinde St. *W1* —5C **36**

Hind Gro. *E14* —5C **42**
Hindhead Clo. *N16* —3A **12**
Hindlip Ho. *SW8* —4F **65**
Hindmans Rd. *SE22* —3C **82**
Hindmarsh Clo. *E1* —1C **54**
Hindrey Rd. *E5* —2D **27**
Hindsley's Pl. *SE23* —2E **97**
Hinton Ct. *E10* —4D **15**
Hinton Rd. *SE24* —1D **81**
Hippodrome M. *W11* —1A **48**
Hippodrome Pl. *W11* —1A **48**
Hiroshima Promenade. *SE7*
   —4E **59**
Hitcham Rd. *E17* —2B **14**
Hitchin St. *E3* —1A **42**
Hitherfield Rd. *SW16* —3B **94**
Hither Grn. La. *SE13* —3E **85**
Hitherwood Dri. *SE19* —4B **96**
Hoadly Rd. *SW16* —3F **93**
Hobart Pl. *SW1* —4D **51**
Hobbes Wlk. *SW15* —3D **75**
Hobbs Pl. *N1* —5A **26**
Hobbs Pl. Est. *N1* —5A **26**
   (off Hobbs Pl.)
Hobbs Rd. *SE27* —4E **95**
Hobday St. *E14* —5D **43**
Hobsons Pl. *E1* —4C **40**
Hobury St. *SW10* —2F **63**
Hocker St. *E2* —2B **40**
Hockett Clo. *SE8* —5A **56**
Hockley Av. *E6* —1F **45**
Hocroft Av. *NW2* —5B **6**
Hocroft Ct. *NW2* —5B **6**
Hocroft Rd. *NW2* —5B **6**
Hocroft Wlk. *NW2* —5B **6**
Hodford Rd. *NW11* —3A **6**
Hodister Clo. *SE5* —3E **67**
Hodnet Gro. *SE16* —5F **55**
Hoever Ho. *SE6* —4E **99**
Hofland Rd. *W14* —4A **48**
Hogan M. *W2* —4E **35**
Hogan Way. *E5* —4C **12**
Hogarth Bus. Pk. *W4* —2A **60**
Hogarth Clo. *E16* —4F **45**
Hogarth Ct. *EC3* —5A **40**
Hogarth Ct. *SE19* —4A **96**
Hogarth Ind. Est. *NW10*
   —3C **32**
Hogarth La. *W4* —2A **60**
Hogarth Pl. *SW5* —5D **49**
   (off Hogarth Rd.)
Hogarth Rd. *SW5* —5D **49**
Hogarth Roundabout. (Junct.)
   —2A **60**
Hogarth Ter. *W4* —2A **60**
Hogshead Pas. *E1* —1D **55**
   (off Pennington St.)
Holbeach M. *SW12* —1D **93**
Holbeach Rd. *SE6* —5D **85**
Holbeck Row. *SE15* —3C **68**
Holbein M. *SW1* —1C **64**
Holbein Pl. *SW1* —5C **50**
Holberton Gdns. *NW10*
   —2D **33**
Holborn. *EC1* —4C **38**
Holborn Cir. *EC1* —4C **38**
Holborn Pl. *WC1* —4B **38**
   (off High Holborn)

Holborn Rd. *E13* —4D **45**
Holborn Viaduct. *EC1* —4D **39**
Holbrook Clo. *N19* —3D **9**
Holbrooke Ct. *N7* —5A **10**
Holbrook Rd. *E15* —1B **44**
Holburne Clo. *SE3* —4F **73**
Holburne Gdns. *SE3* —4F **73**
Holburne Rd. *SE3* —4E **73**
Holcombe Ho. *SW9* —1A **80**
   (off Landor Rd.)
Holcombe St. *W6* —5D **47**
Holcroft Ct. *W1* —4E **37**
   (off Clipstone St.)
Holcroft Rd. *E9* —4E **27**
Holdenby Rd. *SE4* —3A **84**
Holden Ho. *SE8* —3C **70**
Holden St. *SW11* —5C **64**
Holdernesse Rd. *SW17*
   —3B **92**
Holderness Way. *SE27*
   —5D **95**
Holford Pl. *WC1* —2B **38**
Holford Rd. *NW3* —5E **7**
Holford St. *WC1* —2B **38**
Holford Yd. *WC1* —1C **38**
Holgate Av. *SW11* —1F **77**
Holgate St. *SE7* —4E **59**
Holland Dri. *SE23* —3A **98**
Holland Gdns. *W14* —4A **48**
Holland Gro. *SW9* —3C **66**
Holland La. *W14* —4B **48**
Holland Pk. *W11* —2A **48**
Holland Pk. Av. *W11* —3F **47**
Holland Pk. Gdns. *W14*
   —3A **48**
Holland Pk. M. *W11* —2A **48**
Holland Pk. Rd. *W14* —4B **48**
Holland Park Roundabout.
   (Junct.) —3F **47**
Holland Pas. *N1* —5E **25**
   (off Basire St.)
Holland Pl. *W8* —3D **49**
   (off Kensington Chu. St.)
Holland Pl. Chambers. *W8*
   (off Holland Pl.) —3D **49**
Holland Rise Ho. *SW9* —3B **66**
   (off Clapham Rd.)
Holland Rd. *E15* —2A **44**
Holland Rd. *NW10* —5C **18**
Holland Rd. *W14* —3F **47**
Holland St. *SE1* —2D **53**
Holland St. *W8* —3C **48**
Holland Vs. Rd. *W14* —3A **48**
Holland Wlk. *N19* —3F **9**
Holland Wlk. *W8* —2B **48**
Hollar Rd. *N16* —5B **12**
Hollen St. *W1* —5F **37**
Holles Ho. *SW9* —5C **66**
Holles St. *W1* —5D **37**
Holley Rd. *W3* —3A **46**
Holliday Sq. *SW11* —1F **77**
   (off Fowler Clo.)
Hollies, The. *E11* —1C **16**
   (off New Wanstead)
Hollies Way. *SW12* —5C **78**
Hollingbourne Rd. *SE24*
   —3E **81**
Hollins Ho. *N7* —1A **24**

Holloway Ho. *NW2* —5E **5**
Holloway Rd. *E11* —5F **15**
Holloway Rd. *N7* —1B **24**
Holloway Rd. *N19 & N7* —4F **9**
Hollyberry La. *NW3* —1E **21**
Hollybush Clo. *E11* —1C **16**
Hollybush Gdns. *E2* —2D **41**
Hollybush Hill. *E11* —1B **16**
Hollybush Hill. *NW3* —1E **21**
Hollybush Ho. *E2* —2D **41**
Hollybush Pl. *E2* —2D **41**
Hollybush Steps. NW3 —1E 21
  (off Holly Mt.)
Hollybush St. *E13* —1D **45**
Holly Bush Vale. *NW3* —1E **21**
Holly Clo. *NW10* —4A **18**
Hollycroft Av. *NW3* —5C **6**
Hollydale Rd. *SE15* —4E **69**
Holly Dene. *SE15* —4D **69**
Hollydown Way. *E11* —5F **15**
Holly Gro. *SE15* —5B **68**
Holly Hedge Ter. *SE13* —3F **85**
Holly Hill. *NW3* —1E **21**
Holly Lodge Gdns. *N6* —4C **8**
Holly Lodge Mans. *N6* —4C **8**
Holly M. SW10 —1E 63
  (off Drayton Gdns.)
Holly Mt. *NW3* —1E **21**
Hollymount Clo. *SE10* —4E **71**
Holly Pk. *N4* —2A **10**
  (in two parts)
Holly Pk. Est. *N4* —2B **10**
Holly Pl. NW3 —1E 21
  (off Holly Berry La.)
Holly Rd. *E11* —2B **16**
Holly Rd. *W4* —5A **46**
Holly St. *E8* —4B **26**
Holly St. Est. *E8* —4B **26**
Holly Ter. *N6* —3C **8**
Holly Tree Clo. *SW19* —1F **89**
Holly Tree Ho. SE4 —1B 84
  (off Brockley Rd.)
Holly View Clo. *NW4* —1C **4**
Holly Village. *N6* —4D **9**
Holly Wlk. *NW3* —1E **21**
Hollywood M. *SW10* —2E **63**
Hollywood Rd. *SW10* —2E **63**
Holman Hunt Ho. W6 —1A 62
  (off Field Rd.)
Holman Rd. *SW11* —5F **63**
Holmbrook Dri. *NW4* —1F **5**
Holmbury Ct. *SW17* —3B **92**
Holmbury Ho. *SE24* —3D **81**
Holmbury View. *E5* —3D **13**
Holmbush Rd. *SW15* —4A **76**
Holmcote Gdns. *N5* —2E **25**
Holm Ct. *SE12* —3D **101**
Holmdale Gdns. *NW4* —1F **5**
Holmdale Rd. *NW6* —2C **20**
Holmdale Ter. *N15* —2A **12**
Holmdene Av. *SE24* —3E **81**
Holmead Rd. *SW6* —3D **63**
Holme Lacey Rd. *SE12*
  —4B **86**
Holmesdale Rd. *N6* —2D **9**
Holmesley Rd. *SE23* —4A **84**
Holmes Pl. *SW10* —2E **63**

Holmes Rd. *NW5* —2D **23**
Holmes Ter. SE1 —3C 52
  (off Waterloo Rd.)
Holmewood Gdns. *SW2*
  —5B **80**
Holmewood Rd. *SW2* —5B **80**
Holmfield Av. *NW4* —1F **5**
Holmfield Ct. *NW3* —3A **22**
Holmleigh Rd. *N16* —3A **12**
Holmleigh Rd. Est. *N16*
  —3A **12**
Holmoak Clo. *SW15* —4B **76**
Holm Oak M. *SW4* —3A **80**
Holmshaw Clo. *SE26* —4A **98**
Holmside Rd. *SW12* —4C **78**
Holmsley Ho. SW15 —5B 74
  (off Tangley Gro.)
Holm Wlk. *SE3* —5C **72**
Holmwood Vs. *SE7* —1C **72**
Holne Chase. *N2* —1E **7**
Holness Rd. *E15* —3B **30**
Holroyd Rd. *SW15* —2E **75**
Holst Mans. *SW13* —2E **61**
Holsworthy Sq. WC1 —3B 38
  (off Elm St.)
Holt Ct. *E15* —2D **30**
Holt Ho. *SW2* —4C **80**
Holton St. *E1* —3F **41**
Holwood Pl. *SW4* —2F **79**
Holybourne Av. *SW15* —5C **74**
Holyhead Clo. *E3* —2C **42**
Holy Oake Ct. *SE16* —3B **56**
Holyoak Rd. *SE11* —5D **53**
Holyport Rd. *SW6* —3F **61**
Holyrood M. E16 —2C 58
  (off Badminton M.)
Holyrood St. *SE1* —2A **54**
Holywell Clo. *SE3* —2C **72**
Holywell Clo. *SE16* —1D **69**
Holywell La. *EC2* —3A **40**
Holywell Row. *EC2* —3A **40**
Homecroft Rd. *SE26* —5E **97**
Homefield Ct. *SW16* —3A **94**
Homefield Ho. *SE23* —3F **97**
Homefield Rd. *SW19* —5A **90**
Homefield Rd. *W4* —5B **46**
Homefield St. *N1* —1A **40**
Homeleigh Rd. *SE15* —3F **83**
Home Pk. Rd. *SW19* —4B **90**
Homer Dri. *E14* —5C **56**
Homer Rd. *E9* —3A **28**
Homer Row. *W1* —4A **36**
Homer St. *W1* —4A **36**
Homerton Gro. *E9* —2F **27**
Homerton High St. *E9* —2F **27**
Homerton Rd. *E9* —2A **28**
Homerton Row. *E9* —2E **27**
Homerton Ter. *E9* —3E **27**
Homesdale Clo. *E11* —1C **16**
Homestall Rd. *SE22* —3E **83**
Homestead Pk. *NW2* —5B **4**
Homestead Rd. *SW6* —3B **62**
Homewoods. *SW12* —5E **79**
Homildon Ho. *SE26* —3C **96**
Honduras St. *EC1* —3E **39**
Honeybourne Rd. *NW6*
  —2D **21**

Honeybrook Rd. *SW12*
  —5E **79**
Honey La. *EC2* —5E **39**
  (off Trump St.)
Honeyman Clo. *NW6* —4F **19**
Honeywell Rd. *SW11* —4B **78**
Honeywood Rd. *NW10*
  —1B **32**
Honiton Gdns. *SE15* —5E **69**
  (off Gibbon Rd.)
Honiton Rd. *NW6* —1B **34**
Honley Rd. *SE6* —5D **85**
Honor Oak Pk. *SE23* —4E **83**
Honor Oak Rise. *SE23* —4E **83**
Honor Oak Rd. *SE23* —1E **97**
Hood Ct. EC4 —5C 38
  (off Fleet St.)
Hooks Clo. *SE15* —4D **69**
Hooks Way. *SE22* —1C **96**
Hooper Rd. *E16* —5C **44**
Hooper's Ct. *SW3* —3B **50**
Hooper St. *E1* —5C **40**
Hoop La. *NW11* —2B **6**
Hope Clo. *N1* —3E **25**
Hope Clo. *SE12* —3D **101**
Hopedale Rd. *SE7* —2D **73**
Hopefield Av. *NW6* —1A **34**
Hope St. *SW11* —1F **77**
Hopetown St. *E1* —4B **40**
Hopewell St. *SE5* —3F **67**
Hop Gdns. *WC2* —1A **52**
Hopgood St. *W12* —3E **47**
Hopkins M. *E15* —5B **30**
Hopkinsons Pl. *NW1* —5C **22**
Hopkins St. *W1* —5E **37**
Hopping La. *N1* —3D **25**
Hopton Rd. *SW16* —5B **94**
Hopton's Gdns. SE1 —2D 53
  (off Hopton St.)
Hopton St. *SE1* —2D **53**
Hopwood Clo. *SW17* —3E **91**
Hopwood Rd. *SE17* —2F **67**
Hopwood Wlk. *E8* —4C **26**
Horace Rd. *E7* —1D **31**
Horatio Pl. E14 —2E 57
  (off Preston's Rd.)
Horatio St. *E2* —1C **40**
Horbury Cres. *W11* —1C **48**
Horbury M. *W11* —1B **48**
Horder Rd. *SW6* —4A **62**
Hordle Promenade E. *SE15*
  —3B **68**
Hordle Promenade N. *SE15*
  —3A **68**
Hordle Promenade S. *SE15*
  —3B **68**
Hordle Promenade W. *SE15*
  —3A **68**
Horizon Way. *SE7* —5D **59**
Horle Wlk. *SE5* —5D **67**
Horley Rd. *SE9* —4F **101**
Hormead Rd. *W9* —3B **34**
Hornbeam Clo. *SE11* —5C **52**
Hornblower Clo. *SE16* —4A **56**
Hornby Clo. *NW3* —4F **21**
Hornby Ho. SE11 —2C 66
  (off Clayton St.)
Horncastle Clo. *SE12* —5C **86**

Horncastle Rd. *SE12* —5C **86**
Horndean Clo. *SW15* —1C **88**
Horner Ho. *N1* —1A **40**
(off Whitmore Est.)
Horne Way. *SW15* —5E **61**
Hornfair Rd. *SE7* —2F **73**
Horniman Dri. *SE23* —1D **97**
Horn La. *SE10* —5C **58**
Hornpark Clo. *SE12* —3D **87**
Hornpark La. *SE12* —3D **87**
Hornsey La. *N6* —3D **9**
Hornsey La. Est. *N19* —2F **9**
Hornsey La. Gdns. *N6* —2E **9**
Hornsey Rise. *N19* —2F **9**
Hornsey Rise Gdns. *N19*
—2F **9**
Hornsey Rd. *N19 & N7*
—3A **10**
Hornsey St. *N7* —2B **24**
Hornshay St. *SE15* —2E **69**
Hornton Pl. *W8* —3D **49**
Hornton St. *W8* —3C **48**
Horsa Rd. *SE12* —5E **87**
Horse & Dolphin Yd. *W1*
(off Macclesfield St.) —1F **51**
Horseferry Pl. *SE10* —2E **71**
Horseferry Rd. *E14* —1A **56**
Horseferry Rd. *SW1* —4F **51**
Horseferry Rd. Est. *SW1*
(off Horseferry Rd.) —4F **51**
Horseguards Av. *SW1* —2A **52**
Horse Guards Rd. *SW1*
—2F **51**
Horsell Rd. *N5* —2C **24**
Horselydown La. *SE1* —3B **54**
Horse Ride. *SW1* —3E **51**
(off Mall, The)
Horseshoe Clo. *E14* —1E **71**
Horseshoe Clo. *NW2* —4D **5**
Horse Shoe Yd. *W1* —1D **51**
(off Brook St.)
Horse Yd. *N1* —5D **25**
(off Essex Rd.)
Horsfeld Gdns. *SE9* —3F **87**
Horsfeld Rd. *SE9* —3F **87**
Horsford Rd. *SW2* —3B **80**
Horsley St. *SE17* —2F **67**
Horsman St. *SE5* —2E **67**
Horsmonden Rd. *SE4* —3B **84**
Hortensia Rd. *SW10* —3E **63**
Horton Av. *NW2* —1A **20**
Horton Ho. *SW8* —3B **66**
Horton Ho. *W6* —1A **62**
(off Field Rd.)
Horton Rd. *E8* —3D **27**
Horton St. *SE13* —1D **85**
Hosack Rd. *SW17* —2C **92**
Hoser Av. *SE12* —2C **100**
Hosier La. *EC1* —4D **39**
Hoskins Clo. *E16* —5E **45**
Hoskins St. *SE10* —1F **71**
Hospital Rd. *E9* —2F **27**
Hospital Way. *SE13* —5F **85**
Hotham Rd. *SW15* —1E **75**
Hotham St. *E15* —5A **30**
Hothfield Pl. *SE16* —4E **55**
Hotspur St. *SE11* —1C **66**

Houghton Clo. *E8* —3B **26**
Houghton St. *WC2* —5B **38**
Houndsditch. *EC3* —5A **40**
Houseman Way. *SE5* —3F **67**
Houston Rd. *SE23* —2A **98**
Hove Av. *E17* —1B **14**
Howard Bldgs. *E1* —4C **40**
(off Deal St.)
Howard Clo. *NW2* —1A **20**
Howard Ho. *SE8* —2B **70**
(off Evelyn St.)
Howard Ho. *SW9* —1D **81**
(off Barrington Rd.)
Howard M. *N5* —1D **25**
Howard Rd. *E11* —5A **16**
Howard Rd. *N15* —1A **12**
Howard Rd. *N16* —1F **25**
Howard Rd. *NW2* —1F **19**
Howard's La. *SW15* —2D **75**
Howards Rd. *E13* —2C **44**
Howard Way. *SE22* —1C **96**
Howbury Rd. *SE15* —1E **83**
Howden St. *SE15* —1C **82**
Howell Ct. *E10* —3D **15**
Howell Wlk. *SE17* —5D **53**
Howick Pl. *SW1* —4E **51**
Howie St. *SW11* —3A **64**
Howitt Clo. *NW3* —3A **22**
Howitt Rd. *NW3* —3A **22**
Howland Est. *SE16* —4E **55**
Howland Ho. *SW16* —3A **94**
Howland M. E. *W1* —4E **37**
Howland St. *W1* —4E **37**
Howland Way. *SE16* —3A **56**
Howlett's Rd. *SE24* —4E **81**
Howley Pl. *W2* —4E **35**
Howsman Rd. *SW13* —2C **60**
Howson Rd. *SE4* —2A **84**
How's St. *E2* —1B **40**
Hoxton Mkt. *N1* —2A **40**
(off Boot St.)
Hoxton Sq. *N1* —2A **40**
Hoxton St. *N1* —5A **26**
Hoylake Rd. *W3* —5A **32**
Hoyland Clo. *SE15* —3D **69**
Hoyle Rd. *SW17* —5A **92**
Hoy St. *E16* —5B **44**
Hubbard Rd. *SE27* —4E **95**
Hubbard St. *E15* —5A **30**
Hubert Gro. *SW9* —1A **80**
Hubert Rd. *E6* —2F **45**
Huddart St. *E3* —4B **42**
(in two parts)
Huddleston Clo. *E2* —1E **41**
Huddlestone Rd. *E7* —1B **30**
Huddlestone Rd. *NW2* —3D **19**
Huddleston Rd. *N7* —5E **9**
Hudson Clo. *W12* —1D **47**
Hudson's Pl. *SW1* —5E **51**
(off Bridge Pl.)
Huggin Ct. *EC4* —1E **53**
(off Huggin Hill)
Huggin Hill. *EC4* —1E **53**
Huggins Pl. *SW2* —1B **94**
Hughan Rd. *E15* —2F **29**
Hugh Astor Ct. *SE1* —4D **53**
(off Keyworth St.)

Hugh Dalton Av. *SW6* —2B **62**
(off Clem Attlee Ct.)
Hughendon Ter. *E15* —1E **29**
Hughes Ct. *N7* —2F **23**
Hughes M. *SW11* —3B **78**
Hughes Ter. *E16* —4B **44**
(off Clarkson Rd.)
Hugh Gaitskell Ho. *N16*
—4B **12**
Hugh Gaitskell Ho. *SW6*
(off Clem Attlee Ct.) —2B **62**
Hugh M. *SW1* —5D **51**
Hugh St. *SW1* —5D **51**
Hugon Rd. *SW6* —1D **77**
Hugo Rd. *N19* —1E **23**
Huguenot Pl. *E1* —4B **40**
Huguenot Pl. *SW18* —3E **77**
Huguenot Sq. *SE15* —1D **83**
Hullbridge M. *N1* —5F **25**
Hull Clo. *SE16* —3F **55**
Hull St. *EC1* —2E **39**
Hulme Pl. *SE1* —3E **53**
Humber Dri. *W10* —3F **33**
Humber Rd. *NW2* —4D **5**
Humber Rd. *SE3* —2B **72**
Humberstone Rd. *E13* —2E **45**
Humberton Clo. *E9* —2A **28**
Humbolt Rd. *W6* —2A **62**
Hume Point. *E16* —4E **45**
Hume Ter. *E16* —5D **45**
Humphrey St. *SE1* —1B **68**
Hungerford La. *WC2* —2A **52**
(off Craven St.)
Hungerford Rd. *N7* —3F **23**
Hungerford St. *E1* —5D **41**
Hunsdon Rd. *SE14* —3F **69**
Hunslett St. *E2* —2E **41**
Hunter Clo. *SE1* —4F **53**
Hunters Clo. *SW12* —1C **92**
Hunters Meadow. *SE19*
—4A **96**
Hunter St. *WC1* —3A **38**
Hunter Wlk. *E13* —1C **44**
Huntingdon St. *E16* —5B **44**
Huntingdon St. *N1* —4B **24**
Huntingfield Rd. *SW15*
—2C **74**
Huntley St. *WC1* —3E **37**
Hunton St. *E1* —4C **40**
Hunt's Clo. *SE3* —5C **72**
Hunt's Ct. *WC2* —1F **51**
Hunts La. *E15* —1E **43**
Huntsman St. *SE17* —5A **54**
Huntspill St. *SW17* —3E **91**
Hunts Slip Rd. *SE21* —3A **96**
Hunt St. *W11* —2F **47**
Huntsworth M. *NW1* —3A **36**
Hunt Way. *SE22* —1C **96**
Hurdwick Pl. *NW1* —1E **37**
(off Harrington Sq.)
Hurleston Ho. *SE8* —1B **70**
Hurley Cres. *SE16* —3F **55**
Hurley Ho. *SE11* —5C **52**
Hurlingham Bus. Pk. *SW6*
—1C **76**
Hurlingham Ct. *SW6* —1B **76**
Hurlingham Gdns. *SW6*
—1B **76**

Hurlingham Retail Pk.—Irene Rd.

Hurlingham Retail Pk. *SW6*
—1D *77*
Hurlingham Rd. *SW6* —5B *62*
Hurlingham Sq. *SW6* —1C *76*
Hurlock St. *N5* —5D *11*
Huron Rd. *SW17* —2C *92*
Hurren Clo. *SE3* —1A *86*
Hurry Clo. *E15* —4A *30*
Hurst Av. *N6* —1E *9*
Hurstbourne Ho. *SW15*
(off Tangley Gro.) —4B *74*
Hurstbourne Rd. *SE23* —1A *98*
Hurst Clo. *NW11* —1D *7*
Hurstdene Gdns. *N15* —2A *12*
Hurst St. *SE24* —4D *81*
Hurstway Wlk. *W11* —1F *47*
Huson Clo. *NW3* —4A *22*
Hutchings St. *E14* —3C *56*
Hutchins Clo. *E15* —4E *29*
Hutchinson Ho. *SE14* —3E *69*
Hutton Ct. *N4* —3B *10*
(off Victoria Rd.)
Hutton St. *EC4* —5D *39*
Huxbear St. *SE4* —3B *84*
Huxley Rd. *E10* —4E *15*
Huxley St. *W10* —2A *34*
Hyacinth Rd. *SW15* —1C *88*
Hyde Clo. *E13* —1C *44*
Hyde Cres. *NW9* —1A *4*
Hyde Est. Rd. *NW9* —1B *4*
Hyde Ind. Est. *NW9* —1B *4*
Hyde La. *SW11* —4A *64*
Hyde Pk. Corner. *W1* —3C *50*
Hyde Park Corner. (Junct.)
—3C *50*
Hyde Pk. Cres. *W2* —5A *36*
Hyde Pk. Gdns. *W2* —1F *49*
Hyde Pk. Gdns. M. *W2* —1F *49*
Hyde Pk. Ga. *SW7* —3E *49*
(in two parts)
Hyde Pk. Ga. M. *SW7* —3E *49*
Hyde Pk. Mans. *NW1* —4A *36*
(off Cabbell St.)
Hyde Pk. Pl. *W2* —1A *50*
Hyde Pk. Sq. *W2* —5A *36*
Hyde Pk. Sq. M. *W2* —5A *36*
(off Southwick Pl.)
Hyde Pk. St. *W2* —5A *36*
Hyde Pk. Towers. *W2* —1E *49*
Hyderbad Way. *E15* —4A *30*
Hyde Rd. *N1* —5F *25*
Hydes Pl. *N1* —4D *25*
Hyde St. *SE8* —2C *70*
Hyde, The. *NW9* —1B *4*
Hydethorpe Rd. *SW12* —1E *93*
Hyde Vale. *SE10* —3E *71*
Hyndewood. *SE23* —3F *97*
Hyndman St. *SE15* —2D *69*
Hyperion Ho. *SW2* —4B *80*
Hyson Rd. *SE16* —1D *69*
Hythe Rd. *NW10* —2B *32*
Hythe Rd. Ind. Est. *NW10*
—2C *32*

*I*an Bowater Ct. *N1* —2F *39*
(off East Rd.)
Ian Ct. *SE23* —2E *97*

Ibberton Ho. *SW8* —3B *66*
(off Meadow Rd.)
Ibbotson Av. *E16* —5B *44*
Ibbott St. *E1* —3E *41*
Iberia Ho. *N19* —2F *9*
Ibsley Gdns. *SW15* —1C *88*
Iceland Rd. *E3* —5C *28*
Ickburgh Est. *E5* —4D *13*
Ickburgh Rd. *E5* —5D *13*
Ida St. *E14* —5E *43*
(in two parts)
Idlecombe Rd. *SW17* —5C *92*
Idmiston Rd. *E15* —1B *30*
Idmiston Rd. *SE27* —3E *95*
Idol La. *EC3* —1A *54*
Idonia St. *SE8* —3C *70*
Iffley Rd. *W6* —4D *47*
Ifield Rd. *SW10* —2D *63*
Ifor Evans Pl. *E1* —3F *41*
Ilbert St. *W10* —2F *33*
Ilchester Gdns. *W2* —1D *49*
Ilchester Pl. *W14* —4B *48*
Ildersly Gro. *SE21* —2F *95*
Ilderton Rd. *SE16* & *SE15*
—1E *69*
Ilex Rd. *NW10* —3B *18*
Ilex Way. *SW16* —5C *94*
Ilford Ho. *N1* —3F *25*
(off Dove Rd.)
Ilfracombe Rd. *Brom* —3B *100*
Iliffe St. *SE17* —1D *67*
Iliffe Yd. *SE17* —1D *67*
(off Crampton St.)
Ilkeston Ct. *E5* —1F *27*
(off Overbury St.)
Ilkley Rd. *E16* —4E *45*
Ilminster Gdns. *SW11* —2A *78*
Imani Mans. *SW11* —5F *63*
Imber St. *N1* —5F *25*
Imperial Av. *N16* —1A *26*
Imperial College Rd. *SW7*
—4F *49*
Imperial Ct. *N6* —1E *9*
Imperial Ct. *NW8* —1A *36*
(off Prince Albert Rd.)
Imperial M. *E6* —1F *45*
Imperial Pde. *EC4* —5D *39*
(off New Bri. St.)
Imperial Rd. *SW6* —4D *63*
Imperial Sq. *SW6* —4D *63*
Imperial St. *E3* —2E *43*
Inchmery Rd. *SE6* —2D *99*
Independent Pl. *E8* —2B *26*
Independents Rd. *SE3* —1B *86*
Inderwick Rd. *N8* —1A *9*
Indescon Ct. *E14* —3C *56*
India Pl. *WC2* —1B *52*
(off Montreal Pl.)
India St. *EC3* —5B *40*
India Way. *W12* —1D *47*
Indus Rd. *SE7* —3E *73*
Industry Ter. *SW9* —1C *80*
Infirmary St. *SW3* —2B *64*
(off West Rd.)
Ingal Rd. *E13* —3C *44*
Ingate Pl. *SW8* —4D *65*
Ingatestone Rd. *E12* —3E *17*
Ingelow Rd. *SW8* —5D *65*

Ingersoll Rd. *W12* —2D *47*
Ingestre Pl. *W1* —5E *37*
Ingestre Rd. *E7* —1C *30*
Ingestre Rd. *NW5* —1D *23*
Ingham Rd. *NW6* —1C *20*
Inglebert St. *EC1* —2C *38*
Ingleborough St. *SW9* —5C *66*
Ingleby Rd. *N7* —5A *10*
Inglemere Rd. *SE23* —3F *97*
Inglesham Wlk. *E9* —3B *28*
Ingleside Gro. *SE3* —2B *72*
Inglethorpe St. *SW6* —4F *61*
Ingleton St. *SW9* —5C *66*
Inglewood Clo. *E14* —5C *56*
Inglewood Rd. *NW6* —2C *20*
Inglis St. *SE5* —4D *67*
Ingoldisthorpe Gro. *SE15*
—2B *68*
Ingram Av. *NW11* —2E *7*
Ingram Clo. *SE11* —5B *52*
Ingrave St. *SW11* —1F *77*
Ingrebourne Ho. *Brom* —5F *99*
(off Brangbourne Rd.)
Ingress St. *W4* —1A *60*
Inigo Jones Rd. *SE7* —3F *73*
Inigo Pl. *WC2* —1A *52*
(off Bedford St.)
Inkerman Rd. *NW5* —3D *23*
Inkerman Ter. *W8* —4C *48*
(off Allen St.)
Inman Rd. *NW10* —5A *18*
Inman Rd. *SW18* —5E *77*
Inner Circ. *NW1* —2C *36*
Inner Pk. Rd. *SW19* —1F *89*
Inner Temple La. *EC4* —5C *38*
Innes Gdns. *SW15* —4D *75*
Innis Ho. *SE17* —1A *68*
(off East St.)
Inniskilling Rd. *E13* —1E *45*
Inskip Clo. *E10* —4D *15*
Institute Pl. *E8* —2D *27*
Integer Gdns. *E11* —2F *15*
Inver Clo. *E5* —4E *13*
Inver Ct. *W2* —5D *35*
Inverforth Clo. *NW3* —4E *7*
Inverine Rd. *SE7* —1D *73*
Inverness Gdns. *W8* —2D *49*
Inverness M. *W2* —1D *49*
Inverness Pl. *W2* —1D *49*
Inverness St. *NW1* —5D *23*
Inverness Ter. *W2* —5D *35*
Inverton Rd. *SE15* —2F *83*
Invicta Plaza. *SE1* —2D *53*
Invicta Rd. *SE3* —3C *72*
Inville Rd. *SE17* —1F *67*
Inville Wlk. *SE17* —1F *67*
Inwen Ct. *SE8* —1A *70*
Inworth St. *SW11* —5A *64*
Inworth Wlk. *N1* —5E *25*
(off Popham St.)
Iona Clo. *SE6* —5C *84*
Ion Ct. *E2* —1C *40*
Ion Sq. *E2* —1C *40*
Ipsden Bldgs. *SE1* —3C *52*
(off Windmill Wlk.)
Ipswich Ho. *SE4* —3F *83*
Ireland Yd. *EC4* —5D *39*
Irene Rd. *SW6* —4C *62*

Ireton Ho. *SW9* —5C **66**
Ireton St. *E3* —3C **42**
Iron Bri. Clo. *NW10* —2A **18**
Iron Mill Rd. *SW18* —4D **77**
Iron Mill Rd. *SW18* —4D **77**
Ironmonger La. *EC2* —5E **39**
Ironmonger Row. *EC1* —2E **39**
Ironmongers Pl. *E14* —5C **56**
Ironside Clo. *SE16* —3F **55**
Ironside Ho. *E9* —1A **28**
Irvine Ho. *N7* —3B **24**
  (off Caledonian Rd.)
Irving Gro. *SW9* —5B **66**
Irving Ho. *SE17* —1D **67**
  (off Doddington Gro.)
Irving Mans. *W14* —2A **62**
  (off Queen's Club Gdns.)
Irving M. *N1* —3E **25**
Irving Rd. *W14* —4F **47**
Irving St. *WC2* —1F **51**
Irving Way. *NW9* —1B **4**
Irwell Est. *SE16* —4E **55**
Irwin Gdns. *NW10* —5D **19**
Isabella Ho. *SE11* —1D **67**
  (off Othello Clo.)
Isabella Rd. *E9* —2E **27**
Isabella St. *SE1* —2D **53**
Isabel St. *SW9* —4B **66**
Isambard M. *E14* —4E **57**
Isambard Pl. *SE16* —2E **55**
Isel Way. *SE22* —3A **82**
Isis Clo. *SW15* —2E **75**
Isis St. *SW18* —2E **91**
Island Row. *E14* —5B **42**
Islay Wlk. *N1* —3E **25**
Isledon Rd. *N7* —5C **10**
Isley Ct. *SW8* —5E **65**
Islington Grn. *N1* —5D **25**
Islington High St. *N1* —1C **38**
Islington Pk. M. *N1* —4D **25**
Islington Pk. St. *N1* —4C **24**
Islip St. *NW5* —2E **23**
Ismailia Rd. *E7* —4D **31**
Isom Clo. *E13* —2D **45**
Ivanhoe Rd. *SE5* —1B **82**
Ivatt Pl. *W14* —1B **62**
Iveagh Clo. *E9* —5F **27**
Iveagh Ct. *E1* —5B **40**
  (off Haydon Wlk.)
Iveagh Ho. *SW9* —5D **67**
Ive Farm Clo. *E10* —4C **14**
Ive Farm La. *E10* —4C **14**
Iveley Rd. *SW4* —5E **65**
Iverna Ct. *W8* —4C **48**
Iverna Gdns. *W8* —4C **48**
Iverson Rd. *NW6* —3B **20**
Ives Rd. *E16* —4A **44**
Ives St. *SW3* —5A **50**
Ivestor Ter. *SE23* —5E **83**
Ivimey St. *E2* —2C **40**
Ivinghoe Ho. *N7* —2F **23**
Ivor Ho. *N8* —1A **10**
Ivor Pl. *NW1* —3B **36**
Ivor St. *NW1* —4E **23**
Ivorydown. *Brom* —4C **100**
Ivory Ho. *E1* —2B **54**
Ivory Sq. *SW11* —1E **77**
Ivybridge La. *WC2* —1A **52**

Ivychurch La. *SE17* —1B **68**
Ivy Cotts. *E14* —1D **57**
Ivydale Rd. *SE15* —1F **83**
Ivyday Gro. *SW16* —3B **94**
Ivy Gdns. *N8* —1A **10**
Ivymount Rd. *SE27* —3C **94**
Ivy Rd. *E16* —5C **44**
Ivy Rd. *E17* —1C **14**
Ivy Rd. *NW2* —1E **19**
Ivy Rd. *SE4* —2B **84**
Ivy Rd. *SW17* —5A **92**
Ivy St. *N1* —1A **40**
Ixworth Pl. *SW3* —1A **64**

Jack Clow Rd. *E15* —1A **44**
Jack Dash Way. *E6* —3F **45**
Jackman Ho. *NW10* —5A **4**
Jackman St. *E8* —5D **27**
Jackson Ct. *E7* —3D **31**
Jackson Rd. *N7* —1B **24**
Jacksons La. *N6* —2C **8**
Jack Walker Ct. *N5* —1D **25**
Jacobin Lodge. *N7* —2A **24**
Jacobs Ho. *E13* —2E **45**
  (off New City Rd.)
Jacob St. *SE1* —3C **54**
Jacob's Well M. *W1* —5C **36**
Jade Clo. *E16* —5F **45**
Jade Clo. *NW2* —2A **5**
Jaffray Pl. *SE27* —4D **95**
Jaggard Way. *SW12* —5B **78**
Jago Wlk. *SE5* —3F **67**
Jamaica Rd. *SE1 & SE16*
    —3B **54**
Jamaica St. *E1* —5E **41**
James Anderson Ct. E2
  (off Kingsland Rd.) —1A **40**
James Av. *NW2* —2E **19**
James Boswell Clo. *SW16*
    —4B **94**
James Clo. *E13* —1C **44**
James Clo. *NW11* —1A **6**
James Collins Clo. *W9* —3B **34**
James Joyce Wlk. *SE24*
    —2D **81**
James La. *E10 & E11* —2E **15**
Jameson Ho. SE11 —1B **66**
  (off Glasshouse Wlk.)
Jameson Lodge. *N6* —1E **9**
Jameson St. *W8* —2C **48**
James Stewart Ho. *NW6*
    —4B **20**
James St. *W1* —5C **36**
James St. *WC2* —1A **52**
Jamestown Rd. *NW1* —5D **23**
Jane St. *E1* —5D **41**
Janet St. *E14* —4C **56**
Janeway Pl. *SE16* —3C **55**
Janeway St. *SE16* —3C **54**
Jansen Wlk. *SW11* —1F **77**
Janson Clo. *E15* —2A **30**
Janson Clo. *NW10* —5A **4**
Janson Rd. *E15* —2A **30**
Japan Cres. *N4* —2B **10**
Jardine Rd. *E1* —1F **55**
Jarrett Clo. *SW2* —1D **95**
Jarrow Rd. *SE16* —5E **55**

Jarrow Way. *E9* —1B **28**
Jarvis Rd. *SE22* —2A **82**
Jasmin Ct. *SE12* —4C **86**
Jasmine Ct. *SW19* —5C **90**
Jasmin Lodge. SE16 —1D **69**
  (off Sherwood Gdns.)
Jason Ct. W1 —5C **36**
  (off Wigmore St.)
Jasper Pas. *SE19* —5B **96**
Jasper Rd. *E16* —5F **45**
Jasper Rd. *SE19* —5B **96**
Jasper Wlk. *N1* —2F **39**
Java Wharf. SE1 —3B **54**
  (off Shad Thames)
Jay M. *SW7* —3E **49**
Jebb Av. *SW2* —4A **80**
Jebb St. *E3* —1C **42**
Jedburgh Rd. *E13* —2E **45**
Jedburgh St. *SW11* —2C **78**
Jeddo M. *W12* —3B **46**
Jeddo Rd. *W12* —3B **46**
Jeffrey Row. *SE12* —3D **87**
Jeffrey's Pl. *NW1* —4E **23**
Jeffreys Rd. *SW4* —5A **66**
Jeffrey's St. *NW1* —4D **23**
Jeffreys Wlk. *SW4* —5A **66**
Jeger Av. *E2* —5B **26**
Jegrove Ct. EC1 —4C **38**
  (off Hatton Garden)
Jeken Rd. *SE9* —2E **87**
Jelf Rd. *SW2* —3C **80**
Jellicoe Rd. *E13* —3C **44**
Jenkins Rd. *E13* —3D **45**
Jenner Av. *W3* —4A **32**
Jenner Clo. *W3* —4A **32**
Jenner Pl. *SW13* —2D **61**
Jenner Rd. *N16* —5B **12**
Jennifer Ho. SE11 —5C **52**
  (off Reedworth St.)
Jennifer Rd. *Brom* —3B **100**
Jennings Rd. *SE22* —4B **82**
Jenny Hammond Clo. *E11*
    —5B **16**
Jephson Ct. *SW4* —5A **66**
Jephson Ho. SE17 —2D **67**
  (off Doddington Gro.)
Jephson Rd. *E7* —4E **31**
Jephson St. *SE5* —4F **67**
Jephtha Rd. *SW18* —4C **76**
Jepson Ho. SW6 —4D **63**
  (off Pearscroft Rd.)
Jerdan Pl. *SW6* —3C **62**
Jeremiah St. *E14* —5D **43**
Jermyn St. *SW1* —2E **51**
  (in two parts)
Jerningham Ct. *SE14* —4A **70**
Jerningham Rd. *SE14* —5A **70**
Jerome Cres. *NW8* —3A **36**
Jerome St. E1 —4B **40**
  (off Commercial St.)
Jerrard St. *SE13* —1D **85**
Jerrold St. *N1* —1A **40**
Jersey Ho. *N1* —3E **25**
Jersey Rd. *E11* —3F **15**
Jersey Rd. *E16* —5E **45**
Jersey Rd. *N1* —3E **25**
Jersey St. *E2* —2D **41**
Jerusalem Pas. *EC1* —3D **39**

Jervis Ct.—Keats Clo.

Jervis Ct. W1 —5D **37**
(off Princes St.)
Jerviston Gdns. SW16 —5C **94**
Jessam Av. E5 —3D **13**
Jesse Rd. E10 —3E **15**
Jessica Rd. SW18 —4E **77**
Jessie Blythe La. N19 —2A **10**
Jessop Ct. N1 —1D **39**
Jessop Rd. SE24 —2D **81**
Jevington Way. SE12 —1D **101**
Jewry St. EC3 —5B **40**
Jew's Row. SW18 —2D **77**
Jews Wlk. SE26 —4D **97**
Jeymer Av. NW2 —2D **19**
Jeypore Pas. SW18 —4E **77**
Jeypore Rd. SW18 —5E **77**
Jim Griffiths Ho. SW6 —2B 62
(off Clem Attlee Ct.)
Joan Cres. SE9 —5F **87**
Joanna Wlk. SW9 —4B **66**
Joan St. SE1 —2D **53**
Jocelin Ho. N1 —5B 24
(off Barnsbury Est.)
Jocelyn St. SE15 —4C **68**
Jockey's Fields. WC1 —4B **38**
Jodane St. SE8 —5B **56**
Jodrell Rd. E3 —5B **28**
Joe Hunte Ct. SE27 —5D **95**
Johanna St. SE1 —3C **52**
John Adam St. WC2 —1A **52**
John Aird Ct. W2 —4E 35
(off Howley Pl.)
John Ashby Clo. SW2 —4A **80**
John Baird Ct. SE26 —4E **97**
John Barnes Wlk. E15 —3B **68**
John Brent Ho. SE8 —5F 55
(off Haddonfield)
John Campbell Rd. N16
—2A **26**
John Carpenter St. EC4
—1D **53**
John Felton Rd. SE16 —3C **54**
John Fisher St. E1 —1C **54**
John Islip St. SW1 —5F **51**
John Kennedy Ct. N1 —3F 25
(off Newington Grn. Rd.)
John Knight Lodge. SW6
(off Vanston Pl.) —3C 62
John Masefield Ho. N15
(off Fladbury Rd.) —1F 11
John Maurice Clo. SE17
—5F **53**
John McKenna Wlk. SE16
—4C **54**
John Parker Sq. SW11
—1F **77**
John Parry Ct. N1 —1A 40
(off Hare Wlk.)
John Penn St. SE13 —4D **71**
John Pound Ho. SE16
—5D **77**
John Prince's St. W1 —5D **37**
John Pritchard Ho. E1 —3C 40
(off Buxton St.)
John Rennie Wlk. E1 —1D **55**
John Roll Way. SE16 —4D **54**
John Ruskin St. SE5 —3D **67**
John Silkin La. SE8 —1F **69**

John's M. WC1 —3B **38**
John Smith Av. SW6 —3B **62**
Johnson Clo. E8 —5C **26**
Johnson Mans. W14 —2A 62
(off Queen's Club Gdns.)
Johnson's Ct. EC4 —5C **38**
Johnson's Pl. SW1 —1E **65**
Johnson St. E1 —1E **55**
John Spencer Sq. N1 —3D **25**
John's Pl. E1 —5E **41**
Johnston Clo. SW9 —4B **66**
Johnstone Ho. SE13 —1F 85
(off Belmont Hill)
Johnston Ter. NW2 —5F **5**
John Strachey Ho. SW6
(off Clem Attlee Ct.) —2B 62
John St. E15 —5B **30**
John St. WC1 —3B **38**
John Strype Ct. E10 —4D **15**
John Trundle Ct. EC2 —4E 39
(off Barbican)
John Trundle Highwalk. EC2
(off Barbican) —4E 39
John Wesley Highwalk. EC2
(off Barbican) —4E 39
John Wheatley Ho. SW6
(off Clem Attlee Ct.) —2B 62
John Williams Clo. SE14
—2F **69**
John Woolley Clo. SE13
—2A **86**
Joiners Arms Yd. SE5 —4F **67**
Joiners Pl. N5 —1F **25**
Jonathan St. SE11 —1B **66**
Jones M. SW15 —2A **76**
Jones Rd. E13 —3D **45**
Jones St. W1 —1D **51**
Jordan Ho. N1 —5F 25
(off Colville Est.)
Jordan Ho. SE4 —2F 83
(off St Norbert Rd.)
Joseph Ct. N16 —2A 12
(off Amhurst Pk.)
Josephine Av. SW2 —3B 80
Joseph Lister Ct. E7 —4C 30
(off Upton La.)
Joseph Pas. SE1 —2A **54**
Joseph Powell Clo. SW12
—4D **79**
Joseph Ray Rd. E11 —4A **16**
Joseph St. E3 —3B **42**
Joseph Trotter Clo. EC1
(off Finsbury Est.) —2C 38
Joshua St. E14 —5E **43**
Joubert St. SW11 —5B **64**
Jowett St. SE15 —3B **68**
Joyce Page Clo. SE7 —2F **73**
Joyce Wlk. SW2 —4C **80**
Jubb Powell Ho. N15 —1A 12
Jubilee Bldgs. NW8 —5F 21
(off Queen's Ter.)
Jubilee Clo. NW9 —1A **4**
Jubilee Cres. E14 —4E **57**
Jubilee Ho. SE11 —5C 52
(off Reedworth St.)
Jubilee Ho. WC1 —3B 38
(off Gray's Inn Rd.)
Jubilee Pl. SW3 —1A **64**

Jubilee St. E1 —5E **41**
Jubilee Ter. N1 —1F **39**
Jubilee, The. SE10 —3D **71**
Judd St. WC1 —2A **38**
Jude St. E16 —5B **44**
Judges Wlk. NW3 —5E **7**
Juer St. SW11 —3A **64**
Julia Ct. E17 —1D **15**
Julia Garfield M. E16 —2D **59**
Julian Pl. E14 —1D 71
Julian Taylor Path. SE23
—2D **97**
Julia St. NW5 —1C **22**
Juliet Ho. N1 —1A 40
(off Arden Est.)
Juliette Rd. E13 —1C **44**
Junction App. SE13 —1E **85**
Junction App. SW11 —1A **78**
Junction M. W2 —5A 36
Junction Pl. W2 —5A 36
(off Praed St.)
Junction Rd. E13 —1D **45**
Junction Rd. N19 —1E **23**
Juniper Clo. W8 —4D 49
(off St. Marys Pl.)
Juniper Cres. NW1 —4C **22**
Juniper St. E1 —1E **55**
Juno Way. SE14 —2F **69**
Juno Way Ind. Est. SE14
—2F **69**
Jupiter Way. N7 —3B **24**
Jupp Rd. E15 —4F **29**
Jupp Rd. W. E15 —5F **29**
Justice Wlk. SW3 —2A 64
(off Lawrence St.)
Jutland Clo. N19 —3A **10**
Jutland Ho. SE5 —5E **67**
Jutland Rd. E13 —3C **44**
Jutland Rd. SE6 —5E **85**
Juxon St. SE11 —5B **52**
JVC Bus. Pk. NW2 —3C **4**

Kambala Rd. SW11 —1F **77**
Kangley Bri. Rd. SE26 —5B **98**
Kangley Bus. Cen. SE26
—5B **98**
Kara Way. NW2 —1F **19**
Karen Ter. E11 —4B **16**
Kashmir Rd. SE7 —3F **73**
Kassala Rd. SW11 —4B **64**
Katherine Clo. SE16 —2F **55**
Katherine Ct. SE23 —1E **97**
Katherine Gdns. SE9 —2F **87**
Katherine Rd. E7 & E6 —2E **31**
Katherine Sq. W11 —2A **48**
Kathleen Godfree Ct. SW19
—5C **90**
Kathleen Rd. SW11 —1B **78**
Kay Rd. SW9 —5A **66**
Kay St. E2 —1C **40**
Kay St. E15 —4F **29**
Kean Ho. SE17 —2D **67**
Kean St. WC2 —5B **38**
Keats Av. E16 —2D **59**
Keats Clo. E11 —1D **17**
Keat's Clo. NW3 —1A **22**
Keats Clo. SE1 —5B **54**

Keats Clo. *SW19* —5F **91**
Keat's Gro. *NW3* —1A **22**
Keats Ho. SE5 —3E **67**
  (off Elmington Est.)
Keats Pl. *EC2* —4F **39**
  (off Moorgate)
Kebbell Ter. *E7* —2D **31**
  (off Claremont Rd.)
Keble St. *SW17* —4E **91**
Kedleston Wlk. *E2* —2D **41**
Keedonwood Rd. *Brom*
  —5A **100**
Keel Clo. *SE16* —2F **55**
Keeley St. *WC2* —5B **38**
Keeling Rd. *SE9* —3F **87**
Keens Clo. *SW16* —5F **93**
Keen's Yd. *N1* —3D **25**
Keep, The. *SE3* —5C **72**
Keeton's Rd. *SE16* —4D **55**
  (in two parts)
Keevil Dri. *SW19* —5F **75**
Keighley Clo. *N7* —2A **24**
Keildon Rd. *SW11* —2B **78**
Keir Hardie Est. *E5* —3D **13**
Keir Hardie Ho. *N19* —2F **9**
Keir, The. *SW19* —5E **89**
Keith Connor Clo. *SW8*
  —1D **79**
Keith Gro. *W12* —3C **46**
Kelbrook Rd. *SE3* —5F **73**
Kelceda Clo. *NW2* —4C **4**
Kelfield Ct. *W10* —5F **33**
Kelfield Gdns. *W10* —5E **33**
Kelfield M. *W10* —5F **33**
  (in two parts)
Kelland Clo. *N8* —1F **9**
Kelland Rd. *E13* —3C **44**
Kellaway Rd. *SE3* —5F **73**
Keller Cres. *W12* —1F **31**
Kellerton Rd. *SE13* —3A **86**
Kellett Ho. N1 —5A **26**
  (off Colville Est.)
Kellett Rd. *SW2* —2C **80**
Kelling Rd. *SE9* —3F **87**
Kellino St. *SW17* —4B **92**
Kell St. *SE1* —4D **53**
Kelly Clo. *NW10* —5A **4**
Kelly St. *NW1* —3D **23**
Kelman Clo. *SW4* —5F **65**
Kelmore Gro. *SE22* —2C **82**
Kelmscott Gdns. *W12* —4C **46**
Kelmscott Rd. *SW11* —3A **78**
Kelross Pas. *N5* —1E **25**
Kelross Rd. *N5* —1E **25**
Kelsall Clo. *SE3* —5D **73**
Kelsey St. *E2* —3C **40**
Kelson Ho. *E14* —4F **57**
Kelso Pl. *W8* —4D **49**
Kelvedon Ho. *SW8* —4A **66**
Kelvedon Rd. *SW6* —3B **62**
Kelvin Gro. *SE26* —3D **97**
Kelvington Rd. *SE15* —3F **83**
Kelvin Rd. *N5* —1E **25**
Kember St. *N1* —4B **24**
Kemble Ct. SE15 —3A **68**
  (off Lydney Clo.)
Kemble Ho. SW9 —1D **81**
  (off Barrington Rd.)

Kemble Rd. *SE23* —1F **97**
Kemble St. *WC2* —5B **38**
Kemerton Rd. *SE5* —1E **81**
Kemeys St. *E9* —2A **28**
Kemp Ct. SW8 —3A **66**
  (off Hartington Rd.)
Kempe Rd. *NW6* —1F **33**
Kempis Way. *SE22* —3A **82**
Kemplay Rd. *NW3* —1F **21**
Kemps Dri. *E14* —1C **56**
Kempsford Gdns. *SW5* —1C **62**
Kempsford Rd. *SE11* —5C **52**
  (in two parts)
Kemps Gdns. *SE13* —3E **85**
Kempson Rd. *SW6* —4C **62**
Kempthorne Rd. *SE8* —5B **56**
Kempton Ct. *E1* —4D **41**
Kemsing Rd. *SE10* —1C **72**
Kenbury Gdns. *SE5* —5E **67**
Kenbury Mans. *SE5* —5E **67**
Kenbury St. *SE5* —5E **67**
Kenchester Clo. *SW8* —3A **66**
Kendal Clo. *SW9* —3D **67**
Kendale Rd. *Brom* —5A **100**
Kendall Pl. *W1* —4C **36**
Kendal Pl. *SW15* —3B **76**
Kendal Rd. *NW10* —1C **18**
Kendal Steps. W2 —5A **36**
  (off St George's Fields)
Kendal St. *W2* —5A **36**
Kender St. *SE14* —3E **69**
Kendoa Rd. *SW4* —2F **79**
Kendon Clo. *E11* —1D **17**
Kendrick M. *SW7* —5F **49**
Kendrick Pl. *SW7* —5F **49**
Kenilford Rd. *SW12* —5D **79**
Kenilworth Av. *SW19* —5C **90**
Kenilworth Rd. *E3* —1A **42**
Kenilworth Rd. *NW6* —5B **20**
Kenley Wlk. *W11* —1A **48**
Kenlor Rd. *SW17* —5F **91**
Kenmont Gdns. *NW10* —2D **33**
Kenmure Rd. *E8* —2D **27**
Kenmure Yd. *E8* —2D **27**
Kennacraig Clo. *E16* —2D **59**
Kennard Rd. *E15* —4F **29**
Kennard St. *SW11* —4C **64**
Kennedy Clo. *E13* —1C **44**
Kennedy Ho. SE11 —1B **66**
  (off Vauxhall Wlk.)
Kennedy Ho. SE17 —5F **53**
  (off Tisdall Pl.)
Kennet Clo. *SW11* —2F **77**
Kenneth Ct. *SE11* —5C **52**
Kenneth Cres. *NW2* —2D **19**
Kennet Rd. *W9* —3B **34**
Kennet St. *E1* —2C **54**
Kenninghall Rd. *E5* —5C **12**
Kenning St. *SE16* —3E **55**
Kennings Way. *SE11* —1C **66**
Kenning Ter. *N1* —5A **26**
Kennington Grn. *SE11* —1C **66**
Kennington Gro. *SE11* —2B **66**
Kennington La. *SE11* —1B **66**
Kennington Oval. *SE11*
  —2B **66**

Kennington Oval. (Junct.)
  —2C **66**
Kennington Pal. Ct. SE11
  —1C **66**
  (off Sancroft St.)
Kennington Pk. Gdns. *SE11*
  —2D **67**
Kennington Pk. Ho. SE11
  —1C **66**
  (off Kennington Pk. Pl.)
Kennington Pk. Pl. *SE11*
  —2C **66**
Kennington Pk. Rd. *SE11*
  —2C **66**
Kennington Rd. *SE1 & SE11*
  —4C **52**
Kennistoun Ho. *NW5* —2E **23**
Kennyland Ct. *NW4* —1D **5**
  (off Hendon Way)
Kenrick Pl. *W1* —4C **36**
Kensal Rd. *W10* —3A **34**
Kensington Cen. *W14* —5A **48**
  (in two parts)
Kensington Chu. Ct. *W8*
  —3D **49**
Kensington Chu. St. *W8*
  —2C **48**
Kensington Chu. Wlk. *W8*
  —3D **49**
Kensington Ct. *W8* —3D **49**
Kensington Ct. Gdns. W8
  —4D **49**
  (off Kensington Ct. Pl.)
Kensington Ct. M. W8 —4D **49**
  (off Kensington Ct. Pl.)
Kensington Ct. Pl. *W8* —4D **49**
Kensington Gdns. Sq. *W2*
  —5D **35**
Kensington Ga. *W8* —4E **49**
Kensington Gore. *SW7* —3E **49**
Kensington Hall Gdns. *W14*
  —1B **62**
Kensington Heights. *W8*
  —2C **48**
Kensington High St. *W14 & W8*
  —4B **48**
Kensington Mall. *W8* —2C **48**
Kensington Mans. SW5
  —1C **62**
  (off Trebovir Rd.)
Kensington Pal. Gdns. *W8*
  —2D **49**
Kensington Pk. Gdns. *W11*
  —1B **48**
Kensington Pk. M. *W11*
  —5B **34**
Kensington Pk. Rd. *W11*
  —5B **34**
Kensington Pl. *W8* —2C **48**
Kensington Rd. *W8 & SW7*
  —3E **49**
Kensington Sq. *W8* —4D **49**
Kensington W. *W14* —5A **48**
Kenswick Ct. *SE13* —3D **85**
Kensworth Ho. EC1 —2F **39**
  (off Cranwood St.)
Kent Ct. *E2* —1B **40**
Kent Ho. *SE1* —1B **68**
Kent Ho. W4 —1A **60**
  (off Devonshire St.)

Kent Ho. La. *Beck* —5A **98**
Kent Ho. Rd. *SE26 & Beck*
    —5A **98**
Kentish Bldgs. *SE1* —2F **53**
  (off Borough High St.)
Kentish Town Ind. Est. *NW5*
    —2D **23**
Kentish Town Rd. *NW1 & NW5*
    —4D **23**
Kenton Ct. *SE26* —4A **98**
  (off Adamsrill Rd.)
Kenton Ct. *W14* —4B **48**
Kenton Rd. *E9* —3F **27**
Kenton St. *WC1* —3A **38**
Kent Pas. *NW1* —3B **36**
Kent St. *E2* —1B **40**
Kent St. *E13* —2E **45**
Kent Ter. *NW1* —2A **36**
Kent Wlk. *SW9* —2D **81**
Kent Way. *SE15* —4B **68**
Kentwell Clo. *SE4* —2A **84**
Kentwode Grn. *SW13* —3C **60**
Kent Yd. *SW7* —3A **50**
Kenward Rd. *SE9* —3E **87**
Kenway Rd. *SW5* —5D **49**
Kenwood Av. *SE14* —4F **69**
Kenwood Clo. *NW3* —3F **7**
Kenwood Ho. *NW3* —2F **7**
Kenwood Rd. *N6* —1B **8**
Kenworthy Rd. *E9* —2A **28**
Kenwrick Ho. *N1* —5B **24**
  (off Barnsbury Est.)
Kenwyn Dri. *NW2* —4A **4**
Kenwyn Rd. *SW4* —2F **79**
Kenya Rd. *SE7* —3F **73**
Kenyon Mans. *W14* —2A **62**
  (off Queen's Club Gdns.)
Kenyon St. *SW6* —4F **61**
Keogh Rd. *E15* —3A **30**
Kepler Rd. *SW4* —2A **80**
Keppel Ho. *SE8* —1B **70**
Keppel Row. *SE1* —2E **53**
Keppel St. *WC1* —4F **37**
Kerbela St. *E2* —3C **40**
Kerbey St. *E14* —5D **43**
Kerfield Cres. *SE5* —4F **67**
Kerfield Pl. *SE5* —4F **67**
Kerridge Ct. *N1* —3A **26**
  (off Balls Pond Rd.)
Kerrin Point. *SE11* —1C **66**
  (off Hotspur St.)
Kerrison Rd. *E15* —5F **29**
Kerrison Rd. *SW11* —1A **78**
Kerry. *N7* —3A **24**
Kerry Clo. *E16* —5D **45**
Kerry Path. *SE14* —2B **70**
Kersey Gdns. *SE9* —4F **101**
Kersfield Rd. *SW15* —4F **75**
Kershaw Clo. *SW18* —4F **77**
Kersley M. *SW11* —4B **64**
Kersley Rd. *N16* —4A **12**
Kersley St. *SW11* —5B **64**
Kerswell Clo. *N15* —1A **12**
Kerwick Clo. *N7* —4A **24**
Keslake Mans. *NW10* —1F **33**
  (off Station Ter.)
Keslake Rd. *NW6* —1F **33**
Keston Rd. *SE15* —1C **82**

Kestrel Av. *E6* —4F **45**
Kestrel Av. *SE24* —3D **81**
Kestrel Clo. *NW10* —2A **18**
Kestrel Ct. *SE8* —2B **70**
  (off Abinger Gro.)
Keswick Av. *SW15* —4A **90**
Keswick Ho. *SE5* —5E **67**
Keswick Rd. *SW15* —3A **76**
Ketley Ho. *SE15* —3C **68**
  (off Sumner Est.)
Kett Gdns. *SW2* —3B **80**
Kettlebaston Rd. *E10* —3B **14**
Kettleby Ho. *SW9* —1D **81**
  (off Barrington Rd.)
Kevan Ho. *SE5* —3E **67**
Key Clo. *E1* —3E **41**
Keyes Rd. *NW2* —2F **19**
Key Ho. *SE11* —2C **66**
Keymer Rd. *SW2* —2B **94**
Keynsham Gdns. *SE9* —3F **87**
Keynsham Rd. *SE9* —3F **87**
Keyse Rd. *SE1* —4B **54**
Keystone Cres. *N1* —1A **38**
Keyworth Clo. *E5* —1A **28**
Keyworth Pl. *SE1* —4D **53**
  (off Keyworth St.)
Keyworth St. *SE1* —4D **53**
Kezia St. *SE8* —1A **70**
Khama Rd. *SW17* —4A **92**
Khartoum Rd. *E13* —2D **45**
Khartoum Rd. *SW17* —4F **91**
Khyber Rd. *SW11* —5A **64**
Kibworth St. *SW8* —3B **66**
Kidbrooke Est. *SE3* —1E **87**
Kidbrooke Gdns. *SE3* —5C **72**
Kidbrooke Gro. *SE3* —4C **72**
Kidbrooke La. *SE9* —2F **87**
Kidbrooke Pk. Clo. *SE3*
    —4D **73**
Kidbrooke Pk. Rd. *SE3* —1E **87**
Kidbrooke Way. *SE3* —5D **73**
Kidderpore Av. *NW3* —1C **20**
Kidderpore Gdns. *NW3*
    —1C **21**
Kidd Pl. *SE7* —1F **73**
Kidron Way. *E9* —5E **27**
Kierbeck Bus. Complex. *E16*
    —3D **59**
Kiffen St. *EC2* —3F **39**
Kilburn Bri. *NW6* —5C **20**
Kilburn Ga. *NW6* —1D **35**
Kilburn High Rd. *NW6* —4B **20**
Kilburn La. *W10 & W9* —2F **33**
Kilburn Pk. Rd. *NW6* —2C **34**
Kilburn Pl. *NW6* —5C **20**
Kilburn Priory. *NW6* —5D **21**
Kilburn Sq. *NW6* —5C **20**
Kilburn Vale. *NW6* —5D **21**
Kilburn Vale Est. *NW6* —5D **21**
  (off Kilburn Vale)
Kildare Gdns. *W2* —5C **34**
Kildare Rd. *E16* —4C **44**
Kildare Ter. *W2* —5C **34**
Kildare Wlk. *E14* —5C **42**
Kildoran Rd. *SW2* —3A **80**
Kilgour Rd. *SE23* —4A **84**
Kilkie St. *SW6* —5E **63**

Killarney Rd. *SW18* —4E **77**
Killearn Rd. *SE6* —1F **99**
Killick St. *N1* —1B **38**
Killieser Av. *SW2* —2A **94**
Killip Clo. *E16* —5B **44**
Killowen Rd. *E9* —3F **27**
Killyon Rd. *SW8* —5E **65**
Killyon Ter. *SW8* —5E **65**
Kilmaine Rd. *SW6* —3A **62**
Kilmarsh Rd. *W6* —5E **47**
Kilmeston Way. *SE15* —3B **68**
Kilmington Rd. *SW13* —2C **60**
Kilmorie Rd. *SE23* —1A **98**
Kilner Ho. *SE11* —2C **66**
  (off Clayton St.)
Kilner St. *E14* —4C **42**
Kiln M. *SW17* —5F **91**
Kiln Pl. *NW5* —1C **22**
Kilravock St. *W10* —2A **34**
Kimbell Gdns. *SW6* —4A **62**
Kimberley Av. *E6* —1F **45**
Kimberley Av. *SE15* —5D **69**
Kimberley Gdns. *N4* —1D **11**
Kimberley Rd. *E11* —4F **15**
Kimberley Rd. *E16* —3B **44**
Kimberley Rd. *NW6* —5A **20**
Kimberley Rd. *SW9* —5A **66**
Kimber Rd. *SW18* —5C **76**
Kimble Rd. *SW19* —5F **91**
Kimbolton Clo. *SE12* —4B **86**
Kimmeridge Rd. *SE9* —4F **101**
Kimpton Rd. *SE5* —4F **67**
Kinburn St. *SE16* —3F **55**
Kincaid Rd. *SE15* —3D **69**
Kincardine Gdns. *W9* —3C **34**
Kinder Ho. *N1* —1F **39**
  (off Cranston Est.)
Kindersley Ho. *E1* —5C **40**
  (off Pinchin St.)
Kinder St. *E1* —5D **41**
Kinefold Ho. *N7* —3A **24**
Kinfauns Rd. *SW2* —2C **94**
King Alfred Av. *SE6* —4C **98**
  (in two parts)
King and Queen St. *SE17*
    —1E **67**
King Arthur Clo. *SE15* —3E **69**
King Charles Ho. *SW6* —3D **63**
  (off Wandon Rd.)
King Charles St. *SW1* —3F **51**
King Charles Wlk. *SW19*
    —1A **90**
King Ct. *E10* —2D **15**
King David La. *E1* —1E **55**
Kingdon Rd. *NW6* —3C **20**
King Edward Mans. *SW6*
  (off Fulham Rd.) —3C **62**
King Edward M. *SW13*
    —4C **60**
King Edward Rd. *E10* —3E **15**
King Edward's Rd. *E9* —5D **27**
King Edward St. *EC1* —5E **39**
King Edward III M. *SE16*
    —2D **55**
King Edward Wlk. *SE1* —4C **52**
Kingfield St. *E14* —5E **57**
Kingfisher M. *SE13* —2D **85**

Kingfisher Way. *NW10* —3A **18**
King Frederick Ninth Tower.
  SE16 —4B **56**
King George Av. *E16* —5F **45**
King George St. *SE10* —3E **71**
Kingham Clo. *SW18* —5E **77**
King Henry's Rd. *NW3* —4B **22**
King Henry St. *N16* —2A **26**
King Henry's Wlk. *N1* —3A **26**
Kinghorn St. *EC1* —4E **39**
King Ho. *W12* —5D **33**
King James Ct. SE1 —3D **53**
  (off King James St.)
King James St. *SE1* —3D **53**
John Clo. *EC2* —3A **40**
King John's Wlk. *SE9*
  —1F **101**
Kinglake Est. *SE17* —1A **68**
Kinglake St. *SE17* —1A **68**
Kingly Ct. W1 —1E **51**
  (off Beak St.)
Kingly St. *W1* —5E **37**
King & Queen St. *SE17*
  —1E **67**
Kingsand Rd. *SE12* —2C **100**
Kings Arms Ct. E1 —4C **40**
  (off Whitechapel Rd.)
Kings Arms Yd. *EC2* —5F **39**
Kings Av. *SW12 & SW4*
  —1F **93**
Kings Av. *Brom* —5B **100**
King's Bench St. *SE1* —3D **53**
King's Bench Wlk. *EC4*
  —1C **52**
Kingsbridge Ct. E14 —4C **56**
  (off Dockers Tanner Rd.)
Kingsbridge Rd. *W10* —5E **33**
Kingsbury Rd. *N1* —3A **26**
Kingsbury Ter. *N1* —3A **26**
Kingsclere Clo. *SW15* —5C **74**
Kingscliffe Gdns. *SW19*
  —1B **90**
Kings Clo. *E10* —2D **15**
King's College Rd. *NW3*
  —4A **22**
Kingscote St. *EC4* —1D **53**
King's Ct. *E13* —5D **31**
King's Ct. *SE1* —3D **53**
Kings Ct. *W6* —5C **46**
Kings Ct. *N. SW3* —1A **64**
Kingscourt Rd. *SW16* —3F **93**
Kings Ct. S. SW3 —1A **64**
  (off King's Rd.)
King's Cres. *N4* —5E **11**
Kings Cres. Est. *N4* —4E **11**
Kingscroft. *SW4* —4A **80**
Kingscroft Rd. *NW2* —3B **20**
Kings Cross. (Junct.) —2A **38**
King's Cross Bri. N1 —2A **38**
  (off Gray's Inn Rd.)
King's Cross Rd. *WC1* —2B **38**
Kingsdale Gdns. *W11* —2F **47**
Kingsdown Av. *W3* —1A **46**
Kingsdown Clo. SE16 —1D **69**
  (off Masters Dri.)
Kingsdown Clo. *W10* —5F **33**
Kingsdown Ho. *E8* —2C **26**
Kingsdown Rd. *E11* —5A **16**

Kingsdown Rd. *N19* —4A **10**
Kingsfield Ho. *SE9* —3F **101**
Kingsford St. *NW5* —2B **22**
Kingsgate. *NW6* —4C **20**
Kings Garth M. *SE23* —2E **97**
Kingsgate Est. *N1* —3A **26**
Kingsgate Pde. *SW1* —4E **51**
  (off Victoria St.)
Kingsgate Pl. *NW6* —4C **20**
Kingsgate Rd. *NW6* —4C **20**
Kingsground. *SE9* —5F **87**
King's Gro. *SE15* —4D **69**
  (in two parts)
Kingshall M. *SE13* —1E **85**
Kings Head Ct. EC3 —1F **53**
  (off Pudding La.)
Kings Head Pas. SW4 —2F **79**
  (off Clapham Pk. Rd.)
King's Head Yd. *SE1* —2F **53**
Kingshold Rd. *E9* —4E **27**
Kingsholm Gdns. *SE9* —2F **87**
Kings Ho. SW8 —3A **66**
  (off S. Lambeth Rd.)
Kingshurst Rd. *SE12* —5C **86**
Kingsland Grn. *E8* —3A **26**
Kingsland Grn. *N16* —3A **26**
Kingsland High St. *E8* —3B **26**
Kingsland Pas. *E8* —3A **26**
Kingsland Rd. *E2 & E8*
  —2A **40**
Kingsland Rd. *E13* —2E **45**
Kingslawn Clo. *SW15* —3D **75**
Kingsley Flats. *SE1* —5A **54**
Kingsley Ho. SW3 —2F **63**
  (off Beaufort St.)
Kingsley M. *E1* —1D **55**
Kingsley M. *W8* —4D **49**
Kingsley Pl. *N6* —2C **8**
Kingsley Rd. *E7* —4C **30**
Kingsley Rd. *NW6* —5B **20**
Kingsley Rd. *SW19* —5D **91**
Kingsley St. *SW11* —1B **78**
Kingsley Way. *N2* —1E **7**
Kings Mall. *W6* —5E **47**
Kingsmead Av. *NW9* —2A **4**
Kingsmead Ct. *N6* —2F **9**
Kingsmead Ho. *E9* —1A **28**
Kingsmead Rd. *SW2* —2C **94**
King's Mead Way. *E9* —1A **28**
Kingsmere Clo. *SW15* —1F **75**
Kingsmere Rd. *SW19* —2F **89**
King's M. *SW4* —3A **80**
King's M. *WC1* —3B **38**
Kingsmill Ter. *NW8* —1F **35**
Kingsnorth Ho. *W10* —5F **33**
Kings Pas. *E11* —2A **16**
King's Pl. *SE1* —3E **53**
Sq. Kng. *EC1* —2E **39**
King's Quay. SW10 —4E **63**
  (off Chelsea Harbour)
Kings Reach Tower. SE1
  (off Stamford St.) —2D **53**
Kingsridge. *SW19* —2A **90**
King's Rd. *E6* —5E **31**
Kings Rd. *E11* —2A **16**
King's Rd. *NW10* —4D **19**
King's Rd. *SW3* —2F **63**

King's Rd. *SW6 & SW10*
  —3D **63**
Kings Rd. *SW14* —1A **74**
Kings Rd. *SW19* —5C **90**
King's Scholars' Pas. SW1
  (off Carlisle Pl.) —4E **51**
King Stairs Clo. *SE16* —3D **55**
King's Ter. *NW1* —5E **23**
Kingsthorpe Rd. *SE26* —4F **97**
Kingston By-Pass. *SW15 &*
  SW20 —5A **88**
Kingston Ho. *NW6* —4A **20**
Kingston Rd. *SW15 & SW19*
  —2C **88**
Kingston Sq. *SE19* —5F **95**
Kingston Vale. *SW15* —4A **88**
Kingston Vs. *NW1* —5C **22**
  (in two parts)
King St. *E13* —3C **44**
King St. *EC2* —5E **39**
King St. *SW1* —2E **51**
King St. *W6* —5C **46**
King St. *WC2* —1A **52**
Kingswater Pl. *SW11* —3A **64**
Kingsway. *WC2* —5B **38**
Kingswear Rd. *NW5* —5D **9**
Kingswood Av. *NW6* —5A **20**
Kingswood Clo. *SW8* —3A **66**
Kingswood Ct. NW6 —4C **20**
  (off W. End La.)
Kingswood Dri. *SE19* —4A **96**
Kingswood Est. *SE21* —4A **96**
Kingswood Pl. *SE13* —2A **86**
Kingswood Rd. *E11* —2A **16**
Kingswood Rd. *SE20* —5E **97**
Kingswood Rd. *SW2* —4A **80**
King William La. *SE10* —1A **72**
King William St. *EC4* —5F **39**
King William Wlk. *SE10*
  (in two parts) —2E **71**
Kingwood Rd. *SW6* —4A **62**
Kinloch Dri. *NW9* —2A **4**
Kinloch St. *N7* —5B **10**
Kinnaird Av. *Brom* —5B **100**
Kinnear Rd. *W12* —3B **46**
Kinnerton Pl. N. *SW1* —3B **50**
  (off Kinnerton St.)
Kinnerton Pl. S. SW1 —3B **50**
  (off Kinnerton St.)
Kinnerton St. *SW1* —3C **50**
Kinnerton Yd. SW1 —3C **50**
Kinnoul Rd. *W6* —2A **62**
Kinsale Rd. *SE15* —1C **82**
Kintore Way. *SE1* —5B **54**
Kintyre Ct. *SW2* —5A **80**
Kinveachy Gdns. *SE7* —1F **73**
Kinver Rd. *SE26* —4E **97**
Kipling Dri. *SW19* —5F **91**
Kipling Est. *SE1* —3F **53**
Kipling Ho. SE5 —3E **67**
  (off Elmington Est.)
Kipling St. *SE1* —3F **53**
Kippington Dri. *SE9* —1F **101**
Kirby Est. *SE16* —4D **55**
Kirby Gro. *SE1* —3A **54**
Kirby St. *EC1* —4C **38**
Kirkdale. *SE26* —2D **97**

Kirkdale Rd. *E11* —3A **16**
Kirkland Wlk. *E8* —3B **26**
Kirkman Pl. W1 —4F **37**
  (off Tottenham Ct. Rd.)
Kirkmichael Rd. *E14* —5E **43**
Kirk Rd. *E17* —1B **14**
Kirkside Rd. *SE3* —2C **72**
Kirk's Pl. *E14* —4B **42**
Kirkstall Gdns. *SW2* —1A **94**
Kirkstall Rd. *SW2* —1F **93**
Kirk St. *WC1* —3B **38**
  (off Northington St.)
Kirkwall Pl. *E2* —2E **41**
Kirkwood La. *NW1* —4C **22**
Kirkwood Rd. *SE15* —5D **69**
Kirtley Rd. *SE26* —4A **98**
Kirtling St. *SW8* —3E **65**
Kirton Clo. *W4* —5A **46**
Kirton Gdns. *E2* —2B **40**
Kirton Rd. *E13* —1E **45**
Kirwyn Way. *SE5* —3E **67**
Kitcat Ter. *E3* —2C **42**
Kitchener Rd. *E7* —3D **31**
Kite Pl. E2 —2C **40**
  (off Lampern St.)
Kite Yd. *SW11* —4B **64**
Kitson Rd. *SE5* —3F **67**
Kitson Rd. *SW13* —4C **60**
Kitto Rd. *SE14* —5F **69**
Kiver Rd. *N19* —4F **9**
Klea Av. *SW4* —4E **79**
Knapdale Clo. *SE23* —2D **97**
Knapmill Rd. *SE6* —2C **98**
Knapmill Way. *SE6* —2D **99**
Knapp Clo. *NW10* —3A **18**
Knapp Rd. *E3* —3C **42**
Knapton M. *SW17* —5C **92**
                            —1D **91**
Knaresborough Dri. *SW18*

Knaresborough Pl. *SW5*
                            —5D **49**
Knatchbull Rd. *NW10* —5A **18**
Knatchbull Rd. *SE5* —5C **66**
Knebworth Ho. *SW8* —4F **65**
Knebworth Rd. *N16* —1A **26**
Kneller Rd. *SE4* —2A **84**
Knighten St. *E1* —2D **55**
Knighthead Point. *E14* —3C **56**
Knightland Rd. *E5* —4D **13**
Knighton Pk. Rd. *SE26* —5F **97**
Knighton Rd. *E7* —5C **16**
Knightrider Ct. EC4 —1E **53**
  (off Knightrider St.)
Knightrider St. *EC4* —5D **39**
Knight's Arc. SW1 —3B **50**
  (off Knightsbridge)
Knightsbridge. *SW7 & SW1*
                            —3A **50**
Knightsbridge Ct. SW1 —3B **50**
  (off Sloane St.)
Knightsbridge Grn. *SW1*
                            —3B **50**
Knights Clo. *E9* —2E **27**
Knights Ct. *Brom* —3B **100**
Knights Hill. *SE27* —5D **95**
Knight's Hill Sq. *SE27* —4D **95**
Knight's Rd. *E16* —3C **58**
Knights Wlk. *SE11* —5D **53**

Knightswood Ct. *N6* —2F **9**
Knivet Rd. *SW6* —2C **62**
Knobs Hill Rd. *E15* —5D **29**
Knockholt Rd. *SE9* —3F **87**
Knoll Rd. *SW18* —3E **77**
Knollys Clo. *SW16* —3C **94**
Knollys Rd. *SW16* —3C **94**
Knottisford St. *E2* —2E **41**
Knowle Clo. *SW9* —1C **80**
Knowles Hill Cres. *SE13*
                            —3F **85**
Knowles Wlk. *SW4* —1E **79**
Knowlton Ho. SW9 —4D **67**
  (off Cowley Rd.)
Knowsley Rd. *SW11* —5B **64**
Knox Ct. *SW4* —5A **66**
Knox Rd. *E7* —3B **30**
Knox St. *W1* —4B **36**
Knoyle St. *SE14* —2A **70**
Kohat Rd. *SW19* —5D **91**
Kossuth St. *SE10* —1A **72**
Kotree Way. *SE1* —5C **54**
Kramer M. *SW5* —1C **62**
Kreedman Wlk. *E8* —2C **26**
Krupnik Pl. EC2 —3A **40**
  (off Bateman's Row)
Kuhn Way. *E7* —2C **30**
Kylemore Clo. *E6* —1F **45**
Kylemore Rd. *NW6* —4C **20**
Kynance M. *SW7* —4D **49**
Kynance Pl. *SW7* —4E **49**
Kynaston Av. *N16* —5B **12**
Kynaston Rd. *N16* —5A **12**
Kynaston Rd. *Brom* —5C **100**
Kyrle Rd. *SW11* —4C **78**
Kyverdale Rd. *N16* —3B **12**

Laburnum Clo. *SE15* —3E **69**
Laburnum Ct. *E2* —5B **26**
Laburnum Ct. SE16 —3E **55**
  (off Albion St.)
Laburnum St. *E2* —5B **26**
Lacey Wlk. *E3* —1C **42**
Lackington St. *EC2* —4F **39**
Lackland Ho. *SE1* —1B **68**
Lacland Pl. *SW10* —3F **63**
Lacon Rd. *SE22* —2C **82**
Lacy Rd. *SW15* —2F **75**
Ladas Rd. *SE27* —4E **95**
Ladbroke Cres. *W11* —5A **34**
Ladbroke Gdns. *W11* —1B **48**
Ladbroke Gro. *W10 & W11*
                            —3F **33**
Ladbroke M. *W11* —2A **48**
Ladbroke Rd. *W11* —1B **48**
Ladbroke Sq. *W11* —1B **48**
Ladbroke Ter. *W11* —1B **48**
Ladbroke Wlk. *W11* —2B **48**
Ladlands. *SE22* —5C **82**
Ladycroft Rd. *SE13* —1D **85**
Lady Dock Wlk. SE16 —3A **56**
Lady Margaret Rd. *NW5 & N19*
                            —2E **23**
Ladyship Ter. *SE22* —5C **82**
Ladysmith Av. *E6* —1F **45**

Ladysmith Rd. *E16* —2B **44**
Lady Somerset Rd. *NW5*
                            —1D **23**
Ladywell Clo. *SE4* —3C **84**
Ladywell Heights. *SE4* —4B **84**
Ladywell Rd. *SE13* —3C **84**
Ladywell St. *E15* —5B **30**
Lafone St. *SE1* —3B **54**
Lagado M. *SE16* —2F **55**
Lagan Ho. SE15 —3C **68**
  (off Sumner Est.)
Laing Ho. *SE5* —3E **67**
Lainson St. *SW18* —5C **76**
Lairdale Clo. *SE21* —1E **95**
Lairs Clo. *N7* —2A **24**
Laitwood Rd. *SW12* —1D **93**
Lake Av. *Brom* —5C **100**
Lake Clo. *SW19* —5B **90**
Lake Ho. Rd. *E11* —5C **16**
Laker Ct. *SW4* —4A **66**
Lake Rd. *SW19* —5B **90**
Laker Pl. *SW15* —4B **76**
Lakeside Ct. *N4* —4E **11**
Lakeside Rd. *W14* —4F **47**
Lakeside Ter. EC2 —4E **39**
  (off Barbican)
Lake View Est. *E3* —1A **42**
Lakeview Rd. *SE27* —5C **94**
Lakis Clo. *NW3* —1E **21**
Laleham Rd. *SE6* —5E **85**
Lalor St. *SW6* —5A **62**
Lamberhurst Ho. *SE15* —2E **69**
Lamberhurst Rd. *SE27* —4C **94**
Lambert Jones M. EC2 —4E **39**
  (off Barbican)
Lambert Rd. *E16* —5D **45**
Lambert Rd. *SW2* —3A **80**
Lambert St. *N1* —4C **24**
Lambeth Bri. SW1 & SE1
                            —5A **52**
Lambeth High St. *SE1* —5B **52**
Lambeth Hill. *EC4* —1E **53**
Lambeth Pal. Rd. *SE1* —4B **52**
Lambeth Rd. *SE1 & SE11*
                            —4B **52**
Lambeth Towers. SE11
                            —4C **52**
  (off Kennington Rd.)
Lambeth Wlk. *SE11* —5B **52**
Lambfold Ho. *N7* —3A **24**
Lamb La. *E8* —4D **27**
Lamble St. *NW5* —2C **22**
Lambolle Pl. *NW3* —3A **22**
Lambolle Rd. *NW3* —3A **22**
Lambourn Clo. NW5 —1E **23**
  (off Lady Margaret Rd.)
Lambourne Av. *SW19* —4B **90**
Lambourne Ho. *SE16* —5F **55**
Lambourne Pl. *SE3* —4D **73**
Lambourne Rd. *E11* —2E **15**
Lambourn Rd. *SW4* —1D **79**
Lambrook Ho. *SE15* —4C **68**
Lambrook Ter. *SW6* —4A **62**
Lamb's Bldgs. *EC1* —3F **39**
Lamb's Conduit Pas. WC1
  (off Red Lion St.)   —4B **38**
Lamb's Conduit St. *WC1*
  (in three parts)   —3B **38**

Lambscroft Av. *SE9* —3E **101**
Lamb's M. *N1* —5D **25**
Lamb's Pas. *EC1* —3F **39**
Lamb St. *E1* —4B **40**
Lambton Pl. *W11* —1B **48**
Lambton Rd. *N19* —3A **10**
Lamb Wlk. *SE1* —3A **54**
Lamerock Rd. *Brom* —4B **100**
Lamerton St. *SE8* —2C **70**
Lamington St. *W6* —5D **47**
Lamlash St. *SE11* —5D **53**
Lammas Grn. *SE26* —3D **97**
Lammas Rd. *E9* —4F **27**
Lammas Rd. *E10* —4A **14**
Lammermoor Rd. *SW12*
　　　　　—5D **79**
Lamont Rd. *SW10* —2E **63**
Lamont Rd. Pas. *SW10* —2F **63**
　(off Lamont Rd.)
Lampard Gro. *N16* —3B **12**
Lampern Sq. *E2* —2C **40**
Lampeter Sq. *W6* —2A **62**
Lamplighter Clo. *E1* —3E **41**
Lampmead Rd. *SE12* —2B **86**
Lamp Office Ct. *WC1* —3B **38**
Lamps Ct. *SE5* —3E **67**
Lampton Ho. Clo. *SW19*
　　　　　—4F **89**
Lanain Ct. *SE12* —5B **86**
Lanark Ho. *SE1* —1C **68**
　(off Old Kent Rd.)
Lanark Pl. *W9* —3E **35**
Lanark Rd. *W9* —1D **35**
Lanark Sq. *E14* —4D **57**
Lanbury Rd. *SE15* —2F **83**
Lancashire Ct. *W1* —1D **51**
　(off New Bond St.)
Lancaster Av. *SE27* —2D **95**
Lancaster Av. *SW19* —5F **89**
Lancaster Clo. *N1* —4A **26**
Lancaster Clo. *SE27* —2D **95**
Lancaster Clo. *W2* —1D **49**
　(off St Petersburgh Pl.)
Lancaster Ct. *SE27* —2D **95**
Lancaster Ct. *SW6* —3B **62**
Lancaster Dri. *E14* —2E **57**
Lancaster Dri. *NW3* —3A **37**
Lancaster Gdns. *SW19* —5A **90**
Lancaster Ga. *W2* —1E **49**
Lancaster Gro. *NW3* —3F **21**
Lancaster M. *SW18* —3D **77**
Lancaster M. *W2* —1E **49**
Lancaster Pl. *WC2* —1B **52**
Lancaster Rd. *E7* —4C **30**
Lancaster Rd. *E11* —4A **16**
Lancaster Rd. *N4* —2B **10**
Lancaster Rd. *NW10* —2C **18**
Lancaster Rd. *SW19* —5F **89**
Lancaster Rd. *W11* —5A **34**
Lancaster Stables.
　　　　　—3A **22**
Lancaster St. *SE1* —3D **53**
Lancaster Ter. *W2* —1F **49**
Lancaster Wlk. *W2* —2E **49**
Lancefield Ho. *SE15* —1D **83**
Lancefield St. *W10* —2B **34**

Lancell St. *N16* —4A **12**
Lancelot Pl. *SW7* —3B **50**
Lancer Sq. *W8* —3D **49**
Lancey Clo. *SE7* —5F **59**
Lanchester Rd. *N6* —1B **8**
Lancing St. *NW1* —2F **37**
Lancresse Ct. *N1* —5A **26**
　(off De Beauvoir Est.)
Landcroft Rd. *SE22* —3B **82**
Landells Rd. *SE22* —4B **82**
Landford Rd. *SW15* —1E **75**
Landgrove Rd. *SW19* —5C **90**
Landmann Way. *SE14* —1F **69**
Landon Pl. *SW1* —4B **50**
Landon's Clo. *E14* —2E **57**
Landon Wlk. *E14* —1D **57**
Landor Rd. *SW9* —1A **80**
Landor Wlk. *W12* —3C **46**
Landport Way. *SE15* —3B **68**
Landridge Rd. *SW6* —5B **62**
Landrock Rd. *N8* —1A **10**
Landseer Rd. *N19* —5A **10**
Landulph Ho. *SE11* —1C **66**
　(off Kennings Way)
Lane Clo. *NW2* —5D **5**
Lane End. *SW15* —4F **75**
Laneway. *SW15* —3D **75**
Lanfranc Rd. *E3* —1A **42**
Lanfrey Pl. *W14* —1B **62**
Langbourne Av. *N6* —4C **8**
Langbourne Mans. *N6* —4C **8**
Langbrook Rd. *SE3* —1F **87**
Langdale Clo. *SE17* —2E **67**
Langdale Mans. *E1* —5D **41**
　(off Langdale St.)
Langdale Rd. *SE10* —3E **71**
Langdale St. *E1* —5D **41**
Langdon Ct. *NW10* —5A **18**
Langdon Pk. Rd. *N6* —2E **9**
Langdon Way. *SE1* —5C **54**
Langford Clo. *E8* —2C **26**
Langford Clo. *N15* —1A **12**
Langford Clo. *NW8* —1E **35**
Langford Ct. *NW8* —1E **35**
　(off Abbey Rd.)
Langford Grn. *SE5* —1A **82**
Langford Ho. *SE8* —2C **70**
Langford Pl. *NW8* —1E **35**
Langford Rd. *SW6* —5D **63**
Langham Mans. *SW5* —1D **63**
　(off Earl's Ct. Sq.)
Langham Pl. *W1* —4D **37**
Langham Pl. *W4* —2A **60**
Langham St. *W1* —4D **37**
Langholm Clo. *SW12* —5F **79**
Langhorne Ct. *NW8* —4F **21**
　(off Dorman Way)
Lang Ho. *SW8* —3A **66**
　(off Hartington Rd.)
Langland Gdns. *NW3* —2D **21**
Langland Ho. *SE5* —3F **67**
　(off Edmund St.)

Langler Rd. *NW10* —1E **33**
Langley Ct. *WC2* —1A **52**
Langley Cres. *E11* —2E **17**
Langley Dri. *E11* —2D **17**
Langley La. *SW8* —2A **66**
Langley Mans. *SW8* —2B **66**
　(off Langley La.)
Langley St. *WC2* —5A **38**
Langmead St. *SE27* —4E **95**
Langmore Ho. *E1* —5C **40**
　(off Stutfield St.)
Langport Ho. *SW9* —5D **67**
Langroyd Rd. *SW17* —2B **92**
Langside Av. *SW15* —2C **74**
Langston Hughes Clo. *SE24*
　　　　　—2D **81**
Lang St. *E1* —3E **41**
Langthorn Ct. *EC2* —2F **39**
Langthorne Ct. *Brom* —4E **99**
Langthorne Rd. *E11* —5E **15**
Langthorne St. *SW6* —3F **61**
Langton Clo. *WC1* —3B **38**
Langton Pl. *SW18* —1C **90**
Langton Rise. *SE23* —5D **83**
Langton Rd. *NW2* —5E **5**
Langton Rd. *SW9* —3D **67**
Langton St. *SW10* —2E **63**
Langton Way. *SE3* —4B **72**
Langtry Rd. *NW8* —5D **21**
Langtry Wlk. *NW8* —5D **21**
Lanhill Rd. *W9* —3C **34**
Lanier Rd. *SE13* —4F **85**
Lannoy Point. *SW6* —3A **62**
　(off Pellant Rd.)
Lanrick Rd. *E14* —5F **43**
Lansbury Est. *E14* —5D **43**
Lansbury Gdns. *E14* —5F **43**
Lanscombe Wlk. *SW8* —4A **66**
Lansdell Ho. *SW2* —3C **80**
　(off Tulse Hill)
Lansdowne Cres. *W11* —1A **48**
Lansdowne Dri. *E8* —3C **26**
Lansdowne Gdns. *SW8*
　　　　　—4A **66**
Lansdowne Grn. *SW8* —4A **66**
Lansdowne Gro. *NW10*
　　　　　—1A **18**
Lansdowne Hill. *SE27* —3D **95**
Lansdowne La. *SE7* —1F **73**
Lansdowne M. *SE7* —1F **73**
Lansdowne M. *W11* —2B **48**
Lansdowne Pl. *SE1* —4F **53**
Lansdowne Rise. *W11* —1A **48**
Lansdowne Rd. *E11* —4B **16**
Lansdowne Rd. *E17* —1C **14**
Lansdowne Rd. *W11* —1A **48**
Lansdowne Row. *W1* —2D **51**
Lansdowne Ter. *WC1* —3A **38**
Lansdowne Wlk. *W11* —2B **48**
Lansdowne Way. *SW8* —4F **65**
Lansdowne Wood Clo. *SE27*
　　　　　—3D **95**
Lansdown Rd. *E7* —4E **31**
Lantern Clo. *SW15* —2C **74**
Lanterns Ct. *E14* —4C **56**
Lant St. *SE1* —3E **53**
Lanvanor Rd. *SE15* —5E **69**
Lanyard Ho. *SE8* —5B **56**

Lapford Clo. *W9* —3B **34**
Lapse Wood Wlk. *SE23*
　　　　　　　　—1D **97**
Lapwing Tower. SE8 —2B **70**
　(off Abinger Gro.)
Lara Clo. *SE13* —4E **85**
Larch Av. *W3* —2A **46**
Larch Clo. *E13* —3E **45**
Larch Clo. *N19* —4E **9**
Larch Clo. *SE8* —2B **70**
Larch Clo. *SW12* —2D **93**
Larch Rd. *E10* —4C **14**
Larch Rd. *NW2* —1E **19**
Larcom St. *SE17* —5E **53**
Larden Rd. *W3* —2A **46**
Larissa St. *SE17* —1F **67**
Larkbere Rd. *SE26* —4A **98**
Larkhall La. *SW4* —5F **65**
Larkhall Rise. *SW4* —1E **79**
Lark Row. *E2* —5E **27**
Larkspur Clo. *E6* —4F **45**
Larnach Rd. *W6* —2F **61**
Larpent Av. *SW15* —3E **75**
Lascelles Clo. *E11* —4F **15**
Lassell St. *SE10* —1F **71**
Lasseter Pl. *SE3* —2A **72**
Latchmere Pas. *SW11* —5A **64**
Latchmere Rd. *SW11* —5B **64**
Latchmere St. *SW11* —5B **64**
Latham Clo. SW5 —5C **48**
　(off W. Cromwell Rd.)
Latimer Ho. *E9* —3F **27**
Latimer Ind. Est. *W10* —5E **33**
Latimer Pl. *W10* —5E **33**
Latimer Rd. *E7* —1D **31**
Latimer Rd. *N15* —1A **12**
Latimer Rd. *W10* —4E **33**
Latona Rd. *SE15* —2C **68**
Lattimer Pl. *W4* —2A **60**
Latymer Ct. *W6* —5F **47**
Lauderdale Mans. W9 —2D **35**
　(off Lauderdale Rd.)
Lauderdale Pl. EC2 —4E **39**
　(off Barbican)
Lauderdale Rd. *W9* —2D **35**
Lauderdale Tower. EC2 —4E **39**
　(off Barbican)
Laud St. *SE11* —1B **66**
Launcelot Rd. Brom —4C **100**
Launcelot St. *SE1* —3C **52**
Launceston Pl. *W8* —4E **49**
Launch St. *E14* —4E **57**
Laundress La. *N16* —5C **12**
Laundry La. *N1* —4E **25**
Laundry Rd. *W6* —2A **62**
Laura Pl. *E5* —1E **27**
Laurel Bank Gdns. *SW6*
　　　　　　　　—5B **62**
Laurelbrook. *SE6* —3A **100**
Laurel Clo. *N19* —4E **9**
Laurel Clo. *SW17* —5A **92**
Laurel Ct. *E8* —3B **26**
Laurel Gro. *SE26* —4F **97**
Laurel Ho. *SE8* —2B **70**
Laurel Rd. *SW13* —5C **60**
Laurels, The. *NW10* —5D **19**
Laurel St. *E8* —3B **26**
Laurence Ct. *E10* —2D **15**

Laurence M. *W12* —3C **46**
Laurence Pountney Hill. *EC4*
　　　　　　　　—1F **53**
Laurence Pountney La. *EC4*
　　　　　　　　—1F **53**
Laurie Gro. *SE14* —4A **70**
Laurier Rd. *NW5* —5D **9**
Lauriston Rd. *E9* —4E **27**
Lauriston Rd. *SW19* —5F **89**
Lausanne Rd. *SE15* —4E **69**
Lavell St. *N16* —1F **25**
Lavender Clo. *SW3* —2A **64**
Lavender Gdns. *SW11* —2B **78**
Lavender Gro. *E8* —4C **26**
Lavender Hill. *SW11* —2A **78**
Lavender Rd. *SE16* —2A **56**
Lavender Rd. *SW11* —1F **77**
Lavender Sq. *E11* —5F **15**
Lavender St. *E15* —3A **30**
Lavender Sweep. *SW11*
　　　　　　　　—2B **78**
Lavender Ter. *SW11* —1A **78**
Lavender Wlk. *SW11* —2B **78**
Lavengro Rd. *SE27* —2E **95**
Lavenham Rd. *SW18* —2B **90**
Lavers Rd. *N16* —5A **12**
Laverstoke Gdns. *SW15*
　　　　　　　　—5B **74**
Laverton M. *SW5* —5D **49**
Laverton Pl. *SW5* —5D **49**
Lavina Gro. *N1* —1B **38**
Lavington St. *SE1* —2D **53**
Lavisham Ho. *Brom* —5D **101**
Lawford Rd. *N1* —4A **26**
Lawford Rd. *NW5* —3E **23**
Lawless St. *E14* —1D **57**
Lawley St. *E5* —1E **27**
Lawn Ho. Clo. *E14* —3E **57**
Lawn La. *SW8* —2A **66**
Lawn Pl. *SE15* —4B **68**
Lawn Rd. *NW3* —2B **22**
Lawnside. *SE3* —2B **86**
Lawns, The. *SE3* —1B **86**
Lawns, The. *SW19* —5B **90**
Lawn Ter. *SE3* —1A **86**
Lawrence Bldgs. *N16* —5B **12**
Lawrence Clo. *E3* —2C **42**
Lawrence Clo. *W12* —1D **47**
Lawrence La. *EC2* —5A **39**
Lawrence Pl. N1 —5A **24**
　(off Brydon Wlk.)
Lawrence Rd. *E6* —5F **31**
Lawrence Rd. *E13* —5D **31**
Lawrence St. *E16* —4B **44**
Lawrence St. *SW3* —2A **64**
Lawrie Pk. Av. *SE26* —5D **97**
Lawrie Pk. Cres. *SE26* —5D **97**
Lawrie Pk. Gdns. *SE26*
　　　　　　　　—4D **97**
Lawrie Pk. Rd. *SE26* —5D **97**
Lawson Clo. *E16* —4E **45**
Lawson Clo. *SW19* —3F **89**
Lawson Ct. N4 —3B **10**
　(off Lorne Rd.)
Law St. *SE1* —4F **53**

Lawton Rd. *E3* —2A **42**
　(in two parts)
Lawton Rd. *E10* —3E **15**
Laxley Clo. *SE5* —3D **67**
Laxton Pl. *NW1* —3D **37**
Layard Rd. *SE16* —5D **55**
Layard Sq. *SE16* —5D **55**
Laybourne Ho. E14 —3D **57**
　(off Admirals Way)
Laycock St. *N1* —3C **24**
Layfield Clo. *NW4* —2D **5**
Layfield Cres. *NW4* —2D **5**
Layfield Rd. *NW4* —2D **5**
Laystall St. *EC1* —3C **38**
Layton Rd. *N1* —1C **38**
Layton's Bldgs. *SE1* —3F **53**
Layzell Wlk. *SE9* —1F **101**
Lazar Wlk. N7 —4B **10**
Lazenby Ct. WC2 —1A **52**
　(off Floral St.)
Leabank Sq. *E9* —3C **28**
Leabank View. *N15* —1C **12**
Lea Bon Ct. *E15* —5B **30**
　(off Plaistow Gro.)
Leabourne Rd. *N16* —2C **12**
Lea Bri. Ind. Cen. *E10* —3B **14**
Lea Bri. Rd. *E5, E10 & E17*
　　　　　　　　—5E **13**
Lea Ct. *E13* —2C **44**
Leacroft Av. *SW12* —5B **78**
Leadale Rd. *N15 & N16*
　　　　　　　　—1C **12**
Leadenhall Mkt. *EC3* —5A **40**
　(off Leadenhall Pl.)
Leadenhall Pl. *EC3* —5A **40**
Leadenhall St. *EC3* —5A **40**
Leadenham Ct. *E3* —3C **42**
Leaf Gro. *SE27* —5C **94**
Leafy Oak Rd. SE12 —4E **101**
Leagrave St. *E5* —5E **13**
Lea Hall Gdns. *E10* —3C **14**
Lea Hall Rd. *E10* —3C **14**
Leahurst Rd. *SE13* —3F **85**
Lea Interchange. (Junct.)
　　　　　　　　—2C **28**
Leake Ct. *SE1* —3B **52**
Leake St. *SE1* —3B **52**
Lealand Rd. *N15* —1B **12**
Leamington Av. *E17* —1C **14**
Leamington Av. *Brom*
　　　　　　　　—5E **101**
Leamington Clo. *Brom*
　　　　　　　　—4E **101**
Leamington Rd. Vs. *W11*
　　　　　　　　—4B **34**
Leamore St. *W6* —5E **47**
Leamouth Rd. *E6* —4F **45**
Leamouth Rd. *E14* —5F **43**
Leander Ct. *SE8* —4C **70**
Leander Rd. *SW2* —4B **80**
Lea Pk. Trad. Est. *E10* —3B **14**
Leapold M. *E9* —5E **27**
Leary Ho. *SE11* —1B **66**
Leaside Rd. *E5* —3E **13**
Leasowes Rd. *E10* —3C **14**
Leatherdale St. *E1* —3E **41**
　(in two parts)

Leather Gdns. *E15* —5A **30**
Leatherhead Clo. *N16* —3B **12**
Leather La. *EC1* —4C **38**
(in two parts)
Leathermarket Ct. *SE1* —3A **54**
Leathermarket St. *SE1* —3A **54**
Leathwaite Rd. *SW11* —2B **78**
Leathwell Rd. *SE8* —5D **71**
Lea View Ho. *E5* —3D **13**
Leaway. *E10* —3F **13**
Lebanon Gdns. *SW18* —4C **76**
Lebanon Rd. *SW18* —3C **76**
Lebrun Sq. *SE3* —2D **87**
Lechmere Rd. *NW2* —3D **19**
Leckford Rd. *SW18* —2E **91**
Leckhampton Pl. *SW2* —5C **80**
Lecky St. *SW7* —1F **63**
Leconfield Av. *SW13* —1B **74**
Leconfield Rd. *N5* —1F **25**
Ledbury M. N. *W11* —5C **34**
Ledbury M. W. *W11* —1C **48**
Ledbury Rd. *W11* —5B **34**
Ledbury St. *SE15* —3C **68**
Lee Bri. *SE13* —1E **85**
Lee Chu. St. *SE13* —2A **86**
Lee Conservancy Rd. *E9*
—2B **28**
Lee Ct. *SE13* —2F **85**
Leeds Pl. *N4* —3B **10**
Leefern Rd. *W12* —3C **46**
Leegate. *SE12* —3B **86**
Lee Green. (Junct.) —3B **86**
Lee High Rd. *SE13 & SE12*
—1E **85**
Lee Ho. *EC2* —4E **39**
(off Monkwell Sq.)
Leeke St. *WC1* —2B **38**
Leeland Way. *NW10* —1B **18**
Lee Pk. *SE3* —2B **86**
Leerdam Dri. *E14* —4E **57**
Lee Rd. *SE3* —1B **86**
Leeside Cres. *NW11* —1A **6**
Leeson Rd. *SE24* —2C **80**
Lees Pl. *W1* —1C **50**
Lee St. *E8* —5B **26**
Lee Ter. *SE13 & SE3* —1A **86**
Leeward Ct. *E1* —1C **54**
Leeward Gdns. *SW19* —5A **90**
Leeway. La. *SE8* —1B **70**
Leewood Clo. *SE12* —4B **86**
Lefevre Wlk. *E3* —5B **28**
Lefroy Rd. *W12* —3A **46**
Left Ho. *NW6* —4A **20**
Legard Rd. *N5* —5D **11**
Legatt Rd. *SE9* —3F **87**
Leggatt Rd. *E15* —1E **43**
Legge St. *SE13* —3E **85**
Leghorn Rd. *NW10* —1B **32**
Legion Clo. *N1* —4C **24**
Leicester Ct. *WC2* —1F **51**
(off Lisle St.)
Leicester Ho. *SW9* —1D **81**
(off Loughborough Rd.)
Leicester Pl. *WC2* —1F **51**
Leicester Rd. *E11* —1D **17**
Leicester Rd. *NW10* —4A **18**
Leicester Sq. *WC2* —1F **51**
Leicester St. *WC2* —1F **51**

Leigham Av. *SW16* —3A **94**
Leigham Clo. *SW16* —3B **94**
Leigham Ct. Rd. *SW16*
—2A **94**
Leigham Vale. *SW16 & SW2*
—3B **94**
Leigh Gdns. *NW10* —1E **33**
Leigh Orchard Clo. *SW16*
—3B **94**
Leigh Pl. *EC1* —4C **38**
Leigh Pl. *E10* —2E **15**
Leigh Rd. *N5* —1D **25**
Leigh St. *WC1* —2A **38**
Leighton Cres. *NW5* —2E **23**
Leighton Gdns. *NW10* —1D **33**
Leighton Gro. *NW5* —2E **23**
Leighton Pl. *NW5* —2E **23**
Leighton Rd. *NW5* —2E **23**
Leila Parnell Pl. *SE7* —2E **73**
Leinster Gdns. *W2* —5E **35**
Leinster M. *W2* —1E **49**
Leinster Pl. *W2* —5E **35**
Leinster Rd. *NW6* —2C **34**
Leinster Sq. *W2* —5C **34**
Leinster Ter. *W2* —1E **49**
Leithcote Gdns. *SW16* —4B **94**
Leithcote Path. *SW16* —3B **94**
Leith Mans. W9 —2D **35**
(off Grantully Rd.)
Lelitia Clo. *E8* —5C **26**
Leman St. *E1* —5B **40**
Le May Av. *SE12* —3D **101**
Lemmon Rd. *SE10* —2A **72**
Lemna Rd. *E11* —2A **16**
Lemsford Clo. *N15* —1C **12**
Lemsford Ct. *N4* —4E **11**
Lemuel St. *SW18* —4E **77**
Lena Gdns. *W6* —4E **47**
Lendal Ter. *SW4* —1F **79**
Len Freeman Pl. *SW6* —3B **62**
Lenham Rd. *SE12* —2B **86**
Lennard Rd. *SE20 & Beck*
—5F **117**
Lennon Rd. *NW2* —2E **19**
Lennox Gdns. *NW10* —1D **19**
Lennox Gdns. *SW1* —4B **50**
Lennox Gdns. M. *SW1* —4B **50**
Lennox Rd. *E17* —1B **14**
Lennox Rd. *N4* —4B **10**
Lens Rd. *E7* —4E **31**
Lenthall Ho. *E8* —4B **26**
Lenthall Rd. *E8* —4C **26**
Lenthorp Rd. *SE10* —5B **58**
Lentmead Rd. *Brom* —3B **100**
Leof Cres. *SE6* —5D **99**
Leonard Ct. WC1 —3A **38**
(off Burton St.)
Leonard Rd. *E7* —1C **30**
Leonard St. *E16* —2F **59**
Leonard St. *EC2* —3F **39**
Leontine Clo. *SE15* —3C **68**
Leopards Ct. EC1 —4C **38**
(off Baldwins Gdns.)
Leopold Av. *SW19* —5B **90**
Leopold M. *E9* —5E **27**
Leopold Rd. *E17* —1C **14**
Leopold Rd. *NW10* —4A **18**
Leopold Rd. *SW19* —4B **90**

Leopold St. *E3* —4B **42**
Leopold Ter. *SW19* —5C **90**
Leo St. *SE15* —3D **69**
Leo Yd. *EC1* —3D **39**
(off St John St.)
Leppoc Rd. *SW4* —3F **79**
Leroy St. *SE1* —5A **54**
Lescombe Clo. *SE23* —3A **98**
Lescombe Rd. *SE23* —3A **98**
Leslie Prince Ct. *SE5* —3F **67**
Leslie Rd. *E11* —1E **29**
Leslie Rd. *E16* —5D **45**
Lessar Av. *SW4* —4E **79**
Lessingham Av. *SW17*
—4B **92**
Lessing St. *SE23* —5A **84**
Lester Av. *E15* —3A **44**
Leswin Pl. *N16* —5B **12**
Leswin Rd. *N16* —5B **12**
Letchford Gdns. *NW10*
—2C **32**
Letchford M. *NW10* —2C **32**
Letchworth St. *SW17* —4B **92**
Lethbridge Clo. *SE13* —4E **71**
Letterstone Rd. *SW6* —3B **62**
Lettice St. *SW6* —4B **62**
Lett Rd. *E15* —4F **29**
Lettsom St. *SE5* —5A **68**
Lettsom Wlk. *E13* —1C **44**
Leucha Rd. *E17* —1A **14**
Levana Clo. *SW19* —1A **90**
Levehurst Ho. *SE27* —5E **95**
Levendale Rd. *SE23* —2A **98**
Levenhurst Way. *SW4* —5A **66**
Leven Rd. *E14* —4E **43**
Leverett St. *SW3* —5A **50**
Leverington Pl. N1 —2A **40**
(off Charles Sq.)
Leverson St. *SW16* —5E **93**
Lever St. *EC1* —2D **39**
Leverton Pl. *NW5* —2E **23**
Leverton St. *NW5* —2E **23**
Levison Way. *N19* —3F **9**
Lewen's Ct. EC1 —3E **39**
(off Mitchell St.)
Lewesdon Clo. *SW19* —1F **89**
Leweston Pl. *N16* —2B **12**
Lewin Rd. *SW14* —1A **74**
Lewin Rd. *SW16* —5F **93**
Lewis Gro. *SE13* —1E **85**
Lewisham Bus. Cen. *SE14*
—2F **69**
Lewisham Cen. *SE13* —1E **85**
Lewisham Heights. *SE23*
—1E **97**
Lewisham High St. *SE13*
—4D **85**
Lewisham Hill. *SE13* —5E **71**
Lewisham Model Mkt. SE13
—2E **85**
(off Lewisham High St.)
Lewisham Pk. *SE13* —4E **85**
Lewisham Rd. *SE13* —4D **71**
Lewisham St. *SW1* —3F **51**
Lewisham Way. *SE14 & SE4*
—4B **70**
Lewis Silkin Ho. SE15 —2E **69**
(off Lovelinch Clo.)

Lewis St. *NW1* —4D **23**
(in two parts)
Lexham Gdns. *W8* —5C **48**
Lexham Gdns. M. *W8*
—4D **49**
Lexham M. *W8* —5C **48**
Lexham Wlk. *W8* —4D **49**
Lexington Apartments. *EC1*
—3F **39**
Lexington St. *W1* —1E **51**
Lexton Gdns. *SW12* —1F **93**
Leybourne Ho. *SE15* —2E **69**
Leybourne Rd. *E11* —3B **16**
Leybourne Rd. *NW1* —4D **23**
Leybourne St. *NW1* —4D **23**
Leybridge Ct. *SE12* —3C **86**
Leyden Mans. *N19* —2A **10**
Leyden St. *E1* —4B **40**
Leydon Clo. *SE16* —2F **55**
Leyes Rd. *E16* —5E **45**
Leyland Rd. *SE12* —3C **86**
Leylang Rd. *SE14* —3F **69**
Leys Ct. *SW9* —5C **66**
Leysfield Rd. *W12* —4C **46**
Leyspring Rd. *E11* —3B **16**
Leyton Bus. Cen. *E10* —4C **14**
Leyton Ct. *SE23* —1E **97**
Leyton Grange Est. *E10*
—4C **14**
Leyton Grn. Rd. *E10* —1E **15**
Leyton Ind. Village. *E10*
—2F **13**
Leyton Pk. Rd. *E10* —5E **15**
Leyton Rd. *E15* —2E **29**
Leytonstone Rd. *E15* —1A **30**
Leyton Way. *E11* —2A **16**
Leywick St. *E15* —1A **44**
Liardet St. *SE14* —2A **70**
Liberia Rd. *N5* —3D **25**
Liberty M. *SW12* —4D **79**
Liberty St. *SW9* —4B **66**
Libra Rd. *E3* —5B **28**
Libra Rd. *E13* —1C **44**
Library Pl. *E1* —1D **55**
Library St. *SE1* —3D **53**
Lichfield M. *SE3* —2A **42**
Lichfield Rd. *E3* —2A **42**
Lichfield Rd. *E6* —2F **45**
Lichfield Rd. *NW2* —1A **20**
Lickey Ho. *W14* —2B **62**
(off N. End Rd.)
Lidcote Gdns. *SW9* —5C **66**
Liddell Gdns. *NW10* —1E **33**
Liddell Rd. *NW6* —3C **20**
Liddington Rd. *E15* —5B **30**
Liddon Rd. *E13* —2D **45**
Liden Clo. *E17* —2B **14**
Lidfield Rd. *N16* —1F **25**
Lidgate Rd. *SE15* —3A **68**
Lidiard Rd. *SW18* —2E **91**
Lidlington Pl. *NW1* —1E **37**
Lidyard Rd. *N19* —3E **9**
Liffords Pl. *SW13* —5B **60**
Lifford St. *SW15* —2F **75**
Lighter Clo. *SE16* —5A **56**
Lightermans Rd. *E14* —3C **56**
Lightermans Wlk. *SW18*
—2C **76**

Light Horse Ct. SW3 —1C **64**
(off Royal Hospital Rd.)
Ligonier St. *E2* —3B **40**
Lilac Ct. *E13* —5E **31**
Lilac Ho. *SE4* —1C **84**
Lilac Pl. *SE11* —5B **52**
Lilac St. *W12* —1C **46**
Lilburne Gdns. *SE9* —3F **87**
Lilburne Rd. *SE9* —3F **87**
Lilestone Ho. *NW8* —3A **36**
Lilford Ho. *SE5* —5E **67**
Lilford Rd. *SE5* —5D **67**
Lilian Barker Clo. *SE12*
—3C **86**
Lilian Clo. *N16* —5A **12**
Lilley Clo. *E1* —2C **54**
Lillian Rd. *SW13* —2C **60**
Lillie Mans. SW6 —2A **62**
(off Lillie Rd.)
Lillie Ho. *SW6* —2F **61**
Lillieshall Rd. *SW4* —1D **79**
Lillie Yd. *SW6* —2C **62**
Lillington Gdns. Est. SW1
—5E **51**
(off Vauxhall Bri. Rd.)
Lilliput Ct. *SE12* —3D **87**
Lily Clo. *W14* —5F **47**
(in two parts)
Lily Pl. *EC1* —4C **38**
Lily Rd. *E17* —1C **14**
Lilyville Rd. *SW6* —4B **62**
Limberg Ho. *SE8* —5B **56**
Limburg Rd. *SW11* —2A **78**
Limeburner La. *EC4* —5D **39**
Lime Clo. *E1* —2C **54**
Lime Gro. *W12* —3E **47**
Lime Ct. *E17* —1E **15**
Lime Gro. *W12* —3E **47**
Limeharbour. *E14* —4D **57**
Limeharbour Ct. *E14* —4D **57**
Limehouse Causeway. *E14*
—1B **56**
Limehouse Fields Est. *E14*
—4A **42**
Limehouse Link. *E14* —1B **56**
Lime Kiln Dri. *SE7* —2D **73**
Limerick Clo. *SW12* —5E **79**
Limerston St. *SW10* —2E **63**
Limes Av. *NW11* —2A **6**
Limes Av. *SW13* —5B **60**
Limes Field Rd. *SW14* —1A **74**
Limesford Rd. *SE15* —2F **83**
Limes Gdns. *SW18* —4C **76**
Limes Gro. *SE13* —2E **85**
Limes, The. *SW18* —4C **76**
Limes, The. W2 —1C **48**
(off Linden Gdns.)
Lime St. *EC3* —1A **54**
Lime St. Pas. *EC3* —5A **40**
Limes Wlk. *SE15* —2E **83**
Limetree Clo. *SW2* —1B **94**
Lime Tree Ter. *SE6* —1B **98**
Limetree Wlk. *SW17* —5C **92**
Lime Wlk. *E15* —5A **30**
Limpsfield Av. *SW19* —2F **89**
Linacre Rd. *NW2* —3D **19**
Linberry Wlk. *SE8* —5B **56**

Linchmere Rd. *SE12* —5B **86**
Lincoln Av. *SW19* —3F **89**
Lincoln Ct. *N16* —2F **11**
Lincoln Ho. SW3 —3B **50**
(off Basil St.)
Lincoln Ho. *SW9 & SE5*
—3C **66**
Lincoln M. *NW6* —5B **20**
Lincoln M. *SE21* —2F **95**
Lincoln Rd. *E7* —3F **31**
Lincoln Rd. *E13* —3D **45**
Lincoln's Inn Fields. *WC2*
—5B **38**
Lincoln St. *E11* —4A **16**
Lincoln St. *SW3* —5B **50**
Lincombe Rd. *Brom* —3B **100**
Lindal Rd. *SE4* —3B **84**
Linden Av. *NW10* —1F **33**
Linden Ct. *W12* —2E **47**
Linden Gdns. *W2* —1C **48**
Linden Gdns. *W4* —1A **60**
Linden Gro. *SE15* —1D **83**
Linden Gro. *SE26* —5E **97**
Linden Ho. *SE15* —1D **83**
Linden Lea. *N2* —1E **7**
Linden M. *N1* —2F **25**
Linden M. *W2* —1C **48**
Linden Wlk. *N19* —4E **9**
Lindfield Gdns. *NW3* —2D **21**
Lindfield St. *E14* —5C **42**
Lindisfarne Way. *E9* —1A **28**
Lindley Est. *SE15* —3C **68**
Lindley Rd. *E10* —4E **15**
Lindley St. *E1* —4E **41**
Lindore Rd. *SW11* —2B **78**
Lindo St. *SE15* —5E **69**
Lindrop St. *SW6* —5E **63**
Lindsay Sq. *SW1* —1F **65**
Lindsell St. *SE10* —4E **71**
Lindsey M. *N1* —4E **25**
Lindsey St. *EC1* —4D **39**
Lind St. *SE8* —5C **70**
Lindway. *SE27* —5D **95**
Linford St. *SW8* —4E **65**
Lingards Rd. *SE13* —2E **85**
Lingfield Rd. *SW19* —5F **89**
Lingham St. *SW9* —5A **66**
Ling Rd. *E16* —4C **44**
Lings Coppice. *SE21* —2F **95**
Lingwell Rd. *SW17* —3A **92**
Lingwood Rd. *E5* —2C **12**
Linhope St. *NW1* —3B **36**
Linkenholt Mans. *W6* —5B **46**
(off Stamford Brook Av.)
Link Rd. *E1* —1C **54**
Links Av. *NW2* —4B **4**
Link St. *E9* —3E **27**
Linksview. N2 —1B **8**
(off Gt. North Rd.)
Links Yd. E1 —4C **40**
(off Spelman St.)
Linkway. *N4* —2E **11**
Linkwood Wlk. *NW1* —4F **23**
Linnell Clo. *NW11* —1D **7**
Linnell Dri. *NW11* —1D **7**
Linnell Rd. *SE5* —5A **68**
Linnet M. *SW12* —5C **78**
Linom Rd. *SW4* —2A **80**

Linscott Rd. *E5* —1E **27**
Linsey Ct. *E10* —3C **14**
  (off Grange Rd.)
Linsey St. *SE16* —5C **54**
  (in two parts)
Linslade Ho. *E2* —5C **26**
Linstead Way. *SW18* —5A **76**
Lintaine Clo. *W6* —2A **62**
Linthorpe Rd. *N16* —2A **12**
Linton Gdns. *E6* —5F **45**
Linton Gro. *SE27* —5D **95**
Linton St. *N1* —5E **25**
Linver Rd. *SW6* —5C **62**
Linwood Clo. *SE5* —5B **68**
Linwood Way. *SE15* —3B **68**
Lion Clo. *SE4* —4C **84**
Lion Ct. *SE1* —2A **54**
  (off Magdalen St.)
Lionel Gdns. *SE9* —3F **87**
Lionel M. *W10* —4A **34**
Lionel Rd. *SE9* —3F **87**
Lion Mills. *E2* —1C **40**
Lions Clo. *SE9* —3F **101**
Lion Yd. *SW4* —2F **79**
Liphook Cres. *SE23* —5E **83**
Lipton Rd. *E1* —5F **41**
Lisburne Rd. *NW3* —1B **22**
Lisford St. *SE15* —4B **68**
Lisgar Ter. *W14* —5B **48**
Liskeard Gdns. *SE3* —4C **72**
Liskeard Ho. *SE11* —1C **66**
  (off Kennings Way)
Lisle Ct. *NW2* —5A **6**
Lisle St. *WC2* —1F **51**
Lismore. *SW19* —5B **90**
  (off Woodside)
Lismore Cir. *NW5* —2C **22**
Lismore Ho. *SE15* —1D **83**
Lismore Wlk. *N1* —4E **25**
  (off Clephane Rd.)
Lissenden Gdns. *NW5* —1C **22**
Lissenden Mans. *NW5* —1C **22**
Lisson Gro. *NW8 & NW1*
  —3F **35**
Lisson St. *NW1* —4A **36**
Liss Way. *SE15* —3B **68**
Lister Clo. *W3* —4A **32**
Listergate Ct. *SW15* —2E **75**
Lister M. *N7* —1B **24**
Lister Rd. *E11* —3A **16**
Lister St. *E13* —2C **44**
Liston Rd. *SW4* —1E **79**
Listowel Clo. *SW9* —3C **66**
Listria Pk. *N16* —4A **12**
Litchfield Av. *E15* —3A **30**
Litchfield Ct. *E17* —1C **14**
Litchfield Gdns. *NW10* —3C **18**
Litchfield St. *WC2* —1F **51**
Litchfield Way. *NW11* —1E **7**
Lithos Rd. *NW3* —3D **21**
Lit. Albany St. *NW1* —2D **37**
  (in two parts)
Lit. Argyll St. *W1* —5E **37**
Lit. Boltons, The. *SW5 & SW10*
  —1D **63**
Lit. Bornes. *SE21* —4A **96**
Littlebourne. *SE13* —5A **86**

Lit. Britain. *EC1* —4D **39**
Lit. Brownings. *SE23* —2D **97**
Littlebury Rd. *SW4* —1F **79**
Lit. Chester St. *SW1* —4D **51**
Lit. Cloisters. *SW1* —4A **52**
  (off Old Palace Yd.)
Lit. College La. *EC4* —1F **53**
  (off College St.)
Lit. College St. *SW1* —4A **52**
Littlecombe. *SE7* —2D **73**
Littlecombe Clo. *SW15* —4F **75**
Littlecote Clo. *SW19* —5A **76**
Lit. Dean's Yd. *SW1* —4A **52**
  (off Dean's Yd.)
Lit. Dimocks. *SW12* —2D **93**
Lit. Dorrit Ct. *SE1* —3E **53**
Lit. Edward St. *NW1* —2D **37**
Lit. Essex St. *WC2* —1C **52**
  (off Essex St.)
Littlefield Clo. *N19* —1E **23**
Lit. George St. *SW1* —3A **52**
Lit. Green St. *NW5* —1D **23**
Lit. Heath. *SE7* —2F **73**
Lit. Holt. *E11* —1C **16**
Lit. Marlborough St. *W1*
  (off Kingly St.) —5E **37**
Lit. Newport St. *WC2* —1F **51**
Lit. New St. *EC4* —5C **38**
Lit. Portland St. *W1* —5E **37**
Lit. Russell St. *WC1* —4A **38**
Lit. St James's St. *SW1*
  —2E **51**
Lit. Sanctuary. *SW1* —3F **51**
Lit. Smith St. *SW1* —4F **51**
Lit. Somerset St. *E1* —5B **40**
Lit. Titchfield St. *W1* —4E **37**
Littleton St. *SW18* —2E **91**
Lit. Trinity La. *EC4* —1E **53**
Lit. Turnstile. *WC1* —4B **38**
Lit. Venice. *W2* —4E **35**
Littlewood. *SE13* —4E **85**
Livermere Rd. *E8* —5B **26**
Liverpool Gro. *SE17* —1E **67**
Liverpool Rd. *E10* —1E **15**
Liverpool Rd. *E16* —4A **44**
Liverpool Rd. *N7 & N1* —2C **25**
Liverpool St. *EC2* —4A **40**
Livesey Pl. *SE15* —2C **68**
Livingstone College Towers.
  E10 —1E **15**
Livingstone Ct. *E10* —1E **15**
Livingstone Ho. *SE5* —3E **67**
  (off Wyndam Rd.)
Livingstone Mans. *W14*
  —2A **62**
  (off Queen's Club Gdns.)
Livingstone Pl. *E14* —1E **71**
Livingstone Rd. *E15* —5E **29**
Livingstone Rd. *E17* —1D **15**
Livingstone Rd. *SW11* —1F **77**
Livonia St. *W1* —5E **37**
Lizard St. *EC1* —2E **39**
Lizban St. *SE3* —3D **73**
Llanelly Rd. *NW2* —4B **6**
Llanvanor Rd. *NW2* —4B **6**
Llewellyn St. *SE16* —3C **54**
Lloyd Baker M. *WC1* —2B **38**
  (off Lloyd Baker St.)

Lloyd Baker St. *WC1* —2C **38**
Lloyd's Av. *EC3* —5A **40**
Lloyd's Pl. *SE3* —5A **72**
Lloyd Sq. *WC1* —2C **38**
Lloyd St. *WC1* —2C **38**
Lloyds Wharf. *SE1* —3B **54**
  (off Mill St.)
Loampit Hill. *SE13* —5C **70**
Loampit Vale. *SE13* —1D **85**
Loampit Vale. (Junct.) —1E **85**
Loanda Clo. *E8* —5B **26**
Loats Rd. *SW2* —4A **80**
Lobelia Clo. *E6* —4F **45**
Lochaber Rd. *SE13* —2A **86**
Lochaline St. *W6* —2E **61**
Lochinvar St. *SW12* —5D **79**
Lochnagar St. *E14* —4E **43**
Lock Chase. *SE3* —1A **86**
Lockesfield Pl. *E14* —1D **71**
Lockgate Clo. *E9* —2B **28**
Lockhart Clo. *N7* —3B **24**
Lockhart St. *E3* —3B **42**
Lockhurst St. *E5* —1F **27**
Lockington Rd. *SW8* —4D **65**
Lockmead Rd. *N15* —1C **12**
Lockmead Rd. *SE13* —1E **85**
Locksfields. *SE17* —5F **53**
  (off Catesby St.)
Lockside. *E14* —1A **56**
  (off Narrow St.)
Locksley Est. *E14* —5B **42**
Locksley St. *E14* —4B **42**
Lockwood Clo. *SE26* —4F **97**
Lockwood Ho. *SE11* —2C **66**
Lockwood Sq. *SE16* —4D **55**
Lockyer Est. *SE1* —3F **53**
  (off Kipling St.)
Lockyer St. *SE1* —3F **53**
Locton Grn. *E3* —5B **28**
Loddiges Rd. *E9* —4E **27**
Loder St. *SE15* —3E **69**
Lodge Av. *SW14* —1A **74**
Lodge Rd. *NW8* —2F **35**
Lodore Gdns. *NW9* —1A **4**
Lodore St. *E14* —5E **43**
Loftie St. *SE16* —3C **54**
Lofting Rd. *N1* —4B **24**
Loftus Rd. *W12* —2D **47**
Logan M. *W8* —5C **48**
Logan Pl. *W8* —5C **48**
Loggetts. *SE21* —3A **96**
Lohmann Ho. *SE11* —2C **66**
  (off Kennington Oval)
Lolesworth Clo. *E1* —4B **40**
Lollard St. *SE11* —5B **52**
  (in two parts)
Loman St. *SE1* —3D **53**
Lomas Ct. *E8* —4B **26**
Lomas Rd. *E1* —4C **40**
Lombard Bus. Cen., The. *SW11*
  —5F **63**
Lombard Ct. *EC3* —1F **53**
Lombard La. *EC4* —5C **38**
Lombard Rd. *SW11* —5F **63**
Lombard St. *EC3* —5F **39**
Lombard Wall. *SE7* —4D **59**
  (in two parts)

Lombardy Pl. *W2* —1D **49**
Lomond Gro. *SE5* —3F **67**
Lomond Ho. *SE5* —3F **67**
Loncroft Rd. *SE5* —2A **68**
Londesborough Rd. *N16*
—1A **26**
London Bri. *SE1 & EC4*
—2F **53**
London Bri. St. *SE1* —2F **53**
London Bri. Wlk. *SE1* —2F *53*
(off Duke St. Hill)
London City Airport. *E16*
—1F **59**
London Fields E. Side. *E8*
—4D **27**
London Fields W. Side. *E8*
—4D **27**
London Ho. NW8 —1A *36*
(off Avenue Rd.)
London Ho. WC1 —3B *38*
(off Mecklenburgh Sq.)
London La. *E8* —4D **27**
London Master Bakers
Almshouses. *E10* —1D **15**
London M. *W2* —5F **35**
London Rd. *E13* —1C **44**
London Rd. *SE1* —4D **53**
London Rd. *SE23* —1D **97**
London St. *EC3* —1A **54**
London St. *W2* —5F **35**
London Ter. *E2* —1C **40**
London Underwriting Cen. EC3
(off Gt. Tower St.) —1A *54*
London Wall. *EC2* —4E **39**
London Wall Bldgs. EC2
(off London Wall) —4F *39*
London Wharf. E2 —5D *27*
(off Wharf Pl.)
Long Acre. *WC2* —1A **52**
Longbeach Rd. *SW11* —1B **78**
Longberrys. *NW2* —5B **6**
Longbourne Rd. *SE13* —3E **85**
Longdown Rd. *SE6* —4C **98**
Long Dri. *W3* —5A **32**
Longfellow Rd. *E3* —2A **42**
Longfellow Rd. *E17* —1B **14**
Longfellow Way. *SE1* —5B **54**
Longfield Cres. *SE26* —3E **97**
Longfield Est. *SE1* —5B **54**
Longfield St. *SW18* —5C **76**
Longford Ho. Brom. —5F 99
(off Brangbourne Rd.)
Longford St. *NW1* —3D **37**
Longford Wlk. *SW2* —5C **80**
Longhedge Ho. SE26 —4C 96
(off High Level Dri.)
Longhill Rd. *SE6* —2F **99**
Longhope Clo. *SE15* —2A **68**
Longhurst Rd. *SE13* —3A **86**
Longland Ct. *SE1* —1C **68**
Longlands Ct. W11 —1B 48
(off Westbourne Gro.)
Long La. *EC1* —4D **39**
Long La. *SE1* —3D **53**
Longleigh Ho. SE5 —4A 68
(off Peckham Rd.)

Longley Ct. *SW8* —4A **66**
Longley Rd. *SW17* —5A **92**
Longley St. *SE1* —5C **54**
Longley Way. *NW2* —5E **5**
Longman Ho. *E8* —5B **26**
Long Mark Rd. *E16* —4F **45**
Longmead Ho. *SE27* —5E **95**
Long Meadow. *NW5* —2C **23**
Longmead Rd. *SW17* —5B **92**
Longmoore St. *SW1* —5E **51**
Longnor Est. *E1* —2F **41**
Longnor Rd. *E1* —2F **41**
Long Pond Rd. *SE3* —4A **72**
Longridge Ho. *SE1* —4E **53**
Longridge Rd. *SW5* —5C **48**
Long Rd. *SW4* —2D **79**
Long's Ct. WC2 —1F *51*
(off Orange St.)
Longshore. *SE8* —5B **56**
Longshott Ct. SW5 —5C 48
(off W. Cromwell Rd.)
Longstaff Cres. *SW18* —5C **76**
Longstaff Rd. *SW18* —4C **76**
Longstone Av. *NW10* —4B **18**
Longstone Rd. *SW17* —5D **93**
Long St. *E2* —2B **40**
(in two parts)
Longton Av. *SE26* —4C **96**
Longton Gro. *SE26* —4D **97**
Longville Rd. *SE11* —5D **53**
Long Wlk. *SE1* —4A **54**
Long Wlk. *SW13* —5B **60**
Long Wall. *E15* —2F **43**
Longwood Dri. *SW15* —4C **74**
Long Yd. WC1 —3B *38*
Lonsdale Av. *E6* —2F **45**
Lonsdale Clo. *E6* —3F **45**
Lonsdale Clo. *SE9* —3F **101**
Lonsdale M. W11 —5B 34
(off Lonsdale Rd.)
Lonsdale Pl. *N1* —4C **24**
Lonsdale Rd. *E11* —2B **16**
Lonsdale Rd. *NW6* —1B **34**
Lonsdale Rd. *SW13* —4B **60**
Lonsdale Rd. *W4* —5B **46**
Lonsdale Rd. *W11* —5B **34**
Lonsdale Sq. *N1* —4C **24**
Lonsdale Sq. *N1* —4C **24**
Lonsdale St. *W11* —1C **48**
Lopez Ho. *SW9* —1A **80**
Loraine Rd. *N7* —1B **24**
Lorden Wlk. *E2* —2C **40**
Lord Hills Bri. *W2* —4D **35**
Lord Hills Rd. *W2* —4D **35**
Lord Holland La. *SW9* —5C **66**
Lord Napier Pl. *W6* —1C **60**
Lord N. St. *SW1* —4A **52**
Lord Roberts M. *SW6* —3D **63**
Lords Clo. *SE21* —2E **95**
Lordship Gro. *N16* —4F **11**
Lordship La. *SE22* —2B **82**
Lordship La. Est. SE22
—5C **82**
Lordship Pk. *N16* —4E **11**
Lordship Pk. M. *N16* —4E **11**
Lordship Pl. *SW3* —2A **64**
Lordship Rd. *N16* —3F **11**
Lordship Ter. *N16* —4F **11**
Lords View One. *NW8* —2A **36**

Loreburn Ho. *N7* —1B **24**
Lorenzo St. *WC1* —2B **38**
Loris Rd. *W6* —4E **47**
Lorn Ct. *SW9* —4C **66**
Lorne Clo. *NW8* —2A **36**
Lorne Gdns. *W11* —3F **47**
Lorne Rd. *E7* —1D **31**
Lorne Rd. *E17* —1C **14**
Lorne Rd. *N4* —3B **10**
Lorn Rd. *SW9* —5B **66**
Lorrimore Rd. *SE17* —2D **67**
Lorrimore Sq. *SE17* —2D **67**
Lothair Rd. N. *N4* —1D **11**
Lothair Rd. S. *N4* —2C **10**
Lothbury. *EC2* —5F **39**
Lothian Rd. *SW9* —4D **67**
Lothrop St. *W10* —2A **34**
Lots Rd. *SW10* —3E **63**
Lotus Clo. *SE21* —3F **95**
Loubet St. *SW17* —5B **92**
Loudoun Rd. *NW8* —5E **21**
Loughborough Est. SW9
—1D **81**
Loughborough Pk. *SW9*
—2D **81**
Loughborough Rd. *SW9*
—5C **66**
Loughborough St. *SE11*
—1B **66**
Lough Rd. *N7* —2B **24**
Louisa Gdns. *E1* —3F **41**
Louisa St. *E1* —3F **41**
Louise Bennett Clo. SE24
—2D **81**
Louise Rd. *E15* —3A **30**
Louise White Ho. *N19* —3F **9**
Louisville Rd. *SW17* —3C **92**
Louvaine Rd. *SW11* —2F **77**
Lovat Clo. *NW2* —5B **4**
Lovat La. *EC3* —1A **54**
Lovegrove St. *SE1* —1C **68**
Lovegrove Wlk. *E14* —2E **57**
Lovelace Rd. *SE21* —2E **95**
Love La. *EC2* —5E **39**
Lovelinch Clo. *SE15* —2E **69**
Lovell Pl. *SE16* —4A **56**
Loveridge M. *NW6* —3B **20**
Loveridge Rd. *NW6* —3B **20**
Lovers Wlk. *SE10* —2F **71**
Lovers' Wlk. W1 —2C *50*
(off Broad Wlk.)
Love Wlk. *SE5* —5F **67**
Low Cross Wood La. *SE21*
—3B **96**
Lowden Rd. *SE24* —2D **81**
Lowe Av. *E16* —4C **44**
Lowell St. *E14* —5A **42**
Lowell Ho. SE5 —3E 67
(off Wyndham Est.)
Lowell St. *E14* —5A **42**
Lwr. Addison Gdns. *W14*
—3A **48**
Lwr. Belgrave St. *SW1*
—4D **51**
Lwr. Clapton Rd. *E5* —5D **13**
Lwr. Clarendon Wlk. W11
(off Clarendon Rd.) —5A *34*
Lwr. Common S. *SW15*
—1D **75**

Lwr. Grosvenor Pl. *SW1*
         —4D **51**
Lwr. James St. *W1* —1E **51**
Lwr. John St. *W1* —1E **51**
Lwr. Lea Crossing. *E14*
         —1A **58**
Lwr. Mall. *W6* —1D **61**
Lwr. Marsh. *SE1* —3C **52**
Lwr. Merton Rise. *NW3*
         —4A **22**
Lwr. Richmond Rd. *SW13 &*
     SW15 —1D **75**
Lwr. Sloane St. *SW1* —5C **50**
         —5B **50**
Lwr. Robert St. *WC2* —1A **52**
  (off Robert St.)
Lwr. Sydenham Ind. Est. *SE26*
         —5B **98**
Lower Ter. *NW3* —5E **7**
Lwr. Thames St. *EC3* —1F **53**
Lowerwood Ct. *W11* —5A **34**
  (off Westbourne Pk. Rd.)
Lowestoft Clo. *E5* —4E **13**
  (off Southwold Rd.)
Lowfield Rd. *NW6* —4C **20**
Lowhall La. *E17* —1A **14**
Low Hall Mnr. Bus. Cen. *E17*
         —1A **14**
Lowman Rd. *N7* —1B **24**
Lowndes Clo. *SW1* —4C **50**
Lowndes Ct. *SW1* —4B **50**
Lowndes Ct. *W1* —5E **37**
  (off Kingly St.)
Lowndes Pl. *SW1* —4C **50**
Lowndes Sq. *SW1* —3B **50**
Lowndes St. *SW1* —4C **50**
Lowood St. *E1* —1D **55**
Lowther Gdns. *SW7* —4F **49**
Lowther Hill. *SE23* —5A **84**
Lowther Rd. *N7* —2C **24**
Lowther Rd. *SW13* —4B **60**
Lowth Rd. *SE5* —4E **67**
Loxford Av. *E6* —1F **45**
Loxham St. *WC1* —2A **38**
Loxley Clo. *SE26* —5F **97**
Loxley Rd. *SW18* —1F **91**
Loxton Rd. *SE23* —1F **97**
Lubbock St. *SE14* —3E **69**
Lucan Ho. *N1* —5F **25**
  (off Colville Est.)
Lucan Pl. *SW3* —5A **50**
Lucas Av. *E13* —5D **31**
Lucas Ct. *SE26* —5A **98**
Lucas Sq. *NW11* —1C **6**
Lucas St. *SE8* —4C **70**
Lucerne M. *W8* —2C **48**
Lucerne Rd. *N5* —1D **25**
Lucey Rd. *SE16* —4C **54**
Lucey Way. *SE16* —4C **54**
  (in two parts)
Lucien Rd. *SW17* —4C **92**
Lucien Rd. *SW19* —2D **91**
Lucorn Clo. *SE12* —4B **86**
Ludgate B'way. *EC4* —5D **39**
Ludgate Cir. *EC4* —5D **39**
Ludgate Hill. *EC4* —5D **39**
Ludgate Sq. *EC4* —5D **39**

Ludlow St. *EC1* —3E **39**
Ludovick Wlk. *SW15* —2B **74**
Ludwick M. *SE14* —3A **70**
Luffman Rd. *SE12* —3D **101**
Lugard Rd. *SE15* —5D **69**
Luke St. *EC2* —3A **40**
Lukin St. *E1* —5E **41**
Lulot Gdns. *N19* —4D **9**
Lulworth Ho. *SW8* —3B **66**
Lulworth Rd. *SE9* —2F **101**
Lulworth Rd. *SE15* —5D **69**
Lumley Ct. *WC2* —1A **52**
Lumley Flats. *SW1* —1C **64**
  (off Holbein Pl.)
Lumley St. *W1* —5C **36**
Lund Point. *E15* —5E **29**
Lundy Wlk. *N1* —3E **25**
Lunham Rd. *SE19* —5A **96**
Lupin Clo. *SW2* —2D **95**
Lupton Clo. *SE12* —3D **101**
Lupton St. *NW5* —1E **23**
Lupus St. *SW1* —1D **65**
Luralda Gdns. *E14* —1F **71**
Lurgan Av. *W6* —2F **61**
Lurline Gdns. *SW11* —4C **64**
Luscombe Way. *SW8* —3A **66**
Lushington Rd. *NW10* —1D **33**
Lushington Rd. *SE6* —4D **99**
Lushington Ter. *E8* —2C **26**
  (off Wayland Av.)
Lusitania Building. *E1* —1F **55**
  (off Jardine Rd.)
Luther King Clo. *E17* —1A **14**
Luton Pl. *SE10* —3E **71**
Luton Rd. *E13* —3C **44**
Luton Ter. *NW8* —3F **35**
Lutton Ter. *NW3* —1E **21**
  (off Heath St.)
Luttrell Av. *SW15* —3D **75**
Lutwyche Rd. *SE6* —2B **98**
Luxborough St. *W1* —4C **36**
Luxemburg Gdns. *W6* —5F **47**
Luxfield Rd. *SE9* —1F **101**
Luxford St. *SE16* —5F **55**
Luxmore St. *SE4* —4B **70**
Luxor St. *SE5* —1E **81**
Lyall Av. *SE21* —4A **96**
Lyall M. *SW1* —4C **50**
Lyall M. W. *SW1* —4C **50**
Lyall St. *SW1* —4C **50**
Lyal Rd. *E3* —1A **42**
Lycett Pl. *W12* —3C **46**
Lydden Gro. *SW18* —5D **77**
Lydden Rd. *SW18* —5D **77**
Lydford Clo. *N16* —2A **26**
  (off Pellerin Rd.)
Lydford Rd. *N15* —1F **11**
Lydford Rd. *NW2* —3E **19**
Lydford Rd. *W9* —3B **34**
Lydhurst Av. *SW2* —2B **94**
Lydney Clo. *SE15* —3A **68**
Lydney Clo. *SW19* —2A **90**
Lydon Rd. *SW4* —1E **79**
Lyford Rd. *SW18* —5F **77**
Lygon Ho. *SW6* —4A **62**
  (off Fulham Pal. Rd.)
Lygon Pl. *SW1* —4D **51**
Lyham Clo. *SW2* —4A **80**

Lyham Rd. *SW2* —3A **80**
Lyme Farm Rd. *SE12* —2C **86**
Lyme Gro. *E9* —4E **27**
Lymer Av. *SE19* —5B **96**
Lyme St. *NW1* —4E **23**
Lyme Ter. *NW1* —4E **23**
Lyminge Gdns. *SW18* —1A **92**
Lymington Rd. *NW6* —3D **21**
Lympstone Gdns. *SE15*
         —3C **68**
Lynbrook Clo. *SE15* —3A **68**
Lynch Wlk. *SE8* —2B **70**
Lyncott Cres. *SW4* —2D **79**
Lyncourt. *SE3* —5F **71**
Lyncroft Gdns. *NW6* —2C **20**
Lyncroft Mans. *NW6* —2C **20**
Lyndale. *NW2* —1B **20**
Lyndale Av. *NW2* —5B **6**
Lyndale Clo. *SE3* —2B **72**
Lynde Ho. *SW4* —1F **79**
Lyndhurst Clo. *NW10* —5A **4**
Lyndhurst Dri. *E10* —2E **15**
Lyndhurst Gdns. *NW3* —2F **21**
Lyndhurst Gro. *SE15* —5A **68**
Lyndhurst Rd. *NW3* —2F **21**
Lyndhurst Sq. *SE15* —4B **68**
Lyndhurst Ter. *NW3* —2F **21**
Lyndhurst Way. *SE15* —4B **68**
Lyneham Wlk. *E5* —2A **28**
Lynette Av. *SW4* —4E **79**
Lyn M. *E3* —2B **42**
Lynmouth Rd. *E17* —1A **14**
Lynmouth Rd. *N16* —3B **12**
Lynne Clo. *SE23* —5B **84**
Lynne Way. *NW10* —3A **18**
Lynn M. *E11* —4A **16**
Lynn Rd. *E11* —4A **16**
Lynn Rd. *SW12* —5D **79**
Lynsted Gdns. *SE9* —2F **87**
Lynton Clo. *NW10* —2A **18**
Lynton Est. *SE1* —1C **68**
Lynton Rd. *N8* —1F **9**
  (in two parts)
Lynton Rd. *NW6* —1B **34**
Lynton Rd. *SE1* —5B **54**
Lynwood Rd. *SW17* —3B **92**
Lyon Ind. Est. *NW2* —4D **5**
Lyons Pl. *NW8* —3F **35**
Lyon St. *N1* —4B **24**
Lyons Wlk. *W14* —5A **48**
Lyric Rd. *SW13* —4B **60**
Lysander Gro. *N19* —3F **9**
Lysias Rd. *SW12* —4D **79**
Lysia St. *SW6* —3F **61**
Lysons Wlk. *SW15* —2C **74**
Lytcott Gro. *SE22* —3A **82**
Lytham St. *SE17* —2F **67**
Lyttelton Clo. *NW3* —4A **22**
Lyttelton Rd. *E10* —5D **15**
Lytton Clo. *N2* —1F **7**
Lytton Gro. *SW15* —3F **75**
Lytton Rd. *E11* —2A **16**
Lyveden Rd. *SE3* —3D **73**

Mabledon Pl. *WC1* —2F **37**
Mablethorpe Rd. *SW6* —3A **62**
Mabley St. *E9* —2A **28**

Macarthur Clo. *E7* —3C **30**
Macarthur Ter. *SE7* —2F **73**
Macaulay Ct. *SW4* —1D **79**
Macaulay Rd. *E6* —1F **45**
Macaulay Rd. *SW4* —1D **79**
Macaulay Sq. *SW4* —2D **79**
McAuley Clo. *SE1* —4C **52**
Macauley M. *SE13* —4E **71**
Macbeth Ho. *N1* —1A **40**
Macbeth St. *W6* —1D **61**
McCall Clo. *SW4* —5A **66**
McCall Cres. *SE7* —1F **73**
McCall Ho. *N7* —1A **24**
Macclesfield Ho. EC1 —3E **39**
  (off Central St.)
Macclesfield Rd. *EC1* —2E **39**
Macclesfield St. *W1* —1F **51**
McCoid Way. *SE1* —3E **53**
McConnell M. *NW1* —2F **37**
McCrone M. *NW3* —3F **21**
McCullum Rd. *E3* —5B **28**
McDermott Clo. *SW11* —1A **78**
McDermott Rd. *SE15* —1C **82**
Macdonald Rd. *E7* —1C **30**
Macdonald Rd. *N19* —4E **9**
McDowall Clo. *E16* —4B **44**
McDowall Rd. *SE5* —4E **67**
Macduff Rd. *SW11* —4C **64**
Mace Clo. *E1* —2D **55**
Mace Gateway. *E16* —1C **58**
Mace St. *E2* —1F **41**
Mace St. *SE1* —3B **54**
McEwen Way. *E15* —5F **29**
Macfarlane Rd. *W12* —2E **47**
Macfarren Pl. *NW1* —3C **38**
McGarvey Clo. *NW8* —2E **35**
McGlashon Ho. E1 —3C **40**
  (off Hunton St.)
McGrath Rd. *E15* —2B **30**
McGregor Ct. N1 —2A **40**
  (off Hoxton St.)
MacGregor Rd. *E16* —4E **45**
McGregor Rd. *W11* —4B **34**
Machell Rd. *SE15* —1E **83**
Mackay Ho. W12 —1D **47**
  (off White City Est.)
Mackay Rd. *SW4* —1D **79**
McKay Trad. Est. *W10* —3A **34**
Mackennal St. *NW8* —1A **36**
Mackenzie Clo. *W12* —1D **47**
Mackenzie Ho. *NW2* —5C **4**
Mackenzie Rd. *N7* —3B **24**
Mackenzie Wlk. *E14* —2C **56**
McKerrell Rd. *SE15* —4C **68**
Mackeson Rd. *NW3* —1B **22**
Mackie Rd. *SW2* —5C **80**
Mackintosh La. *E9* —2F **27**
Macklin St. *WC2* —5A **38**
Mackrow Wlk. *E14* —1E **57**
Mack's Rd. *SE16* —5C **54**
Mackworth St. *NW1* —2E **37**
Maclaren M. *SW15* —2E **75**
Maclean Rd. *SE23* —4A **84**
McLeod's M. *SW7* —5D **49**
Macleod St. *SE17* —1E **67**
Maclise Rd. *W14* —4A **48**
McMillan Ho. SE4 —1A **84**
  (off Arica Rd.)

McMillan St. *SE8* —2C **70**
McNeil Rd. *SE5* —5A **68**
Maconochies Rd. *E14* —1D **71**
Macquarie Way. *E14* —5D **57**
Macready Pl. *N7* —1A **24**
Macroom Rd. *W9* —2B **34**
Maddams St. *E3* —3D **43**
Maddock Way. *SE17* —2D **67**
Maddox St. *W1* —1D **51**
Madeira Rd. *E11* —4F **15**
Madeira Rd. *SW16* —5A **94**
Madinah Rd. *E8* —3C **26**
Madras Pl. *N7* —3C **24**
Madrid Rd. *SW13* —4C **60**
Madrigal La. *SE5* —3D **67**
Madron St. *SE17* —1A **68**
Mafeking Av. *E6* —1F **45**
Mafeking Rd. *E16* —3B **44**
Magdala Av. *N19* —4E **9**
Magdalene Clo. *SE15* —5D **69**
Magdalen Pas. *E1* —1B **54**
Magdalen Rd. *SW18* —1E **91**
Magdalen St. *SE1* —2A **54**
Magee St. *SE11* —2C **66**
Magnin Clo. *E8* —5C **26**
Magnolia Clo. *E10* —4C **14**
Magnolia Gdns. E10 —4D **15**
  (off Walnut Rd.)
Magnolia Ho. *SE8* —2B **70**
Magnolia Pl. *SW4* —3A **80**
Magpie All. *EC4* —5C **38**
Magpie Clo. *E7* —2B **30**
Magri Wlk. *E1* —4E **41**
Maguire St. *SE1* —3B **54**
Mahatma Gandhi Ind. Est. *SE24*
  —2D **81**
Mahogany Clo. *SE16* —2A **56**
Maida Av. *W2* —4E **35**
Maida Vale. *W9* —1D **35**
Maiden La. *NW1* —4F **23**
Maiden La. *SE1* —2E **53**
Maiden La. *WC2* —1A **52**
Maiden Pl. *NW5* —5D **9**
Maiden Rd. *E15* —4A **30**
Maidenstone Hill. *SE10*
  —4E **71**
Maidstone Bldgs. *SE1* —2E **53**
Mail Coach Yd. *E2* —2A **40**
Mais Ho. *SE26* —2D **97**
Maismore St. *SE15* —2C **68**
Maitland Clo. *SE10* —3E **71**
Maitland Ct. W2 —1F **49**
  (off Lancaster Ter.)
Maitland Pk. Est. *NW3* —3B **22**
Maitland Pk. Rd. *NW3* —3B **22**
Maitland Pk. Vs. *NW3* —3B **22**
Maitland Pl. *E5* —1D **27**
Maitland Rd. *E15* —3B **30**
Maitland Rd. *SE26* —5F **97**
Major Rd. *E15* —2F **29**
Major Rd. *SE16* —4C **54**
Makepeace Av. *N6* —4C **8**
Makepeace Mans. *N6* —4C **8**
Makins St. *SW3* —5A **50**
Malabar Ct. W12 —1D **47**
  (off India Way)
Malabar St. *E14* —3C **56**
Malam Ct. *SE11* —5C **52**

Malam Gdns. *E14* —1D **57**
Malbrook Rd. *SW15* —2D **75**
Malcolm Ct. *E7* —3B **30**
Malcolm Ct. *NW4* —1C **4**
Malcolm Cres. *NW4* —1C **4**
Malcolm Ho. N1 —1A **40**
  (off Arden Est.)
Malcolm Pl. *E2* —3E **41**
Malcolm Rd. *E1* —3E **41**
Malden Ct. *N4* —1E **11**
Malden Cres. *NW1* —3C **22**
Malden La. *NW1* —4F **23**
Malden Pl. *NW5* —2C **22**
Malden Rd. *NW5* —2B **22**
Maldon Clo. *E15* —2A **30**
Maldon Clo. *N1* —5E **25**
Maldon Clo. *SE5* —1A **82**
Malet Pl. *WC1* —3F **37**
Malet St. *WC1* —3F **37**
Maley Av. *SE27* —2D **95**
Malfort Rd. *SE5* —1A **82**
Malham Rd. *SE23* —1F **97**
Malibu Ct. *SE26* —3D **97**
Mallams M. *SW9* —1D **81**
Mallard Clo. *E9* —3B **28**
Mallard Clo. *NW6* —5C **20**
Mallards. E11 —2C **16**
  (off Blake Hall Rd.)
Mall Chambers. W8 —2C **48**
  (off Kensington Mall)
Mallet Rd. *SE13* —4F **85**
Mall Gallery. WC2 —5A **38**
  (off Shorts Gdns.)
Mallinson Rd. *SW11* —3A **78**
Mallon Gdns. *E1* —5B **40**
Mallord St. *SW3* —2F **63**
Mallory Clo. *SE4* —2A **84**
Mallory St. *NW8* —3A **36**
Mallow St. *EC1* —3F **39**
Mall Rd. *W6* —1D **61**
Mall, The. *E15* —1F **29**
Mall, The. *SW1* —2F **51**
Malmesbury Rd. *E3* —2B **42**
Malmesbury Rd. *E16* —4A **44**
Malmesbury Ter. *E16* —4A **44**
Malmsey Ho. *SE11* —1B **66**
Malmsmead Ho. E9 —2A **28**
  (off Homerton Rd.)
Malpas Rd. *E8* —2D **27**
Malpas Rd. *SE4* —5B **70**
Malta Rd. *E10* —3C **14**
Malta St. *EC1* —3D **39**
Maltby St. *SE1* —3B **54**
Malthouse Dri. *W4* —2A **60**
Malthouse Pas. SW13 —5B **60**
  (off Maltings Clo.)
Maltings Clo. *SW13* —5B **60**
Maltings Lodge. W4 —2A **60**
  (off Corney Reach Way)
Maltings Pl. *SW6* —4D **63**
Malton M. *W10* —5A **34**
Malton Rd. *W10* —5A **34**
Maltravers St. *WC2* —1B **52**
Malt St. *SE1* —2C **68**
Malva Clo. *SW18* —3D **77**
Malvern Clo. *W10* —4B **34**
Malvern Ct. W12 —3C **46**
  (off Hadyn Pk. Rd.)

Malvern Gdns. *NW2* —4A **6**
Malvern Ho. *N16* —3B **12**
Malvern M. *NW6* —2C **34**
Malvern Pl. *NW6* —2B **34**
Malvern Rd. *E6* —5F **31**
Malvern Rd. *E8* —4C **26**
Malvern Rd. *E11* —4A **16**
Malvern Rd. *NW6* —2C **34**
(in two parts)
Malvern Ter. *N1* —5C **24**
Malwood Rd. *SW12* —4D **79**
Malyons Rd. *SE13* —4D **85**
Malyons Ter. *SE13* —3D **85**
Managers St. *E14* —2E **57**
Manaton Clo. *SE15* —1D **83**
Manbey Gro. *E15* —3A **30**
Manbey Pk. Rd. *E15* —3A **30**
Manbey Rd. *E15* —3A **30**
Manbey St. *E15* —3A **30**
Manbre Rd. *W6* —2E **61**
Manchester Dri. *W10* —3A **34**
Manchester Gro. *E14* —1E **71**
*Manchester Ho. SE17 —1E **67***
(off East St.)
*Manchester M. W1 —4C **36***
(off Manchester St.)
Manchester Rd. *E14* —1E **71**
Manchester Rd. *N15* —1F **11**
Manchester Sq. *W1* —5C **36**
Manchester St. *W1* —4C **36**
Manchuria Rd. *SW11* —4C **78**
Manciple St. *SE1* —3F **53**
Mandalay Rd. *SW4* —3E **79**
*Mandarin Ct. NW10 —3A **18***
(off Mitchellbrook Way)
Mandarin St. *E14* —1C **56**
Mandela Clo. *W12* —1D **47**
Mandela Ho. *SE5* —5D **67**
Mandela Rd. *E16* —5C **44**
Mandela St. *NW1* —5E **23**
Mandela St. *SW9* —3C **66**
Mandela Way. *SE1* —5A **54**
Mandeville Clo. *SE3* —3B **72**
Mandeville Ho. *SW4* —3E **79**
Mandeville Pl. *W1* —5C **36**
Mandeville St. *E5* —5A **14**
Mandrake Rd. *SW17* —2B **92**
Mandrake Way. *E15* —4A **30**
Mandrell Rd. *SW2* —3A **80**
Manette St. *W1* —5F **37**
Manfred Rd. *SW15* —3B **76**
Manger Rd. *N7* —3A **24**
Manilla St. *E14* —3C **56**
Manley Ct. *N16* —5B **12**
Manley Ho. *SE11* —1C **66**
Manley St. *NW1* —5C **22**
*Manneby Prior. N1 —1B **38***
(off Cumming St.)
Manningford Clo. *EC1* —2D **39**
Manningtree Clo. *SW19*
—1A **90**
Manningtree St. *E1* —5C **40**
Manny Shinwell Ho. SW6
(off Clem Attlee Ct.) —2B **62**
Manor Av. *E7* —1E **31**
Manor Av. *SE4* —5B **70**
Manor Brook. *SE3* —2C **86**
Manor Ct. *E10* —3D **15**

*Manor Ct. N2 —1B **8***
(off Aylmer Rd.)
Manor Ct. *SW2* —3B **80**
Manor Ct. *SW16* —3A **94**
Manor Deerfield Cotts. *NW9*
—1B **4**
Manor Est. *SE16* —5D **55**
*Manorfield Clo. N19 —1E **23***
(off Fulbeck M.)
Manor Fields. *SW15* —4F **75**
Manor Gdns. *N7* —5A **10**
Manor Gdns. *W4* —1A **60**
Manor Gro. *SE15* —2E **69**
Manorhall Gdns. *E10* —3C **14**
Manor House. (Junct.) —3E **11**
Manor Ho. Dri. *NW6* —4F **19**
Manor La. *SE13 & SE12*
—3A **86**
Manor La. Ter. *SE13* —2A **86**
*Manor M. NW6 —1C **34***
(off Cambridge Av.)
Manor M. *SE4* —5B **70**
Manor Mt. *SE23* —1E **97**
Manor Pde. *N16* —3B **12**
Manor Pk. *SE13* —2F **85**
*Manor Pk. Pde. SE13 —2F **85***
(off Lee High Rd.)
Manor Pk. Rd. *E12* —1F **31**
Manor Pk. Rd. *NW10* —5B **18**
Manor Pl. *SE17* —1D **67**
Manor Rd. *E10* —2C **14**
Manor Rd. *E15 & E16* —1A **44**
Manor Rd. *N16* —4F **11**
Manor Way. *SE3* —2B **86**
Manresa Rd. *SW3* —1A **64**
Mansard Beeches. *SW17*
—5C **92**
Mansell St. *E1* —5B **40**
Mansel Rd. *SW19* —5A **90**
Manse Rd. *N16* —5B **12**
Mansfield Heights. *N2* —1B **8**
Mansfield M. *W1* —4D **37**
Mansfield Pl. *NW3* —1E **21**
Mansfield Rd. *E11* —1D **17**
Mansfield Rd. *NW3* —2B **22**
Mansfield St. *W1* —4D **37**
Mansford St. *E2* —1C **40**
Mansion Clo. *SW9* —4C **66**
Mansion Gdns. *NW3* —5D **7**
Mansion Ho. Pl. *EC4* —5F **39**
*Mansion Ho. St. EC2 —5F **39***
(off Victoria St.)
Mansions, The. *SW5* —1D **63**
Manson M. *SW7* —5E **49**
Manson Pl. *SW7* —5F **49**
Manstone Rd. *NW2* —2A **20**
Mantilla Rd. *SW17* —4C **92**
Mantle Rd. *SE4* —1A **84**
Mantle Way. *E15* —4A **30**
Mantua St. *SW11* —1F **77**
Mantus Clo. *E1* —3E **41**
Mantus Rd. *E1* —3E **41**
Manville Gdns. *SW17* —3D **93**
Manville Rd. *SW17* —2C **92**
Manwood Rd. *SE4* —3B **84**
Manygates. *SW12* —2D **93**
Mapesbury Rd. *NW2* —4A **20**
Mapeshill Pl. *NW2* —3E **19**

Mapes Ho. *NW6* —4A **20**
Mape St. *E2* —3D **41**
(in two parts)
Maple Av. *W3* —2A **46**
Maple Clo. *N16* —1C **12**
Maple Clo. *SW4* —4F **79**
Maple Ct. *SE6* —1D **99**
Maplecroft Clo. *E6* —5F **45**
Mapledene Est. *E8* —4C **26**
Mapledene Rd. *E8* —4C **26**
*Maple Ho. SE8 —3B **70***
(off Idonia St.)
Maple Leaf Sq. *SE16* —3F **55**
Maple M. *NW6* —1D **35**
Maple M. *SW16* —5B **94**
Maple Pl. *W1* —3E **37**
Maple Rd. *E11* —1A **16**
Maples Pl. *E1* —4D **41**
Maplestead Rd. *SW2* —5B **80**
Maple St. *W1* —4E **37**
Mapleton Cres. *SW18* —4D **77**
Mapleton Rd. *SW18* —4C **76**
Maple Wlk. *W10* —2F **33**
Maplin Rd. *E16* —5C **44**
Maplin St. *E3* —2B **42**
Mapperley Clo. *E11* —1B **16**
Marban Rd. *W9* —2B **34**
Marble Arch. *W1* —1B **50**
Marble Arch. (Junct.) —1B **50**
Marble Dri. *NW2* —2E **5**
Marble Ho. *W9* —3B **34**
Marble Quay. *E1* —2C **54**
Marbrook Ct. *SE12* —3E **101**
*Marchant Ct. SE1 —1B **68***
(off Cooper's Rd.)
Marchant Rd. *E11* —4F **15**
Marchant St. *SE14* —2A **70**
Marchbank Rd. *W14* —2B **62**
Marchmont St. *WC1* —3A **38**
Marchwood Clo. *SE5* —3A **68**
Marcia Rd. *SE1* —5A **54**
Marcilly Rd. *SW18* —3F **77**
*Marcon Ct. E8 —2D **27***
(off Amhurst Rd.)
Marconi Rd. *E10* —3C **14**
Marcon Pl. *E8* —2D **27**
Marco Polo Ho. *SW8* —3D **65**
Marco Rd. *W6* —4E **47**
Marcus Ct. *E15* —5A **30**
Marcus Garvey M. *SE22*
—3D **83**
Marcus Garvey Way. *SE24*
—2C **80**
Marcus St. *E15* —5A **30**
Marcus St. *SW18* —4D **77**
Marcus Ter. *SW18* —4D **77**
Mardale Dri. *NW9* —1A **4**
Marden Ct. *SE8* —2C **70**
Marden Ho. *E8* —2D **27**
Marden Sq. *SE16* —4D **55**
Maresfield Gdns. *NW3*
—2E **21**
Mare St. *E8* —5D **27**
Margaret Bldgs. *N16* —3B **12**
*Margaret Ct. W1 —5E **37***
(off Margaret St.)
Margaret Herbison Ho. SW6
(off Clem Attlee Ct.) —2B **62**

Margaret Ingram Clo. *SW6*
—3B **62**
Margaret Rd. *N16* —3B **12**
Margaret St. *W1* —5D **37**
Margaretta Ter. *SW3* —2A **64**
Margaretting Rd. *E12* —3E **17**
Margaret Way. *IIf* —1F **17**
Margate Rd. *SW2* —3A **80**
Margery Fry Ct. *N7* —5A **10**
Margery Pk. Rd. *E7* —3C **30**
Margery St. *WC1* —2C **38**
Margin Dri. *SW19* —5F **89**
Margravine Gdns. *W6* —1F **61**
Margravine Rd. *W6* —1F **61**
Marham Gdns. *SW18* —1A **92**
Maria Clo. *SE1* —5D **55**
Marian Ct. *E9* —3E **27**
Marian Pl. *E2* —1D **41**
Marian St. *E2* —1D **41**
Marian Way. *NW10* —4B **18**
Maria Ter. *E1* —3F **41**
Marie Lloyd Gdns. *N19*
—2A **10**
Marie Lloyd Wlk. *E8* —3B **26**
Marigold All. SE1 —1D 53
(off Up. Ground)
Marigold St. *SE16* —3D **55**
Marinefield Rd. *SW6* —5D **63**
Marinel Ho. *SE5* —3E **67**
Mariners M. *E14* —5F **57**
Marine St. *SE16* —4C **54**
Marion Sq. *E2* —1D **41**
Mariscal Rd. *SE13* —1F **85**
Maritime St. *E3* —3B **42**
Marius Pas. *SW17* —2C **92**
Marius Rd. *SW17* —2C **92**
Marjorie Gro. *SW11* —2B **78**
Marjorie M. *E1* —5E **41**
Market Av. W1 —5E 37
(off Market Pl.)
Market Entrance. *SW8* —3E **65**
Market Est. *N7* —3A **24**
Market M. *W1* —2D **51**
Market Pde. *E10* —1E **15**
Market Pavilion. *E10* —5C **14**
Market Pl. *SE16* —5C **54**
(in two parts)
Market Pl. *W1* —5E **37**
Market Rd. *N7* —3A **24**
Market Row. *SW9* —2C **80**
Market Sq. *E14* —5D **43**
Market Way. *E14* —5D **43**
Markham Pl. *SW3* —1B **64**
Markham Sq. *SW3* —1B **64**
Markham St. *SW3* —1A **64**
Markhouse Av. *E17* —1A **14**
Markhouse Pas. E17 —1B 14
(off Markhouse Rd.)
Markhouse Rd. *E17* —1B **14**
Mark La. *EC3* —1A **54**
Markmanor Av. *E17* —2A **14**
Mark Sq. *EC2* —3A **40**
Mark St. *E15* —4A **30**
Mark St. *EC2* —3A **40**
Markwell Clo. *SE26* —4D **97**
Marlborough Av. *E8* —5C **26**
(in two parts)

Marlborough Clo. *SE17*
—5E **53**
Marlborough Ct. W1 —1E 51
(off Kingly St.)
Marlborough Ct. W8 —5C 48
(off Pembroke Rd.)
Marlborough Cres. *W4* —4A **46**
Marlborough Flats. SW3
—5A **50**
(off Walton St.)
Marlborough Ga. Stables. W2
—1F **49**
(off Elms M.)
Marlborough Gro. *SE1* —1C **68**
Marlborough Hill. *NW8* —5F **21**
Marlborough La. *SE7* —3E **73**
Marlborough Mans. *NW6*
—2C **20**
Marlborough Pl. *NW8* —1E **35**
Marlborough Rd. *E7* —4E **31**
Marlborough Rd. *E15* —1A **30**
Marlborough Rd. *N19* —4F **9**
Marlborough Rd. *SW1* —2E **51**
Marlborough Rd. *SW3* —5A **50**
Marlborough Yd. *N19* —4F **9**
Marler Rd. *SE23* —1A **98**
Marley Wlk. *NW2* —2E **19**
Marloes Rd. *W8* —4D **49**
Marlowes, The. *NW8* —5F **21**
Marlow Way. *SE16* —3F **55**
Marl Rd. *SW18* —2E **77**
Marlton St. *SE10* —1B **72**
Marmion M. *SW11* —1C **78**
Marmion Rd. *SW11* —2C **78**
Marmont Rd. *SE15* —4C **68**
Marmora Rd. *SE22* —4E **83**
Marne Ho. SE15 —3C 68
(off Sumner Est.)
Marne St. *W10* —2A **34**
Marney Rd. *SW11* —2C **78**
Marnfield Cres. *SW2* —1B **94**
Marnham Av. *NW2* —1A **20**
Marnock Rd. *SE4* —3B **84**
Maroon St. *E14* —4A **42**
Maroons Way. *SE6* —5C **98**
Marquess Rd. *N1* —3F **25**
Marquess Rd. N. *N1* —3F **25**
Marquess Rd. S. *N1* —3E **25**
Marquis Ct. N4 —2C 10
(off Marquis Rd.)
Marquis Rd. *N4* —3B **10**
Marquis Rd. *NW1* —3F **23**
Marrick Clo. *SW15* —2C **74**
Marriett Ho. *SE6* —4E **99**
Marriott Rd. *E15* —5A **30**
Marriott Rd. *N4* —3B **10**
Marriotts Clo. *NW9* —1B **4**
Marryat Pl. *SW19* —4A **90**
Marryat Rd. *SW19* —5F **89**
Marryat Sq. *SW6* —4A **62**
Marsala Rd. *SE13* —2D **85**
Marsden Rd. *SE15* —1B **82**
Marsden St. *NW5* —3C **22**
Marshall Clo. *SW18* —4E **77**
Marshall Ho. N1 —1F 39
(off Cranston Est.)
Marshall Ho. SE1 —4A 54
(off Page's Wlk.)
Marshall's Pl. *SE16* —4B **54**
Marshall St. *W1* —5E **37**

Marshalsea Rd. *SE1* —3E **53**
Marsham Ct. *SW1* —5F **51**
Marsham St. *SW1* —4F **51**
Marshbrook Clo. *SE3* —1F **87**
Marsh Ct. *E8* —4C **26**
Marsh Dri. *NW9* —1B **4**
Marshfield St. *E14* —4E **57**
Marsh Ga. Bus. Cen. *E15*
—1E **43**
Marshgate La. *E15* —4D **29**
Marshgate Trad. Est. *E15*
—4D **29**
Marsh Hill. *E9* —2A **28**
Marsh La. *E10* —4B **14**
Marsh La. *E14* —5D **57**
Marsh Wall. *E14* —2C **56**
Marsland Clo. *SE17* —1D **67**
Marsom Ho. *N1* —2F **39**
(off Provost Est.)
Marston Clo. *NW6* —4E **21**
Marston Ho. *SW9* —5C **66**
Martaban Rd. *N16* —4B **12**
Martello St. *E8* —4D **27**
Martello Ter. *E8* —4D **27**
Martell Rd. *SE21* —3F **95**
Martel Pl. *E8* —3B **26**
Martha Ct. *E2* —1D **41**
Martha Rd. *E15* —3A **30**
Martha St. *E1* —5E **41**
Martindale Av. *E16* —1C **58**
Martindale Rd. *SW12* —5D **79**
Martineau Est. *E1* —5E **41**
Martineau M. *N5* —1D **25**
Martineau Rd. *N5* —1D **25**
Martin Ho. SE1 —4E 53
Martin Ho. SW8 —3A 66
(off Wyvil Rd.)
Martin La. *EC4* —1F **53**
Martlett Ct. *WC2* —5A **38**
Marton Clo. *SE6* —3C **98**
Marton Rd. *N16* —4A **12**
Mart St. *WC2* —1A **52**
Martys Yd. *NW3* —1F **21**
Marvell Ho. SE5 —3F 67
(off Camberwell Rd.)
Marvels Clo. *SE12* —2D **101**
Marvels La. *SE12* —2D **101**
Marville Rd. *SW6* —3B **62**
Marvin St. *E8* —3D **27**
Mary Adelaide Clo. *SW15*
—4A **88**
Mary Ann Gdns. *SE8* —2C **70**
Mary Datchelor Clo. *SE5*
—4F **67**
Mary Grn. *NW8* —5D **21**
Maryland Rd. *E15* —3A **30**
(off Manbey Pk. Rd.)
Maryland Ind. Est. *E15* —2A **30**
(off Maryland Rd.)
Maryland Pk. *E15* —2A **30**
Maryland Rd. *E15* —2F **29**
Maryland Sq. *E15* —2A **30**
Marylands Rd. *W9* —3C **34**
Maryland St. *E15* —2F **29**
Maryland Wlk. N1 —5E 25
(off Popham St.)
Mary Lawrenson Pl. *SE3*
—3C **72**

Marylebone Fly-Over—Medhurst Clo.

Marylebone Fly-Over. *W2*
   —4A **36**
Marylebone Flyover. (Junct.)
   —4A **36**
Marylebone High St. *W1*
   —4C **36**
Marylebone La. *W1* —4C **36**
Marylebone M. *W1* —4D **37**
Marylebone Pas. *W1* —5E **37**
Marylebone Rd. *NW1* —4A **36**
Marylebone St. *W1* —4C **36**
Marylee Way. *SE11* —5B **52**
Mary Macarthur Ho. *W6*
   —2A **62**
Maryon M. *NW3* —1A **22**
Maryon Rd. *SE7* —5F **59**
Maryon Rd. *SE18* —5F **59**
Mary Pl. *W11* —1A **48**
Mary Seacole Clo. *E8* —5B **26**
Mary St. *E16* —4B **44**
Mary St. *N1* —5E **25**
Mary Ter. *NW1* —5D **23**
Masbro Rd. *W14* —4F **47**
Mascalls Rd. *SE7* —2E **73**
Mascotte Rd. *SW15* —2F **75**
Mascotts Clo. *NW2* —5D **5**
Mashie Rd. *W3* —5A **32**
Maskall Clo. *SW2* —1C **94**
Maskell Rd. *SW17* —3E **91**
Maskelyne Clo. *SW11* —4A **64**
Mason Clo. *E16* —1C **58**
Mason Clo. *SE16* —1C **68**
Mason's Arms M. *W1* —5D **37**
Mason's Av. *EC2* —2F **39**
Mason's Pl. *EC1* —2E **39**
Mason St. *SE17* —5F **53**
Mason's Yd. *SW1* —2E **51**
Mason's Yd. *SW19* —5F **89**
Massey Ct. *E6* —5E **31**
  (off Florence Rd.)
Massie Rd. *E8* —3C **26**
Massinger St. *SE17* —5A **54**
Massingham St. *E1* —3F **41**
Master Gunners Pl. *SE18*
   —3F **73**
Masterman Rd. *E6* —2F **45**
Masters Dri. *SE16* —1D **69**
Master's St. *E1* —4F **41**
Masthouse Ter. *E14* —5C **56**
Mastmaker Ct. *E14* —3C **56**
Mastmaker Rd. *E14* —3C **56**
Matcham Rd. *E11* —5A **16**
Matham Gro. *SE22* —2B **82**
Matheson Long Ho. *SE1*
  (off Baylis Rd.)   —3C **52**
Matheson Rd. *W14* —5B **48**
Mathews Pk. Av. *E15* —3B **30**
Mathews Yd. *WC2* —5A **38**
Matilda St. *N1* —5B **24**
Matlock Ct. *SE5* —2E **81**
Matlock Rd. *E10* —1E **15**
Matlock St. *E14* —5A **42**
Matrimony Pl. *SW4* —5E **65**
Matthew Clo. *W10* —3F **33**
Matthew Parker St. *SW1*
   —3F **51**
Matthews St. *SW11* —5B **64**
Matthias Rd. *N16* —2A **26**

Mattingley Way. *SE15* —3B **68**
  (off Longhope Clo.)
Mattison Rd. *N4* —1C **10**
Maude Rd. *SE5* —4A **68**
Maudlins Grn. *E1* —2C **54**
Maud Rd. *E10* —5E **15**
Maud Rd. *E13* —1B **44**
Maud St. *E16* —4B **44**
Mauleverer Rd. *SW2* —3A **80**
Maundeby Wlk. *NW10* —3A **18**
Maunsel St. *SW1* —5F **51**
Mauretania Building. *E1*
  (off Jardine Rd.)   —1F **55**
Maurice St. *W12* —5D **33**
Mauritius Rd. *SE10* —5A **58**
Maury Rd. *N16* —4C **12**
Maverton Rd. *E3* —5C **28**
Mawbey Ho. *SE1* —1B **68**
Mawbey Pl. *SE1* —1B **68**
Mawbey Rd. *SE1* —1B **68**
Mawbey St. *SW8* —3A **66**
Mawson La. *W4* —2B **60**
Maxden St. *SE15* —1C **82**
Maxilla Wlk. *W10* —5F **33**
Maxted Rd. *SE15* —1B **82**
Maxwell Clo. *SW4* —3F **79**
Maxwell Rd. *SW6* —3D **63**
Mayall Rd. *SE24* —2D **81**
Maybourne Clo. *SE26* —5D **97**
Maybury Gdns. *NW10* —3D **19**
Maybury M. *N6* —2E **9**
Maybury Rd. *E13* —3E **45**
Maybury St. *SW17* —5A **92**
Mayday Gdns. *SE3* —5F **73**
Mayerne Rd. *SE9* —3F **87**
Mayeswood Rd. *SE12*
   —4E **101**
Mayfair M. *NW1* —4B **22**
  (off Regents Pk. Rd.)
Mayfair Pl. *W1* —2D **51**
Mayfield Av. *W4* —5A **46**
Mayfield Clo. *E8* —3B **26**
Mayfield Clo. *SW4* —3F **79**
Mayfield Gdns. *NW4* —1F **5**
Mayfield Rd. *E8* —4B **26**
Mayfield Rd. *E13* —3B **44**
Mayfield Rd. *N8* —1B **10**
Mayfield Rd. *W12* —3A **46**
Mayfield Rd. Flats. *N8* —1B **10**
Mayflower Clo. *SE16* —5F **55**
Mayflower Ct. *SE16* —3D **55**
Mayflower Rd. *SW9* —1A **80**
Mayflower St. *SE16* —3E **55**
Mayford Clo. *SW12* —5B **78**
Mayford Rd. *SW12* —5B **78**
Maygood St. *N1* —1C **38**
Maygrove Rd. *NW6* —3B **20**
Mayhew Ct. *SE5* —2F **81**
Mayhill Rd. *SE7* —2D **73**
Maynard Clo. *SW6* —3D **63**
Maynard Path. *E17* —1E **15**
Maynard Rd. *E17* —1E **15**
Maynards Quay. *E1* —1E **55**
Mayola Rd. *E5* —1E **27**
Mayor Ho. *N1* —5B **24**
  (off Barnsbury Est.)
Mayo Rd. *NW10* —3A **18**

Mayow Rd. *SE26 & SE23*
   —4F **97**
May Rd. *E13* —1C **44**
May's Bldgs. M. *SE10* —3F **71**
May's Ct. *SE10* —3F **71**
Mays Ct. *WC2* —1A **52**
Maysoule Rd. *SW11* —2F **77**
May St. *W14* —1B **62**
Mayton St. *N7* —5B **10**
May Tree Ho. SE4 —1B **84**
  (off Wickham Rd.)
Maytree Wlk. *SW2* —2C **94**
Mayville Est. *N16* —2A **26**
Mayville Rd. *E11* —4A **16**
May Wlk. *E13* —1D **45**
Mayward Ho. *SE5* —4A **68**
  (off Peckham Rd.)
Maze Hill. *SE10 & SE3* —2A **72**
Mazenod Av. *NW6* —4C **20**
Meadcroft Rd. *SE11* —2D **67**
  (in two parts)
Meader Ct. *SE14* —3F **69**
Meadowbank. *NW3* —4B **22**
Meadow Bank. *E18* —1B **86**
Meadowbank Clo. *SW6* —3E **61**
Meadowbank Rd. *NW9* —2A **4**
Meadow Clo. *E9* —2B **28**
Meadow Clo. *SE6* —5C **98**
Meadow Ct. N1 —1A **40**
  (off Ivy St.)
Meadowcourt Rd. *SE3* —2B **86**
Meadow M. *SW8* —2B **66**
Meadow Pl. *SW8* —3A **66**
Meadow Pl. *W4* —3A **60**
Meadow Rd. *SW8* —3B **66**
Meadow Row. *SE1* —4E **53**
Meadows Clo. *E10* —4C **14**
Meadowside. *SE9* —2E **87**
Meadowsweet Clo. *E16*
   —4F **45**
Meadowview Rd. *SE6* —5B **98**
Meadow Way. *NW9* —1A **4**
Mead Path. *SW17* —4E **91**
Mead Pl. *E9* —3E **27**
Mead Row. *SE1* —4C **52**
Meads St. *E15* —3B **30**
Meadway. *NW11* —1C **6**
Meadway Clo. *NW11* —1D **7**
Meadway Ct. *NW11* —1D **7**
Meadway Ga. *NW11* —1C **6**
Meadway, The. *SE3* —5F **71**
Meakin Est. *SE1* —4A **54**
Meanley Rd. *E12* —1F **31**
Meard St. *W1* —5F **37**
Meath Rd. *E15* —1B **44**
Meath St. *SW11* —4D **65**
Mechanics Path. *SE8* —3C **70**
Mecklenburgh Pl. *WC1*
   —3B **38**
Mecklenburgh Sq. *WC1*
   —3B **38**
Mecklenburgh St. *WC1*
   —3B **38**
Medburn St. *NW1* —1F **37**
Medebourne Clo. *SE3* —1C **86**
Mede Ho. *Brom* —5D **101**
Medfield St. *SW15* —5C **74**
Medhurst Clo. *E3* —1A **42**

Median Rd.—Michael Stewart Ho.

Median Rd. *E5* —2E **27**
Medina Gro. *N7* —5C **10**
Medina St. *N7* —5C **10**
Medlar St. *SE5* —4E **67**
Medley Rd. *NW6* —3C **20**
Medora Rd. *SW2* —5B **80**
Medusa St. *SE6* —4D **85**
Medway M. *E3* —1A **42**
Medway Rd. *E3* —1A **42**
Medway St. *SW1* —4F **51**
Medwin St. *SW4* —2B **80**
Meek Clo. *E8* —5D **27**
Meek Rd. SW10 —3E 63
(off Tadema Rd.)
Meerbrook Rd. *SE3* —1E **87**
Meeson Rd. *E15* —5B **30**
Meeson St. *E5* —1A **28**
Meeting Field Path. *E9* —3E **27**
Meetinghouse All. *E1* —2D **55**
Meeting Ho. La. *SE15* —4D **69**
Mehetabel Rd. *E9* —3E **27**
Melba Way. *SE13* —4D **71**
Melbourne Gro. *SE22* —2A **82**
Melbourne M. *SE6* —5E **85**
Melbourne M. *SW6* —4C **66**
Melbourne Pl. *WC2* —5B **38**
Melbourne Rd. *E10* —2D **15**
Melbourne Sq. *SW9* —4C **66**
Melbury Dri. *SE5* —3A **68**
Melbury Rd. *W14* —4B **48**
Melbury Rd. SW8 —3B 66
(off Richborne Ter.)
Melbury Ter. *NW1* —3A **36**
Melchester Ho. N19 —5F 9
(off Wedmore St.)
Melcombe Ho. SW8 —3B 66
(off Dorset Rd.)
Melcombe Pl. *NW1* —4B **36**
Melcombe St. *NW1* —3B **36**
Meldon Clo. *SW6* —4D **63**
Melfield Gdns. *SE6* —4E **99**
Melford Ct. SE1 —4B 54
(off Fendall St.)
Melford Ct. *SE22* —1C **96**
Melford Pas. *SE22* —5C **82**
Melford Rd. *E11* —4A **16**
Melford Rd. *SE22* —5C **82**
Melgund Rd. *N5* —2C **24**
Melina Ct. *SW15* —1C **74**
Melina Pl. *NW8* —2F **35**
Melina Rd. *W12* —3D **47**
Melior Ct. *N6* —1E **9**
Melior Pl. *SE1* —3A **54**
Melior St. *SE1* —3A **54**
Meliot Rd. *SE6* —2F **99**
Mellish Flats. *E10* —2C **14**
Mellish Ind. Est. *SE18* —4F **59**
Mellish St. *E14* —4C **56**
Mellison Rd. *SW17* —5A **92**
Mellitus St. *W12* —4B **32**
Mell St. *SE10* —1A **72**
Melody La. *N5* —2D **25**
Melody Rd. *SW18* —3E **77**
Melon Pl. *W8* —3C **48**
Melon Rd. *E11* —1A **16**
Melon Rd. *SE15* —4C **68**
Melrose Av. *NW2* —2D **19**

Melrose Av. *SW19* —2B **90**
Melrose Clo. *SE12* —1C **100**
Melrose Gdns. *W6* —4E **47**
Melrose Rd. *SW13* —5B **60**
Melrose Rd. *SW18* —4B **76**
Melrose Ter. *W6* —4E **47**
Melthorpe Gdns. *SE3* —4F **73**
Melton Ct. *SW7* —5F **49**
Melton St. *NW1* —2E **37**
Melville Ct. *SE8* —5A **56**
Melville St. W12 —3D 47
(off Goldhawk Rd.)
Melville Ho. *SE10* —4E **71**
Melville Rd. *N1* —4E **25**
Melville Rd. *SW13* —4C **60**
Melyn Clo. *N7* —1E **23**
Memel Ct. EC1 —3E 39
(off Memel St.)
Memel St. *EC1* —3E **39**
Memorial Av. *E15* —2A **44**
Mendip Clo. *SE26* —4E **97**
Mendip Clo. *SW19* —2A **90**
Mendip Ct. *SW11* —1E **77**
Mendip Dri. *NW2* —4A **6**
Mendip Houses. E2 —2E 41
(off Welwyn St.)
Mendip Rd. *SW11* —1E **77**
Mendora Rd. *SW6* —3A **62**
Menelik Rd. *NW2* —1A **20**
Menotti St. *E2* —3C **40**
Mentmore Ter. *E8* —4D **27**
Mepham St. *SE1* —2C **52**
Merbury Clo. *SE13* —3F **85**
Mercator Rd. *SE13* —2F **85**
Merceron Houses. E2 —2E 41
(off Globe Rd.)
Merceron St. *E1* —3D **41**
Mercers Clo. *SE10* —5B **58**
Mercers Pl. *W6* —5E **47**
Mercers Rd. *N19* —5F **9**
Merchant St. *WC2* —5A **38**
Merchant St. *E3* —2B **42**
Merchiston Rd. *SE6* —2F **99**
Mercia Gro. *SE13* —2E **85**
Mercia Ho. *SE5* —5E **67**
Mercier Rd. *SW15* —3A **76**
Mercury Way. *SE14* —2F **69**
Mercy Ter. *SE13* —3D **85**
Mere Clo. *SW15* —5F **75**
Meredith Av. *NW2* —2E **19**
Meredith Ho. *N16* —2A **26**
Meredith M. *SE4* —2B **84**
Meredith St. *E13* —2C **44**
Meredith St. *EC1* —2D **39**
Meredyth Rd. *SW13* —5C **60**
Meretone Clo. *SE4* —2A **84**
Mereworth Ho. *SE15* —2E **69**
Merganser Ct. *SE8* —2B **70**
(off Edward St.)
Meriden Ct. SW3 —1A 64
(off Chelsea Mnr. St.)
Meridian Ga. *E14* —3E **57**
Meridian Rd. *SE7* —3F **73**
Meridian Trad. Est. *SE7*
—5D **59**
Merifield Rd. *SE9* —2E **87**
Merivale Rd. *SW15* —2A **75**
Merlin Ct. *SE8* —2B **70**

Merlin Gdns. *Brom* —3C **100**
Merlin Rd. *E12* —4F **17**
Merlin St. *WC1* —2C **38**
Mermaid Ct. *SE1* —3F **53**
Mermaid Ct. *SE16* —2B **56**
Mermaid Tower. SE8 —2B 70
(off Abinger Gro.)
Meroe Ct. *N16* —4A **12**
Merredene St. *SW2* —4B **80**
Merrick Ho. *SE8* —5B **56**
Merrick Sq. *SE1* —4F **53**
Merriman Rd. *SE3* —4E **73**
Merrington Rd. *SW6* —2C **62**
Merritt Rd. *SE4* —3B **84**
Merritt's Bldgs. EC2 —3A 40
(off Worship St.)
Merrow St. *SE17* —1F **67**
Merrow Wlk. *SE17* —1F **67**
Merryfield. *SE3* —5B **72**
Merryfield Ho. SE9 —3E 101
(off Grove Pk. Rd.)
Merryfields Way. *SE6* —5D **85**
Merryweather Ct. *N19* —5E **9**
Merthyr Ter. *SW13* —2D **61**
Merton Av. *W4* —5B **46**
Merton La. *N6* —4B **8**
Merton Rise. *NW3* —4A **22**
Merton Rd. *E17* —1E **15**
Merton Rd. *SW18* —4C **76**
Merttins Rd. *SE15 & SE4*
—3F **83**
Meru Clo. *NW5* —1C **22**
Mervan Rd. *SW2* —2C **80**
Messent Rd. *SE9* —3E **87**
Messina Av. *NW6* —4C **20**
Messiter Ho. N1 —5B 24
(off Barnsbury Est.)
Meteor St. *SW11* —2C **78**
Methley St. *SE11* —1C **66**
Methwold Rd. *W10* —4F **33**
Metro Bus. Cen., The. Beck
—5B **98**
Metropolis. SE11 —5D 53
(off Oswin St.)
Mews St. *E1* —2C **54**
Mews, The. *N1* —5E **25**
Mews, The. *Ilf* —1F **17**
Mexfield Rd. *SW15* —3B **76**
Meymott St. *SE1* —2D **53**
Meynell Cres. *E9* —4F **27**
Meynell Gdns. *E9* —4F **27**
Meynell Rd. *E9* —4F **27**
Meyrick Rd. *NW10* —3C **18**
Meyrick Rd. *SW11* —1F **77**
Miah Ter. *E1* —2C **54**
Miall Wlk. *SE26* —4A **98**
Micawber Ho. SE16 —3C 54
(off Llewellyn St.)
Micawber St. *N1* —2E **39**
Michael Cliffe Ho. EC1 —2C 38
(off Finsbury Est.)
Michael Manley Ind. Est. SW8
—5F **65**
Michael Rd. *E11* —3A **16**
Michael Rd. *SW6* —4D **63**
Michael's Clo. *SE13* —2A **86**
Michael Stewart Ho. SW6
(off Clem Attlee Ct.) —2B 62

Micheldever Rd. *SE12* —4B **86**
Michelle Ct. *W3* —1A **46**
Michelson Ho. *SE11* —5B **52**
(off Black Prince Rd.)
Michigan Ho. *E14* —5C **56**
Micklethwaite Rd. *SW6*
    —2C **62**
Middlefield. *NW8* —5F **21**
Middle La. *N8* —1A **10**
Middle La. M. *N8* —1A **10**
Middle Pk. Av. *SE9* —4F **87**
Middle Rd. *E13* —1C **44**
Middle Row. *W10* —3A **34**
Middlesex St. *W4* —1B **60**
Middlesex Pas. *EC1* —4D **39**
(off Bartholomew Clo.)
Middlesex St. *E1* —4A **40**
Middlesex Wharf. *E5* —4E **13**
Middle St. *EC1* —4E **39**
Middle Temple La. *EC4* —5C **38**
Middleton Bldgs. *W1* —4E **37**
(off Langham St.)
Middleton Dri. *SE16* —3F **55**
Middleton Gro. *N7* —2A **24**
Middleton M. *N7* —2A **24**
Middleton Rd. *E8* —4B **26**
Middleton Rd. *NW11* —2C **6**
Middleton St. *E2* —2D **41**
Middleton Way. *SE13* —2F **85**
Middleway. *NW11* —1D **7**
Middle Yd. *SE1* —2A **54**
Midford Pl. *W1* —3E **37**
Midhope St. *WC1* —2A **38**
Midhurst. *SE26* —5E **97**
Midland Cres. *NW3* —3E **21**
Midland Pde. *NW6* —3D **21**
Midland Pl. *E14* —1E **71**
Midland Rd. *E10* —2E **15**
Midland Rd. *NW1* —1F **37**
Midland Ter. *NW2* —5F **5**
Midland Ter. *NW10* —3A **32**
Midlothian Rd. *E3* —4B **42**
Midmoor Rd. *SW12* —1E **93**
Midship Clo. *SE16* —2F **55**
Midship Point. *E14* —3C **56**
(off Quarterdeck, The)
Midstrath Rd. *NW10* —1A **18**
Midway Ho. *EC1* —2D **39**
(off Manningford Clo.)
Midwood Clo. *NW2* —5D **5**
Mighell Av. *Ilf* —1F **17**
Milborne Gro. *SW10* —1E **63**
Milborne St. *E9* —3E **27**
Milborough Cres. *SE12*
    —4A **86**
Milcote St. *SE1* —3D **53**
Mildenhall Rd. *E5* —1E **27**
Mildmay Av. *N1* —3F **25**
Mildmay Gro. N. *N1* —2F **25**
Mildmay Gro. S. *N1* —2F **25**
Mildmay Pk. *N1* —2F **25**
Mildmay Pl. *N16* —2A **26**
Mildmay Rd. *N1* —2F **25**
Mildmay St. *N1* —3F **25**
Mile End Pl. *E1* —3F **41**
Mile End Rd. *E1 & E3* —4E **41**
Miles Pl. *NW8* —4A **36**
(off Broadley St.)

Miles St. *SW8* —2A **66**
Milfoil St. *W12* —1C **46**
Milford La. *WC2* —1C **52**
Milford M. *SW16* —3B **94**
Milford Towers. *SE6* —5D **85**
Milford Way. *SE15* —4B **68**
Milk St. *EC2* —5E **39**
Milk St. *Brom* —5D **101**
Milkwell Yd. *SE5* —4E **67**
Milkwood Rd. *SE24* —3D **81**
Milk Yd. *E1* —1E **55**
Millais Rd. *E11* —1E **29**
Millard Clo. *N16* —2A **26**
Millais M. *SW1* —4A **52**
Millbank Tower. *SW1* —5A **52**
(off Millbank)
Millbank Way. *SE12* —3C **86**
Millbrook Pas. *SW9* —1D **81**
Millbrook Pl. *NW1* —1E **37**
(off Hampstead Rd.)
Millbrook Rd. *SW9* —1D **81**
Mill Ct. *E10* —5E **15**
Millcroft Ho. *SE6* —4D **99**
(off Melfield Gdns.)
Millender Wlk. *SE16* —5E **55**
Millenium Sq. *SE1* —3B **54**
(off Shad Thames)
Millennium Pl. *E2* —1D **41**
Miller Rd. *SW19* —5F **91**
Miller's Av. *E8* —2B **26**
Miller's Ct. *W4* —1B **60**
Millers Meadow Clo. *SE12*
    —3B **86**
Miller's Ter. *E8* —2B **26**
Miller St. *NW1* —1E **37**
Millers Way. *W6* —3E **47**
Miller Wlk. *SE1* —2C **52**
Millfield. *N4* —4C **10**
Millfield La. *N6* —3A **8**
Millfield Pl. *N6* —4C **8**
Millfields Rd. *E5* —1E **27**
Mill Gdns. *SE26* —3D **97**
Millgrove St. *SW11* —4C **64**
Millharbour. *E14* —3D **57**
Mill Hill. *SW13* —5C **60**
Mill Hill Rd. *SW13* —5C **60**
Millhouse Pl. *SE27* —4D **95**
Millicent Rd. *E10* —3B **14**
Milligan St. *E14* —1B **56**
Millington Ho. *N16* —5F **11**
Mill La. *NW6* —2B **20**
Millman M. *WC1* —3B **38**
Millman Pl. *WC1* —3B **38**
(off Millman St.)
Millman St. *WC1* —3B **38**
Millmark Gro. *SE14* —5A **70**
Mill Pl. *E14* —5A **42**
Millpond Est. *SE16* —3D **55**
Mill Rd. *E16* —2D **59**
Mill Rd. *SE13* —1E **85**
Mill Row. *N1* —5A **26**
Mills Ct. *EC2* —3A **40**
(off Curtain Rd.)
Mills Gro. *E14* —5E **43**
Millshot Clo. *SW6* —4E **61**
Millstream Rd. *SE1* —3B **54**
Mill St. *SE1* —3B **54**
Mill St. *W1* —1D **51**

Millwall Dock Rd. *E14* —4C **56**
Millwood St. *W10* —4A **34**
Mill Yd. *E1* —1C **54**
Milman Rd. *NW6* —1F **33**
Milman's St. *SW10* —2F **63**
Milne Gdns. *SE9* —3F **87**
Milner Pl. *N1* —5C **24**
Milner Rd. *E15* —2A **44**
Milner Sq. *N1* —4D **25**
Milner St. *SW3* —5B **50**
Milo Gdns. *SE22* —4B **82**
Milo Rd. *SE22* —4B **82**
Milroy Wlk. *SE1* —2D **53**
Milson Rd. *W14* —4F **47**
Milstead Ho. *E5* —2D **27**
Milton Av. *E6* —4F **31**
Milton Av. *N6* —2E **9**
Milton Clo. *N2* —1E **7**
Milton Clo. *SE1* —5B **54**
Milton Ct. *EC2* —4F **39**
Milton Ct. *SE14* —2B **70**
Milton Ct. *SW18* —3C **76**
Milton Ct. Highwalk. *EC2*
    (off Milton Ct.) —4F **39**
Milton Ct. Rd. *SE14* —2A **70**
Milton Garden Est. *N16*
    —1A **26**
Milton Gro. *N16* —1F **25**
Milton Ho. *SE5* —3F **67**
(off Elmington Est.)
Milton Mans. *W14* —2A **62**
(off Queen's Club Mans.)
Milton Pk. *N6* —2E **9**
Milton Pl. *N7* —2C **24**
Milton Rd. *N6* —2E **9**
Milton Rd. *NW9* —2C **4**
Milton Rd. *SE24* —3D **81**
Milton Rd. *SW19* —5E **91**
Milton St. *EC2* —4F **39**
Milverton Ho. *SE6* —3A **98**
Milverton Rd. *NW6* —4E **19**
Milverton St. *SE11* —1C **66**
Milward Wlk. *E1* —4D **41**
Mimosa Lodge. *NW10* —2B **18**
Mimosa St. *SW6* —4B **62**
Minard Rd. *SE6* —5A **86**
(in two parts)
Mina Rd. *SE17* —1A **68**
Mincing La. *EC3* —1A **54**
Minehead Rd. *SW16* —5B **94**
Minera M. *SW1* —5C **50**
Minerva Clo. *SW9* —3C **66**
Minerva Rd. *NW10* —2A **32**
Minerva St. *E2* —1D **41**
Minet Av. *NW10* —1A **32**
Minet Gdns. *NW10* —1A **32**
Minet Rd. *SW9* —5D **67**
Minford Gdns. *W14* —3F **47**
Mingard Wlk. *N7* —4B **10**
Ming St. *E14* —1C **56**
Miniver Pl. *EC4* —1E **53**
(off Garlick Hill)
Miniver St. *SE1* —3D **53**
(off Boyfield St.)
Minnow St. *SE17* —5A **54**
Minnow Wlk. *SE17* —5A **54**
Minoco Wharf. *E16* —3E **59**
Minories. *EC3* —5B **40**

Minshill St.—Moorside Rd.

Minshill St. *SW8* —4F **65**
Minson Rd. *E9* —5F **27**
Minstead Gdns. *SW15* —5B **74**
Minster Ct. *EC3* —1A **54**
  (off Mincing La.)
Minster Rd. *NW2* —2A **20**
Mintern St. *N1* —1F **39**
Minton M. *NW6* —3D **21**
Minton M. *SE11* —1C **52**
  (off Walnut Tree Wlk.)
Mint St. *SE1* —3E **53**
Mirabel Rd. *SW6* —3B **62**
Miranda Clo. *E1* —4E **41**
Miranda Rd. *N19* —3E **9**
Mirfield St. *SE7* —5F **59**
Mirror Path. *SE9* —3E **101**
Missenden. *SE17* —1F **67**
  (off Roland Way)
Mission Pl. *SE15* —4C **68**
Mitali Pas. *E1* —5C **40**
Mitcham Ho. *SE5* —4E **67**
Mitcham La. *SW16* —5E **93**
Mitcham Rd. *E6* —2F **45**
Mitcham Rd. *SW17* —5B **92**
Mitcheldean *SE15* —3A **68**
  (off Newent Clo.)
Mitchellbrook Way. *NW10*
  —3A **18**
Mitchell Ho. *W12* —1D **47**
  (off White City Est.)
Mitchell St. *EC1* —3E **39**
Mitchell Wlk. *E6* —4F **45**
  (off Neats Ct. Rd.)
Mitchison Rd. *N1* —3F **25**
Mitford Rd. *N19* —4A **10**
Mitre Bri. Ind. Pk. *W10*
  —3D **33**
Mitre Ct. *EC2* —5E **39**
  (off Wood St.)
Mitre Ct. *EC4* —5C **38**
Mitre Rd. *E15* —1A **44**
Mitre Rd. *SE1* —3C **52**
Mitre Sq. *EC3* —5A **40**
Mitre St. *EC3* —5A **40**
Mitre, The. *E14* —1B **56**
Mitre Way. *W10* —4D **33**
Mitre Yd. *SW3* —5A **50**
Moat Dri. *E13* —1E **45**
Moatfield *NW6* —4A **20**
Moat Pl. *SW9* —5B **66**
Moberley Rd. *SW4* —5F **79**
Mobil Ct. *WC2* —5B **38**
  (off Clement's Inn)
Modbury Gdns. *NW5* —3C **22**
Modder Pl. *SW15* —2F **75**
Model Bldgs. *WC1* —2B **38**
  (off Cubitt St.)
Model Farm Clo. *SE9* —3F **101**
Modern Ct. *EC4* —5D **39**
  (off Farringdon St.)
Modern Wharf Rd. *SE10*
  —4A **58**
Moelwyn. *N7* —2F **23**
Moffat Ct. *SW19* —5C **90**
Moffat Ho. *SE5* —3E **67**
Moffat Rd. *SW17* —4B **92**
Mohmmad Khan Rd. *E11*
  —3B **16**

Moiety Rd. *E14* —3C **56**
Moland Mead. *SE16* —1F **69**
Molasses Ho. *SW11* —1E **77**
  (off Clove Hitch Quay)
Molasses Row *SW11* —1E **77**
Molesford Rd. *SW6* —4C **62**
Molesworth St. *SE13* —1E **85**
Molly Huggins Clo. *SW12*
  —5E **79**
Molton Ho. *N1* —5B **24**
  (off Barnsbury Est.)
Molyneux St. *W1* —4A **36**
Monarch Dri. *E16* —4F **45**
Monarch M. *E17* —1D **15**
Monarch M. *SW16* —5C **94**
Mona Rd. *SE15* —5E **69**
Mona St. *E16* —4B **44**
Moncks Row *SW18* —4B **76**
  (off West Hill Rd.)
Monck St. *SW1* —4F **51**
Monclar Rd. *SE5* —2F **81**
Moncorvo Clo. *SW7* —3A **50**
Moncrieff Pl. *SE15* —5C **68**
Moncrieff Clo. *E6* —4F **45**
Moncrieff St. *SE15* —5C **68**
Monega Rd. *E7 & E12* —3E **31**
Moneyer Ho. *N1* —2F **39**
  (off Provost Est.)
Monier Rd. *E3* —4C **28**
Monk Dri. *E16* —1C **58**
Monk Pas. *E16* —1C **58**
  (off Monk Dri.)
Monkton Ho. *E5* —2D **27**
Monkton St. *SE11* —5C **52**
Monkwell Sq. *EC2* —4E **39**
Monmouth Pl. *W2* —5D **35**
  (off Monmouth Rd.)
Monmouth Rd. *W2* —5C **34**
Monmouth St. *WC2* —5A **38**
Monnery Rd. *N19* —5E **9**
Monnow Rd. *SE1* —5C **54**
Monsell Rd. *N4* —5D **11**
Monson Rd. *NW10* —1C **32**
Monson Rd. *SE14* —3F **69**
Montacute Rd. *SE6* —5B **84**
Montague Av. *SE4* —2B **84**
Montague Clo. *SE1* —2F **53**
Montague Pl. *WC1* —4F **37**
Montague Rd. *E8* —2C **26**
Montague Rd. *E11* —4B **16**
Montague Rd. *N8* —1B **10**
Montague Sq. *SE15* —3E **69**
Montague St. *EC1* —4E **39**
Montague St. *WC1* —4A **38**
Montana Mans. *E11* —4B **16**
Montagu M. N. *W1* —4B **36**
Montagu M. S. *W1* —5B **36**
Montagu M. W. *W1* —5B **36**
Montagu Pl. *W1* —4B **36**
Montagu Rd. *NW4* —1C **4**
Montagu Row. *W1* —4B **36**
Montagu Sq. *W1* —4B **36**
Montagu St. *W1* —5B **36**
Montcalm Ho. *E14* —5B **56**
Montcalm Rd. *SE7* —2F **97**
Montclare St. *E2* —3B **40**
Monteagle Ct. *N1* —1A **40**

Monteagle Way. *E5* —5C **12**
Monteagle Way. *SE15* —1D **83**
Montefiore St. *SW8* —5D **65**
Montego Clo. *SE24* —2C **80**
Monteith Rd. *E3* —5B **28**
Montem Rd. *NW23* —5B **84**
Montem St. *N4* —3B **10**
Montenotte Rd. *N8* —1E **9**
Montesquieu Ter. *E16* —5B **44**
  (off Clarkson Rd.)
Montford Pl. *SE11* —1C **66**
Montfort Pl. *SW19* —1F **89**
Montholme Rd. *SW11* —4B **78**
Monthope Rd. *E1* —4C **40**
Montolieu Gdns. *SW15*
  —3D **75**
Montpelier Gdns. *E6* —2F **45**
Montpelier Gro. *NW5* —2E **23**
Montpelier M. *SW7* —4A **50**
Montpelier Pl. *SW7* —4A **50**
Montpelier Rise. *NW11* —2A **6**
Montpelier Rd. *SE15* —4D **69**
Montpelier Row. *SE3* —5B **72**
Montpelier Sq. *SW7* —3A **50**
Montpelier St. *SW7* —4A **50**
Montpelier Ter. *SW7* —3A **50**
Montpelier Vale. *SE3* —5B **72**
Montpelier Wlk. *SW7* —4A **50**
Montpelier Way. *NW11* —2A **6**
Montreal Pl. *WC2* —1B **52**
Montrell Rd. *SW2* —1A **94**
Montrose Av. *NW6* —1A **34**
Montrose Clo. *SW7* —3F **49**
Montrose Ho. *E14* —4C **56**
Montrose Pl. *SW1* —3C **50**
Montrose Way. *SE23* —1F **97**
Montserrat Clo. *SE19* —5F **95**
Montserrat Rd. *SW15* —2A **76**
Monument Gdns. *SE13*
  —3E **85**
Monument St. *EC3* —1F **53**
Monza St. *E1* —1E **55**
Moodkee St. *SE16* —4E **55**
Moody St. *E1* —2F **41**
Moon Ct. *SE12* —2C **86**
Moon St. *N1* —5D **25**
Moorcroft Rd. *SW16* —3A **94**
Moorehead Way. *SE3* —1D **87**
Moore Pk. Rd. *SW6* —3C **62**
Moore Rd. *SE19* —5E **95**
Moore St. *SW3* —5B **50**
Moore Wlk. *E7* —1C **30**
Moorey Clo. *E15* —5B **30**
Moorfields. *EC2* —4F **39**
Moorfields Highwalk. *EC2*
  (off Fore St.) —4F **39**
Moorgate. *EC2* —5F **39**
Moorgate Pl. *EC2* —5F **39**
  (off Swan All.)
Moorgreen Ho. *EC1* —2D **39**
  (off Spencer St.)
Moorhouse Rd. *W2* —5C **34**
Moorings, The. *E16* —4E **45**
  (off Prince Regent La.)
Moorland Rd. *SW9* —2D **81**
Moor La. *EC2* —4F **39**
Moor Pl. *EC2* —4F **39**
Moorside Rd. *Brom* —3A **100**

Moor St. *W1* —5F **37**
Morant St. *E14* —1C **56**
Mora Rd. *NW2* —1E **19**
Mora St. *EC1* —2D **39**
Morat St. *SW9* —4B **66**
Moravian Clo. *SW10* —2F **63**
Moravian Pl. *SW10* —2F **63**
Moravian St. *E2* —1E **41**
Moray M. *N7* —4B **10**
Moray Rd. *N4* —4B **10**
Mordaunt Rd. *NW10* —5A **18**
Mordaunt St. *SW9* —1B **80**
Morden Hill. *SE13* —5E **71**
Morden La. *SE13* —4E **71**
Morden Rd. *SE3* —5C **72**
Morden Rd. M. *SE3* —5C **72**
Morden St. *SE13* —4D **71**
Morden Wharf Rd. *SE10*
—4A **58**
Mordred Rd. *SE6* —2A **100**
Morecambe Clo. *E1* —4F **41**
Morecambe St. *SE17* —1E **67**
More Clo. *E16* —5B **44**
More Clo. *W14* —5F **47**
Moreland Ct. *NW2* —5C **6**
Moreland St. *EC1* —2D **39**
Morella Rd. *SW12* —5B **78**
Moremead Rd. *SE6* —4B **98**
Morena St. *SE6* —5D **85**
Moresby Rd. *E5* —3D **13**
Moresby Wlk. *SW8* —5E **65**
More's Gdns. *SW3* —2F **63**
(off Cheyne Wlk.)
Moreton Clo. *E5* —4D **13**
Moreton Clo. *N15* —1F **11**
Moreton Pl. *SW1* —1E **65**
Moreton Clo. *N15* —1F **11**
Moreton St. *SW1* —1E **65**
Moreton Ter. *SW1* —1E **65**
Moreton Ter. M. N. *SW1*
—1E **65**
Moreton Ter. M. S. *SW1*
—1E **65**
Morgan Mans. *N7* —2C **24**
(off Morgan Rd.)
Morgan Rd. *N7* —2C **24**
Morgan Rd. *W10* —4B **34**
Morgan's La. *SE1* —2A **54**
Morgan St. *E3* —2A **42**
Morgan St. *E16* —4B **44**
Moriatry Clo. *N7* —1A **24**
Morie St. *SW18* —3D **77**
Morieux Rd. *E10* —3B **14**
Moring Rd. *SW17* —4C **92**
Morkyns Wlk. *SE21* —3A **96**
Morland Clo. *NW11* —3D **7**
Morland Est. *E8* —4C **26**
Morland Gdns. *NW10* —4A **18**
Morland M. *N1* —4C **24**
Morland Rd. *E17* —1F **13**
Morley Ho. *N16* —4C **12**
Morley Rd. *E10* —3E **15**
Morley Rd. *E15* —1B **44**
Morley Rd. *SE13* —2B **85**
Morley St. *SE1* —4C **52**
Morna Rd. *SE5* —5E **67**
Morning La. *E9* —3E **27**
Mornington Av. *W14* —5B **48**

Mornington Cres. *NW1* —1E **37**
Mornington Gro. *E3* —2C **42**
Mornington M. *SE5* —4E **67**
Mornington Pl. *NW1* —1D **37**
Mornington Rd. *E11* —2B **16**
Mornington Rd. *SE8* —3B **70**
Mornington St. *NW1* —1D **37**
Mornington Ter. *NW1* —5D **23**
Morocco St. *SE1* —3A **54**
Morpeth Gro. *E9* —5F **27**
Morpeth Mans. SW1 —5E **51**
(off Morpeth Ter.)
Morpeth Rd. *E9* —5E **27**
Morpeth St. *E2* —2F **41**
Morpeth Ter. *SW1* —4E **51**
Morris Blitz Ct. *N16* —1B **26**
Morris Gdns. *SW18* —5C **76**
Morrish Rd. *SW2* —5A **80**
Morrison Bldgs. N. E1 —5C **40**
(off Commercial Rd.)
Morrison Bldgs. S. E1 —5C **40**
(off Commercial Rd.)
Morrison St. *SW11* —1C **78**
Morris Pl. *N4* —4C **10**
Morris Rd. *E14* —4D **43**
Morris Rd. *E15* —1A **30**
Morriss Ho. SE16 —3D **55**
(off Cherry Garden St.)
Morris St. *E1* —5D **41**
Morse Clo. *E13* —2C **44**
Morshead Mans. W9 —2D **35**
(off Morshead Rd.)
Morshead Rd. *W9* —2C **34**
Mortain Ho. SE16 —5D **55**
(off Roseberry St.)
Morten Clo. *SW4* —4F **79**
Mortham St. *E15* —5A **30**
Mortimer Clo. *NW2* —4B **6**
Mortimer Clo. *SW16* —2F **93**
Mortimer Cres. *NW6* —5D **21**
Mortimer Est. NW6 —5D **21**
(off Mortimer Pl.)
Mortimer Ho. W11 —2F **47**
(off Queensdale Cres.)
Mortimer Mkt. *WC1* —3E **37**
Mortimer Pl. *NW6* —5D **21**
Mortimer Rd. *N1* —4A **26**
(in two parts)
Mortimer Rd. *NW10* —2E **33**
Mortimer Sq. *W11* —1F **47**
Mortimer St. *W1* —5E **37**
Mortimer Ter. *NW5* —1D **23**
Mortlake High St. *SW14*
—1A **74**
Mortlake Rd. *E16* —5D **45**
Mortlock Clo. *SE15* —4D **69**
Mortlock Ct. *E12* —1F **31**
Morton M. *SW5* —5D **49**
Morton Pl. *SE1* —4C **52**
Morton Rd. *E15* —4B **30**
Morton Rd. *N1* —4E **25**
Morval Rd. *SW2* —3C **80**
Morven Rd. *SW17* —3B **92**
Morville St. *E3* —1C **42**
Morwell St. *WC1* —4F **37**
Moscow Pl. *W2* —1D **49**
Moscow Rd. *W2* —1C **48**
Mossbury Rd. *SW11* —1A **78**

Moss Clo. *E1* —4C **40**
Mossford St. *E3* —3B **42**
Mossington Gdns. *SE16*
—5E **55**
Mossop St. *SW3* —5A **50**
Mostyn Gdns. *NW10* —1F **33**
Mostyn Gro. *E3* —1C **42**
Mostyn Rd. *SW9* —4C **66**
Motcomb St. *SW1* —4C **50**
Mothers Sq. *E5* —1E **27**
Motley Av. *EC2* —3A **40**
(off Christina St.)
Motley St. *SW8* —5E **65**
Mottingham Gdns. *SE9*
—1F **101**
Mottingham La. *SE12 & SE9*
—1E **101**
Mottingham Rd. *SE9* —2F **101**
Moules Ct. *SE5* —3E **67**
Moulins Rd. *E9* —4E **27**
Moulsford Ho. *N7* —2F **23**
Moundfield Rd. *N16* —1C **12**
Mountacre Clo. *SE26* —4B **96**
Mt. Adon Pk. *SE22* —5C **82**
Mountague Pl. *E14* —1E **57**
Mountain Ho. *SE11* —1B **66**
Mt. Angelus Rd. *SW15*
—5B **74**
Mt. Ash Rd. *SE26* —3D **97**
Mountbatten Clo. *SE19*
—5A **96**
Mountbatten Ho. N6 —2C **8**
(off Hillcrest)
Mountbatten M. *SW18* —5E **77**
Mount Ct. *SW15* —1A **76**
Mountearl Gdns. *SW16*
—3B **94**
Mt. Ephraim La. *SW16*
—3F **93**
Mt. Ephraim Rd. *SW16*
—3F **93**
Mountford Rd. *E8* —2C **26**
Mountford St. *E1* —5C **40**
Mountfort Cres. *N1* —4C **24**
Mountfort Ter. *N1* —4C **24**
Mount Gdns. *SE26* —3D **97**
Mountgrove Rd. *N5* —5D **11**
Mountjoy Clo. EC2 —4E **39**
(off Thomas More Highwalk)
Mountjoy Ho. EC2 —4E **39**
(off Barbican)
Mt. Lodge. *N6* —1E **9**
Mt. Mills. *EC1* —2D **39**
Mt. Nod Rd. *SW16* —3B **94**
Mt. Pleasant. *SE27* —4E **95**
Mt. Pleasant. *WC1* —3C **38**
Mt. Pleasant Cres. *N4* —3B **10**
Mt. Pleasant Hill. *E5* —4D **13**
Mt. Pleasant La. *E5* —4D **13**
Mt. Pleasant Rd. *NW10*
—4E **19**
Mt. Pleasant Rd. *SE13*
—4D **85**
Mt. Pleasant Vs. *N4* —2B **10**
Mount Rd. *NW2* —5D **5**
Mount Rd. *NW4* —1C **4**
Mount Rd. *SW19* —2C **90**
Mount Row. *W1* —1D **51**

Mountsfield Ct. *SE13* —4F **85**
Mounts Pond Rd. *SE3* —5F **71**
(in two parts)
Mount Sq., The. *NW3* —5E **7**
Mount St. *W1* —1C **50**
Mount St. M. W1 —1D *51*
(off Mount St.)
Mount Ter. *E1* —4D **41**
Mount, The. *E5* —4D **13**
Mt. Vernon. *NW3* —1E **21**
Mt. View Rd. *N4* —2A **10**
Mount Vs. *SE27* —3D **95**
Mowatt Ct. *N19* —4F **9**
Mowbray Rd. *NW6* —4A **20**
Mowlem St. *E2* —1D **41**
Mowll St. *SW9* —3C **66**
Moxon Clo. *E13* —1B **44**
Moxon St. *W1* —4C **36**
Moye Clo. *E2* —1C **40**
Moyers Rd. *E10* —2E **15**
Moylan Rd. *W6* —2A **62**
Moyne Ho. *SE24* —3D **81**
Moyser Rd. *SW16* —5D **93**
Mozart St. *W10* —2B **34**
Mozart Ter. *SW1* —5C **50**
Mudlarks Way. *SE10 & SE7*
—4B **58**
Muir Dri. *SW18* —4A **78**
Muirfield. *W3* —5A **32**
Muirfield Clo. *SE16* —1D **69**
Muirfield Cres. *E14* —4D **57**
Muirkirk Rd. *SE6* —1E **99**
Muir Rd. *E5* —1C **26**
Mulberry Bus. Pk. *SE16*
—3F **55**
Mulberry Clo. *NW3* —1F **21**
Mulberry Clo. *SE22* —3C **82**
Mulberry Clo. *SW3* —2F **63**
Mulberry Clo. *SW16* —4E **93**
Mulberry Ho. *SE8* —2B **70**
Mulberry M. *SE14* —4B **70**
Mulberry Pl. E14 —1E *57*
(off Clove Cres.)
Mulberry Rd. *W6* —1C **60**
Mulberry Rd. *E8* —4B **26**
Mulberry St. *E1* —5C **40**
Mulberry Wlk. *SW3* —2F **63**
Mulgrave Rd. *NW10* —1B **18**
Mulgrave Rd. *SW6* —2B **62**
Mulkern Rd. *N19* —3F **9**
Muller Rd. *SW4* —4F **79**
Mullet Gdns. *E2* —2C **40**
Mullins Path. *SW14* —1A **74**
Mull Wlk. N1 —3E *25*
(off Clephane Rd.)
Mulready St. *NW8* —3A **36**
Multi Way. *W3* —3A **46**
Multon Rd. *SW18* —5F **77**
Mulvaney Way. *SE1* —3F **53**
Mumford Ct. *EC2* —2E **39**
Mumford Rd. *SE24* —3D **81**
Muncaster Rd. *SW11* —3B **78**
Muncies M. *SE6* —2E **99**
Mundania Rd. *SE22* —4D **83**
Munday Rd. *E16* —1C **58**
Munden St. *W14* —5A **48**
Mundford Rd. *E5* —4E **13**

Mund St. *W14* —1B **62**
Mundy St. *N1* —2A **40**
Munro Ho. *SE1* —3C **52**
Munro M. *W10* —4A **34**
Munro Ter. *SW10* —2F **63**
Munster Ct. *SW6* —5B **62**
Munster Rd. *SW6* —3A **62**
Munster Sq. *NW1* —2D **37**
Munton Rd. *SE17* —5E **53**
Murchison Rd. *E10* —4E **15**
Murdock Clo. *E16* —5B **44**
Murdock St. *SE15* —2D **69**
Murfett Clo. *SW19* —2A **90**
Muriel Ct. *E10* —2D **15**
Muriel St. *N1* —1B **38**
(in two parts)
Murillo Rd. *SE13* —2F **85**
Murphy St. *SE1* —3C **52**
Murray Gro. *N1* —1E **39**
Murray M. *NW1* —4F **23**
Murray Rd. *SW19* —5F **89**
Murray Sq. *E16* —5C **44**
Murray St. *NW1* —4F **23**
Murray Ter. *NW3* —1E **21**
Mursell Est. *SW8* —4A **66**
Musbury St. *E1* —5E **41**
Muscatel Pl. *SE5* —3A **68**
Muschamp Rd. *SE15* —1B **82**
Muscovy St. *EC3* —1A **54**
Museum Path. *E2* —2E **41**
Museum St. *WC1* —4A **38**
Musgrave Cres. *SW6* —3C **62**
Musgrove Rd. *SE14* —4F **69**
Musjid Rd. *SW11* —5F **63**
Muston Rd. *E5* —4D **13**
Mustow Pl. *SW6* —5B **62**
Mutrix Rd. *NW6* —5C **20**
Mutton Pl. *NW1* —3C **22**
Myatt Rd. *SW9* —4D **67**
Mycenae Rd. *SE3* —3C **72**
Myddelton Pas. *EC1* —2C **38**
Myddelton Sq. *EC1* —2C **38**
Myddelton St. *EC1* —2C **38**
Myddleton Ho. WC1 —1C *38*
(off Pentonville Rd.)
Myers La. *SE14* —2F **69**
Mylis Clo. *SE26* —4D **97**
Mylius Clo. *SE14* —3E **69**
Mylne Clo. *W6* —1C **60**
Mylne St. *EC1* —2C **38**
Myrdle St. *E1* —4C **40**
Myron Pl. *SE13* —1E **85**
Myrtleberry Clo. E8 —3B *26*
(off Beechwood Rd.)
Myrtle Rd. *E17* —1A **14**
Myrtle Wlk. *N1* —1A **40**
Mysore Rd. *SW11* —2B **78**
Myton Rd. *SE21* —3F **95**
Mytton Ho. SW8 —3B *66*
(off St Stephens Ter.)

Nadine St. *SE7* —1E **73**
Nagasaki Wlk. *SE7* —4D **59**
Nag's Head. (Junct.) —5A **10**

Nags Head Ct. *EC1* —3E **39**
(off Golden La.)
Nags Head Shop. Cen. *N7*
—1B **24**
Nailsworth Ct. *SE15* —2A **68**
(off Birdlip Clo.)
Nainby Ho. *SE11* —5C **52**
(off Hotspur St.)
Nairne Gro. *SE24* —3F **81**
Nairn St. *E14* —4E **43**
Naish Ct. *N1* —4A **24**
Naldera Gdns. *SE3* —2C **72**
Namba Roy Clo. *SW16*
—4B **94**
Nankin St. *E14* —5C **42**
Nansen Rd. *SW11* —1C **78**
Nant Ct. *NW2* —4B **6**
Nantes Clo. *SW18* —2E **77**
Nantes Pas. *E1* —4B **40**
Nant Rd. *NW2* —4B **6**
Nant St. *E2* —2D **41**
Naoroji St. *WC1* —2C **38**
Napier Av. *E14* —1C **70**
Napier Av. *SW6* —1B **76**
Napier Clo. *SE8* —3B **70**
Napier Clo. *W14* —4A **48**
Napier Ct. SW6 —1B *76*
(off Ranelagh Gdns.)
Napier Gro. *N1* —1E **39**
Napier Pl. *W14* —4B **48**
Napier Rd. *E11* —1A **30**
Napier Rd. *E15* —1A **44**
(in two parts)
Napier Rd. *NW10* —2D **33**
Napier Rd. *W14* —4A **48**
Napier Ter. *N1* —4D **25**
Napoleon Rd. *E5* —5D **13**
Narbonne Av. *SW4* —3E **79**
Narborough St. *SW6* —5D **63**
Narcissus Rd. *NW6* —2C **20**
Narford Rd. *E5* —5C **12**
Narrow St. *E14* —1A **56**
Narvic Ho. *SE5* —5E **67**
Nascot St. *W12* —5E **33**
Naseby Clo. *NW6* —4E **21**
Naseby Rd. *SE19* —5F **95**
Naseby Tower. *SE14* —3A **70**
(off Desmond St.)
Nash Pl. *E14* —2D **57**
Nash Rd. *SE4* —2A **84**
Nash St. *NW1* —2D **37**
Nasmyth St. *W6* —4D **47**
Nassau Rd. *SW13* —4B **60**
Nassau St. *W1* —4E **37**
Nassington Rd. *NW3* —1A **22**
Natal Rd. *SW16* —5F **93**
Nathan Ho. SE11 —5C *52*
(off Reedworth St.)
Nathaniel Clo. *E1* —4B **40**
Nathaniel Ct. *E17* —1A **14**
Naval Row. *E14* —1E **57**
Navarino Gro. *E8* —3C **26**
Navarino Mans. *E8* —3C **26**
Navarino Rd. *E8* —3C **26**
Navarre St. *E2* —3B **40**
Navenby Wlk. *E3* —3C **42**
Navy St. *SW4* —1F **79**
Nayland Ho. *SE6* —4E **99**

Naylor Rd. *SE15* —3D **69**
Nazareth Gdns. *SE15* —5C **68**
Nazrul St. *E2* —2B **40**
Neagle Clo. *E7* —1C **30**
Neagle Ho. NW2 —5E **5**
(off Stoll Clo.)
Nealden St. *SW9* —1B **80**
Neal St. *WC2* —5A **38**
Neal's Yd. *WC2* —5A **38**
Neasden Clo. *NW10* —2A **18**
Neasden Junction. (Junct.)
—1A **18**
Neasden La. *NW10* —5A **4**
Neasden La. N. *NW10* —5A **4**
Neate St. *SE5* —2A **68**
(in two parts)
Neath Ho. SE24 —4D **81**
(off Dulwich Rd.)
Neathouse Pl. *SW1* —5E **51**
Neatscourt Rd. *E6* —4F **45**
Nebraska St. *SE1* —3F **53**
Neckinger. *SE1* —4B **54**
Neckinger Est. *SE16* —4B **54**
Neckinger St. *SE1* —3B **54**
Nectarine Way. *SE13* —5D **71**
Needham Ho. SE11 —5C **52**
(off Tracey St.)
Needham Rd. *W11* —5C **34**
Needham Ter. *NW2* —5F **5**
Needleman St. *SE16* —3F **55**
Needwood Ho. *N4* —3E **11**
Neeld Cres. *NW4* —1D **5**
Neil Wates Cres. *SW2* —1C **94**
Nelgarde Rd. *SE6* —5C **84**
Nella Rd. *W6* —2F **61**
Nelldale Rd. *SE16* —5E **55**
Nello James Gdns. SE27
—4F **95**
Nelson Ct. SE1 —3D **53**
(off Suffolk St.)
Nelson Gdns. *E2* —2C **40**
Nelson Mandella Rd. *SE3*
—1E **87**
Nelson Pas. *EC1* —2E **39**
Nelson Pl. *N1* —1D **39**
Nelson Rd. *N8* —1B **10**
Nelson Rd. *SE10* —2E **71**
Nelson Sq. *SE1* —3D **53**
Nelson's Row. *SW4* —2F **79**
Nelson St. *E1* —5D **41**
Nelson St. *E16* —1B **58**
(in two parts)
Nelsons Yd. NW1 —1E **37**
(off Mornington Cres.)
Nelson Ter. *N1* —1D **39**
Nelson Wlk. *SE16* —2A **56**
Nepaul Rd. *SW11* —1A **78**
Nepean St. *SW15* —4C **74**
Neptune St. *SE16* —4E **55**
Nesbit Rd. *SE9* —2F **87**
Nesbitt Clo. *SE3* —1A **86**
Nesham St. *E1* —2C **54**
Ness St. *SE16* —4C **54**
Netheravon Rd. N. *W4*
—5B **46**
Netheravon Rd. S. *W4* —1B **60**
Netherby Rd. *SE23* —5E **83**
Netherfield Rd. *SW17* —3C **92**

Netherford Rd. *SW4* —5E **65**
Netherhall Gdns. *NW3* —3E **21**
Netherhall Way. *NW3* —2E **21**
Netherleigh Clo. *N6* —3D **9**
Netherton Gro. *SW10* —2E **63**
Netherton Rd. *N15* —1F **11**
Netherwood Rd. *W14* —4F **47**
Netherwood St. *NW6* —4B **20**
Netley Rd. *E17* —1B **14**
Netley St. *NW1* —2E **37**
Nettlefold Pl. *SE27* —3D **95**
Nettleton Ct. *EC2* —4E **39**
(off London Wall)
Nettleton Rd. *SE14* —4F **69**
Neuchatel Rd. *SE6* —2B **98**
Nevada St. *SE10* —2E **71**
Nevern Mans. SW5 —5C **48**
(off Warwick Rd.)
Nevern Pl. *SW5* —5C **48**
Nevern Rd. *SW5* —5C **48**
Nevern Sq. *SW5* —5C **48**
Nevil Ho. SW9 —5D **67**
(off Loughborough Est.)
Nevill Ct. EC4 —5C **38**
(off E. Harding St.)
Neville Clo. *E11* —5B **16**
Neville Clo. *NW1* —1F **37**
Neville Clo. *NW6* —1B **34**
Neville Clo. *SE15* —4C **68**
Neville Dri. *N2* —1E **7**
Neville Gill Clo. *SW18* —4C **76**
Neville Rd. *E7* —4C **30**
Neville Rd. *NW6* —1B **34**
Nevilles Ct. *NW2* —5C **4**
Neville St. *SW7* —1F **63**
Neville Ter. *SW7* —1F **63**
Nevill Rd. *N16* —1A **26**
Nevinson Clo. *SW18* —4F **77**
Nevis Rd. *SW17* —2C **92**
Nevitt Ho. N1 —1F **39**
(off Cranston Est.)
Newarke Ho. *SW9* —5D **67**
Newark St. *E1* —4D **41**
(in two parts)
New Barn St. *E13* —3C **44**
New Bentham Ct. N1 —4E **25**
(off Ecclesbourne Rd.)
Newbolt Ho. *SE17* —1F **67**
(off Brandon St.)
New Bond St. *W1* —5D **37**
New Bri. St. *EC4* —5D **39**
New Broad St. *EC2* —4A **40**
Newburgh St. *W1* —5F **37**
New Burlington M. *W1* —1E **51**
New Burlington Pl. *W1* —1E **51**
New Burlington St. *W1* —1E **51**
Newburn Ho. SE11 —1B **66**
(off Newburn St.)
Newburn St. *SE11* —1B **66**
Newbury Ho. *SW9* —5D **67**
Newbury M. *NW5* —3C **22**
Newbury St. *EC1* —4E **39**
New Bus. Cen., The. *NW10*
—2B **32**
New Butt La. *SE8* —3C **70**
(in two parts)

New Butt La. N. SE8 —3C **70**
(off Reginald Rd.)
Newby Pl. *E14* —1E **57**
Newby St. *SW8* —1D **79**
New Caledonian Wharf. *SE16*
—4B **56**
Newcastle Clo. *EC4* —5D **39**
Newcastle Ct. EC4 —1E **53**
(off College Hill)
Newcastle Pl. *W2* —4F **35**
Newcastle Row. *EC1* —3C **38**
New Cavendish St. *W1* —4C **36**
New Change. *EC4* —5E **39**
New Charles St. *EC1* —2D **39**
New Chu. Rd. *SE5* —3E **67**
(in two parts)
New City Rd. *E13* —2E **45**
New College Ct. NW3 —3E **21**
(off College Cres.)
New College M. *N1* —4C **24**
New College Pde. NW3 —3F **21**
(off College Cres.)
Newcombe Gdns. *SW16*
—4A **94**
Newcombe St. *W8* —2C **48**
Newcomen Rd. *E11* —5B **16**
Newcomen Rd. *SW11* —1F **77**
Newcomen St. *SE1* —3F **53**
New Compton St. *WC2* —5F **37**
New Concordia Wharf. *SE1*
—3C **53**
New Ct. EC4 —1C **52**
(off Temple)
Newcourt St. *NW8* —1A **36**
New Covent Garden Mkt. *SW8*
—3F **65**
New Coventry St. *W1* —1F **51**
New Crane Pl. *E1* —2E **55**
New Cross. (Junct.) —4B **70**
New Cross Gate. (Junct.)
—4F **69**
New Cross Rd. *SE15 & SE14*
—3E **69**
Newell St. *E14* —5B **42**
New End. *NW3* —5E **7**
New End Sq. *NW3* —1F **21**
Newent Clo. *SE15* —3A **68**
New Era Est. N1 —5A **26**
(off Phillipp St.)
New Fetter La. *EC4* —5C **38**
Newfield Rise. *NW2* —5D **5**
Newgate St. *EC1* —5D **39**
New Globe Wlk. *SE1* —2E **53**
New Goulston St. *E1* —5B **40**
Newman's Row. *SE1* —3A **54**
Newham Way. *E16 & E6*
—4B **44**
Newhaven Gdns. *SE9* —2F **87**
Newhaven La. *E16* —3B **44**
Newick Rd. *E5* —1D **27**
Newington Barrow Way. *N7*
—5B **10**
Newington Butts. *SE11 & SE1*
—5D **53**
Newington Causeway. *SE1*
—4E **53**
Newington Grn. *N16 & N1*
—2F **25**

Newington Grn. Mans. *N16*
—2F **25**
Newington Grn. Rd. *N1*
—3F **25**
Newington Ind. Est. *SE17*
(off Crampton St.) —5E **53**
New Inn B'way. *EC2* —3A **40**
New Inn Pas. *WC2* —5B **38**
(off Houghton St.)
New Inn Sq. *EC2* —3A **40**
(off Bateman's Row)
New Inn St. *EC2* —3A **40**
New Inn Yd. *EC2* —3A **40**
New Kent Rd. *SE1* —4E **53**
New Kings Rd. *SW6* —5B **62**
New King St. *SE8* —2C **70**
Newland Ct. *EC1* —3F **39**
(off Bath St.)
Newlands Pk. *SE26* —5E **97**
Newlands Quay. *E1* —1E **55**
New London St. *EC3* —1A **54**
(off Hart St.)
New Lydenburg Commercial
Est. *SE7* —4E **59**
New Lydenburg St. *SE7*
—4E **59**
Newman Pas. *W1* —4E **37**
Newman Rd. *E13* —2D **45**
Newman St. *W1* —4E **37**
Newman St. *W1* —5F **37**
Newman's Ct. *EC3* —5F **39**
(off Cornhill)
Newman's Row. *WC2* —4B **38**
Newman St. *W1* —4E **37**
Newman St. *W1* —5F **37**
Newmarket Grn. *SE9* —5F **87**
New Mt. St. *E15* —4F **29**
Newnes Path. *SW15* —2D **75**
Newnham Ter. *SE1* —4C **52**
New N. Pl. *EC2* —3A **40**
New N. Rd. *N1* —4E **25**
New N. St. *WC1* —4B **38**
Newnton Clo. *N4* —2F **11**
New Orleans Wlk. *N19* —2F **9**
New Oxford St. *WC1* —5F **37**
New Pk. Rd. *SW2* —1F **93**
New Pl. Sq. *SE16* —4D **55**
New Plaistow Rd. *E15* —5A **30**
Newport Av. *E13* —3D **45**
Newport Ct. *WC2* —1F **51**
Newport Pl. *WC2* —1F **51**
Newport Rd. *E10* —4E **15**
Newport Rd. *SW13* —4C **60**
Newport St. *SE11* —5B **52**
Newquay Ho. *SE11* —1C **66**
Newquay Rd. *SE6* —2D **99**
New Quebec St. *W1* —5B **36**
New Ride. *SW7* & *SW1*
—3F **49**
New River Ct. *N5* —1E **25**
New River Head. *EC1* —2C **38**
New River Wlk. *N1* —3E **25**
New River Way. *N4* —2F **11**
New Rd. *E1* —4D **41**
New Rd. *N8* —1A **10**
New Rochford St. *NW5*
—2B **22**
New Row. *WC2* —1A **52**
New Spitalfields Mkt. *E10*
—5D **15**

New Spring Gdns. Wlk. *SE11*
—1A **66**
New Sq. *WC2* —5B **38**
New Sq. Pas. *WC2* —5C **38**
(off Carey St.)
Newstead Rd. *SE12* —5B **86**
Newstead Way. *SW19* —4F **89**
New St. *EC2* —4A **40**
New St. Hill. *EC4* —5C **38**
(off Printer St.)
New St. Hill. *Brom* —5D **101**
New St. Sq. *EC4* —5C **38**
Newton Clo. *E17* —1A **14**
Newton Gro. *W4* —5A **46**
Newton Mans. *W14* —2A **62**
(off Queen's Club Gdns.)
Newton Point. *E16* —5B **44**
(off Clarkson Rd.)
Newton Rd. *E15* —2F **29**
Newton Rd. *NW2* —1E **19**
Newton Rd. *W2* —5D **35**
Newton St. *WC2* —5A **38**
Newton's Yd. *SW18* —3C **76**
Newtown St. *SW11* —4D **65**
New Turnstile. *WC1* —5F **38**
New Union Clo. *E14* —4E **57**
New Union St. *EC2* —4F **39**
New Wanstead. *E11* —1B **16**
New Wharf Rd. *N1* —1A **38**
New Zealand Way. *W12*
—1D **47**
Niagra Clo. *N1* —1E **39**
Nicholas Clo. *N4* —2A **60**
(off Corney Reach Way)
Nicholas La. *EC4* —1F **53**
Nicholas Pas. *EC4* —1F **53**
(off Nicholas La.)
Nicholas Rd. *E1* —3E **41**
Nicholas St. *SE8* —4B **70**
Nicholay Rd. *N19* —3F **9**
Nicholl Ho. *N4* —3E **11**
Nichollsfield Wlk. *N7* —2B **24**
Nicholls Point. *E15* —5C **30**
(off Park Gro.)
Nicholl St. *E2* —5C **26**
Nichols Clo. *N4* —3C **10**
(off Osborne Rd.)
Nicholson Ho. *SE17* —1F **67**
Nicholson St. *SE1* —2D **53**
Nichol's Sq. *E2* —1B **40**
Nickleby Ho. *SE16* —3C **54**
(off George Row)
Nicoll Ct. *NW10* —5A **18**
Nicoll Pl. *NW4* —1D **5**
Nicoll Rd. *NW10* —5A **18**
Nicosia Rd. *SW18* —5A **78**
Niederwald Rd. *SE26* —4A **98**
Nigel Playfair Av. *W6* —1D **61**
Nigel Rd. *E7* —2E **31**
Nigel Rd. *SE15* —1C **82**
Nigeria Rd. *SE7* —3E **73**
Nightingale Clo. *N4* —4B **10**
(off Tollington Pk.)
Nightingale Clo. *SW4* —5D **63**
(off Maltings Pl.)
Nightingale Gro. *SE13* —3F **85**
Nightingale Ho. *E1* —2C **54**
(off Thomas More St.)

Nightingale Ho. *N1* —5A **26**
(off Wilmer Gdns.)
Nightingale La. *E11* —1C **16**
Nightingale La. *SW12* & *SW4*
—5B **78**
Nightingale M. *E3* —1A **42**
Nightingale Pl. *SW10* —2E **63**
Nightingale Rd. *E5* —5D **13**
Nightingale Rd. *NW10* —1B **32**
Nightingale Sq. *SW12* —5C **78**
Nightingale Wlk. *SW4* —4D **79**
Nikols Wlk. *SW18* —2D **77**
Nile Clo. *N16* —5B **12**
Nile Rd. *E13* —1E **45**
Nile St. *N1* —2E **39**
Nile Ter. *SE15* —1B **68**
Nimegen Way. *SE22* —3A **82**
Nimrod Pas. *N1* —3A **26**
Nimrod Rd. *SW16* —5D **93**
Nine Elms La. *SW8* —3E **65**
Nita Ct. *SE12* —1C **100**
Niton St. *SW6* —3F **61**
Nobel Ho. *SE5* —5E **67**
Noble Ct. *E1* —1C **54**
(off Cable St.)
Noblefield Heights. *N2* —1A **8**
Noble St. *EC2* —5E **39**
Noel Rd. *E6* —3F **45**
Noel Rd. *N1* —1D **39**
Noel St. *W1* —5E **37**
Noel Ter. *SE23* —2E **97**
Nolan Way. *E5* —1C **26**
Norbiton Rd. *E14* —5B **42**
Norbroke St. *W12* —1B **46**
Norburn St. *W10* —4A **34**
Norcombe Ho. *N19* —5F **9**
(off Wedmore St.)
Norcott Rd. *N16* —4C **12**
Norcroft Gdns. *SE22* —5C **82**
Norfolk Av. *N15* —1B **12**
Norfolk Cres. *W2* —5A **36**
Norfolk Ho. *SE8* —4C **70**
Norfolk Ho. Rd. *SW16* —3F **93**
Norfolk Mans. *W14* —4B **64**
(off Prince of Wales Dri.)
Norfolk Pl. *W2* —5F **35**
Norfolk Rd. *NW8* —5F **21**
Norfolk Rd. *NW10* —4A **18**
Norfolk Row. *SE1* —5B **52**
Norfolk Sq. *W2* —5F **35**
Norfolk Sq. M. *W2* —5F **35**
(off London St.)
Norfolk St. *E7* —2C **30**
Norfolk Ter. *W6* —1A **62**
Norgrove St. *SW12* —5C **78**
Norland Pl. *W11* —2A **48**
Norland Rd. *W11* —2F **47**
Norland Sq. *W11* —2A **48**
Norley Vale. *SW15* —1C **88**
Norlington Rd. *E10* & *E11*
—3E **15**
Normanby Clo. *SW15* —3B **76**
Normanby Rd. *NW10* —1B **18**
Norman Ct. *N4* —2C **10**
Norman Ct. *NW10* —4C **18**
Normand Gdns. *W14* —2A **62**
(off Greyhound Rd.)
Normand M. *W14* —2A **62**

Normand Rd. *W14* —2B **62**
Normandy Rd. *SW9* —4C **66**
Normandy Ter. *E16* —5D **45**
Norman Gro. *E3* —1A **42**
Norman Ho. *SW8* —3A **66**
(off Wyvil Rd.)
Normanhurst Rd. *SW2* —2B **94**
Norman Rd. *E11* —4F **15**
Norman Rd. *SE10* —3D **71**
Norman's Bldgs. *EC1* —2E **39**
Norman St. *EC1* —2E **39**
Normanton Av. *SW19* —2C **90**
Normanton St. *SE23* —2F **97**
Normington Clo. *SW16*
—5C **94**
Norrice Lea. *N2* —1F **7**
Norris St. *SW1* —1F **51**
Norroy Rd. *SW15* —2F **75**
Norstead Pl. *SW15* —2C **88**
N. Access Rd. *E17* —1F **13**
N. Acton Rd. *NW10* —1A **32**
Northampton Gro. *N1* —2F **25**
Northampton Pk. *N1* —3E **25**
Northampton Rd. *EC1* —3C **38**
Northampton Row. *EC1*
(off Rosoman St.) —3C **38**
Northampton Sq. *EC1* —2D **39**
Northampton St. *N1* —4E **25**
N. Audley St. *W1* —5C **36**
North Av. *NW10* —2E **33**
N. Bank. *NW8* —2A **36**
N. Birkbeck Rd. *E11* —5F **15**
Northbourne Rd. *SW4* —3F **79**
Northbrook Rd. *SE13* —3A **86**
Northbrook St. *EC1* —3D **39**
N. Carriage Dri. *W2* —1A **50**
(off Ring, The)
Northchurch. *SE17* —1F **67**
(in two parts)
Northchurch Rd. *N1* —4F **25**
Northchurch Ter. *N1* —4A **26**
N. Circular Rd. *NW2* —5A **4**
N. Circular Rd. *NW4* —3D **5**
N. Circular Rd. *NW11* —1F **5**
N. Colonnade. *E14* —2C **56**
Northcote M. *SW11* —2A **78**
Northcote Rd. *NW10* —4A **18**
Northcote Rd. *SW11* —3A **78**
North Ct. *SE24* —1D **81**
North Ct. *W1* —4E **37**
North Cres. *E16* —3F **43**
North Cres. *WC1* —4F **37**
N. Crofts. *SE23* —1D **97**
N. Cross Rd. *SE22* —3B **82**
Northdene Gdns. *N15* —1B **12**
Northdown St. *N1* —1A **38**
North Dri. *SW16* —4E **93**
N. East Pier. *E1* —2D **55**
Northeast Pl. *N1* —1C **38**
(off Chapel Mkt.)
North End. *NW3* —4E **7**
N. End Av. *NW3* —4E **7**
N. End Cres. *W14* —5B **48**
N. End Ho. *W14* —5A **48**
(off Fitzjames Av.)
N. End Pde. *W14* —5A **48**
(off N. End Rd.)

N. End Rd. *NW11* —3C **6**
N. End Rd. *W14 & SW6*
—5A **48**
N. End Way. *NW3* —4E **7**
Northern Rd. *E13* —1D **45**
Northesk Ho. *E1* —2D **27**
(off Tent St.)
N. Eyot Gdns. *W6* —1B **60**
Northey St. *E14* —1A **56**
Northfield Ho. *SE15* —2C **68**
Northfield Rd. *N16* —2A **12**
Northfields. *SW18* —2C **76**
Northfields Prospect Bus. Cen.
SW18 —2C **76**
N. Flockton St. *SE16* —3C **54**
N. Flower Wlk. *W2* —1E **49**
(off Lancaster Wlk.)
North Gate. *NW8* —2A **36**
(off Prince Albert Rd.)
Northgate Dri. *NW9* —1A **4**
N. Gower St. *NW1* —2E **37**
North Gro. *N6* —2C **8**
North Gro. *N15* —1F **11**
North Hill. *N6* —1B **8**
N. Hill Av. *N6* —1C **8**
North Ho. *NW8* —1A **36**
(off Prince Albert Rd.)
North Ho. *SE8* —1B **70**
Northiam. *E8 & E9* —5D **27**
Northington St. *WC1* —3B **38**
Northlands St. *SE5* —5E **67**
Northleach Ct. *SE15* —2A **68**
(off Birdlip Clo.)
N. Lodge Clo. *SW15* —3F **75**
North M. *WC1* —3B **38**
Northolme Rd. *N5* —1E **25**
Northover. *Brom* —3B **100**
North Pl. *SW18* —3C **76**
N. Pole Rd. *W10* —4E **33**
Northport St. *N1* —5F **25**
N. Ride. *W2* —1F **49**
North Rise. *W2* —5A **36**
(off St George's Fields)
North Rd. *N6* —2C **8**
North Rd. *N7* —3A **24**
North Rd. *SW19* —5E **91**
North Row. *W1* —1B **50**
North Several. *SE3* —5F **71**
North Sq. *NW11* —1C **6**
Northstead Rd. *SW2* —2C **94**
North St. *E13* —1D **45**
North St. *SW4* —1E **79**
North St. Pas. *E13* —1D **45**
N. Tenter St. *E1* —5B **40**
North Ter. *SW3* —4A **50**
Northumberland All. *EC3*
—5A **40**
Northumberland Av. *E12*
—3E **17**
Northumberland Av. *WC2*
—2A **52**
Northumberland Pl. *W2*
—5C **34**
Northumberland Rd. *E17*
—2C **14**
Northumberland St. *WC2*
—2A **52**
Northumbria St. *E14* —5C **42**

N. Verbena Gdns. *W6* —1C **60**
Northview. *N7* —5A **10**
North View. *SW19* —5E **89**
N. View Cres. *NW10* —1B **18**
North Vs. *NW1* —3F **23**
North Wlk. *W2* —1D **49**
(off Bayswater Rd.)
Northway. *NW11* —1D **7**
Northway Rd. *SE5* —1E **81**
Northways Pde. *NW3* —4F **21**
(off College Cres.)
N. West Pier. *E1* —2D **55**
Northwest Pl. *N1* —1C **38**
N. Wharf Rd. *W2* —4F **35**
Northwick Clo. *NW8* —3F **35**
Northwick Ter. *NW8* —3F **35**
Northwold Est. *E5* —4C **12**
Northwold Rd. *N16 & E5*
—4B **12**
Northwood Ho. *SE27* —4F **95**
Northwood Rd. *N6* —2D **9**
Northwood Rd. *SE23* —1B **98**
Northwood Way. *SE19* —5F **95**
N. Woolwich Rd. *E16* —2C **58**
N. Worple Way. *SW14* —1A **74**
Norton Folgate. *E1* —4A **40**
Norton Ho. *SW9* —5B **66**
(off Aytoun Rd.)
Norton Rd. *E10* —3B **14**
Norway Ga. *SE16* —4A **56**
Norway Pl. *E14* —5B **42**
Norway St. *SE10* —2D **71**
Norwich Rd. *E7* —2C **30**
Norwich St. *EC4* —5C **38**
Norwood High St. *SE27*
—3D **95**
Norwood Pk. Rd. *SE27*
—5E **95**
Norwood Rd. *SE24* —1D **95**
Norwood Rd. *SE27* —2D **95**
Notley St. *SE5* —3F **67**
Notting Barn Rd. *W10* —3F **33**
Nottingdale Sq. *W11* —2A **48**
Nottingham Av. *E16* —4E **45**
Nottingham Ct. *WC2* —5A **38**
Nottingham Pl. *W1* —4C **36**
Nottingham Rd. *E10* —1E **15**
Nottingham Rd. *SW17* —1B **92**
Nottingham St. *W1* —4C **36**
Nottingham Ter. *NW1* —3C **36**
(off York Ter. W.)
Notting Hill Ga. *W11* —2C **48**
Nottingwood Ho. *W11* —1A **48**
(off Clarendon Rd.)
Novello St. *SW6* —4C **62**
Nowell Rd. *SW13* —2C **60**
Noyna Rd. *SW17* —3B **92**
Nuding Clo. *SE13* —1C **84**
Nuffield Lodge. *N6* —1E **9**
Nugent Rd. *N19* —3A **10**
Nugent Ter. *NW8* —1E **35**
Nun Ct. *EC2* —5F **39**
(off Coleman St.)
Nunhead Cres. *SE15* —1D **83**
Nunhead Est. *SE15* —2D **83**
Nunhead Grn. *SE15* —1D **83**
Nunhead Gro. *SE15* —1E **83**
Nunhead La. *SE15* —1D **83**

Nunhead Pas. *SE15* —2D **83**
Nursery Clo. *SE4* —5B **70**
Nursery Clo. *SW15* —2F **75**
Nursery La. *E2* —5B **26**
Nursery La. *E7* —3C **30**
Nursery Rd. *E9* —3E **27**
Nursery Rd. *SW9* —2B **80**
Nutbourne St. *W10* —2A **34**
Nutbrook St. *SE15* —1C **82**
Nutcroft Rd. *SE15* —3D **69**
Nutfield Rd. *E15* —1E **29**
Nutfield Rd. *NW2* —5C **4**
Nutfield Rd. *SE22* —2B **82**
Nutford Pl. *W1* —5B **36**
Nuthurst Av. *SW2* —2B **94**
Nutley Ter. *NW3* —3E **21**
Nutmeg Clo. *E16* —3A **44**
Nutmeg La. *E14* —5F **43**
Nuttall St. *N1* —1A **40**
Nutter La. *E11* —1E **17**
Nutt St. *SE15* —3B **68**
Nutwell St. *SW17* —5A **92**
Nye Bevan Est. *E5* —5F **13**
Nye Bevan Ho. *SW6* —3B **62**
  (off Clem Attlee Est.)
Nynehead St. *SE14* —3A **70**
Nyon Gro. *SE6* —2B **98**
Nyssa Clo. *E15* —2A **44**
  (off Teasel Way)
Nyton Clo. *N19* —3A **10**

Oak Apple Ct. *SE12* —1C **96**
Oakbank Gro. *SE24* —2E **81**
Oakbrook Clo. *Brom* —4D **101**
Oakbury Rd. *SW6* —5D **63**
Oak Cottage Clo. *SE6* —1B **100**
Oak Ct. *SE15* —3B **68**
  (off Sumner Rd.)
Oak Cres. *E16* —4A **44**
Oakcroft Rd. *SE13* —5F **71**
Oakdale Rd. *E7* —4D **31**
Oakdale Rd. *E11* —4F **15**
Oakdale Rd. *N4* —1E **11**
Oakdale Rd. *SE15 & SE4*
  —1E **83**
Oakdale Rd. *SW16* —5A **94**
Oak Dene. *SE15* —4D **69**
Oakden St. *SE11* —5C **52**
Oake Ct. *SW15* —3A **76**
Oakend Ho. *N4* —2F **11**
Oakeshott Av. *N6* —4C **8**
Oakey La. *SE1* —4C **52**
Oakfield Ct. *N8* —2A **10**
Oakfield Ct. *NW2* —2F **5**
Oakfield Gdns. *SE19* —5A **96**
  (in two parts)
Oakfield Rd. *E6* —5F **31**
Oakfield Rd. *N4* —1C **10**
Oakfield Rd. *SW19* —3F **89**
Oakfields Rd. *NW11* —1A **6**
Oakfield St. *SW10* —2E **63**
Oakford Rd. *NW5* —1E **23**
Oak Gro. *NW2* —1F **19**
Oakhall Ct. *E11* —1D **17**
Oak Hall Rd. *E11* —1D **17**
Oakham Clo. *SE6* —2B **98**

Oakhall Av. *NW3* —1D **21**
Oakhill Ct. *SW23* —4E **83**
Oak Hill Pk. *NW3* —1D **21**
Oak Hill Pk. M. *NW3* —1E **21**
Oakhill Pl. *SW15* —3C **76**
Oakhill Rd. *SW15* —3B **76**
Oak Hill Way. *NW3* —1E **21**
Oakhurst Gro. *SE22* —2C **82**
Oakington Rd. *W9* —3C **34**
Oakington Way. *N8* —2A **10**
Oakland Rd. *E15* —1F **29**
Oaklands Est. *SW4* —4E **79**
Oaklands Gro. *W12* —2C **46**
Oaklands Pl. *SW4* —2F **79**
Oaklands Rd. *NW2* —1F **19**
Oak La. *E14* —1B **56**
Oakley Cres. *EC1* —1D **39**
Oakley Gdns. *SW3* —2A **64**
Oakley Pl. *SE1* —1B **68**
Oakley Rd. *N1* —4F **25**
Oakley Sq. *NW1* —1E **37**
Oakley St. *SW3* —2A **64**
Oakley Wlk. *W6* —2F **61**
Oak Lodge. *E11* —1C **16**
Oak Lodge. *W8* —4D **49**
  (off Chantry Sq.)
Oakmead Rd. *SW12* —1C **92**
Oak Pk. Gdns. *SW19* —1F **89**
Oak Pk. M. *N16* —5B **12**
Oak Pl. *SW18* —3D **77**
Oakridge La. *Brom* —5F **99**
Oakridge Rd. *Brom* —4F **99**
Oaks Av. *SE19* —5A **96**
Oaksford Av. *SE26* —3D **97**
Oakshade Rd. *Brom* —4F **99**
Oakshaw Rd. *SW18* —5D **77**
Oaks, The. *NW10* —4D **19**
Oak Tree Gdns. *Brom*
  —5D **101**
Oak Tree Rd. *NW8* —2A **36**
Oakview Lodge. *NW11* —2B **6**
  (off Beechcroft Av.)
Oakview Rd. *SE6* —5D **99**
Oak Village. *NW5* —1C **22**
Oak Way. *W3* —2A **46**
Oakwood Bus. Pk. *NW10*
  —3A **32**
Oakwood Ct. *E6* —5F **31**
Oakwood Ct. *W14* —4B **48**
Oakwood Dri. *SE19* —5F **95**
Oakwood La. *W14* —4B **48**
Oakworth Rd. *W10* —4E **33**
Oast Lodge. *W4* —3A **60**
  (off Corney Reach Way)
Oatfield Ho. *N15* —1A **12**
  (off Perry Ct.)
Oat La. *EC2* —5E **39**
Oban Clo. *E13* —3E **45**
Oban Rd. *E13* —2E **45**
Oban St. *E14* —5F **43**
Oberon Ho. *N1* —1A **40**
  (off Arden Est.)
Oberstein Rd. *SW11* —2F **77**
Oborne Clo. *SE24* —3D **81**
Observatory Gdns. *W8* —3C **48**
Occupation Rd. *SE17* —1E **67**
Ocean Est. *E1* —3F **41**
  (in two parts)

Ocean St. *E1* —4F **41**
Ockendon Rd. *N1* —3F **25**
Ockley Rd. *SW16* —4A **94**
Octagon Arc. *EC2* —4A **40**
Octavia Ho. *W10* —3A **34**
  (off Southern Row)
Octavia St. *SW11* —4A **64**
Octavius St. *SE8* —3C **70**
Odeon Ct. *E16* —4C **44**
Odeon Ct. *NW10* —5A **18**
Odessa Rd. *E7* —5B **16**
Odessa Rd. *NW10* —1C **32**
Odessa St. *SE16* —4B **56**
Odger St. *SW11* —5A **64**
Odhams Wlk. *WC2* —5A **38**
Odin Ho. *SE5* —5E **67**
O'Donnell Ct. *WC1* —3A **38**
O'Driscoll Ho. *W12* —5D **33**
Offa's Mead. *E9* —1B **28**
Offerton Rd. *SW4* —1E **79**
Offley Rd. *SW9* —3C **66**
Offord Rd. *N1* —4B **24**
Offord St. *N1* —4B **24**
Oglander Rd. *SE15* —2B **82**
Ogle St. *W1* —4E **37**
Ohio Rd. *E13* —3B **44**
Oil Mill La. *W6* —1C **60**
Okeburn Rd. *SW17* —5C **92**
Okehampton Rd. *NW10*
  —5E **19**
Olaf St. *W11* —1F **47**
Oldacre M. *SW12* —5D **79**
Old Bailey. *EC4* —5D **39**
Old Barge Ho. All. *SE1* —1C **52**
  (off Barge Ho. St.)
Old Barrack Yd. *SW1* —3C **50**
Old Barrowfield. *E15* —5A **30**
Old Belgate Wharf. *E14* —4C **56**
Old Bell Ga. *E14* —4C **56**
Old Bethnal Grn. Rd. *E2*
  —2C **40**
Old Billingsgate Wlk. *EC3*
  —1A **54**
Old Bond St. *W1* —1E **51**
Old Brewer's Yd. *WC2* —5A **38**
Old Brewery M. *NW3* —1F **21**
Old Broad St. *EC2* —5F **39**
Old Bromley Rd. *Brom* —5F **99**
Old Brompton Rd. *SW5 & SW7*
  —1C **62**
Old Bldgs. *WC2* —5C **38**
  (off Chancery La.)
Old Burlington St. *W1* —1E **51**
Oldbury Pl. *W1* —4C **36**
Old Castle St. *E1* —5B **40**
Old Cavendish St. *W1* —5D **37**
Old Change Ct. *EC4* —5E **39**
  (off Carter La.)
Old Chapel Pl. *SW9* —5C **66**
Old Chelsea M. *SW3* —2A **64**
Old Chu. Rd. *E1* —5F **41**
Old Chu. St. *SW3* —1F **63**
Old Compton St. *W1* —1F **51**
Old Ct. Pl. *W8* —3D **49**
Old Devonshire Rd. *SW12*
  —5D **79**
Old Dover Rd. *SE3* —3C **72**
Oldegate Ho. *E6* —5F **31**

Oldfield Gro. *SE16* —5F **55**
Oldfield Ho. *W4* —1A **60**
(off Devonshire Rd.)
Oldfield M. *N6* —2E **9**
Oldfield Rd. *N16* —5A **12**
Oldfield Rd. *NW10* —4A **18**
Oldfield Rd. *SW19* —5A **90**
Oldfield Rd. *W3* —3B **46**
Old Fish St. Hill. *EC4* —1E **53**
(off Victoria St.)
Old Fleet La. *EC4* —5D **39**
Old Ford. (Junct.) —1C **42**
Old Ford Rd. *E2 & E3* —2E **41**
Old Forge M. *W12* —3D **47**
Old Gloucester St. *WC1*
—4A **38**
Oldhill St. *N16* —3C **12**
Old Hospital Clo. *SW17*
—1B **92**
Old Ho. Clo. *SW19* —5A **90**
Old Jamaica Rd. *SE16* —4C **54**
Old James St. *SE15* —1D **81**
Old Jewry. *EC2* —5F **39**
Old Kent Rd. *SE1 & SE15*
—5A **54**
Old Mnr. Yd. *SW5* —5D **63**
Old Mkt. Sq. *E2* —2B **40**
Old Marylebone Rd. *NW1*
—4A **36**
Old Montague St. *E1* —4C **40**
Old Nichol St. *E2* —3B **40**
Old N. St. *WC1* —4B **38**
(off Theobald's Rd.)
Old Oak Comn. La. *NW10 & W3*
—4A **32**
Old Oak La. *NW10* —2A **32**
Old Oak Rd. *W3* —1B **46**
Old Orchard, The. *NW3*
—1A **22**
Old Pal. Yd. *SW1* —4A **52**
Old Paradise St. *SE11* —5B **52**
Old Pk. Av. *SW12* —4C **78**
Old Pk. La. *W1* —2D **51**
Old Pye St. *SW1* —4F **51**
Old Pye St. Est. *SW1* —4F **51**
(off Old Pye St.)
Old Quebec St. *W1* —5B **36**
Old Queen St. *SW1* —3F **51**
Oldridge Rd. *SW12* —5C **78**
Old Rd. *SE13* —2A **86**
Old Royal Free Pl. *N1* —5C **24**
(off Liverpool Rd.)
Old Royal Free Sq. *N1* —5C **24**
(off Old Royal Free Pl.)
Old Seacoal La. *EC4* —5D **39**
Old S. Lambeth Rd. *SW8*
—3A **66**
Old Sq. *WC2* —5B **38**
Old Stable M. *N5* —5E **11**
Oldstead Rd. *Brom* —4E **99**
Old St. *E13* —1D **45**
Old St. *EC1* —3E **39**
Old Street. (Junct.) —2F **39**
(off Old St.)
Old Sun Wharf. *E14* —1A **56**
(off Narrow St.)
Old Swan Wharf. *SW11*
—4E **63**

Old Town. *SW4* —1E **79**
Old Woolwich Rd. *SE10*
—2F **71**
Old York Rd. *SW18* —3D **77**
O'Leary Sq. *E1* —4E **41**
Olinda Rd. *N16* —1B **12**
Oliphant St. *W10* —2F **33**
Oliver Clo. *E10* —5D **15**
Oliver Goldsmith Est. *SE15*
—4C **68**
Oliver Ho. *SE16* —3C **54**
(off George Row)
Oliver Ho. *SW8* —3A **66**
(off Wyvil Rd.)
Olive Rd. *E13* —2E **45**
Olive Rd. *NW2* —1E **19**
Oliver Rd. *E10* —4D **15**
Olivers Yd. *EC1* —3F **39**
Olivette St. *SW15* —1F **75**
Olive Waite Ho. *NW6* —4D **21**
Ollerton Grn. *E3* —5B **28**
Ollgar Clo. *W12* —2B **46**
Olliffe St. *E14* —4E **57**
Olmar St. *SE1* —2C **68**
Olney Rd. *SE17* —2D **67**
(in two parts)
Olympia M. *W2* —1D **49**
Olympia Way. *W14* —4A **48**
Olympus Sq. *E5* —5C **12**
O'Mahoney Ct. *SW17* —3E **91**
Oman Av. *NW2* —1D **19**
O'Meara St. *SE1* —2E **53**
Omega Ga. *SE16* —4A **56**
Omega Pl. *N1* —1A **38**
(off Caledonian Rd.)
Omega St. *SE14* —4C **70**
Ommaney Rd. *SE14* —4F **69**
Ondine Rd. *SE15* —2B **82**
Onega Ga. *SE16* —4A **56**
101 Bus. Units. *SW11* —1B **78**
One Tree Clo. *SE23* —4E **83**
Ongar Rd. *SW6* —2C **62**
Onra Rd. *E17* —2C **14**
Onslow Gdns. *SW7* —5F **49**
Onslow M. E. *SW7* —5F **49**
Onslow M. W. *SW7* —5F **49**
Onslow Sq. *SW7* —5F **49**
Onslow St. *EC1* —3C **39**
Ontario St. *SE1* —4D **53**
Ontario Way. *E14* —2C **56**
Opal Clo. *E16* —5F **45**
Opal M. *NW6* —5B **20**
Opal St. *SE11* —1D **67**
Openview. *SW18* —1E **91**
Ophelia Gdns. *NW2* —5A **4**
Ophir Ter. *SE15* —4C **68**
Oppenheim Rd. *SE13* —5E **71**
Oppidans M. *NW3* —4B **22**
Oppidans Rd. *NW3* —4B **22**
Orange Gro. *E11* —5A **16**
(in two parts)
Orange Pl. *SE16* —4E **55**
Orange St. *WC2* —1F **51**
Orange Yd. *W1* —5F **37**
(off Manette St.)
Oratory La. *SW3* —1F **63**
(off Stewart's Gro.)
Orbain Rd. *SW6* —3A **62**

Orbel St. *SW11* —4A **64**
Orb St. *SE17* —5F **53**
Orchard Bus. Cen. *SE26*
—5B **98**
Orchard Clo. *N1* —4E **25**
Orchard Clo. *NW2* —5C **4**
Orchard Clo. *SE23* —4E **83**
Orchard Clo. *W10* —4B **34**
Orchard Ct. *E10* —3D **15**
Orchard Dri. *SE3* —5F **71**
Orchard Hill. *SE13* —5D **71**
Orchard Ho. *SE16* —4E **55**
Orchard Ho. *W12* —2C **46**
Orchard Mead Ho. *NW11*
—4C **6**
Orchard M. *N1* —4F **25**
Orchard Pl. *E14* —1A **58**
Orchard Rd. *N6* —2C **9**
Orchard Rd. *SE3* —5A **72**
Orchardson Ho. *NW8* —3F **35**
(off Orchardson St.)
Orchardson St. *NW8* —3F **35**
Orchard Sq. *W14* —1B **62**
(off Sun Rd.)
Orchard St. *W1* —5C **36**
Orchard, The. *N21* —1C **6**
Orchard, The. *SE3* —5F **71**
Orchard, The. *W4* —5A **46**
Orchid Clo. *E6* —4F **45**
Orchid St. *W12* —1C **46**
Orde Hall St. *WC1* —4B **38**
Ordell Rd. *E3* —1B **42**
Ordnance Cres. *SE10* —3A **58**
Ordnance Hill. *NW8* —5F **21**
Ordnance M. *NW8* —1F **35**
Ordnance Rd. *E16* —4B **44**
Oregano Dri. *E14* —5F **43**
Orestes M. *NW6* —2C **20**
Orford Ct. *SE27* —2D **95**
Orford Rd. *E17* —1C **14**
Orford Rd. *SE6* —3D **99**
Oriel Ct. *NW3* —1E **21**
Oriel Pl. *NW3* —1E **21**
(off Heath St.)
Oriel Rd. *E9* —3F **27**
Oriental Rd. *E16* —2F **59**
Orient Ind. Pk. *E10* —4C **14**
Orient St. *SE11* —5D **53**
Orient Way. *E5* —5F **13**
Orion Bus. Cen. *SE14* —1F **69**
Orkney Ho. *N1* —5B **24**
(off Bemerton Est.)
Orkney St. *SW11* —5C **64**
Orlando Rd. *SW4* —1E **79**
Orleston M. *N7* —3C **24**
Orleston Rd. *N7* —3C **24**
Orlop St. *SE10* —1A **72**
Ormanton Rd. *SE26* —4C **96**
Orme Ct. *W2* —1D **49**
Orme Ct. M. *W2* —1D **49**
(off Orme La.)
Orme Ho. *E8* —5B **26**
Orme La. *W2* —1D **49**
Ormeley Rd. *SW12* —1D **93**
Orme Sq. *W2* —1D **49**
Ormiston Gro. *W12* —2D **47**
Ormiston Rd. *SE10* —1C **72**
Ormond Clo. *WC1* —4A **38**

Ormonde Ga. *SW3* —1B **64**
Ormonde Pl. *SW1* —5C **50**
Ormonde Ter. *NW8* —5B **22**
Ormond M. *WC1* —3A **38**
Ormond N. *N19* —3A **10**
Ormond Yd. *SW1* —2E **51**
Ormsby Lodge. *W4* —4A **46**
Ormsby Pl. *N16* —5B **12**
Ormsby St. *E2* —1B **40**
Ormside St. *SE15* —2E **69**
Ornan Rd. *NW3* —2A **22**
Oronsay Wlk. *N1* —4E **25**
Orpen Wlk. *N16* —5A **12**
Orpheus St. *SE5* —4F **67**
Orpheus Tower. SE14 —3A 70
(off Desmond St.)
Orsett M. *W2* —4D **35**
(in two parts)
Orsett St. *SE11* —1B **66**
Orsett Ter. *W2* —5D **35**
Orsman Rd. *N1* —5A **26**
Orton St. *E1* —2C **54**
Orville Rd. *SW11* —5F **63**
Orwell Ct. *N5* —1E **25**
Orwell Rd. *E13* —5E **31**
Osbaldeston Rd. *N16* —4C **12**
Osberton Rd. *SE12* —3C **86**
Osbert St. *SW1* —5F **51**
Osborn Clo. *E8* —5C **26**
Osborne Ct. *E10* —2D **15**
Osborne Gro. *N4* —3C **10**
Osborne Rd. *E7* —2D **31**
Osborne Rd. *E9* —3B **28**
Osborne Rd. *E10* —5D **15**
Osborne Rd. *N4* —3C **10**
Osborne Rd. *NW2* —3D **19**
Osborne Ter. SW17 —5C 92
(off Church La.)
Osborn La. *SE23* —5A **84**
Osborn St. *E1* —4B **40**
Osborn Ter. *SE3* —2B **86**
Oscar Faber Pl. N1 —5A 40
(off St Peter's Way)
Oscar St. *SE8* —5C **70**
(in two parts)
Oseney Cres. *NW5* —2E **23**
O'Shea Gro. *E3* —5B **28**
Osier M. *W4* —2A **60**
Osiers Rd. *SW18* —2C **76**
Osier St. *E1* —3E **41**
Osier Way. *E10* —5D **15**
Oslac Rd. *SE6* —5D **99**
Oslo Ct. NW8 —1A 36
(off Prince Albert Rd.)
Oslo Ho. *SE5* —5E **67**
Oslo Sq. *SE16* —4A **56**
Osman Clo. *N15* —1F **11**
Osman Rd. *W6* —4E **47**
Osmund St. *W12* —4B **32**
Osnaburgh St. *NW1* —3D **37**
Osnaburgh Ter. *NW1* —3D **37**
Osprey Clo. *E6* —4F **45**
Osprey Est. *SE16* —5F **55**
Ospringe Rd. NW5 —1E 23
Osric Path. *N1* —1A **40**
Ossian M. *N4* —2B **10**
Ossian Rd. *N4* —2B **10**
Ossington Bldgs. *W1* —4C **36**

Ossington Clo. *W2* —1C **48**
Ossington St. *W2* —1D **49**
Ossory Rd. *SE1* —2C **68**
Ossulston St. *NW1* —1F **37**
Ostade Rd. *SW2* —5B **80**
Ostend Pl. *SE17* —5E **53**
Osten M. *SW7* —4D **49**
Oswald's Mead. *E9* —1A **28**
Oswald St. *E5* —5F **13**
Oswald Ter. *NW2* —5E **5**
Osward Rd. *SW17* —2B **92**
Oswin St. *SE11* —5D **53**
Oswyth Rd. *SE5* —5A **68**
Otford Cres. *SE4* —4B **84**
Otford Ho. SE15 —2E 69
(off Lovelinch Clo.)
Othello Clo. *SE11* —1D **67**
Otis St. *E3* —2E **43**
Otley Ho. *N5* —5D **11**
Otley Rd. *E16* —5E **45**
Otley Ter. *E5* —5F **13**
Ottaway St. *E5* —5C **12**
Ottaway St. *E5* —5C **12**
Otterburn St. *SW17* —5B **92**
Otterden St. *SE6* —4C **98**
Otto Clo. *SE26* —3D **97**
Otto St. *SE17* —2D **67**
Oulton Clo. *E5* —4E **13**
Oulton Rd. *N15* —1F **11**
Ouseley Rd. *SW12* —1B **92**
Outer Circ. *NW1* —2A **36**
Outgate Rd. *NW10* —4B **18**
Outram Pl. *N1* —5A **24**
Outram Rd. *E6* —5F **31**
Outwich St. EC3 —5A 40
(off Houndsditch)
Outwood Ho. SW2 —5B 80
(off Deepdene Gdns.)
Oval Mans. *SE11* —2B **66**
Oval Pl. *SW8* —3B **66**
Oval Rd. *NW1* —5D **23**
Oval, The. *E2* —1D **41**
Oval Way. *SE11* —1B **66**
Overbrae. *Beck* —5C **98**
Overbury Rd. *N15* —1F **11**
Overbury St. *E5* —1F **27**
Overcliff Rd. *SE13* —1C **84**
Overdown Rd. *SE6* —4C **98**
Overhill Rd. *SE22* —5C **82**
Overlea Rd. *E5* —2C **12**
Oversley Ho. W2 —4C 34
(off Alfred Rd.)
Overstone Rd. *W6* —4E **47**
Overstrand Mans. *SW11*
—4B **64**
Overton Ct. *E11* —2C **16**
Overton Dri. *E11* —2C **16**
Overton Ho. SW15 —5B 74
(off Tangley Gro.)
Overton Rd. *E10* —3A **14**
Overton Rd. *SW9* —5C **66**
Overy Ho. *SE1* —3D **53**
Ovex Clo. *E14* —3E **57**
Ovington Gdns. *SW3* —4A **50**
Ovington M. *SW3* —4A **50**
Ovington Sq. *SW3* —4A **50**
Ovington St. *SW3* —5A **50**

Owen Mans. W14 —2A 62
(off Queen's Club Gdns.)
Owen's Ct. *EC1* —2D **39**
Owen's Row. *EC1* —2D **39**
Owen St. *EC1* —1D **39**
Owens Way. *SE23* —5A **84**
Owgan Clo. *SE5* —3F **67**
Oxberry Av. *SW6* —5A **62**
Oxendon St. *SW1* —1F **51**
Oxenford St. *SE15* —1B **82**
Oxestall's Rd. *SE8* —1A **70**
Oxford & Cambridge Mans.
NW1 —4A **36**
(off Old Marylebone Rd.)
Oxford Cir. *W1* —5E **37**
(off Oxford St.)
Oxford Cir. Av. *W1* —5E **37**
Oxford Ct. EC4 —1F 53
(off Salter's Hall Ct.)
Oxford Gdns. *W10* —5E **33**
Oxford Ga. *W6* —5F **47**
Oxford Rd. *E15* —3F **29**
(in two parts)
Oxford Rd. *N4* —3C **10**
Oxford Rd. *NW6* —1C **34**
Oxford Rd. *SE19* —5F **95**
Oxford Rd. *SW15* —2A **76**
Oxford Rd. *W2* —5A **36**
Oxford St. *W1* —5B **36**
Oxgate Cen. *NW2* —4D **5**
Oxgate Ct. *NW2* —4C **4**
Oxgate Gdns. *NW2* —5D **5**
Oxgate La. *NW2* —4D **5**
Oxgate Pde. *NW2* —4C **4**
Oxley Clo. *SE1* —1B **68**
Oxleys Rd. *NW2* —5D **5**
Oxonian St. *SE22* —2B **82**
Oystercatcher Clo. *E16*
—5D **46**
Oystergate Wlk. EC4 —1F 53
(off Swan La.)
Oyster Row. *E1* —5E **41**
Ozolins Way. *E16* —5C **44**

Pablo Neruda Clo. *SE24*
—1D **81**
Pace Pl. *E1* —5D **41**
Pacific Rd. *E16* —5C **44**
Packington Sq. *N1* —5E **25**
Packington St. *N1* —5D **25**
Padbury. SE17 —1A 68
(off Bagshot St.)
Padbury Ct. *E2* —2B **40**
Paddenswick Rd. *W6* —4C **46**
Paddington Grn. *W2* —4F **35**
Paddington St. *W1* —4C **36**
Paddock Clo. *SE3* —1C **86**
Paddock Clo. *SE26* —4F **97**
Paddock Rd. *NW2* —4C **4**
Padfield Rd. *SE5* —1E **81**
Pagden St. *SW8* —4D **65**
Pageant Cres. *SE16* —2B **56**
Pageantmaster Ct. EC4 —5D 39
(off Ludgate Hill)
Page Grn. Rd. *N15* —1C **12**
Page Grn. Ter. *N15* —1B **12**

Page St. *SW1* —5F **51**
Page's Wlk. *SE1* —5A **54**
Pages Yd. *W4* —2A **60**
Paget Rd. *N16* —3F **11**
Paget St. *EC1* —2D **39**
Pagin Ho. *N15* —1A **12**
  (off Braemar Rd.)
Pagnell St. *SE14* —3B **70**
Pagoda Gdns. *SE3* —5F **71**
Paignton Rd. *N15* —1A **12**
Painsthorpe Rd. *N16* —5A **12**
Painswick Ct. *SE15* —3B **68**
  (off Daniel Gdns.)
Pakeman St. *N7* —5B **10**
Pakenham Clo. *SW12* —1C **92**
Pakenham St. *WC1* —2B **38**
Pakington Ho. *SW9* —5A **66**
  (off Stockwell Gdns. Est.)
Palace Av. *W8* —3D **49**
Palace Ct. *NW3* —2D **21**
Palace Ct. *W2* —1D **49**
Palace Gdns. *W8* —2D **49**
Palace Gdns. Ter. *W8* —2C **48**
Palace Ga. *W8* —3E **49**
Palace Grn. *W8* —2D **49**
Palace M. *SW1* —5C **50**
  (off Eaton Ter.)
Palace M. *SW6* —3B **82**
Palace Pl. *SW1* —4E **51**
Palace Pl. Mans. *W8* —3D **49**
  (off Kensington Ct.)
Palace Rd. *N8* —1F **9**
  (in two parts)
Palace Rd. *SW2* —1B **94**
Palace St. *SW1* —4E **51**
Palace View. *SE12* —2C **100**
Palamon Ct. *SE1* —1B **68**
  (off Cooper's Rd.)
Palamos Rd. *E10* —3C **14**
Palatine Av. *N16* —1A **26**
Palatine Rd. *N16* —1A **26**
Palermo Rd. *NW10* —1C **32**
Palewell Comn. Dri. *SW14*
  —3A **74**
Palfrey Pl. *SW8* —3B **66**
Palgrave Ho. *SE5* —3E **67**
  (off Wyndham St.)
Palgrave Rd. *W12* —4B **46**
Palissy St. *E2* —2B **40**
Pallant Ho. *SE1* —4F **53**
  (off Tabard St.)
Pallett Way. *SE18* —4F **73**
Palliser Rd. *W14* —1A **62**
Palm Clo. *E10* —5D **15**
Palm Ct. *SE15* —3B **68**
  (off Garnies Clo.)
Palmer. *N7* —2C **24**
Palmer Rd. *E13* —3D **45**
Palmer's Rd. *E2* —1F **41**
Palmerston Mans. *W14* —2A **62**
  (off Queen's Club Gdns.)
Palmerston Rd. *E7* —3D **31**
Palmerston Rd. *NW6* —4B **20**
  (in two parts)

Palmerston Way. *SW8* —3E **65**
Palmer St. *SW1* —4F **51**
Pamela Wlk. *E8* —5C **26**
Pancras La. *EC4* —5E **39**
Pancras Rd. *NW1* —1F **37**
Pandora Rd. *NW6* —3C **20**
Pangbourne Av. *W10* —4E **33**
Panmure Clo. *N5* —1D **25**
Panmure Rd. *SE26* —3D **97**
Panorama Ct. *N6* —1E **9**
Pansy Gdns. *W12* —1C **46**
Panton St. *SW1* —1F **51**
Panyer All. *EC4* —5E **39**
  (off Newgate St.)
Paper Bldgs. *EC4* —1C **52**
  (off Temple)
Paper Mill Wharf. *E14* —1A **56**
Papillons Wlk. *SE3* —1C **86**
Papworth Gdns. *N7* —2B **24**
Papworth Way. *SW2* —5C **80**
Parade Mans. *NW4* —1D **5**
Parade, The. *SE27* —2D **95**
Parade, The. *N4* —4C **10**
Parade, The. *SE4* —5B **70**
  (off Up. Brockley Rd.)
Parade, The. *SE26* —4D **97**
  (off Wells Pk. Rd.)
Parade, The. *SW11* —3B **64**
Paradise Pas. *N7* —2C **24**
Paradise Rd. *SW4* —5A **66**
Paradise Row. *E2* —2D **41**
Paradise St. *SE16* —3D **55**
Paradise Wlk. *SW3* —2B **64**
Paragon All. *SE1* —4A **54**
Paragon Clo. *E16* —5C **44**
Paragon M. *SE1* —5F **53**
Paragon Pl. *SE3* —5B **72**
Paragon Rd. *E9* —3E **27**
Paragon Row. *SE17* —5F **53**
Paragon, The. *SE3* —5C **72**
Parbury Rd. *SE23* —4A **84**
Pardoner St. *SE1* —4F **53**
Pardon St. *EC1* —3D **39**
Parfett St. *E1* —4C **40**
Parfitt Clo. *NW3* —3E **7**
Parfrey St. *W6* —2E **61**
Paris Garden. *SE1* —2D **53**
Park App. *SE16* —4D **55**
Park Av. *E15* —3A **30**
Park Av. *NW2* —2D **19**
Park Av. *NW11* —3D **7**
Park Av. *SW14* —2A **74**
Park Av. N. *NW10* —2D **19**
Park Bus. Cen. *NW6* —2C **34**
Park Clo. *E9* —5E **27**
Park Clo. *NW2* —5D **5**
Park Clo. *SW1* —3B **50**
Park Clo. *W4* —1A **60**
Park Clo. *W14* —4B **48**
Park Ct. *E17* —1D **15**
Park Ct. *SE26* —5D **97**
Park Ct. *SW11* —4D **65**
Park Cres. *W1* —3D **37**
Park Cres. M. E. *W1* —3D **37**
Park Cres. M. W. *W1* —3D **37**
Parkcroft Rd. *SE12* —5B **86**
Park Dri. *NW11* —3D **7**
Park Dri. *SE7* —2F **73**

Park Dri. *SW14* —3A **74**
Park Dwellings. *NW3* —2B **22**
Park End. *NW3* —1A **22**
Parker Clo. *E16* —2F **59**
Parker Ho. *E14* —3C **56**
  (off Admirals Way)
Parker M. *WC2* —5A **38**
Parke Rd. *SW13* —4C **60**
Parkers Row. *SE1* —3C **54**
Parker St. *E16* —2F **59**
Parker St. *WC2* —5A **38**
Parkfield Av. *SW14* —2A **74**
Parkfield Rd. *NW10* —4D **19**
Parkfield Rd. *SE14* —4B **70**
Parkfields. *SW15* —2E **75**
Parkfields Av. *NW9* —3A **4**
Parkfield St. *N1* —1C **38**
Park Gdns. *E10* —3C **14**
Park Ga. *SE3* —1B **86**
Parkgate M. *N6* —2E **9**
Parkgate Rd. *SW11* —3A **64**
Park Gro. *E15* —5C **30**
Park Gro. Rd. *E11* —4A **16**
Park Hall Rd. *SE21* —3E **95**
Park Hall Trad. Est. *SE21*
  —3E **95**
Parkham St. *SW11* —4A **64**
Park Hill. *SE23* —2D **97**
Park Hill. *SW4* —3F **79**
Park Hill Ct. *SW17* —3B **92**
Parkhill Rd. *NW3* —2B **22**
Parkhill Wlk. *NW3* —2B **22**
Parkholme Rd. *E8* —3C **26**
Park Ho. Pas. *N6* —2C **8**
Parkhouse St. *SE5* —3F **67**
Parkhurst Ct. *N7* —1A **24**
Parkhurst Rd. *N7* —1A **24**
Parkland Ct. *E15* —2A **30**
  (off Maryland Rd.)
Parkland Gdns. *SW19* —1F **89**
Parklands. *N6* —2D **9**
Parklands Rd. *SW16* —5D **93**
Park La. *E15* —5F **29**
Park La. *W1* —1B **50**
Park Lee Ct. *N16* —2A **12**
Park Mans. *NW4* —1D **5**
Park Mans. *SE26* —3E **97**
  (off Sydenham Pk.)
Park Mans. *SW1* —3B **50**
  (off Brompton Rd.)
Park Mans. *SW8* —2A **66**
Park Mans. *SW11* —4B **64**
  (off Prince of Wales Dri.)
Parkmead. *SW15* —4D **75**
Park M. *SE24* —5E **81**
Park M. *W10* —1A **34**
Park Pde. *NW10* —1B **32**
Park Pl. *E14* —2C **56**
Park Pl. *SW1* —2E **51**
Park Pl. Gdns. *W2* —4E **35**
Park Pl. Vs. *W2* —4E **35**
Park Rise. *SE23* —1A **98**
Park Rise Rd. *SE23* —1A **98**
Park Rd. *E6* —5E **31**
Park Rd. *E10* —3C **14**
Park Rd. *E12* —3D **17**
Park Rd. *E15* —5C **30**
Park Rd. *E17* —1B **14**

Park Rd.—Peabody Est.

Park Rd. *N8* —1F **9**
Park Rd. *NW4* —2C **4**
Park Rd. *NW8 & NW1* —2A **36**
Park Rd. *NW10* —5A **18**
Park Rd. *SW19* —5A **92**
Park Rd. N. *W4* —1A **60**
Park Row. *SE10* —1F **71**
Parkside. *NW2* —5C **4**
Parkside. *SE3* —3B **72**
Parkside. *SW19* —3F **89**
Parkside. *W3* —2A **46**
Parkside Av. *SW19* —5F **89**
Parkside Cres. *N7* —5C **10**
Parkside Est. *E9* —5F **27**
Parkside Gdns. *SW19* —4F **89**
Parkside Rd. *SW11* —4C **64**
Park Sq. E. *NW1* —3D **37**
Park Sq. M. NW1 —3D **37**
(off Up. Harley St.)
Park Sq. W. *NW1* —3D **37**
Parkstead Rd. *SW15* —3C **74**
Park Steps. W2 —1A **50**
(off St George's Fields)
Parkstone Rd. *SE15* —5C **68**
Park St. *SE1* —2E **53**
Park St. *W1* —1C **50**
Park, The. *N6* —1C **8**
Park, The. *NW11* —3D **7**
Park, The. *SE23* —1E **97**
Parkthorne Rd. *SW12* —5F **79**
Park View. *N5* —1E **25**
Park View. Ct. *SW18* —3C **76**
Park View Est. *E2* —1F **41**
Park View Gdns. *NW4* —1E **5**
Park View Ho. SE24 —4D **81**
(off Hurst St.)
Park View Mans. *N4* —2D **11**
Park View Rd. *NW10* —1B **18**
Park Village E. *NW1* —1D **37**
Park Village W. *NW1* —1D **37**
Parkville Rd. *SW6* —3B **62**
Park Vista. *SE10* —2F **71**
Park Wlk. *N6* —2C **8**
Park Wlk. *SW10* —2E **63**
Parkway. *NW1* —5D **23**
Park Way. *NW11* —1A **6**
Park West. W2 —5A **36**
(off Edgware Rd.)
Park W. Pl. *W2* —5A **36**
Parkwood M. *N6* —1D **9**
Parkwood Rd. *SW19* —5B **90**
Parliament Ct. E1 —4A **40**
(off Artillery La.)
Parliament Hill. *NW3* —1A **22**
Parliament Hill Mans. *NW5*
—1C **22**
Parliament Sq. *SW1* —3A **52**
Parliament St. *SW1* —3A **52**
Parluke Clo. *SE7* —1F **73**
Parma Cres. *SW11* —2B **78**
Parmiter Ind. Cen. E2 —1D **41**
(off Parmiter St.)
Parmiter St. *E2* —1D **41**
Parmoor Ct. EC1 —3E **39**
(off Gee St.)
Parnell Ho. *WC1* —5F **37**
Parnell Rd. *E3* —5B **28**
(in two parts)

Parnham St. *E14* —5A **42**
Parolles Rd. *N19* —3E **9**
Parrington Ho. *SW4* —4F **79**
Parrish Ct. *NW6* —5F **19**
Parr Rd. *E6* —5F **31**
Parr St. *N1* —1F **39**
Parry Rd. *W10* —2A **34**
(in two parts)
Parry St. *SW8* —2A **66**
Parsifal Rd. *NW6* —2C **20**
Parsonage St. *E14* —5E **57**
Parson's Grn. *SW6* —4C **62**
Parson's Grn. La. *SW6*
—4C **62**
Parson's Rd. *E13* —1E **45**
Parthenia Rd. *SW6* —4C **62**
Partington Clo. *N19* —3F **9**
Partridge Clo. *E16* —4F **45**
Partridge Ct. EC1 —3D **39**
(off Cyprus St.)
Parvin St. *SW8* —4F **65**
Pascal St. *SW8* —3F **65**
Pascoe Rd. *SE13* —3F **85**
Pasley Clo. *SE17* —1E **67**
Passage, The. *W6* —4E **47**
Passfield Dri. *E14* —4D **43**
Passfields. *SE6* —3E **99**
Passfields. *W14* —1B **62**
(off May St.)
Passing All. *EC1* —4D **39**
(off St John St.)
Passmore St. *SW1* —1C **64**
Paston Clo. *E5* —5F **13**
Paston Cres. *SE12* —5D **87**
Pastor Ct. *N6* —1E **9**
Pastor St. *SE11* —5D **53**
(in two parts)
Pasture Rd. *SE6* —1B **100**
Patcham Ter. *SW8* —4D **65**
Patchway Ct. SE15 —2A **68**
(off Newent Clo.)
Paternoster Row. *EC4* —5E **39**
Paternoster Sq. *EC4* —5D **39**
Paterson Ct. EC1 —2F **39**
(off Peerless St.)
Pater St. *W8* —4C **48**
Pathfield Rd. *SW16* —5F **93**
Patience Rd. *SW11* —5A **64**
Patina Wlk. SE16 —2A **56**
(off Capstan Way)
Patio Clo. *SW4* —4F **79**
Patmore Est. *SW8* —4E **65**
Patmore Ho. *N16* —2A **26**
Patmore St. *SW8* —4E **65**
Patmos Rd. *SW9* —3D **67**
Paton Clo. *E3* —2C **42**
Paton Ho. SW9 —5B **66**
(off Stockwell Rd.)
Paton St. *EC1* —2E **39**
Patrick Connolly Gdns. *E3*
—2D **43**
Patrick Pas. *SW11* —5A **64**
Patrick Rd. *E13* —2E **45**
Patriot Sq. *E2* —1D **41**
Patrol Pl. *SE6* —4D **85**
Patshull Pl. *NW5* —3E **23**
Patshull Rd. *NW5* —3E **23**
Pattenden Rd. *SE6* —1B **98**

Patten Ho. *N4* —3E **11**
Patten Rd. *SW18* —5A **78**
Patterdale Rd. *SE15* —3E **69**
Pattern Ho. *EC1* —3D **39**
Pattison Point. E16 —4C **44**
(off Fife Rd.)
Pattison Rd. *NW2* —5C **6**
Paul Clo. *E15* —5A **30**
Paulet Rd. *SE5* —5D **67**
Paul Julius Clo. *E14* —1F **57**
Paul St. *E15* —5A **30**
Paul St. *EC2* —3A **39**
Paul's Wlk. *EC4* —1E **53**
Paultons Sq. *SW3* —2F **63**
Paultons St. *SW3* —2F **63**
Pauntley St. *N19* —3E **9**
Paveley Dri. *SW11* —3A **64**
Paveley St. *NW8* —2A **36**
Pavement, The. *E11* —3E **15**
Pavement, The. *SW4* —2E **79**
Pavilion Rd. *SW1* —4B **50**
Pavilion St. *SW1* —4B **50**
Pavillion Ter. W12 —5E **33**
(off Wood La.)
Pavillion, The. *SW8* —3F **65**
Pawsey Clo. *E13* —5D **31**
Paxton Ct. *SE26* —4A **98**
(off Adamsrill Rd.)
Paxton Pl. *SE27* —4A **96**
Paxton Rd. *SE23* —3A **98**
Paxton Rd. *W4* —2A **60**
Paxton Ter. *SW1* —1D **65**
Payne Ho. N1 —5B **24**
(off Barnsbury St.)
Paynell Ct. *SE3* —1A **86**
Payne Rd. *E3* —1D **43**
Paynesfield Av. *SW14* —1A **74**
Payne St. *SE8* —3B **70**
Paynes Wlk. *W6* —2A **62**
Peabody Av. *SW1* —1D **65**
Peabody Bldgs. E1 —1C **54**
(off John Fisher St.)
Peabody Bldgs. E2 —1D **41**
(off Cambridge Cres.)
Peabody Bldgs. SE1 —2E **53**
(off Southwark St.)
Peabody Bldgs. *SW3* —2A **64**
Peabody Clo. *SE10* —4D **71**
Peabody Clo. *SW1* —2D **65**
Peabody Ct. EC1 —3E **39**
(off Roscoe St.)
Peabody Ct. SE5 —4F **67**
(off Kimpton Rd.)
Peabody Est. EC1 —3C **38**
(off Farringdon La.)
Peabody Est. *N1* —5E **25**
Peabody Est. *SE1* —2C **52**
(Hatfield St.)
Peabody Est. SE1 —3E **53**
(off Mint St.)
Peabody Est. *SE24* —5E **81**
Peabody Est. SW1 —5E **51**
(off Vauxhall Bri. Rd.)
Peabody Est. *SW3* —2A **64**
Peabody Est. SW6 —2C **62**
(off Lillie Rd.)
Peabody Est. *SW11* —2A **78**
Peabody Est. *W6* —1E **61**

Peabody Est. *W10* —3E **33**
Peabody Hill. *SE21* —1D **95**
Peabody Sq. *SE1* —3D **53**
Peabody Tower. *EC1* —3E **39**
  (off Golden La.)
Peabody Yd. *N1* —5E **25**
Peach Rd. *W10* —2F **33**
Peachum Rd. *SE3* —2B **72**
Peacock St. *SE17* —5D **53**
Peacock Wlk. *E16* —5D **45**
  (off Mortlake Rd.)
Peacock Wlk. *N6* —2D **9**
Peacock Yd. *SE17* —5D **53**
  (off Iliffe St.)
Peak Hill. *SE26* —4E **97**
Peak Hill Av. *SE26* —4E **97**
Peak Hill Gdns. *SE26* —4E **97**
Peak Ho. *N4* —3E **11**
  (off Woodberry Down Est.)
Peak, The. *SE26* —3E **97**
Pearcefield Av. *SE23* —1E **97**
Pear Clo. *SE14* —3A **70**
Pearcroft Rd. *E11* —4F **15**
Peardon St. *SW8* —5D **65**
Pearfield Rd. *SE23* —3A **98**
Pearl Clo. *NW2* —2E **5**
Pearl St. *E1* —2D **55**
Pearman St. *SE1* —4C **52**
Pear Pl. *SE1* —3C **52**
Pear Rd. *E11* —5A **15**
Pearscroft Ct. *SW6* —4D **63**
Pearscroft Rd. *SW6* —4D **63**
Pearson's Av. *SE14* —4C **70**
Pearson St. *E2* —1B **40**
Peartree Av. *SW17* —3E **91**
Pear Tree Clo. *E2* —5B **26**
Pear Tree Ct. *EC1* —3C **38**
Pear Tree Ho. *SE4* —2B **84**
Peartree La. *E1* —1E **55**
Pear Tree St. *EC1* —3E **39**
Peary Ho. *NW10* —4A **18**
Peary Pl. *E2* —2E **41**
Peckarmans Wood. *SE26*
  —3C **82**
Peckett Sq. *N5* —1E **25**
Peckford Clo. *SW9* —5C **66**
Peckford Pl. *SW9* —5C **66**
Peckham Gro. *SE15* —3A **68**
Peckham High St. *SE15*
  —4C **68**
Peckham Hill St. *SE15*
  —3C **68**
Peckham Pk. Rd. *SE15*
  —3C **68**
Peckham Rd. *SE5 & SE15*
  —4A **68**
Peckham Rye. *SE15 & SE22*
  —1C **82**
Peckham Rye Ind. Est. *SE15*
  —5B **68**
Peckwater St. *NW5* —2E **23**
Pedlar's Wlk. *N7* —2B **24**
Pedley St. *E1* —3B **40**
Pedro St. *E5* —5F **13**
Pedworth Gdns. *SE16* —5E **55**
Peek Cres. *SW19* —5F **89**
Peel Gro. *E2* —1E **41**
  (in two parts)

Peel Pas. *W8* —2C **48**
  (off Peel St.)
Peel Precinct. *NW6* —1C **34**
Peel Rd. *NW6* —2C **34**
Peel St. *W8* —2C **48**
Peerless St. *EC1* —2E **39**
Pegasus Pl. *SE11* —2C **66**
Pegasus Tower. *SE14* —3A **70**
  (off Woodpecker Rd.)
Pegley Gdns. *SE12* —2C **100**
Pekin Clo. *E14* —5C **42**
Pekin St. *E14* —5C **42**
Peldon Wlk. *N1* —5D **25**
  (off Popham St.)
Pelham Clo. *SE5* —1A **82**
Pelham Cres. *SW7* —5A **50**
Pelham Ho. *W14* —5B **48**
  (off Mornington Av.)
Pelham Pl. *SW7* —5A **50**
Pelham St. *SW7* —5B **49**
Pelican Est. *SE15* —4B **68**
Pelican Ho. *SE8* —5B **56**
Pelican Pas. *E1* —3E **41**
Pelican Stairs. *E1* —2E **55**
Pelican Wlk. *SW9* —2D **81**
Pelier St. *SE17* —2E **67**
Pelinore Rd. *SE6* —2A **100**
Pella Ho. *SE11* —1B **66**
Pellant Rd. *SW6* —3A **62**
Pellatt Rd. *SE22* —3B **82**
Pellerin Rd. *N16* —2A **26**
Pelling St. *E14* —5C **42**
Pelly Rd. *E13* —5C **30**
  (in two parts)
Pelter St. *E2* —2B **40**
Pelton Rd. *SE10* —1A **72**
Pember Rd. *NW10* —2F **33**
Pemberton Gdns. *N19* —5E **9**
Pemberton Ho. *SE26* —4C **96**
  (off High Level Dri.)
Pemberton Pl. *E8* —4E **27**
Pemberton Rd. *N4* —1C **10**
Pemberton Row. *EC4* —5C **38**
Pemberton Ter. *N19* —5E **9**
Pembridge Cres. *W11* —1C **48**
Pembridge Gdns. *W2* —1C **48**
Pembridge M. *W11* —1C **48**
Pembridge Pl. *SW18* —3C **76**
Pembridge Pl. *W2* —1C **48**
Pembridge Rd. *W11* —1C **48**
Pembridge Sq. *W2* —1C **48**
Pembridge Vs. *W11 & W2*
  —1C **48**
Pembroke Bldgs. *NW10*
  —2C **32**
Pembroke Clo. *SW1* —3C **50**
Pembroke Cotts. *W8* —4C **48**
  (off Pembroke Sq.)
Pembroke Gdns. *W8* —5B **48**
Pembroke Gdns. Clo. *W8*
  —4C **48**
Pembroke M. *E2* —2E **41**
  (off Wessex St.)
Pembroke M. *E3* —2A **42**
Pembroke M. *W8* —4C **48**
Pembroke Pl. *W8* —4C **48**
Pembroke Rd. *E17* —1D **15**
Pembroke Rd. *N15* —1B **12**

Pembroke Rd. *W8* —5B **48**
Pembroke Sq. *W8* —4C **48**
Pembroke St. *N1* —4A **24**
Pembroke Vs. *W8* —5C **48**
Pembroke Wlk. *W8* —5C **48**
Pembury Clo. *E5* —2D **27**
Pembury Pl. *E5* —2D **27**
Pembury Rd. *E5* —2D **27**
Pemell Clo. *E1* —3E **41**
Penally Pl. *N1* —5F **25**
Penang St. *E1* —2D **55**
Penarth Cen., The. *SE15*
  —2E **69**
Penarth St. *SE15* —2E **69**
Penberth Rd. *SE6* —2E **99**
Pencombe M. *W11* —1B **48**
Pencraig Way. *SE15* —2D **69**
Penda's Mead. *E9* —1A **28**
Pendennis Ho. *SE8* —5A **56**
Pendennis Rd. *SW16* —4A **94**
Penderry Rise. *SE6* —2F **99**
Penderyn Way. *N7* —1F **23**
Pendle Ho. *SE26* —3C **96**
Pendle Rd. *SW16* —5D **93**
Pendlestone Rd. *E17* —1D **15**
Pendragon Brom. *Brom* —3B **100**
Pendragon Wlk. *NW9* —1A **4**
Pendrell Rd. *SE4* —5A **70**
Pendulum M. *E8* —2B **26**
Penerley Rd. *SE6* —1D **99**
Penfields Ho. *N7* —3A **24**
Penfold Pl. *NW1* —4A **36**
Penfold St. *NW8 & NW1*
  —3F **35**
Penford Gdns. *SE9* —1F **87**
Penford St. *SE5* —5D **67**
Penge Rd. *E13* —5E **31**
Penhall Rd. *SE7* —5F **59**
Penley Ct. *WC2* —1B **52**
Penmayne Ho. *SE11* —1C **66**
  (off Kennings Way)
Pennack Rd. *SE15* —2B **68**
Pennant M. *W8* —5D **49**
Pennard Rd. *W12* —3E **47**
Penner Clo. *SW19* —2A **90**
Pennethorne Clo. *E9* —5E **27**
Pennethorne Rd. *SE15*
  —3D **69**
Pennine Dri. *NW2* —4F **5**
Pennine La. *NW2* —4A **6**
Pennine Pde. *NW2* —4A **6**
Pennington Clo. *SE27* —4F **95**
Pennington Ct. *SE16* —2A **56**
Pennington St. *E1* —1D **55**
Pennington Way. *SE12*
  —2D **101**
Penninsular Pk. Rd. *SE7*
  —5C **58**
Penn Rd. *N7* —2A **24**
Penn St. *N1* —5F **25**
Pennyfields. *E14* —1C **56**
Penny W. *SW12* —5D **79**
Penpoll Rd. *E8* —3D **27**
Penrith Clo. *SW15* —3A **76**
Penrith Pl. *SE27* —2D **95**
Penrith Rd. *N15* —1F **11**
Penrith St. *SW16* —5E **93**

Penrose Gro. *SE17* —1E *67*
Penrose St. *SE17* —1E *67*
Penryn Ho. *SE11* —1D *67*
(off Seaton Clo.)
Penryn St. *NW1* —1F *37*
Penry St. *SE1* —5A *54*
Pensbury Pl. *SW8* —4E *65*
Pensbury St. *SW8* —5E *65*
Penshurst. *NW5* —3C *22*
Penshurst Ho. *SE15* —2E *69*
(off Lovelinch Clo.)
Penshurst Pl. *SE1* —4B *52*
(off Carlisle La.)
Penshurst Rd. *E9* —4F *27*
Pentland Clo. *NW11* —4A *6*
Pentland Gdns. *SW18* —4E *77*
Pentland St. *SW18* —4E *77*
Pentlow St. *SW15* —1E *75*
Pentney Rd. *SW12* —1E *93*
Penton Gro. *N1* —1C *38*
Penton Pl. *SE17* —1D *67*
Penton Rise. *WC1* —2B *38*
Penton St. *N1* —1C *38*
Pentonville Rd. *N1* —1B *38*
Pentridge St. *SE15* —3B *68*
Penwith Rd. *SW18* —2C *90*
Penwood Ho. *SW15* —4B *74*
Penwortham Rd. *SW16* —5D *93*
Penywern Rd. *SW5* —1C *62*
Penzance Pl. *W11* —2A *48*
Penzance St. *W11* —2A *48*
Peony Gdns. *W12* —1C *46*
Pepler Ho. *W10* —3A *34*
(off Wornington Rd.)
Peploe Rd. *NW6* —1F *33*
Peppermead Sq. *SE13* —3C *84*
Peppermint Pl. *E11* —5A *16*
Pepper St. *E14* —4D *57*
Pepper St. *SE1* —3E *53*
Peppie Clo. *N16* —4A *12*
Pepys Ct. *SW4* —1D *79*
Pepys Cres. *E16* —2C *58*
Pepys Rd. *SE14* —4F *69*
Pepys St. *EC3* —1A *54*
Perceval Av. *NW3* —2A *22*
Perch St. *E8* —1B *26*
Percival St. *EC1* —3D *39*
Percy Cir. *WC1* —2B *38*
Percy M. *W1* —4F *37*
(off Rathbone Pl.)
Percy Pas. *W1* —4F *37*
(off Rathbone Pl.)
Percy Pl. *W12* —3C *46*
Percy Rd. *E11* —2A *16*
Percy Rd. *E16* —4A *44*
Percy Rd. *NW6* —2C *34*
Percy Rd. *W12* —3C *46*
Percy St. *W1* —4F *37*
Percy Yd. *WC1* —2B *38*
Peregrine Clo. *NW10* —2A *18*
Peregrine Ct. *SE8* —2C *70*
(off Edward St.)
Peregrine Ct. *SW16* —4B *94*
Perham Rd. *W14* —1A *62*
Perifield. *SE21* —1E *95*
Periton Rd. *SE9* —2F *87*

Perkin's Rents. *SW1* —4F *51*
Perkins Sq. *SE1* —2E *53*
(off Porter St.)
Perks Clo. *SE3* —1A *86*
Perran Rd. *SW2* —1D *95*
Perren St. *NW5* —3D *23*
Perrers Rd. *W6* —5D *47*
Perrin's Ct. *NW3* —1E *21*
Perrin's La. *NW3* —1E *21*
Perrin's Wlk. *NW3* —1E *21*
Perronet Ho. *SE1* —4D *53*
(off Princess St.)
Perry Av. *W3* —5A *32*
Perry Ct. *N15* —1A *12*
Perry Hill. *SE6* —3B *98*
Perrymead St. *SW6* —4C *62*
Perryn Ho. *W3* —1A *46*
Perryn Rd. *SE16* —4D *55*
Perryn Rd. *W3* —2A *46*
Perry Rise. *SE23* —3A *98*
Perry's Pl. *W1* —5F *37*
Perrystreete. *SE23* —2E *97*
Perry Vale. *SE23* —2E *97*
Persant Rd. *SE6* —2A *100*
Perseverance Pl. *SW9* —3C *66*
Perseverance Works. *E2*
(off Kingsland Rd.) —2A *40*
Perth Av. *NW9* —2A *4*
Perth Clo. *NW9* —2A *4*
Perth Rd. *E10* —3A *14*
Perth Rd. *E13* —1D *45*
Perth Rd. *N4* —3C *10*
Peter Av. *NW10* —4D *19*
Peterboat Clo. *SE10* —5A *58*
Peterborough Ct. *EC4* —5C *38*
Peterborough M. *SW6*
—5C *62*
Peterborough Rd. *E10* —1E *15*
Peterborough Rd. *SW6*
—5C *62*
Peterborough Vs. *SW6*
—4D *63*
Peter Butler Ho. *SE1* —3C *54*
(off Wolseley St.)
Petergate. *SW11* —2E *77*
Peterley Cen. *E2* —1D *41*
Peters Ct. *W2* —5D *35*
(off Porchester Rd.)
Petersfield Rise. *SW15*
—1D *89*
Petersham La. *SW7* —4E *49*
Petersham M. *SW7* —4E *49*
Petersham Pl. *SW7* —4E *49*
Peters Hill. *EC4* —1E *53*
Peter's La. *EC1* —4D *39*
Peter's Path. *SE26* —4D *97*
Peterstow Clo. *SW19* —2A *90*
Peter St. *W1* —1F *51*
Petherton Ho. *N4* —3E *11*
(off Woodberry Down Est.)
Petherton Rd. *N5* —2E *25*
Petiver Clo. *E9* —4E *27*
Petley Rd. *W6* —2F *61*
Peto Pl. *NW1* —3D *37*
Peto St. N. *E16* —5B *44*
Peto St. S. *E16* —1B *58*
Petrie Clo. *NW2* —3A *20*
Petros Gdns. *NW3* —3E *21*

Petticoat La. *E1* —4A *40*
Petticoat Sq. *E1* —5B *40*
Petticoat Tower. *E1* —5B *40*
(off Petticoat Sq.)
Pettiward Clo. *SW15* —2E *75*
Pett St. *SE18* —5F *59*
Petty France. *SW1* —4E *51*
Petworth St. *SW11* —4A *64*
Petyt Pl. *SW3* —2A *64*
Petyward. *SW3* —5A *50*
Pevensey Rd. *E7* —1B *30*
Pevensey Rd. *SW17* —4F *91*
Peveril Ho. *SE1* —5C *54*
(off Rephidim St.)
Peyton Pl. *SE10* —3E *71*
Pheasant Clo. *E16* —5D *45*
Phelp St. *SE17* —2F *67*
Phene St. *SW3* —2A *64*
Philbeach Gdns. *SW5* —1C *62*
Phil Brown Pl. *SW8* —1D *79*
(off Wandsworth Rd.)
Philchurch Pl. *E1* —5C *40*
Philippa Gdns. *SE9* —3F *87*
Philip St. *E13* —3C *44*
Philip Wlk. *SE15* —1C *82*
(in three parts)
Phillimore Gdns. *NW10*
—5E *19*
Phillimore Gdns. *W8* —3C *48*
Phillimore Gdns. Clo. *W8*
—4C *48*
Phillimore Pl. *W8* —3C *48*
Phillimore Ter. *W8* —4C *48*
(off Allen St.)
Phillimore Wlk. *W8* —4C *48*
Phillip St. *N1* —5A *26*
Philpot La. *EC3* —1A *54*
Philpot Sq. *SW6* —1D *77*
Philpot St. *E1* —4D *41*
(in two parts)
Phineas Pett Rd. *SE9* —1F *87*
Phipps Ho. *W12* —1D *47*
(off White City Est.)
Phipp's M. *SW1* —5D *51*
Phipp St. *EC2* —3A *40*
Phoebeth Rd. *SE4* —3C *84*
Phoenix Clo. *E8* —5B *26*
Phoenix Ct. *E14* —5C *56*
Phoenix Pl. *WC1* —3B *38*
Phoenix Rd. *NW1* —2F *37*
Phoenix St. *WC2* —5F *37*
Phoenix Wharf Rd. *SE1*
(off Arnold Est.) —3B *54*
Physic Pl. *SW3* —2B *64*
Piazza, The. *WC2* —1A *52*
(off Covent Garden)
Piccadilly. *W1* —2D *51*
Piccadilly Arc. *SW1* —2E *51*
(off Piccadilly)
Piccadilly Cir. *W1* —1F *51*
Piccadilly Pl. *W1* —1E *51*
(off Piccadilly)
Pickard St. *EC1* —2D *39*
Pickering M. *W2* —5D *35*
Pickering Pl. *SW1* —2E *51*
(off St James's St.)
Pickering St. *N1* —5D *25*
Pickets St. *SW12* —5D *79*

Pickfords Wharf—Pomell Way

Pickfords Wharf. *N1* —1E **39**
Pickfords Wharf. *SE1* —2F **53**
(off Clink St.)
Pickwick Ho. *SE16* —3C **54**
(off George Row)
Pickwick Ho. *SE21* —5F **81**
Pickwick St. *SE1* —3E **53**
Picton Pl. *W1* —5C **36**
Picton St. *SE5* —3F **67**
Pied Bull Yd. *WC1* —4A **38**
(off Bury Pl.)
Pier Head. *E1* —2D **55**
(off Wapping High St.)
Pier Ho. *SW3* —2A **64**
(off Cheyne Wlk.)
Piermont Rd. *SE22* —3D **83**
Pierrepont Arc. *N1* —1D **39**
(off Pierrepont Row)
Pierrepont Row. *N1* —1D **39**
(off Camden Pas.)
Pier St. *E14* —5E **57**
Pier Ter. *SW18* —2D **77**
Piggott St. *E14* —5C **42**
Pike Clo. *Brom* —5D **101**
Pikemans Ct. *SW5* —5C **48**
(off W. Cromwell Rd.)
Pikethorne. *SE23* —2F **97**
Pilgrimage St. *SE1* —3F **53**
Pilgrim Hill. *SE27* —4E **95**
Pilgrim's La. *NW3* —1F **21**
Pilgrim's Pl. *NW3* —1F **21**
Pilgrim St. *EC4* —5D **39**
Pilgrims Way. *N19* —3F **9**
Pilkington Rd. *SE15* —5D **69**
Pilot Clo. *SE8* —2B **70**
Pilot Ind. Cen. *NW10* —3A **32**
Pilsden Clo. *SW19* —1F **89**
Pilton Pl. *SE17* —1E **67**
(off King and Queen St.)
Pimlico Rd. *SW1* —1C **64**
Pimlico Wlk. *N1* —2A **40**
Pinchin St. *E1* —1C **54**
Pincott Pl. *SE4* —2A **84**
Pindar St. *EC2* —4A **40**
Pindock M. *W9* —3D **35**
Pineapple Ct. *SW1* —4E **51**
(off Wilfred St.)
Pine Av. *E15* —2F **29**
Pine Clo. *E10* —4D **15**
Pine Clo. *N19* —4E **9**
Pine Dene. *SE15* —4D **69**
Pinefield Clo. *E14* —1C **56**
Pine Gro. *N4* —4A **10**
Pine Gro. *SW19* —5B **90**
Pinehurst Ct. *W11* —5B **34**
(off Colville Gdns.)
Pinemartin Clo. *NW2* —5E **5**
Pine Rd. *NW2* —1E **19**
Pine St. *EC1* —3C **38**
Pinewood Ct. *SW4* —4F **79**
Pinfold Rd. *SW16* —4A **94**
Pingle St. *SE17* —1E **67**
Pinkerton Pl. *SW16* —4F **93**
Pinnell Rd. *SE9* —2F **87**
Pintail Clo. *E6* —4F **45**
Pintail Ct. *SE8* —2B **70**
(off Pilot Clo.)

Pinter Ho. *SW9* —5A **66**
(off Grantham Rd.)
Pinto Way. *SE3* —2D **87**
Pioneer Clo. *W12* —5D **33**
Pioneer St. *SE15* —4C **68**
Piper Clo. *N7* —2B **24**
Pippin Clo. *NW2* —5D **5**
Pirbright Rd. *SW18* —1B **90**
Pirie Clo. *SE5* —1F **81**
Pirie St. *E16* —2D **59**
Pitcairn Ho. *E9* —4E **27**
Pitchford St. *E15* —4F **29**
Pitfield Est. *N1* —2A **40**
Pitfield St. *N1* —2A **40**
Pitfold Clo. *SE12* —4D **87**
Pitfold Rd. *SE12* —4C **86**
Pitman Ho. *SE8* —4C **70**
Pitman St. *SE5* —3E **67**
(in two parts)
Pitsea Pl. *E1* —5F **41**
Pitsea St. *E1* —5F **41**
Pitt Cres. *SW19* —4D **91**
Pitt's Head M. *W1* —2C **50**
Pitt St. *SE15* —4B **68**
Pitt St. *W8* —3C **48**
Pixley St. *E14* —5B **42**
Plaisterers Highwalk. *EC2*
(off Noble St.) —4E **39**
Plaistow Gro. *E15* —5B **30**
Plaistow Pk. Rd. *E13* —1D **45**
Plaistow Rd. *E15 & E13*
—5B **30**
Plaistow Wharf. *E16* —2C **58**
Plane St. *SE26* —3D **97**
Planetree Ct. *W6* —5F **47**
(off Brook Grn.)
Plane Tree Wlk. *SE19* —5A **96**
Plantain Gdns. *E11* —5F **15**
Plantain Pl. *SE1* —3F **53**
Plantation Ho. *EC3* —1A **54**
Plantation, The. *SE3* —5C **72**
Plantation Wharf. *SW11*
—1E **77**
Plasel Ct. *E13* —5D **31**
(off Pawsey Clo.)
Plashet Gro. *E6* —5E **31**
Plashet Rd. *E13* —5C **30**
Plassy Rd. *SE6* —5D **85**
Platina St. *EC2* —3F **39**
(off Tabernacle St.)
Plato Rd. *SW2* —2A **80**
Platt's La. *NW3* —1C **20**
Platt St. *NW1* —1F **37**
Platt, The. *SW15* —1F **75**
Plaxton Ct. *E11* —5B **16**
Playfair Mans. *W14* —2A **62**
(off Queen's Club Gdns.)
Playfair St. *W6* —1E **61**
Playfield Cres. *SE22* —3B **82**
Playford Rd. *N4* —4B **10**
(in two parts)
Playgreen Way. *SE6* —3C **98**
Playhouse Yd. *EC4* —5D **39**
Plaza Pde. *NW6* —1C **35**
Plaza, The. *W1* —5E **37**
Pleasance Rd. *SW15* —3D **75**
Pleasance, The. *SW15* —2D **75**
Pleasant Pl. *N1* —4D **25**

Pleasant Row. *NW1* —5D **23**
Plender Pl. *NW1* —5E **23**
(off Plender St.)
Plender St. *NW1* —5E **23**
Pleshey Rd. *N7* —1F **23**
Plevna Cres. *N15* —1A **12**
Plevna St. *E14* —4E **57**
Pleydell Av. *W6* —5B **46**
Pleydell Ct. *EC4* —5C **38**
(off Mitre Ct.)
Pleydell Est. *EC1* —2E **39**
(off Lever St.)
Pleydell St. *EC4* —5C **38**
(off Bouverie St.)
Plimsoll Clo. *E14* —5D **43**
Plimsoll Rd. *N4* —5C **10**
Plough Ct. *EC3* —1F **53**
Plough La. *SE22* —4B **82**
Plough La. *SW19 & SW17*
—5D **91**
Ploughmans Clo. *NW1* —5F **23**
Plough Pl. *EC4* —5C **38**
Plough Rd. *SW11* —1F **77**
Plough St. *E1* —5C **40**
Plough Ter. *SW11* —2F **77**
Plough Way. *SE16* —5F **55**
Plough Yd. *EC2* —3A **40**
Plover Way. *SE16* —4A **56**
Plowden Bldgs. *EC4* —1C **52**
(off Temple)
Plumber's Row. *E1* —4C **40**
Plumbridge St. *SE10* —4E **71**
Plummer Rd. *SW4* —5F **79**
Plums Clo. *E14* —5D **43**
Plumtree Ct. *EC4* —5D **39**
Plymouth Rd. *E16* —4C **44**
Plymouth Wharf. *E14* —5F **57**
Plympton Av. *NW6* —4B **20**
Plympton Pl. *NW8* —3A **36**
Plympton Rd. *NW6* —4B **20**
Plympton St. *NW8* —3A **36**
Pocklington Clo. *W12* —4C **46**
(off Goldhawk Rd.)
Pocock St. *SE1* —3D **53**
Podmore Rd. *SW18* —2E **77**
Poet's Rd. *N5* —2F **25**
Point Clo. *SE10* —4E **71**
Pointers Clo. *E14* —1D **71**
Point Hill. *SE10* —4E **71**
Point Pleasant. *SW18* —2C **76**
Point Ter. *E7* —2D **31**
(off Claremont Rd.)
Poland St. *W1* —5E **37**
Polebrook Rd. *SE3* —1E **87**
Polecroft La. *SE6* —2B **98**
Polesworth Ho. *W2* —4C **34**
(off Alfred Rd.)
Pollard Clo. *E16* —1C **58**
Pollard Clo. *N7* —1B **24**
Pollard Row. *E2* —2C **40**
Pollard St. *E2* —2C **40**
Pollen St. *W1* —5D **37**
Polsted Rd. *SE6* —5B **84**
Polworth Rd. *SW16* —5A **94**
Polygon Rd. *NW1* —1F **37**
Polygon, The. *SW4* —2E **79**
Pomell Way. *E1* —5B **40**

Pomeroy St. *SE14* —3E **69**
Pomfret Rd. *SE5* —1E **81**
Pomoja La. *N19* —4A **10**
Pond Clo. *SE3* —5C **72**
Pond Cotts. *SE21* —1A **96**
Ponder St. *N7* —4B **24**
Pond Farm Est. *E5* —5E **13**
Pondfield Ho. *SE27* —5E **95**
Pond Mead. *SE21* —4F **81**
Pond Pl. *SW3* —5A **50**
Pond Rd. *E15* —1A **44**
Pond Rd. *SE3* —5B **72**
Pond Sq. *N6* —3C **8**
Pond St. *NW3* —2A **22**
Ponler St. *E1* —5D **41**
Ponsard Rd. *NW10* —2D **33**
Ponsford St. *E9* —3E **27**
Ponsonby Pl. *SW1* —1F **65**
Ponsonby Rd. *SW15* —5D **75**
Ponsonby Ter. *SW1* —1F **65**
Pontefract Rd. *Brom* —5B **100**
Ponton Rd. *SW8* —3F **65**
Pont St. *SW1* —4B **50**
Pont St. M. *SW1* —4B **50**
Pontypool Pl. *SE1* —3D **53**
Pool Clo. *Beck* —5C **98**
Pool Ct. *SE6* —2C **98**
Poole Ho. *SE11* —4C **52**
(off Lambeth Wlk.)
Poole Rd. *E9* —3F **27**
Pooles Bldgs. *WC1* —3C **38**
(off Mt. Pleasant)
Pooles La. *SW10* —3E **63**
Pooles Pk. *N4* —4C **10**
Poole St. *N1* —5F **25**
Poolmans St. *SE16* —3F **55**
Poonah St. *E1* —5E **41**
Pope Clo. *SW19* —5F **91**
Pope's Head All. *EC3* —5F **39**
Pope's Rd. *SW9* —1C **80**
Pope St. *SE1* —3A **54**
Popham Rd. *N1* —5E **25**
Popham St. *N1* —5D **25**
(in two parts)
Poplar Bath St. *E14* —5D **43**
Poplar Bus. Pk. *E14* —1E **57**
Poplar Ct. *SW19* —5C **90**
Poplar Gro. *W6* —3E **47**
Poplar High St. *E14* —1D **57**
Poplar Ho. *SE4* —2B **84**
(off Wickham Rd.)
Poplar M. *W12* —2E **47**
(off Uxbridge Rd.)
Poplar Pl. *W2* —1D **49**
Poplars Av. *NW2* —3E **19**
Poplars Rd. *E17* —1D **15**
Poplar Wlk. *SE24* —2E **81**
Poppins Ct. *EC4* —5D **39**
Poppleton Rd. *E11* —1A **16**
Porchester Clo. *SE5* —2F **81**
Porchester Gdns. *W2* —1D **49**
Porchester Gdns. M. *W2*
—5D **35**
Porchester Mead. *Beck*
—5C **98**
Porchester M. *W2* —5D **35**

Porchester Pl. *W2* —5A **36**
Porchester Rd. *W2* —5D **35**
Porchester Sq. *W2* —5D **35**
Porchester Ter. *W2* —1E **49**
Porchester Ter. N. *W2*
—5D **35**
Porden Rd. *SW2* —2B **80**
Porlock Ho. *SE26* —3C **96**
Porlock Rd. *W10* —3F **33**
Porlock St. *SE1* —3F **53**
Porson Ct. *SE13* —1D **85**
Portal Clo. *SE27* —3C **94**
Portbury Clo. *SE15* —4C **68**
Port Cres. *E13* —3D **45**
Portelet Rd. *E1* —2F **41**
Porten Rd. *W14* —4A **48**
Porter Sq. *N19* —3A **10**
Porter St. *SE1* —2E **53**
Porter St. *W1* —4B **36**
Porters Wlk. *E1* —1D **55**
(off Pennington St.)
Porteus Rd. *W2* —4E **35**
Portgate Clo. *W9* —3B **34**
Porthcawe Rd. *SE26* —4A **98**
Portia Ct. *SE11* —1D **67**
(off Opal St.)
Portia Way. *E3* —3B **42**
Porticos, The. *SW3* —2F **63**
(off Kings Rd.)
Portinscale Rd. *SW15* —3A **76**
Portland Av. *N16* —3B **12**
Portland Cres. *SE9* —2F **101**
Portland Gdns. *N4* —1D **11**
Portland Gro. *SW8* —4B **66**
Portland M. *W1* —5E **37**
Portland Pl. *W1* —3D **37**
Portland Rise. *N4* —3E **11**
Portland Rise Est. *N4* —3E **11**
Portland Rd. *SE9* —2F **101**
Portland Rd. *W11* —1A **48**
Portland Rd. *Brom* —4E **101**
Portland Sq. *E1* —2D **55**
Portland St. *SE17* —1F **67**
Portland Wlk. *SE17* —2F **67**
Portman Av. *SW14* —1A **74**
Portman Bldgs. *NW1* —3A **36**
(off Broadley Ter.)
Portman Clo. *W1* —5C **36**
Portman M. S. *W1* —5C **36**
Portman Pl. *E2* —2E **41**
Portman Sq. *W1* —5C **36**
Portman St. *W1* —5C **36**
Portman Towers. *W1* —5B **36**
(off George St.)
Portmeers Clo. *E17* —1B **14**
Portnall Rd. *W9* —1B **34**
Portobello Ct. Est. *W11*
—5B **34**
Portobello M. *W11* —1C **48**
Portobello Rd. *W10* —4A **34**
Portobello Rd. *W11* —5B **34**
Portpool La. *EC1* —4C **38**
Portree St. *E14* —5F **43**
Portsdown Av. *NW11* —1B **6**
Portsdown M. *NW11* —1B **6**
Portsea M. *W2* —5A **36**
(off Portsea Pl.)
Portsea Pl. *W2* —5A **36**

Portslade Rd. *SW8* —5E **65**
Portsmouth Rd. *SW15* —5D **75**
Portsmouth St. *WC2* —5B **38**
Portsoken St. *E1* —1B **54**
Portswood Pl. *SW15* —4B **74**
Portugal St. *WC2* —5B **38**
Portway. *E15* —5B **30**
Portway Gdns. *SE18* —3F **73**
Postern, The. *EC2* —4E **39**
(off Barbican)
Post Office App. *E7* —2D **31**
Post Office Ct. *EC3* —5F **39**
(off Barbican)
Post Office Way. *SW8* —2F **65**
Potier St. *SE1* —4F **53**
Potterne Clo. *SW19* —5F **75**
Potters Fields. *SE1* —2A **54**
Potter's La. *SW16* —5F **93**
Potters Lodge. *E14* —1E **71**
(off Manchester Rd.)
Potters Rd. *SW6* —5C **63**
Pottery La. *W11* —1A **48**
Pottery St. *SE16* —3D **55**
Pott St. *E2* —2D **41**
Poulner Way. *SE15* —3B **68**
(in two parts)
Poulton Clo. *E8* —3D **27**
Poultry. *EC2* —5F **39**
Pound La. *NW10* —3C **18**
Pound Pk. Rd. *SE7* —5F **59**
Pountney Rd. *SW11* —1C **78**
Powell Rd. *E5* —5D **13**
Powell's Wlk. *W4* —2A **60**
Powerscroft Rd. *E5* —1E **27**
Powis Gdns. *NW11* —2B **6**
Powis Gdns. *W11* —5B **34**
Powis M. *W11* —5B **34**
Powis Pl. *WC1* —3A **38**
Powis Rd. *E3* —2D **43**
Powis Sq. *W11* —5B **34**
Powis Ter. *W11* —5B **34**
Powlett Pl. *NW1* —4C **22**
Pownall Rd. *E8* —5C **26**
Powster Rd. *Brom* —5C **100**
Poxon Ct. *EC4* —5D **39**
Poynders Ct. *SW4* —4E **79**
Poynders Gdns. *SW4* —5E **79**
Poynders Rd. *SW4* —4E **79**
Poynings Rd. *N19* —5E **9**
Poynter Ho. *W11* —2F **47**
(off Queensdale Cres.)
Poyntz Rd. *SW11* —5B **64**
Poyser St. *E2* —1D **41**
Praed M. *W2* —5F **35**
Praed St. *W2* —5F **35**
Pragel St. *E13* —1E **45**
Pragnell Rd. *SE12* —2D **101**
Prague Pl. *SW2* —3A **80**
Prah Rd. *N4* —4C **10**
Prairie St. *SW8* —5C **64**
Pratt M. *NW1* —5E **23**
Pratt St. *NW1* —5E **23**
Pratt Wlk. *SE11* —5B **52**
Prayle Gro. *NW2* —3F **5**
Prebend Gdns. *W6 & W4*
(in two parts) —4B **46**
Prebend Mans. *W4* —5B **46**
(off Chiswick High Rd.)

Prebend St. *N1* —5E **25**
Precinct, The. *N1* —5E **25**
Premier Corner. *W9* —1B **34**
Premiere Rd. *E14* —1C **56**
Premier Pl. *SW15* —2A **76**
Prendergast Rd. *SE3* —1A **86**
Prentice Ct. *SW19* —5B **90**
Prentis Rd. *SW16* —4F **93**
Prentiss Ct. *SE7* —5F **59**
Prescot St. *E1* —1B **54**
Prescott Pl. *SW4* —1F **79**
Presentation M. *SW2* —1B **94**
President Dri. *E1* —2D **55**
President Ho. *EC1* —2D **39**
President St. EC1 —2E **39**
(off Central St.)
Press Ho. *NW10* —5A **4**
Press Rd. *NW10* —5A **4**
Prestage Way. *E14* —1E **57**
Prestbury Rd. *E7* —4E **31**
Prested Rd. *SW11* —2A **78**
Preston Clo. *SE1* —5A **54**
Preston Dri. *E11* —1E **17**
Preston Gdns. *NW10* —3B **18**
Preston Pl. *NW2* —3C **18**
Preston Rd. *E11* —1A **16**
Preston Rd. *SE19* —5D **95**
Preston's Rd. *E14* —1E **57**
Prestwood Ho. *SE16* —3D **55**
(off Drummond Rd.)
Prestwood St. *N1* —1E **39**
Pretoria Rd. *E11* —3F **15**
Pretoria Rd. *E16* —3B **44**
Pretoria Rd. *SW16* —5D **93**
Price Clo. *SW17* —3B **92**
Price's Ct. *SW11* —1F **89**
Price's St. *SE1* —2D **53**
Price's Yd. *N1* —5B **24**
Prichard Ct. *N7* —2B **24**
Prideaux Pl. *W3* —1A **46**
Prideaux Pl. *WC1* —2B **38**
Prideaux Rd. *SW9* —1A **80**
Priestfield Rd. *SE23* —3A **98**
Priestley Clo. *N16* —2B **12**
Priestley Way. *NW2* —3C **4**
Priest's Bri. SW14 & SW15
—1A **74**
Priest's Ct. EC2 —2E **39**
(off Foster La.)
Prima Rd. *SW9* —3C **66**
Primrose Ct. *SE6* —5E **99**
Primrose Ct. *SW12* —5F **79**
Primrose Gdns. *NW3* —3A **22**
Primrose Hill. *EC4* —5C **38**
Primrose Hill Ct. *NW3* —4B **22**
Primrose Hill Rd. *NW3* —4A **22**
Primrose Mans. *SW11* —4C **64**
Primrose M. NW1 —4B **22**
(off Sharpleshall St.)
Primrose M. *SE3* —3C **72**
Primrose Rd. *E10* —3D **15**
Primrose St. *EC2* —4A **40**
Primula St. *W12* —5C **32**
Prince Albert Rd. *NW8 & NW1*
—2A **36**
Prince Arthur M. *NW3* —1E **21**
Prince Arthur Rd. *NW3* —2E **21**
Prince Charles Dri. *NW4* —2E **5**

Prince Charles Rd. *SE3* —5B **72**
Prince Consort Rd. *SW7*
—4E **49**
Princedale Rd. *W11* —2A **48**
Prince Edward Rd. *E9* —3B **28**
Prince George Rd. *N16*
—1A **26**
Prince Henry Rd. *SE7* —3F **73**
Prince John Rd. *SE9* —3F **87**
Princelet St. *E1* —4B **40**
Prince of Orange La. *SE10*
—3E **71**
Prince of Wales Dri. *SW11 &*
SW8 —4A **64**
Prince of Wales Mans. *SW11*
—4C **64**
Prince of Wales Pas. NW1
(off Hampstead Rd.) —2E **37**
Prince of Wales Rd. *E16*
—5E **45**
Prince of Wales Rd. *NW5*
—3C **22**
Prince of Wales Rd. *SE3*
—4B **72**
Prince of Wales Ter. *W4*
—1A **60**
Prince of Wales Ter. *W8*
—3D **49**
Prince Regent Ct. NW8 —1A **36**
(off Avenue Rd.)
Prince Regent La. *E13 & E16*
—2D **45**
Prince Regent M. NW1 —2E **37**
(off Hampstead Rd.)
Prince's Arc. SW1 —2E **51**
(off Piccadilly)
Princes Cir. *WC2* —5A **38**
Princes Clo. *N4* —3D **11**
Princes Clo. *SW4* —1E **79**
Princes Ct. *SE16* —4B **56**
Princes Ct. Bus. Cen. *E1*
—1D **55**
Prince's Gdns. SW7 —4F **49**
Prince's Ga. *SW7* —3F **49**
Prince's Ga. Ct. *SW7* —3F **49**
Prince's Ga. M. *SW7* —4F **49**
Prince's M. W2 —1D **49**
Princes Pde. *NW11* —1A **6**
(off Golders Grn. Rd.)
Princes Pk. Av. *NW11* —1A **6**
Prince's Pl. SW1 —2E **51**
(off Duke St.)
Princes Pl. *W11* —2A **48**
Prince's Rise. *SE13* —5E **71**
Princes Riverside Rd. *SE16*
—2F **55**
Princes Rd. *SW14* —1A **74**
Prince's Rd. *SW19* —5C **90**
Princess Alice Ho. *W10*
—3E **33**
Princess Ct. *N6* —2E **9**
Princess Ct. W2 —1C **48**
(off Queensway)
Princess Cres. *N4* —4D **11**
Princess May Rd. *N16* —1A **26**
Princess M. *NW3* —2F **21**
Prince's Sq. *W2* —1D **49**
Princess Rd. *NW1* —5C **22**

Princess Rd. *NW6* —1C **34**
Princess St. *SE1* —4D **53**
Prince's St. *EC2* —5F **39**
Princes St. *W1* —5D **37**
Princes Ter. *E13* —5D **31**
Princes St. *SE8* —2B **70**
Princes Way. *SW19* —5F **75**
Prince's Yd. W11 —2A **48**
(off Princedale Rd.)
Princethorpe Ho. W2 —4D **35**
(off Woodchester Sq.)
Princethorpe Rd. *SE26* —4F **97**
Princeton Ct. *SW15* —1F **75**
Princeton St. *WC1* —4B **38**
Pringle Gdns. *SW16* —4E **93**
Pring St. *W10* —1F **47**
Printer St. *EC4* —5C **38**
Printing Ho. Yd. *E2* —2B **40**
Priolo Rd. *SE7* —1E **73**
Prior Bolton St. *N1* —3D **25**
Prioress Ho. *E3* —2D **43**
Prioress Rd. *SE27* —3D **95**
Prioress St. *SE1* —4A **54**
Prior St. *SE10* —3E **71**
Priory Av. *W4* —5A **46**
Priory Ct. *E6* —5F **31**
Priory Ct. *E9* —2F **27**
Priory Ct. EC4 —5D **39**
(off Pilgrim St.)
Priory Ct. *SW8* —4F **65**
Priory Gdns. *N6* —1D **9**
Priory Gdns. *SW13* —1B **74**
Priory Gdns. *W4* —5A **46**
Priory Grn. Est. *N1* —1B **38**
Priory Gro. *SW8* —4A **66**
Priory La. *SW15* —4A **74**
Priory M. *SW8* —4F **65**
Priory Pk. *SE3* —1B **86**
Priory Pk. Rd. *NW6* —5B **20**
(in two parts)
Priory Rd. *E6* —5F **31**
Priory Rd. *NW6* —5D **21**
Priory St. *E3* —2D **43**
Priory Ter. *NW6* —5D **21**
Priory, The. *SE3* —2B **86**
Priory Wlk. *SW10* —1E **63**
Pritchard's Rd. *E2* —5C **26**
Priter Rd. *SE16* —4C **54**
Priter Way. *SE16* —4C **54**
Probert Rd. *SW2* —3C **80**
Probyn Rd. *SW2* —2D **95**
Procter Ho. *SE5* —3F **67**
(off Picton St.)
Procter St. *WC1* —4B **38**
Project Pk. *E16* —3F **43**
Promenade App. Rd. *W4*
—3A **60**
Promenade, The. *W4* —4A **60**
Prospect Clo. *SE26* —4D **97**
Prospect Cotts. *SW18* —2C **76**
Prospect Ho. N1 —1C **38**
(off Donegal St.)
Prospect Pl. *E1* —2E **55**
Prospect Pl. *N7* —1A **24**
Prospect Pl. *NW2* —5B **6**
Prospect Pl. *SW19* —1E **21**
Prospect Pl. *W4* —1A **60**
Prospect Quay. SW18 —2C **76**
(off Point Pleasant)

Prospect Rd.—Queensgate Pl.

Prospect Rd. NW2 —5B **6**
Prospect St. SE16 —4D **65**
Prospect Vale. SE18 —5F **59**
Prospero Rd. N19 —3F **9**
Prothero Rd. SW6 —3A **62**
Prout Gro. NW10 —1A **18**
Prout Rd. E5 —5D **13**
Providence Ct. W1 —1C **50**
Providence Pl. N1 —5D **25**
Providence Row. N1 —1B **38**
  (off Pentonville Rd.)
Providence Sq. SE1 —3C **54**
Province St. N1 —1E **39**
Provost Est. N1 —1F **39**
Provost Rd. NW3 —4B **22**
Provost St. N1 —1F **39**
Prowse Pl. NW1 —4E **23**
Prudent Pas. EC2 —2E **39**
  (off King St.)
Prusom St. E1 —2D **55**
Pryors, The. NW3 —5F **7**
Pudding La. EC3 —1F **53**
Pudding Mill La. E15 —5D **29**
Puddledock. EC4 —1D **53**
  (in two parts)
Pulborough Rd. SW18 —5B **76**
Pulford Rd. N15 —1F **11**
Pulham Ho. SW8 —3B **66**
  (off Dorset Rd.)
Pullman Ct. SW2 —3A **80**
Pullman Gdns. SW15 —4E **75**
Pulross Rd. SW9 —1B **80**
Pulteney Clo. E3 —5B **28**
Pulteney Ter. N1 —5B **24**
Pulton Ho. SE4 —2A **84**
  (off Turnham Rd.)
Pulton Pl. SW6 —3C **62**
Puma Ct. E1 —4B **40**
Pump Ct. EC4 —5C **38**
Pumping Sta. Rd. W4 —3A **60**
Pump La. SE14 —3E **69**
Punderson's Gdns. E2
            —2D **41**
Purbeck Dri. NW2 —4F **5**
Purbeck Ho. SW8 —3B **66**
  (off Bolney St.)
Purbrook Est. SE1 —3A **54**
Purbrook St. SE1 —4A **54**
Purcell Cres. SW6 —3A **62**
Purcell M. NW10 —4A **18**
Purcell St. N1 —1A **40**
Purchese St. NW1 —1F **37**
Purdon Ho. SE15 —4C **68**
  (off Oliver Goldsmith Est.)
Purdy St. E3 —3D **43**
Purelake M. SE13 —1F **85**
  (off Marischal Rd.)
Purley Av. NW2 —4A **6**
Purley Pl. N1 —4D **25**
Purneys Rd. SE9 —2F **87**
Purser Ho. SW2 —4C **80**
  (off Tulse Hill)
Pursers Cross Rd. SW6
            —4B **62**
Purves Rd. NW10 —1D **33**
Putney Bri. SW15 & SW6
            —1A **76**
Putney Bri. App. SW6 —1A **76**

Putney Bri. Rd. SW15 & SW18
            —2A **76**
Putney Comn. SW15 —1E **75**
Putney Exchange Shop. Cen.
      SW15 —2F **75**
Putney Heath. SW15 —5D **75**
Putney Heath La. SW15
            —4F **75**
Putney High St. SW15 —2F **75**
Putney Hill. SW15 —5F **75**
  (in two parts)
Putney Pk. Av. SW15 —2C **74**
Putney Pk. La. SW15 —2D **75**
Pylon Trad. Est. E16 —3A **44**
Pymers Mead. SE21 —1E **95**
Pym Ho. SW9 —5C **66**
Pynfolds. SE16 —3D **55**
Pynnersmead. SE24 —3E **81**
Pyrford Ho. SW9 —2D **81**
Pyrland Rd. N5 —2F **25**
Pyrmont Gro. SE27 —3D **95**
Pytchley Rd. SE22 —1A **82**

Quadrangle Clo. SE1 —5A **54**
Quadrangle, The. SE24 —3E **81**
Quadrangle, The. W10
            —4E **63**
Quadrangle, The. W2 —5A **36**
  (off Southwick St.)
Quadrant Arc. W1 —1E **51**
  (off Regent St.)
Quadrant Gro. NW5 —2B **22**
Quadrant Ho. SE1 —2D **53**
  (off Burrell St.)
Quadrant, The. W10 —2F **33**
Quaggy Wlk. SE3 —2C **86**
Quainton St. NW10 —5A **4**
Quaker St. E1 —3B **40**
Quality Ct. WC2 —5C **38**
  (off Chancery La.)
Quandrant Gro. NW5 —2B **22**
Quantock Gdns. NW2 —4F **5**
Quantock Ho. N16 —3B **12**
Quarley Way. SE15 —3B **68**
Quarrendon St. SW6 —5C **62**
Quarry Rd. SW18 —4E **77**
Quarterdeck, The. E14 —3C **56**
Quarter Mile La. E10 —1D **28**
Quayside Ho. E14 —2C **56**
Quebec M. W1 —5B **36**
Quebec Way. SE16 —3F **55**
Quedgeley Ct. SE15 —2B **68**
  (off Ebley Clo.)
Queen Alexandra's Ct. SW19
            —5B **90**
Queen Anne M. W1 —4D **37**
Queen Anne Rd. E9 —3F **27**
Queen Anne's Gdns. W4
            —4A **46**
Queen Anne's Ga. SW1 —3F **51**
Queen Anne's Gro. W4 —4A **46**
Queen Anne St. W1 —4D **37**
Queen Anne's Wlk. WC1
  (off Queen Sq.) —3A **38**
Queen Caroline St. W6 —5E **47**
Queen Elizabeth Bldgs. EC4
  (off Temple)   —1C **52**

Queen Elizabeth Ho. SW12
            —5C **78**
Queen Elizabeth's Clo. N16
            —4F **11**
Queen Elizabeth St. SE1
            —3A **54**
Queen Elizabeth's Wlk. N16
            —3F **11**
Queen Elizabeth Wlk. SW13
            —4C **60**
Queenhithe. EC4 —1E **53**
Queen Margaret's Gro. N1
            —2A **26**
Queen Mary Rd. SE19 —5D **95**
Queen Marys Bldgs. SW1
  (off Stillington St.) —5E **51**
Queen of Denmark Ct. SE16
            —4B **56**
Queensberry M. W. SW7
            —5F **49**
Queensberry Pl. SW7 —5F **49**
Queensberry Way. SW7
            —5F **49**
Queensborough M. W2
            —1E **49**
Queensborough Pas. W2
            —1E **49**
  (off Queensborough M.)
Queensborough Studios. W2
            —1E **49**
  (off Queensborough M.)
Queensborough Ter. W2
            —1D **49**
Queensbridge Ct. E2 —5B **26**
  (off Queensbridge Ct.)
Queensbridge Rd. E8 & E2
            —3B **26**
Queensbury St. N1 —4E **25**
Queen's Cir. SW8 & SW11
            —3D **65**
Queen's Club Gdns. W14
            —2A **62**
Queens Ct. NW6 —2D **21**
Queens Ct. NW11 —1B **8**
Queens Ct. SE23 —2E **97**
Queens Ct. W2 —1D **49**
  (off Queensway)
Queen's Cres. NW5 —3C **22**
Queenscroft Rd. SE9 —3F **87**
Queensdale Cres. W11 —2F **47**
Queensdale Pl. W11 —2A **48**
Queensdale Rd. W11 —2F **47**
Queensdale Wlk. W11 —2A **48**
Queensdown Rd. E5 —1D **27**
Queens Dri. E10 —2C **14**
Queen's Dri. N4 —4D **11**
Queen's Elm Pde. SW3 —1F **63**
  (off Old Church St.)
Queen's Elm Sq. SW3 —1F **63**
Queen's Gdns. NW4 —1E **5**
Queen's Gdns. W2 —1E **49**
Queen's Ga. SW7 —3E **49**
Queen's Ga. Gdns. SW7
            —4E **49**
Queens Ga. Gdns. SW15
            —2D **75**
Queen's Ga. M. SW7 —4E **49**
Queensgate Pl. NW6 —4C **20**

Queen's Ga. Pl. *SW7* —4E **49**
Queen's Ga. Pl. M. *SW7*
　　　　　　　　—4E **49**
Queen's Ga. Pl. Ter. *SW7* —4E **49**
Queen's Gro. *NW8* —5F **21**
Queen's Gro. Studios. *NW8*
　　　　　　　　—5F **21**
Queen's Head St. *N1* —5D **25**
Queen's Head Yd. *SE1* —2F **53**
　(off Borough High St.)
Queensland Pl. *N7* —1C **24**
Queensland Rd. *N7* —1C **24**
Queens Mkt. *E13* —5E **31**
Queensmead. *NW8* —5F **21**
Queensmere Clo. *SW19*
　　　　　　　　—2F **89**
Queensmere Ct. *SW13* —2B **60**
Queensmere Rd. *SW19*
　　　　　　　　—2F **89**
Queen's M. *W2* —1D **49**
Queensmill Rd. *SW6* —3F **61**
Queens Pk. Ct. *W10* —2F **33**
Queen Sq. *WC1* —3A **38**
Queen Sq. Pl. *WC1* —3A **38**
　(off Queen Sq.)
Queens Ride. *SW13 & SW15*
　　　　　　　　—1C **74**
Queens Rd. *E11* —2F **15**
Queens Rd. *E13* —5D **31**
Queen's Rd. *E17* —1B **14**
Queen's Rd. *SE15 & SE14*
　　　　　　　　—4D **69**
Queen's Rd. *SW14* —1A **74**
Queens Rd. *SW19* —5C **90**
Queens Rd. W. *E13* —1C **44**
Queen's Row. *SE17* —2F **67**
Queens Ter. *E13* —5D **31**
Queen's Ter. *NW8* —1F **35**
Queensthorpe Rd. *SE26*
　　　　　　　　—4F **97**
Queenstown M. *SW8* —5D **65**
Queenstown Rd. *SW8* —2D **65**
Queen St. *EC4* —1E **53**
Queen St. *W1* —2D **51**
Queen St. Pl. *EC4* —1E **53**
Queensville Rd. *SW12* —5F **79**
Queen's Wlk. *SW1* —2E **51**
Queen's Wlk., The. *SE1* —2F **53**
　(off Borough High St.)
Queen's Wlk., The. *SE1*
　　　　　　　　—2B **52**
　(off Waterloo Rd.)
Queen's Way. *NW4* —1E **5**
Queensway. *W2* —5D **35**
Queens Wharf. *W6* —1E **61**
Queenswood Ct. *SE27* —4F **95**
Queenswood Ct. *SW4* —3A **80**
Queenswood Gdns. *E11*
　　　　　　　　—3D **17**
Queens Wood Rd. *N10* —1D **9**
Queenswood Rd. *SE23* —3F **97**
Queen's Yd. *WC1* —3E **37**
Quemerford Rd. *N7* —2B **24**
Quenington Ct. *SE15* —2B **68**
　(off Ebley Clo.)
Quentin Pl. *SE13* —1A **86**

Quentin Rd. *SE13* —1A **86**
Quernmore Clo. *Brom*
　　　　　　　　—5C **100**
Quernmore Rd. *N4* —1C **10**
Quernmore Rd. *Brom*
　　　　　　　　—5C **100**
Querrin St. *SW6* —5E **63**
Quested Ct. *E8* —2D **27**
　(off Brett Rd.)
Quex M. *NW6* —5C **20**
Quex Rd. *NW6* —5C **20**
Quick Pl. *N1* —5D **25**
Quick Rd. *W4* —1A **60**
Quick St. *N1* —1D **39**
Quick St. M. *N1* —1D **39**
Quickswood. *NW3* —4A **22**
Quill La. *SW15* —2F **75**
Quill St. *N4* —5C **10**
Quilp St. *SE1* —3E **53**
Quilter St. *E2* —2C **40**
Quin Bldgs. *SE1* —3C **52**
Quinton Ho. *SW8* —3A **66**
　(off Wyvil Rd.)
Quinton St. *SW18* —2E **91**
Quixley St. *E14* —1F **57**
Quorn Rd. *SE22* —2A **82**

Rabbit Row. *W8* —2C **48**
Raby St. *E14* —5A **42**
Rachel Point. *E5* —1C **26**
Rackham M. *SW16* —5E **93**
Racton Rd. *SW6* —2C **62**
Radbourne Clo. *E5* —1F **27**
Radbourne Rd. *SW12* —5E **79**
Radcliffe Av. *NW10* —1C **32**
Radcliffe Ho. *SE16* —5C **54**
　(off Anchor St.)
Radcliffe Rd. *SE1* —4A **54**
Radcliffe Sq. *SW15* —4F **75**
Racdot Point. *SE23* —3F **97**
Radcot St. *SE11* —1C **66**
Raddington Rd. *W10* —4A **34**
Radford Ho. *N7* —2B **24**
Radford Rd. *SE13* —4E **85**
Radipole Rd. *SW6* —4B **62**
Radland Rd. *E16* —5B **44**
Radlet Av. *SE26* —2D **97**
Radlett Clo. *E7* —3B **30**
Radlett Pl. *NW8* —5A **22**
Radley Ct. *SE16* —3F **55**
Radley M. *W8* —4C **48**
Radley Sq. *E5* —4E **13**
Radley Ter. *E16* —4B **44**
　(off Hermit Rd.)
Radlix Rd. *E10* —3C **14**
Radnor M. *W2* —5F **35**
Radnor Pl. *W2* —5A **36**
Radnor Rd. *NW6* —5A **20**
Radnor Rd. *SE15* —3C **68**
Radnor St. *EC1* —2E **39**
Radnor Ter. *W14* —5B **48**
Radnor Wlk. *E14* —5C **56**
　(off Copeland Dri.)
Radnor Wlk. *SW3* —1A **64**
Radstock St. *SW11* —3A **64**
Raeburn Clo. *NW11* —1E **7**
Raeburn St. *SW2* —2A **80**

Raglan Ct. *SE12* —3C **86**
Raglan Rd. *E17* —1E **15**
Raglan St. *NW5* —3D **23**
Railey M. *NW5* —2C **23**
Railton Rd. *SE24* —2C **80**
Railway App. *N4* —1C **10**
Railway App. *SE1* —2F **53**
Railway Av. *SE16* —3E **55**
Railway Cotts. *SW19* —4D **91**
Railway Gro. *SE14* —3B **70**
Railway M. *E3* —2C **42**
　(off Wellington Way)
Railway M. *W10* —5A **34**
Railway Rise. *SE22* —2A **82**
Railway Side. *SW13* —1B **74**
Railway St. *N1* —1A **38**
Railway Ter. *SE13* —3D **85**
Rainbow Av. *E14* —1D **71**
Rainbow Quay. *SE16* —4A **56**
Rainbow St. *SE5* —3A **68**
Raine St. *E1* —2D **55**
Rainham Clo. *SW11* —4A **78**
Rainham Rd. *NW10* —2E **33**
Rainhill Way. *E3* —2C **42**
Rainsborough Av. *SE8* —5A **56**
Rainsford St. *W2* —5A **36**
Rainton Rd. *SE7* —1C **72**
Rainville Rd. *W6* —2E **61**
Raleana Rd. *E14* —2E **57**
Raleigh Gdns. *SW2* —4B **80**
Raleigh Ho. *E14* —3D **57**
　(off Admirals Way)
Raleigh M. *N1* —5D **25**
　(off Queen's Head St.)
Raleigh St. *N1* —5D **25**
Ralph Brook Ct. *N1* —2F **39**
　(off Haberdasher St.)
Ralph Ct. *W2* —5D **35**
　(off Queensway)
Ralston St. *SW3* —1B **64**
Ramac Way. *SE7* —1D **73**
Ramar Ho. *E1* —4C **40**
　(off Hanbury St.)
Rambler Clo. *SW16* —4E **93**
Rame Clo. *SW17* —5C **92**
Ramilles Clo. *SW2* —4A **80**
Ramillies Pl. *W1* —5E **37**
Ramillies Rd. *W4* —5A **46**
Ramillies St. *W1* —5E **37**
Rampart St. *E1* —5D **41**
Rampayne St. *SW1* —1F **65**
Ram Pl. *E9* —3E **27**
Ramsay Rd. *E7* —1A **30**
Ramsdale Rd. *SW17* —5C **92**
Ramsden Rd. *SW12* —4C **78**
Ramsey Clo. *NW9* —1B **4**
Ramsey St. *E2* —3C **40**
Ramsey Wlk. *N1* —3F **25**
Ramsgate Clo. *E16* —2D **59**
Ramsgate St. *E8* —3B **26**
Ram St. *SW18* —3D **77**
Rancliffe Gdns. *SE9* —2F **87**
Randall Av. *NW2* —4A **4**
Randall Clo. *SW11* —4A **64**
Randall Pl. *SE10* —3E **71**
Randall Rd. *SE11* —1B **66**
Randall Row. *SE11* —5B **52**
Randell's Rd. *N1* —5A **24**

Randisbourne Gdns. *SE6*
   —3D **99**
Randlesdown Rd. *SE6* —4C **98**
(in two parts)
Randolph App. *E16* —5E **45**
Randolph Av. *W9* —1D **35**
Randolph Cres. *W9* —3E **35**
Randolph Gdns. *NW6* —1D **35**
Randolph M. *W9* —3E **35**
Randolph Rd. *E17* —1D **15**
Randolph Rd. *W9* —3E **35**
Randolph St. *NW1* —4E **23**
Ranelagh Av. *SW6* —1B **76**
Ranelagh Av. *SW13* —5C **60**
Ranelagh Bri. *W2* —4E **35**
Ranelagh Gdns. *SW6* —1A **76**
Ranelagh Gdns. *W6* —4B **46**
Ranelagh Gdns. Mans. SW6
  (off Ranelagh Gdns.) —1A **76**
Ranelagh Gro. *SW1* —1C **64**
Ranelagh Rd. *E11* —1A **30**
Ranelagh Rd. *E15* —1A **44**
Ranelagh Rd. *NW10* —1B **32**
Ranelagh Rd. *SW1* —1E **65**
Rangbourne Ho. *N7* —2A **24**
Rangefield Rd. *Brom* —5A **100**
Rangemoor Rd. *N15* —1B **12**
Rangers Sq. *SE10* —4F **71**
Rangoon St. EC3 —5B **40**
  (off Crutched Friars)
Ranmere St. *SW12* —1D **93**
Rannoch Rd. *W6* —2E **61**
Rannock Av. *NW9* —2A **4**
Ransome's Dock Bus. Cen.
  SW11 —3A **64**
Ransom Rd. *SE7* —1E **73**
Ransom Wlk. *SE7* —5E **59**
Ranston St. *NW1* —4A **36**
Ranulf Rd. *NW2* —1B **20**
Ranwell Clo. *E3* —5B **28**
Rapesco Ho. SE14 —3A **70**
  (off Greenwood Rd.)
Raphael St. *SW7* —3B **50**
Rashleigh Ct. *SW8* —5D **65**
Rastell Av. *SW2* —2F **93**
Ratcliffe Clo. *SE12* —5C **86**
Ratcliffe Cross St. *E1* —5F **41**
Ratcliffe La. *E14* —5A **42**
Ratcliffe Orchard. *E1* —1F **55**
Ratcliff Rd. *E7* —2E **31**
Rathbone Pl. *W1* —4F **37**
Rathbone Point. *E5* —1C **26**
Rathbone St. *E16* —5B **44**
Rathbone St. *W1* —4E **37**
Rathcoole Gdns. *N8* —1B **10**
Rathfern Rd. *SE6* —1B **98**
Rathgar Rd. *SW9* —1D **81**
Rathlin Wlk. *N1* —3E **25**
Rathmell Dri. *SW4* —4F **79**
Rathmore Rd. *SE7* —1D **73**
Rattray Rd. *SW2* —2C **80**
Raul Rd. *SE15* —5C **68**
Raveley St. *NW5* —1E **23**
Ravenet St. *SW11* —4D **65**
Ravenfield Rd. *SW17* —3B **92**
Ravenhill Rd. *E13* —1E **45**
Ravenna Rd. *SW15* —3F **75**

Raven Row. *E1* —4D **41**
Ravensbourne Ct. *SE6* —5C **84**
Ravensbourne Ho. *Brom*
  —5F **99**
Ravensbourne Pk. *SE6* —5C **84**
Ravensbourne Pk. Cres. *SE6*
  —5B **84**
Ravensbourne Pl. *SE13*
  —5D **71**
Ravensbourne Rd. *SE6*
  —5B **84**
Ravensbury Rd. *SW18* —2D **91**
Ravensbury Ter. *SW18*
  —2D **91**
Ravenscar Rd. *Brom* —4A **100**
Ravenscourt Av. *W6* —5C **46**
Ravenscourt Gdns. *W6*
  —5C **46**
Ravenscourt Pk. Mans. W6
  —4D **47**
  (off Paddenswick Rd.)
Ravenscourt Pl. *W6* —5D **47**
Ravenscourt Rd. *W6* —5D **47**
Ravenscourt Sq. *W6* —4C **46**
Ravenscroft Av. *NW11* —2B **6**
Ravenscroft Clo. *E16* —4C **44**
Ravenscroft Rd. *E16* —4C **44**
Ravenscroft St. *E2* —1B **40**
Ravensdale Rd. *N16* —2B **12**
Ravensdon St. *SE11* —1C **66**
Ravenshaw St. *NW6* —2B **20**
Ravenslea Rd. *SW12* —5B **78**
Ravensleigh Gdns. *Brom*
  —5D **101**
Ravensmede Way. *W4* —5B **46**
Ravens M. *SE12* —3C **86**
Ravenstone. SE17 —1A **68**
  (off Bagshot St.)
Ravenstone Rd. *NW9* —1B **4**
Ravenstone St. *SW12* —1C **92**
Ravens Way. *SE12* —3C **86**
Ravenswood Rd. *SW12*
  —5D **79**
Ravensworth Rd. *NW10*
  —2D **33**
Ravent Rd. *SE11* —5B **52**
Ravey St. *EC2* —3A **40**
Rawalpindi Ho. *E16* —3B **44**
Rawchester Clo. *SW18* —1B **90**
Rawlings St. *SW3* —5B **50**
Rawlinson Ct. *NW2* —2E **5**
Rawlinson Ho. SE13 —2F **85**
  (off Mercator Rd.)
Rawlinson Point. *E16* —4B **44**
  (off Fox Rd.)
Rawreth Wlk. *N1* —5E **25**
  (off Basire St.)
Rawson St. *SW11* —4C **64**
(in two parts)
Rawstone Wlk. *E13* —1C **44**
Rawstorne Pl. *EC1* —2D **39**
Rawstorne St. *EC1* —2D **39**
Rayburne Ct. *W14* —4A **48**
Raydon St. *N19* —4D **9**
Rayford Av. *SE12* —5B **86**
Ray Ho. N1 —5A **26**
  (off Colville Est.)

Raymede Towers. *W10* —4F **33**
  (off Treverton St.)
Raymond Bldgs. *WC1* —4B **38**
Raymond Clo. *SE26* —5E **97**
Raymond Rd. *E13* —5E **31**
Raymond Rd. *SW19* —5A **90**
Raymouth Ho. SE16 —5E **55**
  (off Rotherhithe New Rd.)
Raymouth Rd. *SE16* —5D **55**
Raynald Ho. *SW16* —3A **94**
Rayners Rd. *SW15* —3A **76**
Rayner Towers. *E10* —2C **14**
Raynes Av. *E11* —2E **17**
Raynham Rd. *W6* —5D **47**
Raynor Pl. *N1* —5E **25**
Ray St. *EC1* —3C **38**
Ray St. Bri. EC1 —3C **38**
  (off Farringdon Rd.)
Ray Wlk. *N7* —4B **10**
Reachview Clo. *NW1* —4E **23**
Read Ct. *E17* —1C **14**
Reade Wlk. *NW10* —4A **18**
Read Ho. SE11 —2C **66**
  (off Clayton St.)
Reading La. *E8* —3D **27**
Reapers Clo. *NW1* —5F **23**
Reardon Path. *E1* —2D **55**
Reardon St. *E1* —2D **55**
Reaston St. *SE14* —3F **69**
Rebecca Ter. *SE16* —4E **55**
Reckitt Rd. *W4* —1A **60**
Record St. *SE15* —2E **69**
Recovery St. *SW17* —5A **92**
Recreation Rd. *SE26* —4F **97**
Rector St. *N1* —5E **25**
Rectory Cres. *E11* —1E **17**
Rectory Field Cres. *SE7*
  —3E **73**
Rectory Gdns. *SW4* —1E **79**
Rectory Gro. *SW4* —1E **79**
Rectory La. *SW17* —5C **92**
Rectory Orchard. *SW19*
  —4A **90**
Rectory Rd. *N16* —4B **12**
Rectory Rd. *SW13* —5C **60**
Rectory Sq. *E1* —4F **41**
Reculver Ho. SE15 —2C **69**
  (off Lovelinch Clo.)
Reculver Rd. *SE16* —1F **69**
Red Anchor Clo. *SW3* —2F **63**
Redan Pl. *W2* —5D **35**
Redan St. *W14* —4F **47**
Redan Ter. *SE5* —5D **67**
Redberry Gro. *SE26* —3E **97**
Redbridge Gdns. *SE5* —3A **68**
Redbridge La. E. *Ilf* —1F **17**
Redbridge La. W. *E11* —1D **17**
Redbridge Roundabout.
  (Junct.) —1F **17**
Redburn St. *SW3* —2B **64**
Redcar St. *SE5* —3E **67**
Redcastle Clo. *E1* —1E **55**
Redchurch St. *E2* —3B **40**
Redcliffe Clo. *SW5* —1D **63**
Redcliffe Gdns. *SW5 & SW10*
  —1D **63**
Redcliffe M. *SW10* —1D **63**
Redcliffe Pl. *SW10* —2E **63**

Redcliffe Rd. *SW10* —1E **63**
Redcliffe Sq. *SW10* —1D **63**
Redcliffe St. *SW10* —2D **63**
Redclyffe Rd. *E6* —5E **31**
Redcross Way. *SE1* —3E **53**
Reddins Rd. *SE15* —3C **68**
Redenham Ho. *SW15* —5C **74**
(off Tangley Gro.)
Rede Pl. *W2* —5C **34**
Redesdale St. *SW3* —2A **64**
Redfern Ho. *E13* —5B **30**
(off Redriffe Rd.)
Redfern Rd. *NW10* —4A **18**
Redfern Rd. *SE6* —5E **85**
Redfield La. *SW5* —5C **48**
Redfield M. *SW5* —5D **49**
Redford Wlk. *N1* —5E **25**
(off Popham St.)
Redgate Ter. *SW15* —4F **75**
Redgrave Rd. *SW15* —1F **75**
Redhill Ct. *SW2* —2C **94**
Redhill St. *NW1* —1D **37**
Red Ho. Sq. *N1* —4E **25**
(off Ashby Gro.)
Redington Gdns. *NW3* —1D **21**
Redington Rd. *NW3* —5D **7**
Redlands Way. *SW2* —5B **80**
Red Lion Clo. *SE17* —2F **67**
(off Red Lion Row)
Red Lion Ct. *EC4* —5C **38**
Red Lion Ct. *SE1* —2E **53**
Red Lion Row. *SE17* —2E **67**
Red Lion Sq. *SW18* —3C **76**
Red Lion Sq. *WC1* —4B **38**
Red Lion St. *WC1* —4B **38**
Red Lion Yd. *W1* —2D **51**
(off Waverton St.)
Redman's Rd. *E1* —4E **41**
Redmead La. *E1* —2C **54**
Redmond Ho. *N1* —5B **24**
(off Barnsbury Est.)
Redmore Rd. *W6* —5D **47**
Red Path. *E9* —3A **28**
Red Pl. *W1* —1C **50**
Red Post Hill. *SE24 & SE21*
—2F **81**
Red Post Ho. *E6* —4F **31**
Redriffe Rd. *E13* —5B **30**
Redriff Est. *SE16* —4B **56**
Redriff Rd. *SE16* —5F **55**
Red Rover. (Junct.) —2C **74**
Redruth Rd. *E9* —5E **27**
Redstart Clo. *E6* —4F **45**
Redstart Clo. *SE14* —3A **70**
Redvers St. *N1* —2A **40**
Redwald Rd. *E5* —1F **27**
Redwood Clo. *SE16* —2A **56**
Redwood Ct. *N19* —2F **9**
Redwood Ct. *NW6* —4A **20**
Redwood Mans. *W8* —4D **49**
(off Chantry Sq.)
Redwoods. *SW15* —1C **88**

Reece M. *SW7* —5F **49**
Reed Clo. *E16* —4C **44**
Reed Clo. *SE12* —3C **86**
Reedham St. *SE15* —5C **68**
Reedholm Vs. *N16* —1F **25**
Reed's Pl. *NW1* —4E **23**
Reedworth St. *SE11* —5C **52**
Rees St. *N1* —5E **25**
Reets Farm Clo. *NW9* —1A **4**
Reeves Av. *NW9* —2A **4**
Reeves Ho. *SE1* —3C **52**
(off Baylis Rd.)
Reeves M. *W1* —1C **50**
Reeves Rd. *E3* —3D **43**
Reform St. *SW11* —5B **64**
Regal Clo. *E1* —4C **40**
Regal La. *NW1* —5C **22**
Regal Pl. *E3* —2B **42**
Regal Pl. *SW6* —3D **63**
(off Maxwell Rd.)
Regal Row. *SE15* —4E **69**
Regan Way. *N1* —1A **40**
Regency Lodge. *NW3* —4F **21**
(off Adelaide Rd.)
Regency M. *NW10* —3C **18**
Regency Pl. *SW1* —5F **51**
Regency Ter. *SW7* —1F **63**
(off Fulham Rd.)
Regent Pl. *SW19* —5E **91**
Regent Pl. *W1* —5A **38**
Regent Rd. *SE24* —4D **81**
Regent's Bri. Gdns. *SW8*
—3A **66**
Regents M. *NW8* —1E **35**
Regents Pk. Est. *NW1* —2E **37**
(off Robert St.)
Regent's Pk. Gdns. M. *NW1*
—5B **22**
Regent's Pk. Rd. *NW1* —5B **22**
(in two parts)
Regent's Pk. Ter. *NW1* —5D **23**
Regent's Pl. *SE3* —5C **72**
Regents Plaza. *NW6* —1C **35**
(off Kilburn High Rd.)
Regent Sq. *E3* —2D **43**
Regent Sq. *WC1* —2A **38**
Regent's Row. *E8* —5C **26**
Regent St. *NW10* —2F **33**
Regent St. *SW1* —1F **51**
Regent St. *W1* —5D **37**
Regents Wharf. *E2* —5C **26**
(off Wharf Pl.)
Regents Wharf. *N1* —1B **38**
Reginald Pl. *E7* —3C **30**
Reginald Rd. *SE8* —3C **70**
Reginald Sq. *SE8* —3C **70**
Regina Rd. *N4* —3B **10**
Regis Rd. *NW5* —2D **23**
Regnart Bldgs. *NW1* —3E **37**
(off Euston St.)
Reigate Rd. *Brom* —3B **100**
Reighton Rd. *E5* —5C **12**
Relay Rd. *W12* —2E **47**
Relf Rd. *SE15* —1C **82**
Reliance Arc. *SW9* —2C **80**
Reliance Sq. *EC2* —3A **40**
(off Anning St.)
Relton M. *SW7* —4A **50**
Rembrandt Clo. *E14* —4F **57**
Rembrandt Rd. *SE1* —1C **64**
(off Graham Ter.)
Rembrandt Rd. *SE13* —2A **86**
Rememberance Rd. *E7* —1F **31**

Remington Rd. *E6* —5F **45**
Remington Rd. *N15* —1F **11**
Remington St. *N1* —1D **39**
Remnant St. *WC2* —5B **38**
Rempstone M. *N1* —1F **39**
Remus Rd. *E3* —4C **28**
Rendlesham Rd. *E5* —1C **26**
Renforth St. *SE16* —3E **55**
Renfrew Rd. *SE11* —5D **53**
Renmuir St. *SW17* —5B **92**
Rennell St. *SE13* —1E **85**
Rennie Ct. *SE1* —2A **54**
(off Stamford St.)
Rennie Est. *SE16* —5D **55**
Rennie St. *SE1* —2D **53**
Rensburg Rd. *E17* —1F **13**
Renters Av. *NW4* —1E **5**
Renton Clo. *SW2* —4B **80**
Rephidim St. *SE1* —4A **54**
Replingham Rd. *SW18*
—1B **90**
Reporton Rd. *SW6* —3A **62**
Repton Ct. *E5* —5A **14**
Repton St. *E14* —5A **42**
Reservoir Rd. *SE4* —5A **70**
Restell Clo. *SE3* —2A **72**
Reston Pl. *SW7* —3E **49**
Restormel Ho. *SE11* —5C **52**
(off Chester Way)
Retcar Clo. *NW5* —4D **9**
Retcar Pl. *N19* —4D **9**
(off Retcar Clo.)
Retford St. *N1* —1A **40**
Retreat Ho. *E9* —3E **27**
Retreat Pl. *E9* —3E **27**
Retreat, The. *SW14* —1A **74**
Reunion Row. *E1* —1D **55**
Reveley Sq. *SE16* —3A **56**
Revelon Rd. *SE4* —2A **84**
Revelstoke Rd. *SW18* —2B **90**
Reverdy Rd. *SE1* —5C **54**
Review Rd. *NW2* —4B **4**
Rewell St. *SW6* —3E **63**
Rex Pl. *W1* —1C **50**
Reydon Av. *E11* —1E **17**
Reynard Clo. *SE4* —1A **84**
Reynolds Clo. *NW11* —2D **7**
Reynolds Pl. *SE3* —3D **73**
Reynolds Rd. *SE15* —2E **83**
Rheidol M. *N1* —1E **39**
Rheidol Ter. *N1* —1E **39**
Rhoda St. *E2* —3B **40**
Rhodes Ho. *N1* —2F **39**
(off Provost Est.)
Rhodes Ho. *W12* —2D **47**
(off White City Est.)
Rhodesia Rd. *E11* —4F **15**
Rhodesia Rd. *SW9* —5A **66**
Rhodes St. *N7* —2B **24**
Rhodeswell Rd. *E14* —4A **42**
Rhondda Gro. *E3* —2A **42**
Rhyl St. *NW5* —3C **22**
Ribblesdale Rd. *SW16* —5D **93**
Ribbon Dance M. *SE5* —4F **67**
Ricardo St. *E14* —5D **43**
Ricards Rd. *SW19* —5B **90**
Richard Foster Clo. *E17*
—2B **14**

Richard Ho. Dri. E16 —1F 59
Richardson Clo. E8 —5B 26
Richardson Ct. SW4 —5A 46
(off Studley Rd.)
Richardson Rd. E15 —1A 44
Richardson's M. W1 —3E 37
(off Warren St.)
Richard's Pl. SW3 —5A 50
Richard St. E1 —5D 41
Richbell Pl. WC1 —4B 38
Richborne Ter. SW8 —3B 66
Richborough Ho. SE15 —2E 69
(off Sharratt St.)
Richborough Rd. NW2 —1A 20
Richford Ga. W6 —4E 47
Richford Rd. E15 —5B 30
Richford St. W6 —3E 47
Rich La. SW5 —1D 63
Richmond Av. N1 —5B 24
Richmond Av. NW10 —3E 19
Richmond Bldgs. W1 —5F 37
Richmond Clo. E17 —1B 14
Richmond Cotts. W14 —5A 48
(off Hammersmith Rd.)
Richmond Ct. SW1 —3B 50
(off Sloane St.)
Richmond Cres. N1 —5B 24
Richmond Gro. N1 —4D 25
Richmond M. W1 —5F 37
Richmond Rd. E7 —2D 31
Richmond Rd. E8 —4B 26
Richmond Rd. E11 —4F 15
Richmond Rd. N15 —1A 12
Richmond St. E13 —1C 44
Richmond Ter. SW1 —3A 52
Richmond Ter. M. SW1
—3A 52
Richmond Way. E11 —4C 16
Richmond Way. W12 & W14
—3F 47
Richmount Gdns. SE3 —1C 86
Rich St. E14 —1B 56
Rickard Clo. SW2 —1C 94
Rickett St. SW6 —2C 62
Rickman St. E1 —3E 41
Rick Roberts Way. E15
—1E 43
Rickthorne Rd. N19 —4A 18
Rickyard Path. SE9 —2F 87
Riddons Rd. SE12 —3E 101
Ridgdale St. E3 —1D 43
Ridgebrook Rd. SE3 —1F 87
Ridge Ct. SE22 —5C 82
Ridge Hill. NW11 —3A 6
Ridge Rd. N8 —1B 10
Ridge Rd. NW2 —5B 6
Ridge Way. SE19 —5A 96
Ridgeway Dri. Brom —4D 101
Ridgeway Gdns. N6 —2F 9
Ridgeways Pl. EC2 —2A 40
Ridgeway, The. NW11 —3B 6
Ridgewell Clo. N1 —5E 25
Ridgewell Clo. SE26 —4B 98
Ridgmount Gdns. WC1 —4F 37
Ridgmount Pl. WC1 —4F 37
Ridgmount Rd. SW18 —3D 77
Ridgmount St. WC1 —4F 37
Ridgway Pl. SW19 —5A 90

Ridgway Rd. SW9 —1D 81
Ridgwell Rd. E16 —4D 45
Riding Ho. St. W1 —4D 37
Ridings Clo. N6 —2E 9
Riding, The. NW11 —2B 6
Ridley Ct. SW16 —5A 94
Ridley Rd. E7 —1E 31
Ridley Rd. E8 —2B 26
Ridley Rd. NW10 —1C 32
Ridley Several. SE3 —5C 72
Riffel Rd. NW2 —2E 19
Rifle Ct. SE11 —2C 66
Rifle Pl. W11 —2F 47
Rifle St. E14 —4D 43
Rigault Rd. SW6 —5A 62
Rigden St. E14 —5D 43
Rigeley Rd. NW10 —2C 32
Rigg App. E10 —3F 13
Rigge Pl. SW4 —2F 79
Riggindale Rd. SW16 —5F 93
Riley Rd. SE1 —4B 54
Riley St. SW10 —3F 63
Rinaldo Rd. SW12 —5D 79
Ringcroft St. N7 —2C 24
Ringford Rd. SW18 —3B 76
Ringlet Clo. E16 —4D 45
Ringmer Av. SW6 —4A 62
Ringmer Gdns. N19 —4A 18
Ringmore Rise. SE23 —5D 83
Ring Rd. W12 —2E 47
Ringstead Rd. SE6 —5D 85
Ring, The. W2 —2A 50
Ringwood Gdns. E14 —5C 56
Ringwood Gdns. SW15
—1C 88
Ripley Gdns. SW14 —1A 74
Ripley M. E11 —1A 16
Ripley Rd. E16 —5E 45
Ripon Gdns. Ilf —2F 17
Ripplevale Gro. N1 —4B 24
Risborough St. SE1 —2D 53
Risdon St. SE16 —3E 55
Riseholme Ct. E9 —3B 28
Riseldine Rd. SE23 —4A 84
Rise, The. E11 —1C 16
Rise, The. NW10 —1A 18
Risinghill St. N1 —1B 38
Rising Sun Ct. EC1 —4D 39
(off Cloth Fair)
Rita Rd. SW8 —2A 66
Ritches Rd. N15 —1E 11
Ritchie Ho. N19 —3F 9
Ritchie St. N1 —1C 38
Ritherdon Rd. SW17 —2C 92
Ritson Ho. N1 —5B 24
(off Barnsbury Est.)
Ritson Rd. E8 —3C 26
Rivaz Pl. E9 —3E 27
River Barge Clo. E14 —3E 57
River Clo. E11 —1E 17
River Ct. SE1 —2D 53
Rivercourt Rd. W6 —5D 47
Riverdale. SE13 —1E 85
Riverdale Dri. SW18 —1D 91
River Ho. SE26 —3D 97
Rivermead Ct. SW6 —1B 76
Rivermead Ho. E9 —2A 28

River Pk. Trad. Est. E14
—4C 56
River Pl. N1 —4E 25
Riversdale Rd. N5 —5D 11
Riverside. NW4 —2D 5
Riverside. SE7 —4D 59
Riverside Bus. Cen. SW18
—1D 91
Riverside Clo. E5 —4E 13
Riverside Ct. SE3 —2B 86
Riverside Ct. SE16 —2F 55
Riverside Ct. SW8 —2F 65
(off Nine Elms La.)
Riverside Dri. NW11 —1A 6
Riverside Dri. W4 —3A 60
Riverside Gdns. W6 —1D 61
Riverside Ind. Est. SE10
—4B 58
Riverside Rd. E15 —1E 43
Riverside Rd. N15 —1C 12
Riverside Rd. SW17 —4D 91
Riverside Wlk. SE10 —4A 58
Riverside Wlk. SW6 —1A 76
Riverside Wlk. W4 —2B 60
River St. EC1 —2C 38
River Ter. W6 —1E 61
Riverton Clo. W9 —2B 34
Riverview Gdns. SW13
—2D 61
Riverview Pk. SE6 —2C 98
River Wlk. W6 —3E 61
River Way. SE10 —4B 58
Rivington Bldgs. EC2 —2A 40
Rivington Ct. NW10 —5C 18
Rivington Pl. EC2 —2A 40
Rivington St. EC2 —2A 40
Rivington Wlk. E8 —5C 26
Rixon St. N7 —5C 10
Roach Rd. E3 —4C 28
Roads Pl. N19 —4A 10
Roan St. SE10 —2E 71
Robert Adam St. W1 —5C 36
Roberta St. E2 —2C 40
Robert Clo. W9 —3E 35
Robert Dashwood Way. SE17
—5E 53
Robert Keen Clo. SE15
—4C 68
Robert Lowe Clo. SE14
—3F 69
Robert Owen Ho. SW6 —4F 61
Robert Runcie Ct. SW9
—2B 82
Roberts M. SW1 —4C 50
Robertson Rd. E15 —5E 29
Robertson St. SW8 —1D 79
Roberts Pl. EC1 —3C 38
Robert St. NW1 —2D 37
Robert St. WC2 —1A 52
Robeson St. E3 —3B 42
Robin Ct. E14 —4E 57
Robin Ct. SE16 —5B 54
Robin Cres. E6 —4F 45
Robin Gro. N6 —4C 8
Robin Hood Gdns. E14 —1E 57
(off Robin Hood La.)
Robin Hood. (Junct.) —3A 88
Robin Hood La. E14 —1E 57

Robin Hood La. *SW15*
—4A **88**
Robin Hood Rd. *SW19 & SW15*
—5C **88**
Robin Hood Way. *SW15 & SW20* —3A **88**
Robinia Cres. *E10* —4C **14**
Robins Ct. *SE12* —3E **101**
Robinscroft M. *SE10* —4D **71**
Robinson Rd. *E2* —1E **41**
Robinson Rd. *SW17 & SW19*
—5A **92**
Robinson St. *SW3* —2B **64**
Robinwood Pl. *SW15* —4A **88**
Robsart St. *SW9* —5B **66**
Robson Av. *NW10* —5C **18**
Robson Clo. *E6* —5F **45**
Robson Rd. *SE27* —3D **95**
Rochdale Rd. *E17* —2C **14**
Rochdale Way. *SE8* —3C **70**
Rochelle Clo. *SW11* —2F **77**
Rochelle St. *E2* —2B **40**
Rochester Av. *E13* —5E **31**
Rochester Clo. *SE1* —1E **87**
Rochester Ho. SE15 —2E **69**
(off Sharratt St.)
Rochester M. *NW1* —4E **23**
Rochester Pl. *NW1* —3E **23**
(in two parts)
Rochester Rd. *NW1* —3E **23**
Rochester Row. *SW1* —5E **51**
Rochester Sq. *NW1* —4E **23**
Rochester St. *SW1* —4F **51**
Rochester Ter. *NW1* —3E **23**
Rochester Wlk. SE1 —2F **53**
(off Stoney St.)
Rochester Way. *SE3 & SE9*
—4D **73**
Rochester Way Relief Rd. *SE3 & SE9* —4D **73**
Rochford Clo. *E6* —1F **45**
Rochford Wlk. *E8* —4C **26**
Rochfort Ho. *SE8* —1B **70**
Rock Av. *SW14* —1A **74**
Rockbourne M. *SE23* —1F **97**
Rockbourne Rd. *SE23* —1F **97**
Rockell's Pl. *SE22* —4D **83**
Rockett Clo. *SE8* —5A **56**
Rock Gro. Way. *SE16* —5D **79**
Rockhall Rd. *NW2* —1F **19**
Rockhampton Clo. *SE27*
—4C **94**
Rockhampton Rd. *SE27*
—4C **94**
Rock Hill. *SE26* —4B **96**
Rockingham Clo. *SW15*
—2B **74**
Rockingham St. *SE1* —4E **53**
Rockland Rd. *SW15* —2A **76**
Rockley Ct. W14 —3F **47**
(off Rockley Rd.)
Rockley Rd. *W14* —3F **47**
Rockmount Rd. *SE19* —5A **96**
Rocks La. *SW13* —4C **60**
Rock St. *N4* —4C **10**
Rockwell Gdns. *SE19* —5A **96**
Rockwood Pl. *W12* —3E **47**
Rocliffe St. *N1* —1D **39**

Rocombe Cres. *SE23* —5E **83**
Rocque Ho. SW6 —3B **62**
(off Estcourt Rd.)
Rocque La. *SE3* —1B **86**
Rodborough Rd. *NW11* —3C **6**
Rodenhurst Rd. *SW4* —4E **79**
Roden St. *N7* —5B **10**
Roderick Rd. *NW3* —1B **22**
Rodgers Ho. SW4 —5F **79**
(off Clapham Pk. Est.)
Roding Ho. N1 —5C **24**
(off Barnsbury Est.)
Roding La. S. *Ilf* —1F **17**
Roding M. *E1* —2C **54**
Roding Rd. *E5* —1F **27**
Rodmarton St. *W1* —4B **36**
Rodmere St. *SE10* —1A **72**
Rodmill La. *SW2* —5A **80**
Rodney Ct. W9 —3E **35**
(off Maida Vale)
Rodney Pl. *SE17* —5E **53**
Rodney Rd. *SE17* —5E **53**
Rodney St. *N1* —1B **38**
Rodsley St. *SE1* —2C **68**
Rodway Rd. *SW15* —5C **74**
Rodwell Rd. *SE22* —4B **82**
Roedean Cres. *SW15* —4A **74**
Roehampton Clo. *SW15*
—2C **74**
Roehampton Ga. *SW15*
—4A **74**
Roehampton High St. *SW15*
—5C **74**
Roehampton La. *SW15*
—2C **74**
Roehampton Lane. (Junct.)
—1D **89**
Roehampton Vale. *SW15*
—3B **88**
Roffey St. *E14* —3E **57**
Rogate Ho. *E5* —5C **12**
Roger Dowley Ct. *E2* —1E **41**
Roger Harriss Almshouses. E15
(off Gift La.) —5B **30**
Rogers Est. *E2* —2E **41**
Rogers Rd. *E16* —5B **44**
Rogers Rd. *SW17* —4F **91**
Roger St. *WC1* —3B **38**
Rohere Ho. EC1 —2E **39**
(off Central St.)
Rojack Rd. *SE23* —1F **97**
Rokeby Rd. *SE4* —5B **70**
Rokeby St. *E15* —5A **30**
Rokell Ho. Beck —5D **99**
(off Beckenham Hill Rd.)
Roland Gdns. *SW7* —1E **63**
Roland M. *E1* —4F **41**
Roland St. *SE17* —1F **67**
Roland Way. *SW7* —1E **63**
Rollins St. *SE15* —2E **69**
Rollit St. *N7* —2C **24**
Rolls Bldgs. *EC4* —5C **38**
Rollscourt Av. *SE24* —3E **81**
Rolls Pas. EC4 —5C **38**
(off Chancery La.)
Rolls Rd. *SE1* —1B **68**
Rolt St. *SE8* —2A **70**
Romanfield Rd. *SW2* —5B **80**

Roman Ho. EC2 —4E **39**
(off Wind St.)
Roman Rise. *SE19* —5F **95**
Roman Rd. *E2 & E3* —2E **41**
Roman Rd. *E6* —3F **45**
Roman Rd. *NW2* —5E **5**
Roman Rd. *W4* —5B **46**
Roman Way. *N7* —3B **24**
Roman Way. *SE15* —3E **69**
Roma Read Clo. *SW15* —5D **75**
Romayne Ho. *SW4* —1F **79**
Romberg Rd. *SW17* —3C **92**
Romborough Gdns. SE13
—3E **85**
Romborough Way. SE13
—3E **85**
Romero Clo. *SW9* —1B **80**
Romero Sq. *SE3* —2E **87**
Romeyn Rd. *SW16* —3B **94**
Romford Rd. *E15, E7 & E12*
—4A **30**
Romford St. *E1* —4D **41**
Romilly Rd. *N4* —4D **11**
Romilly St. *W1* —1F **51**
Romily Ct. *SW6* —5A **62**
Rommany Rd. *SE27* —4F **95**
(in two parts)
Romney Clo. *NW11* —3E **7**
Romney Clo. *SE14* —3E **69**
Romney Ct. W12 —3E **47**
(off Shepherd's Bush Grn.)
Romney M. *W1* —4C **36**
Romney Rd. *SE10* —2F **71**
Romney St. *SW1* —4A **52**
Romola Rd. *SE24* —1D **95**
Ronald Av. *E15* —2A **44**
Ronaldshay. *N4* —3C **10**
Ronalds Rd. *N5* —2C **24**
Ronald St. *E1* —5E **41**
Rona Rd. *NW3* —1C **22**
Rona Wlk. N1 —3F **25**
(off Ramsey Wlk.)
Rondu Rd. *NW2* —2A **20**
Ronver Rd. *SE12* —1B **100**
Rood La. *EC3* —1A **54**
Rookery Rd. *SW4* —2E **79**
Rookery Way. *NW9* —1B **4**
Rooke Way. *SE10* —1B **72**
Rookstone Rd. *SW17* —5B **92**
Rook Wlk. *E6* —5F **45**
Rookwood Rd. *N16* —2B **12**
Rootes Dri. *W10* —4F **33**
Ropemaker Rd. *SE16* —3A **56**
Ropemaker's Field. E14
—1B **56**
Ropemaker St. *EC2* —4F **39**
Roper La. *SE1* —3A **54**
Ropers Orchard SW3 —2A **64**
(off Danvers St.)
Ropers Wlk. *SW2* —5C **80**
Ropery Bus. Pk. *SE7* —5E **59**
Ropery St. *E3* —3B **42**
Rope St. *SE16* —5A **56**
Rope Wlk. Gdns. E1 —5C **40**
Ropley St. *E2* —1C **40**
Rosa Alba M. *N5* —1E **25**
Rosalind Ho. N1 —1A **40**
(off Arden Ho.)

Rosaline Rd. *SW6* —3A **62**
Rosamond St. *SE26* —3D **97**
Rosary Gdns. *SW7* —5E **49**
Rosaville Rd. *SW6* —3B **62**
Roscoe St. *EC1* —3E **39**
Roscoe St. EC1 —3E 39
(off Roscoe St.)
Rose All. EC2 —2A 40
(off Bishopsgate)
Rose All. *SE1* —2E **53**
Rosebank Gdns. *E3* —1B **42**
Rosebank Rd. *E17* —1D **15**
Rosebank Wlk. *NW1* —4F **23**
Roseberry Gdns. *N4* —1D **11**
Roseberry Pl. *E8* —3B **26**
Roseberry St. *SE16* —5D **55**
Rosebery Av. *E12* —3F **31**
Rosebery Av. *EC1* —3C **38**
Rosebery Ct. EC1 —3C 38
(off Rosebery Av.)
Rosebery Gdns. *N8* —1A **10**
Rosebery Rd. *SW2* —4A **80**
Rosebery Sq. EC1 —3C 38
(off Rosebery Av.)
Rosebury Rd. *SW6* —5D **63**
Rose Bush Ct. *NW3* —2B **22**
Rose Ct. E1 —4B 40
(off Wentworth St.)
Rosecroft Av. *NW3* —5C **6**
Rosecroft Gdns. *NW2* —5C **4**
Rose & Crown Ct. EC2 —5E 39
(off Foster La.)
Rose & Crown Yd. *SW1*
—2E **51**
Rosedale Ct. *N5* —1D **25**
Rosedale Ho. *N16* —3F **11**
Rosedale Rd. *E7* —2E **31**
Rosedale Ter. W6 —4D 47
(off Dalling Rd.)
Rosedene. *NW6* —5F **19**
Rosedene Av. *SW16* —3B **94**
Rosedene Ter. *E10* —4D **15**
Rosedew Rd. *W6* —2F **61**
Rosefield Gdns. *E14* —1C **56**
Roseford Ct. W12 —3F 47
(off Shepherd's Bush Grn.)
Rosehart M. *W11* —5C **34**
Rosehill Rd. *SW18* —4E **77**
Roseleigh Av. *N5* —1D **25**
Rosemary Dri. *E14* —5F **43**
Rosemary Dri. *Ilf* —1F **17**
Rosemary Ho. N1 —5F 25
(off Colville Est.)
Rosemary Rd. *SW17* —3E **91**
Rosemary St. *N1* —5F **25**
Rosemead. *NW9* —2B **4**
Rosemont Rd. *NW3* —3E **21**
Rosemoor St. *SW3* —5B **50**
Rosemount Point. *SE23*
—3F **97**
Rosenau Cres. *SW11* —4B **64**
Rosenau Rd. *SW11* —4A **64**
Rosendale Rd. *SE21* —3F **95**
Rosendale Rd. *SE24 & SE21*
—5E **81**
Roseneath Rd. *SW11* —4C **78**
Rosenthal Rd. *SE6* —4D **85**
Rosenthorpe Rd. *SE15* —3F **83**

Roserton St. *E14* —3E **57**
Rose St. *WC2* —1A **52**
Rosethorn Clo. *SW12* —5F **79**
Rosetta Clo. *SW8* —3A **66**
Roseveare Rd. *SE12* —4E **101**
Rose Way. *SE12* —3C **86**
Roseway. *SE21* —4F **81**
Rosewood Ct. *E8* —4B **26**
Rosewood Ct. *E11* —1F **29**
Rosewood Gdns. *SE13* —5E **71**
Rosewood Ho. SW8 —2B 66
(off Vauxhall Gro.)
Rosewood Sq. *W12* —5C **32**
Rosher Clo. *E15* —4F **29**
Roshni Ho. *SW17* —5A **92**
Rosina St. *E9* —3F **27**
Roskell Rd. *SW15* —1F **75**
Roslin Way. *Brom* —5C **100**
Rosmead Rd. *W11* —1A **48**
Rosoman Pl. *EC1* —3C **38**
Rosoman St. *EC1* —2C **38**
Rossdale Rd. *SW15* —2E **75**
Rosse M. *SE3* —4D **73**
Rossendale St. *E5* —4D **13**
Rossendale Way. *NW1* —4E **23**
Rossetti Rd. *SE16* —1D **69**
Rossington St. *E5* —4C **12**
Rossiter Rd. *SW12* —1D **93**
Rosslyn Av. *SW13* —1A **74**
Rosslyn Hill. *NW3* —1F **21**
Rosslyn M. *NW3* —1F **21**
Rosslyn Pk. M. *NW3* —2F **21**
Rossmore Ct. *NW1* —3B **36**
Rossmore Rd. *NW1* —3A **36**
Ross Way. *SE9* —1F **87**
Rostella Rd. *SW17* —4F **91**
Rostrevor Av. *N15* —1B **12**
Rostrevor M. *SW6* —4B **62**
Rostrevor Rd. *SW6* —4B **62**
Rostrevor Rd. *SW19* —5C **90**
Rotary St. *SE1* —4D **53**
Rothbury Rd. *E9* —4B **28**
Rotherfield St. *N1* —4E **25**
Rotherham Wlk. SE1 —2D 53
(off Nicholson St.)
Rotherhithe New Rd. *SE16*
—1C **68**
Rotherhithe Old Rd. *SE16*
—5F **55**
Rotherhithe St. *SE16* —3E **55**
Rother Ho. *SE15* —2D **83**
Rotherwick Rd. *NW11* —2C **6**
Rotherwood Rd. *SW15* —1F **75**
Rothery St. N1 —5D 25
(off St Marys Path)
Rothesay Ct. *SE11* —2C **66**
(off Harleyford St.)
Rothesay Ct. *SE12* —3D **101**
Rothsay Rd. *E7* —4E **31**
Rothsay St. *SE1* —4A **54**
Rothsay Wlk. E14 —5C 56
(off Charnwood Gdns.)
Rothschild St. *SE27* —4D **95**
Roth Wlk. *N7* —4B **10**
Rothwell St. *NW1* —5B **22**
Rotten Row. *NW3* —3E **7**
Rotten Row. *SW7 & SW1*
—3F **49**

Rotterdam Dri. *E14* —4E **57**
Rouel Rd. *SE16* —4C **54**
(in two parts)
Roundacre. *SW19* —2F **89**
Roundel Clo. *SE4* —2B **84**
Roundhay Clo. *SE23* —2F **97**
Round Hill. *SE26* —3E **97**
Roundhouse, The. NW1
(off Chalk Farm Rd.) —4C **22**
Roundtable Rd. *Brom* —3B **100**
Roundwood Rd. *NW10*
—3B **18**
Rounton Rd. *E3* —3C **42**
Roupel Ho. SW15 —3C 68
(off Sumner Est.)
Roupell Rd. *SW2* —1B **94**
Roupell St. *SE1* —2C **52**
Rousden St. *NW1* —4E **23**
Rouse Gdns. *SE21* —4A **96**
Routemaster Clo. E13 —2D 45
Routh Rd. *SW18* —5A **78**
Rover Ho. N1 —5A 26
(off Whitmore Est.)
Rowallan Rd. *SW6* —3A **62**
Rowan Ct. *E8* —3B **26**
Rowan Ct. E13 —1D 45
(off High St. Plaistow,)
Rowan Ct. SE15 —3B 68
(off Garnies Clo.)
Rowan Ct. *SW11* —4B **78**
Rowan Rd. *W6* —5F **47**
Rowan Ter. W6 —5F 47
(off Rowan Rd.)
Rowan Wlk. *N2* —1E **7**
Rowan Wlk. *N19* —4E **9**
Rowan Wlk. *W10* —3A **34**
Rowberry Clo. *SW6* —3E **61**
Rowcross Pl. SE1 —1B 68
(off Rowcross St.)
Rowcross St. *SE1* —1B **68**
Rowditch La. *SW11* —5C **64**
Rowdon Av. *NW10* —4D **19**
Rowe La. *E9* —2E **27**
Rowena Cres. *SW11* —5A **64**
Rowfant Rd. *SW17* —1C **92**
Rowhill Rd. *E5* —1D **27**
Rowington Clo. *W2* —4D **35**
Rowland Ct. *E16* —3B **44**
Rowland Gro. *SE26* —3D **97**
Rowland Hill Ho. *SE1* —3D **53**
Rowland Hill St. *NW3* —2A **22**
Rowlands Clo. *N6* —1C **8**
Rowley Gdns. *N4* —2E **11**
Rowley Rd. *N15* —1E **11**
Rowley Way. *NW8* —5D **21**
Rowntree Clifford Clo. *E13*
—3D **45**
Rowntree Clo. *NW6* —3C **20**
Rowse Clo. *E15* —5E **29**
Rowstock Gdns. *N7* —2F **23**
Roxburgh Rd. *SE27* —5D **95**
Roxby Pl. *SW6* —2C **62**
Roxley Rd. *SE13* —4D **85**
Roxwell Rd. *W12* —3C **46**
Roxwell Trad. Pk. *E10* —2A **14**
Royal Albert Way. *E16* —1F **59**
Royal Arc. *W1* —1E **51**
(off Old Bond St.)

Royal Av. *SW3* —1B **64**
Royal Cir. *SE27* —3C **94**
Royal Clo. *N16* —3A **12**
Royal College St. *NW1* —4E **33**
Royal Ct. *EC3* —5F **39**
(off Finch La.)
Royal Ct. *SE16* —4B **56**
Royal Cres. *W11* —2F **47**
Royal Cres. M. *W11* —2F **47**
Royal Exchange Av. *EC3*
(off Finch La.) —5F **39**
Royal Exchange Bldgs. *EC3*
—5F **39**
(off Threadneedle St.)
Royal Hill. *SE10* —3E **71**
Royal Hospital Rd. *SW3*
—2B **64**
Royal London Ind. Est. *NW10*
—1A **32**
Royal Mint Ct. *EC3* —1B **54**
Royal Mint Pl. *E1* —1C **54**
Royal Mint St. *E1* —1B **54**
Royal Naval Pl. *SE14* —3B **70**
Royal Oak M. *SE1* —3A **54**
Royal Oak Pl. *SE22* —4D **83**
Royal Oak Rd. *E8* —3D **27**
Royal Opera Arc. *SW1* —2F **51**
Royal Orchard Clo. *SW18*
—5A **76**
Royal Pde. *SE3* —5B **72**
Royal Pde. *SW6* —3A **62**
Royal Pl. *SE10* —3E **71**
Royal Rd. *E16* —5E **45**
Royal Rd. *SE17* —2D **67**
Royal St. *SE1* —4B **52**
Royal Tower Lodge. *E1* —1C **54**
(off Cartwright St.)
Royalty M. *W1* —5F **37**
(off Dean St.)
Royal Victoria Patriotic
Building. *SW18* —4F **77**
Royal Victor Pl. *E3* —1F **41**
Roycroft Clo. *SW2* —1C **94**
Roy Sq. *E14* —1A **56**
Royston Clo. *E13* —5C **30**
(off Stopford Rd.)
Royston Gdns. *Ilf* —1F **17**
Royston Gdns. *Ilf* —1F **17**
Royston Pde. *Ilf* —1F **17**
Royston St. *E2* —1E **41**
Rozel Ct. *N1* —5A **26**
Rozel Rd. *SW4* —1E **79**
Rubens St. *SE6* —2B **98**
Ruby St. *SE15* —2D **69**
Ruby Triangle. *SE15* —2D **69**
Ruckholt Clo. *E10* —5D **15**
Ruckholt Rd. *E10* —1D **29**
Rucklidge Av. *NW10* —1B **32**
Rucklidge Pas. *NW10* —1B **32**
(off Rucklidge Av.)
Rudall Cres. *NW3* —1F **21**
Ruddington Clo. *E5* —1A **28**
Rudge Ho. *SE16* —4C **54**
(off Llewellyn St.)
Rudloe Rd. *SW12* —5E **79**
Rudolf Pl. *SW8* —2A **66**
Rudolph Rd. *E13* —1B **44**
Rudolph Rd. *NW6* —1C **34**

Rufford St. *N1* —5A **24**
Rufus St. *N1* —2A **40**
Rugby Rd. *W4* —3A **46**
Rugby St. *WC1* —3B **38**
Rugg St. *E14* —1C **56**
Ruislip St. *SW17* —4B **92**
Rumbold Rd. *SW6* —3D **63**
Rum Clo. *E1* —1E **55**
Rumsey M. *N4* —5D **11**
Rumsey Rd. *SW9* —1B **80**
Runbury Circ. *NW9* —4A **4**
Runcorn Pl. *W11* —1A **48**
Rundell Cres. *NW4* —1D **5**
Rundell Tower. *SW8* —4B **66**
Runnymede Ct. *SW15* —1C **88**
Runnymede Ho. *E9* —1A **28**
Rupack St. *SE16* —3E **55**
Rupert Ct. *W1* —1F **51**
Rupert Gdns. *SW9* —5D **67**
Rupert Ho. *SE11* —5C **52**
Rupert Rd. *N19* —5F **9**
(in two parts)
Rupert Rd. *NW6* —1B **34**
Rupert Rd. *W4* —4A **46**
Rupert St. *W1* —1F **51**
Rusbridge Clo. *E8* —1C **26**
Rusham Rd. *SW12* —4B **78**
Rushcroft Rd. *SW2* —2C **80**
Rushey Grn. *SE6* —5D **85**
Rushey Mead. *SE4* —3C **84**
Rushford Rd. *SE4* —4B **84**
Rushgrove Av. *NW9* —1A **4**
Rushgrove Pde. *NW9* —1A **4**
Rush Hill Rd. *SW11* —1C **78**
Rushmead. *E2* —2D **41**
Rushmere Pl. *SW19* —5F **89**
Rushmore Cres. *E5* —1F **27**
Rushmore Rd. *E5* —1E **27**
(in three parts)
Rusholme Gro. *SE19* —5A **96**
Rusholme Rd. *SW15* —4F **75**
Rushton Ho. *SW8* —5F **65**
Rushton St. *N1* —1F **39**
Rushworth St. *SE1* —3D **53**
Ruskin Av. *E12* —3F **31**
Ruskin Clo. *NW11* —1D **7**
Ruskin Ct. *SE5* —1F **81**
(off Champion Hill)
Ruskin Mans. *W14* —2A **62**
(off Queen's Club Gdns.)
Ruskin Pk. Ho. *SE5* —1F **81**
Ruskin Wlk. *SE24* —3E **81**
Rusper Clo. *NW2* —5E **5**
Rusper Ct. *SW9* —5A **66**
(off Clapham Rd.)
Russell Clo. *SE7* —3E **73**
Russell Clo. *W4* —2B **60**
Russell Ct. *E10* —2D **15**
Russell Ct. *SE15* —5D **69**
(off Heaton Rd.)
Russell Ct. *SW1* —2E **51**
(off Cleveland Row)
Russell St. *SW16* —5B **94**
Russell Gdns. *NW11* —1A **6**
Russell Gdns. *W14* —4A **48**
Russell Gdns. M. *W14*
—3A **48**
Russell Gro. *SW9* —3C **66**

Russell Pde. *NW11* —1A **6**
(off Golders Grn. Rd.)
Russell Pl. *NW3* —2A **22**
Russell Pl. *SE16* —4A **56**
Russell Rd. *E10* —1D **15**
Russell Rd. *E16* —5C **44**
Russell Rd. *N8* —1F **9**
Russell Rd. *N15* —1A **12**
Russell Rd. *NW9* —1B **4**
Russell Rd. *W14* —4A **48**
Russell's Footpath. *SW16*
—5A **94**
Russell Sq. *WC1* —4A **38**
Russell St. *WC2* —1A **52**
Russell Yd. *SW15* —2A **76**
Russet Clo. *N7* —2A **24**
Russett Way. *SE13* —5D **71**
Russia Ct. *EC2* —5E **39**
(off Russia Row)
Russia Dock Rd. *SE16*
—2A **56**
Russia La. *E2* —1E **41**
Russia Row. *EC2* —5E **39**
Russia Wlk. *SE16* —3A **56**
Rusthall Av. *W4* —5A **46**
Rustic Wlk. *E16* —5D **45**
(off Lambert Rd.)
Ruston M. *W11* —5A **34**
Ruston St. *SE18* —4F **59**
Ruston St. *E3* —5B **28**
Rust Sq. *SE5* —3F **67**
Rutford Rd. *SW16* —5A **94**
Ruth Ct. *E3* —1A **42**
Rutherford St. *SW1* —5F **51**
Ruthin Clo. *NW9* —1A **4**
Ruthin Rd. *SE3* —2C **72**
Ruthven St. *E9* —5F **27**
Rutland Ct. *EC1* —3E **39**
(off Goswell Rd.)
Rutland Ct. *SE5* —2F **81**
Rutland Ct. *SW7* —3A **50**
(off Rutland Gdns.)
Rutland Gdns. *N4* —1D **11**
Rutland Gdns. *SW7* —3A **50**
Rutland Gdns. M. *SW7*
—3A **50**
Rutland Ga. *SW7* —3A **50**
Rutland Ga. M. *SW7* —3A **50**
(off Rutland Ga.)
Rutland Gro. *W6* —1D **61**
Rutland Ho. *W8* —4D **49**
(off Marloes Rd.)
Rutland M. *NW8* —5D **21**
Rutland M. E. *SW7* —4A **50**
(off Ennismore St.)
Rutland M. S. *SW7* —4A **50**
(off Ennismore St.)
Rutland M. W. *SW7* —4A **50**
(off Rutland Ga.)
Rutland Pk. *NW2* —3E **19**
Rutland Pk. *SE6* —2B **98**
Rutland Pk. Mans. *NW2*
—3E **19**
Rutland Pl. *EC1* —3D **39**
Rutland Rd. *E7* —4F **31**
Rutland Rd. *E9* —5F **27**
Rutland Rd. *E17* —1C **14**
Rutland St. *SW7* —4A **50**

Rutland Wlk.—St Cloud Rd.

Rutland Wlk. SE6 —2B **98**
Rutley Clo. SE17 —2D **67**
Rutt's Ter. SE4 —4F **69**
Ruvigny Gdns. SW15 —1F **75**
Ryan Clo. SE3 —2E **87**
Rycott Path. SE22 —5C **82**
Ryculff Sq. SE3 —5B **72**
Rydal Gdns. NW9 —1A **4**
Rydal Gdns. SW15 —5A **88**
Rydal Rd. SW16 —4F **93**
Rydal Water. NW1 —2E **37**
Rydens Ho. SE9 —3E **101**
Ryder Clo. Brom —5D **101**
Ryder Ct. E10 —4D **15**
Ryder Ct. SW1 —2E **51**
  (off Ryder St.)
Ryder Dri. SE16 —1D **69**
Ryder M. E9 —2E **27**
Ryder's Ter. NW8 —1E **35**
Ryder St. SW1 —2E **51**
Ryder Yd. SW1 —2E **51**
Ryde Vale Rd. SW12 —2E **93**
Rydons Clo. SE9 —1F **87**
Rydon St. N1 —5E **25**
Rydston Clo. N7 —4A **24**
Ryecotes Mead. SE21 —1A **96**
Ryecroft Lodge. SW16 —5D **95**
Ryecroft Rd. SE13 —3E **85**
Ryecroft Rd. SW16 —5C **94**
Ryecroft St. SW6 —4D **63**
Ryedale. SE22 —4D **83**
Ryefield Path. SW15 —1C **88**
Ryefield Rd. SE19 —5E **95**
Rye Hill Pk. SE15 —2E **83**
Ryelands Cres. SE12 —4E **87**
Rye La. SE15 —4C **68**
Rye Pas. SE15 —1C **82**
Rye Rd. SE15 —2F **83**
Rye Wlk. SW15 —3F **75**
Ryfold Rd. SW19 —3C **90**
Rylandes Rd. NW2 —5C **4**
Ryland Rd. NW5 —3D **23**
Rylett Cres. W12 —3B **46**
Rylett Rd. W12 —3B **46**
Rylston Rd. SW6 —2B **62**
Rymer St. SE24 —4D **81**
Rysbrack St. SW3 —4B **50**

Sabbarton St. E16 —5B **44**
Sabella Ct. E3 —1B **42**
Sabine Rd. SW11 —1B **78**
Sable St. N1 —4D **25**
Sach Rd. E5 —4D **13**
Sackville Ho. SW16 —3A **94**
Sackville St. W1 —1E **51**
Sackville Way. SE22 —1C **96**
Saddlers M. SW8 —4A **66**
Saddle Yd. W1 —2D **51**
Saffron Av. E14 —1F **57**
Saffron Clo. NW11 —1B **6**
Saffron Ct. E15 —2A **30**
  (off Maryland Pk.)
Saffron Hill. EC1 —4C **38**
Saffron St. EC1 —4C **38**
Sage St. E1 —1E **55**
Sage Way. WC1 —2B **38**
  (off Cubitt St.)

216 Mini London

Saigasso Clo. E16 —5F **45**
Sail St. SE11 —5B **52**
Sainfoin Rd. SW17 —2C **92**
Sainsbury Rd. SE19 —5A **96**
St Agnes Clo. E9 —5E **27**
St Agnes Pl. SE11 —2C **66**
St Agnes Well. EC1 —3F **39**
St Aidan's Rd. SE22 —4D **83**
St Alban's Av. W4 —4A **46**
St Alban's Clo. NW11 —3C **6**
St Albans Mans. W8 —4D **49**
  (off Kensington Ct. Pl.)
St Alban's M. W2 —4F **35**
St Alban's Pl. N1 —5D **25**
St Albans Rd. NW5 —5C **8**
St Alban's Rd. NW10 —5A **18**
St Alban's Ter. W6 —2A **62**
St Albans Vs. NW5 —5C **8**
St Alfege Pas. SE10 —2E **71**
St Alfege Rd. SE7 —2F **73**
St Alphage Garden. EC2
  —4E **39**
St Alphage Highwalk. EC2
  (off London Wall) —4E **39**
*St Alphage Ho. EC2 —4F **39**
  (off Fore St.)
St Alphonsus Rd. SW4 —2E **79**
St Amunds Clo. SE6 —4C **98**
*St Andrew's Clo. NW2 —5D **5**
*St Andrews Clo. SE16 —1D **69**
  (off Ryder Dri.)
St Andrew's Ct. SW18 —2E **91**
St Andrew's Gro. N16 —3F **11**
St Andrew's Hill. EC4 —1D **53**
St Andrews Mans. W14
  (off St Andrews Rd.) —2A **62**
St Andrew's M. N16 —3A **12**
St Andrew's M. SE3 —3C **72**
St Andrew's Pl. NW1 —3D **37**
St Andrew's Rd. E11 —1A **16**
St Andrew's Rd. E13 —2D **45**
St Andrew's Rd. NW10
  —3D **19**
St Andrew's Rd. NW11 —1B **6**
St Andrew's Rd. W3 —1A **46**
St Andrew's Rd. W14 —2A **62**
St Andrew's Sq. W11 —5A **34**
St Andrew St. EC4 —4C **38**
St Andrews Way. E3 —3D **43**
St Andrews Wharf. SE1
  —3B **54**
St Anne's Clo. N6 —5C **8**
St Anne's Ct. NW6 —5A **20**
St Anne's Ct. W1 —5F **37**
St Anne's Pas. SW13 —1A **74**
St Anne's Rd. E11 —4F **15**
St Anne's Row. E14 —5B **42**
St Anne's St. E14 —5B **42**
St Ann's Cres. SW18 —4E **77**
St Ann's Gdns. NW5 —3C **22**
St Ann's Hill. SW18 —3D **77**
St Ann's La. SW1 —4F **51**
St Ann's Pk. Rd. SW18 —4E **77**

St Ann's Pas. E14 —5B **42**
St Ann's Rd. N15 —1D **11**
St Ann's Rd. SW13 —5B **60**
St Ann's Rd. W11 —1F **47**
St Ann's St. SW1 —4F **51**
St Ann's Ter. NW8 —1F **35**
St Ann's Vs. W11 —2F **47**
St Anselm's Pl. W1 —1D **51**
St Anthony's Clo. E1 —2C **54**
St Anthony's Clo. SW17
  —2A **92**
St Antony's Rd. E7 —4D **31**
St Asaph Rd. SE4 —1F **83**
St Aubins Ct. N1 —5A **26**
St Aubyn's Av. SW19 —5B **90**
St Augustine's Path. N5
  —1E **25**
St Augustine's Rd. NW1
  —4F **23**
St Austell Rd. SE13 —5E **71**
St Barnabas Rd. E17 —1C **14**
St Barnabas St. SW1 —1C **64**
St Barnabas Ter. E9 —2F **27**
St Barnabas Vs. SW8 —4A **66**
St Bartholomew's Clo. SE26
  —4D **97**
St Benedict's Clo. SW17
  —5C **92**
St Benet's Clo. SW17 —2A **92**
St Benet's Pl. EC3 —1F **53**
St Bernard's Clo. SE27 —4F **95**
St Bernard's Rd. E6 —5F **31**
St Botolph Row. EC3 —5B **40**
St Botolph St. EC3 —5B **40**
St Brelades Ct. N1 —5A **26**
*St Briavel's Ct. SE15 —3A **68**
  (off Lynbrook Clo.)
St Bride's Av. EC4 —5D **39**
  (off Bride La.)
*St Bride's Pas. EC4 —5D **39**
  (off Dorset Rise)
St Bride St. EC4 —5D **39**
St Catherine's Clo. SW17
  —2A **92**
St Catherine's Ct. W4 —4A **46**
St Catherine's Dri. SE14
  —5F **69**
St Catherines M. SW3 —5B **50**
St Catherines Tower. E10
  —2D **15**
St Chad's Pl. WC1 —2B **38**
St Chad's St. WC1 —2A **38**
St Charles Pl. W10 —4A **34**
St Charles Sq. W10 —4F **33**
St Christopher's Pl. W1
  —5C **36**
St Clair Rd. E13 —1D **45**
St Clare St. EC3 —5B **40**
*St Clement's Ct. EC4 —1F **53**
  (off Clements La.)
St Clement's Ct. N7 —3B **24**
St Clement's Heights. SE26
  —3C **96**
St Clement's La. WC2 —5B **38**
*St Clements Mans. SW6
  (off Lillie Rd.) —2F **61**
St Clement St. N7 —4C **24**
St Cloud Rd. SE27 —4E **95**

St Crispin's Clo. *NW3* —1A **22**
St Cross St. *EC1* —4C **38**
St Cuthbert's Rd. *NW2*
—3B **20**
St Cyprian's St. *SW17* —4B **92**
St Davids Clo. SE16 —1D 69
(off Masters Dri.)
St David's Pl. *NW4* —2D **5**
St Denis Rd. *SW27* —4F **95**
St Dionis Rd. *SW6* —5B **62**
St Donatt's Rd. *SE14* —4B **70**
St Dunstans All. EC3 —1A 54
(off St Dunstans Hill)
St Dunstan's Av. *W3* —1A **46**
St Dunstans Ct. *EC4* —5C **38**
St Dunstans Hill. *EC3* —1A **54**
St Dunstans La. *EC3* —1A **54**
St Dunstan's Rd. *E7* —3E **31**
St Dunstan's Rd. *W6* —1F **61**
St Edmund's Clo. *NW8*
—5B **22**
St Edmund's Clo. *SW17*
—2A **92**
St Edmund's Ter. *NW8*
—5A **22**
St Edward's Clo. *NW11* —1C **6**
St Edwards Ct. *E10* —2D **15**
St Edwards Ct. SW8 —2F 65
(off Nine Elms La.)
St Elizabeth Ct. *E10* —2D **15**
St Elmo Rd. *W12* —2B **46**
St Elmos Rd. *SE16* —3A **56**
St Ermin's Hill. SW1 —4F 51
(off Broadway)
St Ervan's Rd. *W10* —4B **34**
St Faith's Rd. *SE21* —1D **95**
St Fillans Rd. *SE6* —1E **99**
St Francis Rd. *SE22* —2A **82**
St Gabriel's Clo. *E11* —4D **17**
St Gabriel's Mnr. *SE5* —4D **67**
St Gabriels Rd. *NW2* —2F **19**
St George's Av. *E7* —4D **31**
St George's Av. *N7* —2F **23**
St George's Bldgs. *SE1*
—3E **53**
St George's Cir. *SE1* —4D **53**
St George's Clo. *NW11* —1B **6**
St George's Clo. *SW8* —4E **65**
St Georges Ct. *EC4* —5D **39**
St George's Ct. *SW15* —2B **76**
St George's Dri. *SW1* —5D **51**
St George's Fields. *W2*
—5A **36**
St George's Gro. *SW17* —3F **91**
St Georges La. EC3 —1F 53
(off Pudding La.)
St George's M. *NW1* —4B **22**
St George's M. SE1 —4C 52
(off Westminster Bri. Rd.)
St George's Rd. *E7* —4D **31**
St George's Rd. *E10* —5E **15**
St George's Rd. *NW11* —1B **6**
St George's Rd. *SE1* —4C **52**
St George's Rd. *W4* —3A **46**
St George's Sq. *E7* —4D **31**
St Georges Sq. *E14* —1A **56**
St George's Sq. *SE8* —5B **56**
St George's Sq. *SW1* —1F **65**

St George's Sq. M. *SW1*
—1F **65**
St George's Ter. *NW1* —4B **22**
St George St. *W1* —1D **51**
St George's Way. *SE15*
—2A **68**
St Gerards Clo. *SW4* —3E **79**
St German's Pl. *SE3* —4C **72**
St German's Rd. *SE23* —1A **98**
St Giles Cir. *W1* —5F **37**
St Giles Ct. *WC2* —5A **38**
(off St Giles High St.)
St Giles High St. *WC2* —5F **37**
St Giles Pas. WC2 —5F 37
(off New Compton St.)
St Giles Rd. *SE5* —3A **68**
St Giles Ter. EC2 —4E 39
(off Barbican)
St Gothard Rd. *SE27* —4F **95**
St Helena Rd. *SE16* —5F **55**
St Helena St. *WC1* —2C **38**
St Helen's Gdns. *W10* —4F **33**
St Helen's Pl. *EC3* —5A **40**
St Helier's Rd. *E10* —1E **15**
St Hilda's Clo. *NW6* —5F **19**
St Hilda's Clo. *SW17* —2A **92**
St Hilda's Rd. *SW13* —2D **61**
St Hughes Clo. *SW17* —2A **92**
St James Apartments. E17
(off Pretoria Av.) —1A 14
St James Clo. *SE3* —4D **73**
St James' Ct. *SW1* —4E **51**
St James Ga. *NW1* —4F **23**
St James M. *E14* —4E **57**
St James M. *E17* —1A **14**
St James Residences. W1
(off Brewer St.) —1F 51
St James' Rd. *E15* —2B **30**
St James's. *SE14* —4A **70**
St James's. *SW1* —2E **51**
St James's App. *EC2* —3A **40**
St James's Av. *E2* —1E **41**
St James's Clo. NW8 —5B 22
(off St James's Ter. M.)
St James's Clo. *SW17* —2B **92**
St James's Cres. *SW9* —1C **80**
St James's Dri. *SW17 & SW12*
—1B **92**
St James's Gdns. *W11*
—2A **48**
St James's Mkt. *SW1* —1F **51**
St James's Pal. *EC3* —5A **40**
(off Duke's Pl.)
St James's Pl. *SW1* —2E **51**
St James's Rd. *SE1* —2C **68**
St James's Rd. *SE16* —4C **54**
St James's Row. *EC1* —3D **39**
St James's Sq. *SW1* —2E **51**
St James's St. *SW1* —2E **51**
St James's Ter. NW8 —1B 36
(off Prince Albert Rd.)
St James's Ter. M. *NW8*
—5B **22**
St James St. *E17* —1A **14**
St James St. *W6* —1E **61**
St James's Wlk. *EC1* —3D **39**
St James Ter. *SW12* —1C **92**

St James Wlk. SE15 —4B 68
(off Pitt St.)
St John's Av. *NW10* —5B **18**
St John's Av. *SW15* —3F **75**
St Johns Chu. Rd. *E9* —2E **27**
St John's Clo. *SW6* —3C **62**
St John's Ct. *N4* —4D **11**
St John's Ct. *N5* —1D **25**
St John's Ct. *SE13* —5E **71**
St John's Ct. W6 —5D 47
(off Glenthorne Rd.)
St John's Cres. *SW9* —1C **80**
St Johns Dri. *SW18* —1D **91**
St John's Est. SE1 —3B 54
(off Fair St.)
St John's Gdns. *W11* —1A **48**
St John's Gro. *N19* —4E **9**
St John's Gro. *SW13* —5B **60**
St John's Hill. *SW11* —2F **77**
St John's Hill Gro. *SW11*
—2F **77**
St John's La. *EC1* —3D **39**
St John's M. *W11* —5C **34**
St John's Pk. *SE3* —3B **72**
St John's Pk. Mans. *N19*
—5E **9**
St John's Path. EC1 —3D 39
(off Britton St.)
St Johns Pathway. *SE23*
—1E **97**
St John's Pl. *EC1* —3D **39**
St John's Rd. *E16* —5C **44**
St John's Rd. *N15* —1A **12**
St John's Rd. *NW11* —1B **6**
St John's Rd. *SW11* —2A **78**
St John's Sq. *EC1* —3D **39**
(in two parts)
St John's Ter. *E7* —3D **31**
St John's Ter. *W10* —3F **33**
St John St. *EC1* —1C **38**
St John's Vale. *SE8* —5C **70**
St John's Vs. *N19* —4F **9**
St John's Vs. *W8* —4D **49**
St John's Way. N19 —4E 9
St John's Wood Ct. NW8
—2F **35**
(off St John's Wood Rd.)
St John's Wood High St. *NW8*
—1F **35**
St John's Wood Pk. *NW8*
—5F **21**
St John's Wood Rd. *NW8*
—3F **35**
St John's Wood Ter. *NW8*
—1F **35**
St Joseph's Clo. *W10* —4A **34**
St Josephs Ct. *SE7* —2D **73**
St Joseph's St. *SW8* —4D **65**
St Joseph's Vale. *SE3* —1F **85**
St Jude's Rd. *E2* —1D **41**
St Jude St. *N16* —2A **26**
St Julian's Clo. *SW16* —4C **94**
St Julian's Farm Rd. *SE27*
—4C **94**
St Julian's Rd. *NW6* —5B **20**
St Katharine's Precinct. *NW1*
—1D **37**

St Katharine's Way—St Peter's Ter.

St Katharine's Way. E1 —2B **54**
St Katherine's Row. EC3
  (off Fenchurch St.) —1A **54**
St Katherines Wlk. W11
  (off St Ann's Rd.) —2F **47**
St Kilda's Rd. N16 —3F **11**
St Kitts Ter. SE19 —5A **96**
St Laurence Clo. NW6 —5F **19**
St Lawrence Ct. N1 —5A **26**
St Lawrence St. E14 —2E **57**
St Lawrence Ter. W10 —4A **34**
St Lawrence Way. SW9
  —5C **66**
St Leonard's Ct. N1 —2F **39**
  (off New North Rd.)
St Leonard's Rd. E14 —4E **43**
  (in two parts)
St Leonard's Rd. NW10
  —3A **32**
St Leonards Sq. NW5 —3C **22**
St Leonard's St. E3 —2D **43**
St Leonard's Ter. SW3
  —1B **64**
St Loo Av. SW3 —2A **64**
St Louis Rd. SE27 —4F **95**
St Lucia Dri. E15 —5B **30**
St Luke's Av. SW4 —2F **79**
St Luke's Clo. EC1 —3E **39**
St Lukes Est. E10 —2D **15**
  (off Capworth St.)
St Luke's Est. EC1 —2F **39**
St Luke's M. W11 —5B **34**
St Luke's Rd. W11 —4B **34**
St Luke's Sq. E16 —5B **44**
St Luke's St. SW3 —1A **64**
St Luke's Yd. W9 —1B **34**
St Margaret's Ct. SE1 —2F **53**
St Margaret's Cres. SW15
  —3D **75**
St Margaret's Gro. E11 —5B **16**
St Margaret's La. W8 —4D **49**
St Margaret's Pas. SE13
  —1A **86**
St Margaret's Rd. E12 —4E **17**
St Margaret's Rd. NW10
  —2E **33**
St Margarets Rd. SE4 —2B **84**
St Margaret St. SW1 —3A **52**
St Margarets Vicarage. E11
  —5B **16**
St Mark's Clo. SE10 —3E **71**
St Marks Ct. E10 —2D **15**
  (off Capworth St.)
St Mark's Cres. NW1 —5C **22**
St Mark's Ga. E9 —4B **28**
St Mark's Gro. SW10 —2D **63**
St Marks Ind. Est. E16 —2F **59**
St Mark's Pl. SW19 —5B **90**
St Mark's Pl. W11 —5A **34**
St Mark's Rise. E8 —2B **26**
St Mark's Rd. W10 & W11
  —4F **33**
St Mark's Sq. NW1 —5C **22**
St Mark St. E1 —5B **40**
St Martin's Av. E6 —1F **45**
St Martin's Clo. NW1 —5E **23**
St Martins Ct. N1 —5A **26**
  (off De Beauvoir Est.)

St Martin's Ct. WC2 —1A **52**
St Martins Est. SW2 —1C **94**
St Martin's La. WC2 —1A **52**
St Martin's le Grand. EC1
  —5E **39**
St Martin's Pl. WC2 —1A **52**
St Martin's Rd. SW9 —5B **66**
St Martin's St. WC2 —1F **51**
St Martins Way. SW17 —3E **91**
St Mary Abbot's Ct. W14
  (off Warwick Gdns.) —4B **48**
St Mary Abbot's Pl. W8
  —4B **48**
St Mary Abbot's Ter. W14
  —4B **48**
St Mary at Hill. EC3 —1A **54**
St Mary Axe. EC3 —5A **40**
St Marychurch St. SE16
  —3E **55**
St Mary Graces Ct. E1 —1B **54**
St Mary Newington Clo. SE17
  (off Surrey Sq.) —1A **68**
St Mary's Av. E11 —2D **17**
St Mary's Ct. SE7 —3F **73**
St Mary's Ct. W14 —4B **46**
St Mary's Gdns. SE11 —5C **52**
St Mary's Ga. W8 —4D **49**
St Mary's Gro. N1 —3D **25**
St Mary's Gro. SW13 —1D **75**
St Mary's Mans. W2 —4F **35**
St Mary's M. NW6 —4D **21**
St Mary's Path. N1 —5D **25**
St Mary's Pl. W8 —4D **49**
St Mary's Rd. E10 —5E **15**
St Mary's Rd. E13 —1D **45**
St Mary's Rd. NW10 —5A **18**
St Mary's Rd. NW11 —2A **6**
St Mary's Rd. SE15 —4E **69**
St Mary's Rd. SW19 —5A **90**
St Mary's Sq. W2 —4F **35**
St Mary's Ter. W2 —4F **35**
St Mary's Tower. EC1 —3E **39**
  (off Fortune St.)
St Mary's Wlk. SE11 —5C **52**
St Matthews Ct. E10 —2D **15**
  (off Capworth St.)
St Matthews Ct. SE1 —4E **53**
  (off Meadow Row)
St Matthew's Lodge. NW1
  (off Oakley Sq.) —1E **37**
St Matthew's Rd. SW2 —2B **80**
St Matthew's Row. E2 —2C **40**
St Matthew St. SW1 —4F **51**
St Maur Rd. SW6 —4B **62**
St Michael's All. EC3 —5F **39**
St Michaels Clo. E16 —4F **45**
St Michaels Ct. E14 —4E **43**
  (off St Leonards Rd.)
St Michael's Gdns. W10
  —4A **34**
St Michael's Rd. NW2 —1E **19**
St Michael's Rd. SW9 —5B **66**
St Michael's St. W2 —5F **35**
St Mildred's Ct. EC2 —5F **39**
St Mildreds Rd. SE12 —5B **86**
St Nicholas Glebe. SW17
  —5C **92**
St Nicholas. SE8 —4B **70**

St Norbert Grn. SE4 —2A **84**
St Norbert Rd. SE4 —3F **83**
St Olaf Ho. SE1 —2F **53**
  (off Tooley St.)
St Olaf's Rd. SW6 —3A **62**
St Olaf Stairs. SE1 —2F **53**
  (off Tooley St.)
St Olave's Ct. EC2 —5F **39**
St Olave's Est. SE1 —3A **54**
St Olave's Gdns. SE11 —5C **52**
St Olave's Mans. SE11 —5C **52**
  (off Walnut Tree Wlk.)
St Olave's Ter. SE1 —3A **54**
  (off Fair St.)
St Oswald's Pl. SE11 —1B **66**
St Oswulf St. SW1 —5F **51**
  (off Erasmus St.)
St Pancras Commercial Cen.
  (off Pratt St.) NW1 —5E **23**
St Pancras Way. NW1 —4E **23**
St Patrick's Ct. SE4 —3C **84**
St Paul's All. EC4 —5D **39**
  (off St Paul's Chu. Yd.)
St Paul's Av. NW2 —3E **19**
St Paul's Av. SE16 —2F **55**
St Paul's Chyd. EC4 —5D **39**
St Pauls Clo. SE7 —1F **73**
St Paul's Ct. SW4 —2F **79**
St Pauls Courtyard. SE8
  —3C **70**
St Paul's Cres. NW1 —4F **23**
  (in two parts)
St Paul's Dri. E15 —2F **29**
St Paul's M. NW1 —4F **23**
St Paul's Pl. N1 —3F **25**
St Paul's Rd. N1 —3D **25**
St Paul's Shrubbery. N1
  —3F **25**
St Paul's Studios. W14 —1A **62**
  (off Talgarth Rd.)
St Paul's Ter. SE17 —2D **67**
St Pauls Tower. E10 —2D **15**
  (in two parts)
St Pauls Way. E3 —4B **42**
St Peter's All. EC3 —5F **39**
  (off Cornhill)
St Peter's Av. E2 —1C **40**
St Petersburgh M. W2
  —1D **49**
St Petersburgh Pl. W2
  —1D **49**
St Peter's Cen. E1 —2D **55**
St Peters Chu. Ct. N1 —1D **39**
  (off Devonia Rd.)
St Peter's Clo. E2 —1C **40**
St Peter's Clo. SW17 —2C **92**
St Peter's Clo. NW4 —1E **5**
St Peter's Gdns. SE27 —3C **94**
St Peter's Gro. W6 —5C **46**
St Peters Pl. W9 —3D **35**
St Peter's Rd. W6 —1C **60**
St Peter's Sq. E2 —1C **40**
St Peter's Sq. W6 —5B **46**
St Peter's St. N1 —5D **25**
St Peter's St. M. N1 —1D **39**
  (off St Peters St.)
St Peter's Ter. SW6 —3B **62**

St Peter's Vs. *W6* —5C **46**
St Peter's Way. *N1* —1A **26**
St Peter's Wharf. *W4* —1C **60**
St Philip Sq. *SW8* —5D **65**
St Philip's Rd. *E8* —2C **26**
St Philip St. *SW8* —5D **65**
St Philip's Way. *N1* —5E **25**
St Quintin Av. *W10* —4E **33**
St Quintin Gdns. *W10* —4E **33**
St Quintin Rd. *E13* —2D **45**
St Regis Heights. *NW3* —5D **7**
St Rule St. *SW8* —5E **65**
St Saviour's College. *SE27*
—4F **95**
St Saviour's Est. *SE1* —4B **54**
St Saviour's Rd. *SW2* —3B **80**
Saints Clo. *SE27* —4D **95**
Saints Dri. *E7* —2F **31**
St Silas Pl. *NW5* —3C **22**
St Simon's Av. *SW15* —3E **75**
St Stephen's Av. *E17* —1E **15**
St Stephen's Av. *W12* —3D **47**
St Stephen's Clo. *E17* —1D **15**
St Stephen's Clo. *NW8*
—5A **22**
St Stephens Ct. *N8* —1A **19**
St Stephen's Cres. *W2*
—5C **34**
St Stephen's Gdns. *SW15*
—3B **76**
St Stephen's Gdns. *W2*
(in two parts) —5C **34**
St Stephens Gro. *SE13*
—1E **85**
St Stephen's M. *W2* —4C **34**
St Stephens Pde. *E7* —4E **31**
St Stephens Pde. *SW1* —3A **52**
St Stephen's Rd. *E3* —5A **28**
St Stephen's Rd. *E6* —4E **31**
St Stephen's Rd. *E17* —1D **15**
St Stephen's Row. *EC4* —5F **39**
(off Walbrook)
St Stephens Ter. *SW8* —3B **66**
St Stephen's Wlk. *SW7*
—5E **49**
St Swithins La. *EC4* —1F **53**
St Swithun's Rd. *SE13* —4F **85**
St Thomas Ct. *E10* —2D **15**
(off Skelton's La.)
St Thomas Pl. *NW1* —4F **23**
(off Maiden La.)
St Thomas Rd. *E16* —5C **44**
St Thomas's Gdns. *NW5*
—3C **22**
St Thomas's Pl. *E9* —4E **27**
St Thomas's Rd. *N4* —4C **10**
St Thomas's Rd. *NW10*
—5A **18**
St Thomas's Sq. *E9* —4E **27**
St Thomas St. *SE1* —2F **53**
St Thomas's Way. *SW6*
—3B **62**
St Vincent Clo. *SE27* —5D **95**
St Vincent St. *W1* —4C **36**
Salamanca Pl. *SE1* —5B **52**
Salamanca St. *SE1 & SE11*
—5B **52**
Salcombe Rd. *E17* —2B **14**

Salcombe Rd. *N16* —2A **26**
Salcott Rd. *SW11* —3A **78**
Salehurst Rd. *SE4* —4B **84**
Salem Rd. *W2* —1D **49**
Sale Pl. *W2* —5A **36**
Sale St. *E2* —3C **40**
Salford Rd. *SW2* —1F **93**
Salisbury Clo. *SE17* —5F **53**
Salisbury Ct. *EC4* —5D **39**
Salisbury Ho. *SW9* —3C **66**
(off Cranmer Rd.)
Salisbury Mans. *N15* —1D **11**
Salisbury M. *SW6* —3B **62**
Salisbury Pas. *SW6* —3B **62**
(off Dawes Rd.)
Salisbury Pl. *SW9* —3D **67**
Salisbury Pl. *W1* —4B **36**
Salisbury Rd. *E7* —3C **30**
Salisbury Rd. *E10* —4E **15**
Salisbury Rd. *E12* —2F **31**
Salisbury Rd. *E17* —1E **15**
Salisbury Rd. *N4* —1D **11**
Salisbury Sq. *EC4* —5C **38**
Salisbury St. *NW8* —3A **36**
Salisbury Ter. *SE15* —1E **83**
Salisbury Wlk. *N19* —4E **9**
Salmen Rd. *E13* —1B **44**
Salmon La. *E14* —5A **42**
Salmon St. *E14* —5B **42**
Salomons Rd. *E13* —4E **45**
Salop Rd. *E17* —1F **13**
Saltcoats Rd. *W4* —3A **46**
Saltdene. *N4* —3B **10**
Salterford Rd. *SW17* —5C **92**
Salter Rd. *SE16* —2E **55**
Salters Ct. *EC4* —5E **39**
(off Bow La.)
Salter's Hall Ct. *EC4* —1F **53**
(off Cannon St.)
Salter's Hill. *SE19* —5F **95**
Salters Rd. *W10* —3F **33**
Salter St. *E14* —1C **56**
Salter St. *NW10* —2C **32**
Saltoun Rd. *SW2* —2C **80**
Saltram Cres. *W9* —2B **34**
Saltwell St. *E14* —1C **56**
Saltwood Gro. *SE17* —1F **67**
Saltwood Ho. *SE15* —2E **69**
(off Lovelinch Clo.)
Salusbury Rd. *NW6* —5A **20**
Salutation Rd. *SE10* —4A **58**
Salvador. *SW17* —5B **92**
Salvin Rd. *SW15* —1F **75**
Salway Pl. *E15* —3F **29**
Salway Rd. *E15* —3F **29**
Samantha Clo. *E17* —2B **14**
Sam Bartram Clo. *SE7* —1E **73**
Sambrook Ho. *SE11* —5C **52**
(off Hotspur St.)
Sambruck M. *SE6* —1D **99**
Samels Ct. *W6* —1C **60**
Samford Ho. *N1* —5C **24**
(off Barnsbury Est.)
Samford St. *NW8* —3F **35**
Sampson St. *E1* —2C **54**
Samson St. *E13* —1E **45**
Samuda Est. *E14* —4E **57**

Samuel Clo. *E8* —5B **26**
Samuel Clo. *SE14* —2F **69**
Samuel Johnson Clo. *SW16*
—4B **94**
Samuel Jones Ind. Est. *SE15*
(off Peckham Gro.) —3A **68**
Samuel Lewis Bldgs. *N1*
—3C **24**
Samuel Lewis Trust Dwellings.
(Amhurst Rd.) *E8* —2C **26**
Samuel Lewis Trust Dwellings.
(Dalston La.) *E8* —2C **26**
Samuel Lewis Trust Dwellings.
N16 —1A **12**
Samuel Lewis Trust Dwellings.
SE5 —4E **67**
(off Warner Rd.)
Samuel Lewis Trust Dwellings.
SW3 —5A **50**
(off Ixworth Pl.)
Samuel Lewis Trust Dwellings.
SW6 —3C **62**
(off Vanston Pl.)
Samuel Lewis Trust Dwellings.
W14 —5B **48**
(off Lisgar Ter.)
Samuel's Clo. *W6* —5E **47**
Sancroft Clo. *NW2* —5D **5**
Sancroft Ho. *SE11* —1B **66**
(off Sancroft St.)
Sancroft St. *SE11* —1B **66**
Sanctuary St. *SE1* —3E **53**
Sanctuary, The. *SW1* —4F **51**
(off Broad Sanctuary)
Sandale Clo. *N16* —5F **11**
Sandall Rd. *NW5* —3E **23**
Sandal St. *E15* —5A **30**
Sandalwood Clo. *E1* —3A **42**
Sandbourne Rd. *SE4* —5A **70**
Sandbrook Rd. *N16* —5A **12**
Sandby Grn. *SE9* —1F **87**
Sandell St. *SE1* —3C **52**
Sanderling Ct. *SE8* —2B **70**
(off Abinger Gro.)
Sanderson Clo. *NW5* —1D **23**
Sanderstead Av. *NW2* —4A **6**
Sanderstead Clo. *SW12*
—5E **79**
Sanderstead Rd. *E10* —3A **14**
Sanders Way. *N19* —3F **9**
Sandford Clo. *N16* —3A **12**
Sandford Ct. *SW6* —3D **63**
Sandgate Ho. *E5* —1D **27**
Sandgate La. *SW18* —1A **92**
Sandgate St. *SE15* —2D **69**
Sandham Ct. *SW4* —4A **66**
Sandhills, The. *SW10* —2E **63**
(off Limerston St.)
Sandhurst Ct. *SW2* —2A **80**
Sandhurst Rd. *SE6* —1F **99**
Sandilands Rd. *SW6* —4D **63**
Sandison St. *SE15* —1C **82**
Sandland St. *WC1* —4B **38**
Sandlings, The. *SE15* —5D **69**
Sandmere Rd. *SW4* —2A **80**
Sandpiper Clo. *SE16* —3B **56**
Sandpit Rd. *Brom* —5A **100**
Sandridge Ct. *N4* —4E **11**

Sandridge St. *N19* —4E **9**
Sandringham Clo. *SW19*
    —5F **75**
Sandringham Ct. W9 —2E **35**
  (off Maida Vale)
Sandringham Flats. WC2
    —1F **51**
  (off Charing Cross Rd.)
Sandringham Gdns. *N8*
    —1A **10**
Sandringham Rd. *E7* —2E **31**
Sandringham Rd. *E8* —2B **26**
Sandringham Rd. *E10* —1F **15**
Sandringham Rd. *NW2*
    —3D **19**
Sandringham Rd. *NW11*
    —2A **6**
Sandringham Rd. *Brom*
    —5C **108**
Sandrock Rd. *SE13* —1C **84**
Sand's End La. *SW6* —4D **63**
Sandstone Pl. *N19* —4D **9**
Sandstone Rd. *SE12* —2D **101**
Sandtoft Rd. *SE7* —2D **73**
Sandwell Cres. *NW6* —3C **20**
Sandwich St. *WC1* —2A **38**
Sandy Rd. *NW3* —4D **7**
Sandys Row. *E1* —4A **40**
Sanford La. *N16* —4B **12**
  (in two parts)
Sanford St. *SE14* —2A **70**
Sanford Ter. *N16* —5B **12**
Sanford Wlk. *N16* —4B **12**
Sanford Wlk. *SE14* —2A **70**
Sangley Rd. *SE6* —5D **85**
Sangora Rd. *SW11* —2F **77**
Sansom Rd. *E11* —4B **16**
Sansom St. *SE5* —4F **67**
Sans Wlk. *EC1* —3C **38**
Santley Ho. *SE1* —3C **52**
Santley St. *SW4* —2A **80**
Santos Rd. *SW18* —3C **76**
Sapcote Trad. Est. *NW10*
    —3B **18**
Saperton Wlk. SE11 —5B **52**
  (off Juxon St.)
Sapperton Ct. EC1 —3E **39**
  (off Gee St.)
Sapphire Rd. *SE8* —5A **56**
Saracens Head Yd. EC3
  (off Jewry St.) —5B **40**
Saracen St. *E14* —5C **42**
Sarah St. *N1* —2A **40**
Saratoga Rd. *E5* —1E **27**
Sardinia St. *WC2* —5B **38**
Sarjant Path. SW19 —2F **89**
  (off Blincoe Clo.)
Sark Wlk. *E16* —5D **45**
Sarnesfield Ho. SE15 —2D **69**
  (off Pencraig Way)
Sarre Rd. *NW2* —2A **20**
Sarsfeld Rd. *SW12* —1B **92**
Sartor Rd. *SE15* —2F **83**
Satanita Clo. *E16* —5F **45**
Satchwell Rd. *E2* —2C **40**
Satchwell St. *E2* —2C **40**
Sattar M. N16 —5F **11**
  (off Clissold Rd.)

Saul Ct. SE15 —2B **68**
  (off Daniel Gdns.)
Sauls Grn. *E11* —5A **16**
Saunders Ho. *W11* —2F **47**
Saunders Ness Rd. *E14*
    —1E **71**
Saunders St. *SE11* —5C **52**
Savage Gdns. *EC3* —1A **54**
Savernake Ho. *N4* —2E **11**
Savernake Rd. *NW3* —1B **22**
Savile Row. *W1* —4E **51**
Saville Rd. *E16* —2F **59**
Savill Ho. *SW4* —4F **79**
Savona Ho. *SW8* —3E **65**
Savona St. *SW8* —3E **65**
Savoy Bldgs. *WC2* —1B **52**
  (off Strand)
Savoy Ct. *E15* —5A **30**
Savoy Ct. *NW3* —5E **7**
Savoy Ct. *WC2* —1B **52**
Savoy Hill. *WC2* —1B **52**
Savoy Row. *WC2* —1A **52**
Savoy Row. WC2 —1B **52**
  (off Savoy St.)
Savoy Steps. WC2 —1B **52**
  (off Savoy Row)
Savoy St. *WC2* —1B **52**
Savoy Way. WC2 —1B **52**
  (off Savoy Hill)
Sawkins Clo. *SW19* —2A **90**
Sawley Rd. *W12* —2B **46**
Sawyer Ct. *NW10* —4A **18**
Sawyer St. *SE1* —3E **53**
Saxby Rd. *SW2* —5A **80**
Saxonbury Ct. *N7* —2A **24**
Saxon Clo. *E17* —2C **14**
Saxonfield Clo. *SW2* —1B **94**
Saxon Rd. *E3* —1B **42**
Saxton Clo. *SE13* —1F **85**
Sayer Rd. *SE17* —5E **53**
Sayes Ct. *SE8* —1B **70**
Sayes Ct. St. *SE8* —2B **70**
Scala St. *W1* —4E **37**
Scampston M. *W10* —5F **33**
Scandrett St. *E1* —2D **55**
Scarba Wlk. N1 —3F **25**
  (off Marquess Rd.)
Scarborough Rd. *E11* —3F **15**
Scarborough Rd. *N4* —3C **10**
Scarborough St. *E1* —5B **40**
Scarlet Rd. *SE6* —3A **100**
Scarlette Mnr. Way. *SW2*
    —5C **80**
Scarsbrook Rd. *SE3* —1F **87**
Scarsdale Pl. *W8* —4D **49**
Scarsdale Vs. *W8* —4C **48**
Scarth Rd. *SW13* —1B **74**
Scawen Rd. *SE8* —1A **70**
Scawfell St. *E2* —1B **40**
Sceaux Gdns. *SE5* —4A **68**
Sceptre Ct. EC3 —1B **54**
  (off Tower Hill)
Sceptre Rd. *E2* —2E **41**
Schofield Wlk. *SE3* —3D **73**
Scholars Rd. *SW12* —1E **93**
Scholefield Rd. *N19* —3F **9**
Schonfeld Sq. *N16* —3F **11**
School App. *E2* —2A **40**

Schoolbell M. *E3* —1A **42**
School Ho. La. *E1* —1F **55**
School Rd. *NW10* —3A **32**
Schooner Clo. *SE16* —3F **55**
Schubert Rd. *SW15* —3B **76**
Schwartz Bldgs. E1 —4E **39**
  (off Woodseer St.)
Sclater St. *E1* —3B **40**
Scoble Pl. *N16* —1B **26**
Scoles Cres. *SW2* —1C **94**
Scoresby St. *SE1* —2D **53**
Scotch House. (Junct.)
    —3B **50**
Scoter Ct. SE8 —2B **70**
  (off Abinger Gro.)
Scotia Building. E1 —1F **55**
  (off Jardine Rd.)
Scotia Rd. *SW2* —1C **94**
Scotland Pl. *SW1* —2A **52**
Scotney Ho. *E9* —3E **27**
Scotsdale Rd. *SE12* —3D **87**
Scotson Ho. *SE11* —5C **52**
  (off Marylee Way)
Scotswood St. *EC1* —3C **38**
Scott Ellis Gdns. *NW8* —2F **35**
Scott Ho. E13 —1C **44**
  (off Queens Rd. W.)
Scott Ho. E14 —3C **56**
  (off Admirals Way)
Scott Lidgett Cres. *SE16*
    —3C **54**
Scott Russell Pl. *E14* —1D **71**
Scott's Rd. *E10* —3E **15**
Scott's Rd. *W12* —3D **47**
Scott St. *E1* —3D **41**
Scott's Yd. EC4 —1F **53**
  (off Gophir La.)
Scoulding Rd. *E16* —5C **44**
Scouler St. *E14* —1F **57**
Scout App. *NW10* —1A **18**
Scout La. *SW4* —1E **79**
Scovell Cres. *SE1* —3E **53**
  (off McCoid Way)
Scovell Rd. *SE1* —3E **53**
Scriven Ct. *E8* —5B **26**
Scriven St. *E8* —5B **26**
Scrooby St. *SE6* —4D **85**
Scrubs La. *NW10* —2C **32**
Scrutton Clo. *SW12* —5F **79**
Scrutton St. *EC2* —3A **40**
Scutari Rd. *SE22* —3E **83**
Scylla Pl. *SE15* —1C **82**
  (in two parts)
Seabright Pas. *E2* —1C **40**
Seabright St. *E2* —2D **41**
Seacole Clo. *W3* —4A **32**
Seaford St. *WC1* —2A **38**
Seaforth Cres. *N5* —2E **25**
Seaforth Pl. SW1 —4E **51**
  (off Buckingham Ga.)
Seagrave Clo. *E1* —4F **41**
Seagrave Lodge. SW6 —2C **62**
  (off Seagrave Rd.)
Seagrave Rd. *SW6* —2C **62**
Seagry Rd. *E11* —1C **16**
Seal St. *E8* —1B **26**
Searle Pl. *N4* —3B **10**
Searles Clo. *SW11* —3A **64**

Searles Rd. *SE1* —5F **53**
Sears St. *SE5* —3F **67**
Seaton Clo. *E13* —3C **44**
Seaton Clo. *SE11* —1D **67**
Seaton Clo. *SW15* —1D **89**
Seaton Ho. N1 —1E **37**
  (off Triton Sq.)
Seaton Point. *E5* —1C **26**
Sebastian St. *EC1* —2D **39**
Sebbon St. *N1* —4D **25**
Sebert St. *E7* —2D **31**
Sebright Pas. *E2* —1C **40**
Secker Ho. SW9 —5D **67**
  (off Loughborough Est.)
Secker St. *SE1* —2C **52**
Second Av. *E13* —2C **44**
Second Av. *SW14* —1A **74**
Second Av. *W3* —2B **46**
Second Av. *W10* —3A **34**
Sedan Way. *SE17* —1A **68**
Sedding St. *SW1* —5C **50**
Seddon Highwalk. EC2 —4E **39**
  (off Barbican)
Seddon Ho. EC2 —4E **39**
  (off Barbican)
Seddon St. *WC1* —2B **38**
Sedgebrook Rd. *SE3* —1F **87**
Sedgeford Rd. *W12* —2B **46**
Sedgehill Rd. *SE6* —4C **98**
Sedgeway. *SE6* —1B **100**
Sedgmoor Pl. *SE5* —3A **68**
Sedgwick Rd. *E10* —4E **15**
Sedgwick St. *E9* —2F **27**
Sedleigh Rd. *SW18* —4B **76**
Sedlescombe Rd. *SW6*
  —2C **62**
Sedley Clo. *SE26* —2D **97**
Sedley Ho. SE11 —1B **66**
  (off Newburn St.)
Sedley Pl. *W1* —5D **37**
Seeley Dri. *SE21* —4B **96**
Seelig Av. *NW9* —2C **4**
Seely Rd. *SW17* —5C **92**
Seething La. *EC3* —1A **54**
Sefton St. *SW15* —1E **75**
Sega Ho. SW5 —5C **48**
  (off Cromwell Rd.)
Segal Clo. *SE23* —5A **84**
Sekforde St. *EC1* —3D **39**
Selbie Av. *NW10* —2B **18**
Selborne Rd. *SE5* —5F **67**
Selbourne Ho. SE1 —3F **53**
  (off Gt. Dover St.)
Selby Clo. *E6* —4F **45**
Selby Rd. *E11* —5A **16**
Selby Rd. *E13* —4D **45**
Selby St. *E1* —3C **40**
Selden Ho. SE15 —5E **69**
  (off Selden Rd.)
Selden Rd. *SE15* —5E **69**
Selden Wlk. *N7* —4B **10**
Seldon Ho. SW8 —3E **65**
  (off Stewart's Rd.)
Selhurst Clo. *SW19* —1F **89**
Selkirk Rd. *SW17* —4A **92**
Sellincourt Rd. *SW17* —5A **92**
Sellon M. *SE11* —5B **52**
Sellons Av. *NW10* —5B **18**

Selsdon Rd. *E11* —2C **16**
Selsdon Rd. *E13* —5E **31**
Selsdon Rd. *NW2* —4B **4**
Selsdon Rd. *SE27* —3D **95**
Selsea Pl. *N16* —2A **26**
Selsey St. *E14* —4C **42**
Selwood Pl. *SW7* —1F **63**
Selwood Ter. *SW7* —1F **63**
Selworthy Clo. *E11* —1C **16**
Selworthy Rd. *SE6* —3B **98**
Selwyn Rd. E17 —1C **14**
  (off Yunus Khan Clo.)
Selwyn Clo. *SE3* —1B **86**
Selwyn Rd. *E3* —1B **42**
Selwyn Rd. *E13* —5D **31**
Selwyn Rd. *NW10* —4A **18**
Semley Ga. *E9* —3B **28**
Semley Pl. *SW1* —5C **50**
Senate St. *SE15* —5E **69**
Senior St. *W2* —4D **35**
Senlac Rd. *SE12* —1D **101**
Senrab St. *E1* —5F **41**
Serbin Clo. *E10* —2E **15**
Sergeant Ind. Est. *SW18*
  —4D **77**
Serica Ct. *SE10* —3E **71**
Serjeant's Inn. *EC4* —5C **38**
Serle St. *WC2* —5B **38**
Sermon La. EC4 —5E **39**
  (off Carter La.)
Serpentine Rd. *W2* —2A **50**
Setchell Rd. *SE1* —5B **54**
Setchell Way. *SE1* —5B **54**
Seth St. *SE16* —3E **55**
Settle Rd. *E13* —1C **44**
Settles St. *E1* —4C **40**
Settrington Rd. *SW6* —5D **63**
Seven Dials. *WC2* —5A **38**
Seven Dials Ct. WC2 —5A **38**
  (off Short Gdns.)
Sevenoaks Rd. *SE4* —4A **84**
Seven Sisters Rd. *N7, N4* &
  N15 —5B **10**
Seven Stars Corner. *W12*
  —4C **46**
Severnake Clo. *E14* —5C **56**
Severn Way. *NW10* —2B **18**
Severus Rd. *SW11* —2A **78**
Seville St. *SW1* —3B **50**
Sevill M. *N1* —4A **26**
Sevington Rd. *NW4* —1D **5**
Sevington St. *W9* —3D **35**
Sewardstone Rd. *E2* —1E **41**
Seward St. *EC1* —2D **39**
Sewdley St. *E5* —1F **27**
Sewell St. *E13* —2C **44**
Sextant Av. *E14* —5F **57**
Seymour Clo. *EC1* —3D **39**
Seymour Ct. *NW2* —4D **5**
Seymour Gdns. *SE4* —1A **84**
Seymour M. *W1* —5C **36**
Seymour Pl. *W1* —4B **36**
Seymour Rd. *E6* —1F **45**
Seymour Rd. *E10* —3B **14**
Seymour Rd. *N8* —1C **10**
Seymour Rd. *SW18* —5B **76**
Seymour Rd. *SW19* —3F **89**

Seymour Rd. Ind. Est. *E10*
  —3B **14**
Seymour St. *W2* & *W1*
  —5B **36**
Seymour Wlk. *SW10* —2E **63**
Seyssel St. *E14* —5E **57**
Shaa Rd. *W3* —1A **46**
Shackleton Clo. *SE23* —2D **97**
Shackleton Ho. *NW10* —4A **18**
Shacklewell Grn. *E8* —1B **26**
Shacklewell Ho. *E8* —1B **26**
Shacklewell La. *E8* —2B **26**
Shacklewell Rd. *N16* —1B **26**
Shacklewell Row. *E8* —1B **26**
Shacklewell St. *E2* —2B **40**
Shad Thames. *SE1* —2B **54**
Shadwell Gdns. E1 —1D **55**
  (off Sutton St.)
Shadwell Pier Head. *E1*
  —1E **55**
Shadwell Pl. *E1* —1E **55**
Shaftesbury Av. *W1* & *WC2*
  —1F **51**
Shaftesbury Ct. *SE5* —2F **81**
Shaftesbury Ct. SW6 —4D **63**
  (off Maltings Pl.)
Shaftesbury M. *SW16* —3F **93**
Shaftesbury Gdns. *NW10*
  —3A **32**
Shaftesbury Lodge. E14
  (off Upper N. St.) —5D **43**
Shaftesbury M. *SW4* —3E **79**
Shaftesbury M. W8 —4C **48**
  (off Stratford Rd.)
Shaftesbury Pl. EC2 —4E **39**
  (off Barbican)
Shaftesbury Point. E13 —1C **44**
  (off High St. Plaistow,)
Shaftesbury Rd. *E7* —4E **31**
Shaftesbury Rd. *E10* —3C **14**
Shaftesbury Rd. *E17* —1D **15**
Shaftesbury Rd. *N19* —3A **10**
Shaftesbury St. *N1* —1E **39**
  (in two parts)
Shafto M. *SW1* —4B **50**
Shafton M. *E9* —5F **27**
Shafton Rd. *E9* —5F **27**
Shafts Ct. *EC3* —5A **40**
Shakespeare M. *N16* —1A **26**
Shakespeare Rd. *SE24*
  —3D **81**
Shakespeare Tower. EC2
  (off Barbican) —4E **39**
Shakespeare Wlk. *N16* —1A **26**
Shalcomb St. *SW10* —2E **63**
Shalden Ho. *SW15* —4B **74**
Shalfleet Dri. *W10* —1F **47**
Shalford Ct. *N1* —1D **39**
  (off Charlton Pl.)
Shalford Ho. SE1 —4F **53**
Shamrock St. *SW4* —1F **79**
Shandon Rd. *SW4* —4E **79**
Shand St. *SE1* —3A **54**
Shandy St. *E1* —4F **41**
Shanklin Rd. *N8* —1F **9**
Shanklin Way. *SE15* —3B **68**
Shannon Clo. *NW2* —5F **5**
Shannon Ct. *N16* —5A **12**

Shannon Gro. *SW9* —2B **80**
Shannon Pl. *NW8* —1A **36**
Shanti Ct. *SW18* —1C **90**
Shap St. *E2* —1B **40**
Shardcroft Av. *SE24* —3D **81**
Shardeloes Rd. *SE14* —5B **70**
Shard's Sq. *SE15* —2C **68**
Sharon Gdns. *E9* —5E **27**
Sharp Ho. *SW8* —1D **79**
Sharpleshall St. *NW1* —4B **22**
Sharpness Ct. *SE15* —3B **68**
(off Daniel Gdns.)
Sharratt St. *SE15* —2E **69**
Sharsted St. *SE17* —1D **67**
Shaver's Pl. *SW1* —1F **51**
(off Coventry St.)
Shawbrooke Rd. *SE9* —3E **87**
Shawbury Rd. *SE22* —3B **82**
Shawfield St. *SW3* —1A **64**
Shawford Ct. *SW15* —5C **98**
Shaw Path. *Brom* —3B **100**
Shaw Rd. *SE22* —2A **82**
Shaw Rd. *Brom* —3B **100**
Shearling Way. *N7* —3A **24**
Shearman Rd. *SE3* —2B **86**
Shearwater Ct. *SE8* —2B **70**
(off Abinger Gro.)
Sheba St. *E1* —3B **40**
Sheenewood. *SE26* —4D **97**
Sheen Gro. *N1* —5C **24**
Sheepcote La. *SW11* —5B **64**
Sheep La. *E8* —5D **27**
Sheep Wlk. M. *SW19* —5F **99**
Sheerwater Rd. *E16* —4F **45**
Sheffield Sq. *E3* —2B **42**
Sheffield St. *WC2* —5B **38**
Sheffield Ter. *W8* —2C **48**
Shelburne Rd. *N7* —1B **24**
Shelbury Rd. *SE22* —3D **83**
Sheldon Av. *N6* —2A **8**
Sheldon Clo. *SE12* —3D **87**
Sheldon Ct. SW8 —3A **66**
(off Lansdowne Grn.)
Sheldon Rd. *NW2* —1F **19**
Sheldrake Pl. *W8* —3C **48**
Shelduck Clo. *E7* —2B **30**
Shelduck Ct. SE8 —2B **70**
(off Pilot Clo.)
Shelford Pl. *N16* —5F **11**
Shelgate Rd. *SW11* —3A **78**
Shelley Av. *E12* —3F **31**
Shelley Clo. *SE15* —5D **69**
Shelley Ct. *E10* —2D **15**
Shelley Ct. *N4* —3B **10**
Shelley Ho. SE17 —1E **67**
(off Browning St.)
Shelley Way. *SW19* —5F **91**
Shellness Rd. *E5* —2D **27**
Shell Rd. *SE13* —1D **85**
Shellwood Rd. *SW11* —5B **64**
Shelmerdine Clo. *E3* —4C **42**
Shelton St. *WC2* —5A **38**
(in two parts)
Shenfield St. *N1* —1A **40**
Shenley Rd. *SE5* —4A **68**
Shepherd Clo. W1 —1C **50**
(off Lees Pl.)
Shepherdess Pl. *N1* —2E **39**

Shepherdess Wlk. *N1* —1E **39**
Shepherd Mkt. *W1* —2D **51**
Shepherd's Bush Grn. *W12*
　　　　　　　—3E **47**
Shepherd's Bush Mkt. *W12*
　　　　　　　—3E **47**
Shepherd's Bush Pl. *W12*
　　　　　　　—3F **47**
Shepherd's Bush Rd. *W6*
　　　　　　　—5E **47**
Shepherd's Clo. *N6* —1D **9**
Shepherd's Hill. *N6* —1D **9**
Shepherds Ct. W12 —3F **47**
(off Shepherd's Bush Grn.)
Shepherd's Hill. *N6* —1D **9**
Shepherds La. *E9* —3F **27**
Shepherd's Path. NW3 —2F **21**
(off Lyndhurst Rd.)
Shepherds Pl. *W1* —1C **50**
Shepherd St. *W1* —2D **51**
Shepherd's Wlk. *NW2* —4C **4**
Shepherd's Wlk. *NW3* —2F **21**
Sheppard Dri. *SE16* —1D **69**
Sheppard Ho. *SW2* —1C **94**
Sheppard St. *E16* —3B **44**
Shepperton Rd. *N1* —5F **25**
Sheppey Wlk. *N1* —3E **25**
Shepton Houses. E2 —2E **41**
(off Welwyn St.)
Sheraton St. *W1* —5F **37**
Sherborne Ho. SW8 —3B **66**
(off Bolney St.)
Sherborne La. *EC4* —1F **53**
Sherborne St. *N1* —5F **25**
Sherboro Rd. *N15* —1B **12**
Sherbrooke Rd. *SW6* —3A **62**
Shere Ho. SE1 —3F **53**
(off Gt. Dover St.)
Sherfield Gdns. *SW15* —4B **74**
Sheridan Ho. SE11 —5C **52**
(off Wincott St.)
Sheridan Pl. *SW13* —1B **74**
Sheridan Rd. *E7* —5B **16**
Sheridan St. *E1* —5D **41**
Sheridan Wlk. *NW11* —1C **6**
Sheringham. *NW8* —4F **21**
Sheringham Ho. NW1 —4A **36**
(off Lisson St.)
Sheringham Rd. *N7* —3B **24**
Sherington Rd. *SE7* —2D **73**
Sherlock M. *W1* —4C **36**
Sherrard Rd. *E7 & E12*
　　　　　　　—3E **31**
Sherrick Grn. Rd. *NW10*
　　　　　　　—2D **19**
Sherriff Rd. *NW6* —3C **20**
Sherrin Rd. *E10* —1D **29**
Sherston Ct. SE1 —5D **53**
(off Newington Butts)
Sherston Ct. WC1 —2C **38**
(off Attneave St.)
Sherwin Ho. SE11 —2C **66**
(off Kennington Rd.)
Sherwin Rd. *SE14* —4F **69**
Sherwood. *NW6* —4A **20**
Sherwood Clo. *SW13* —1D **75**
Sherwood Ct. *SW11* —1E **77**
Sherwood Gdns. *E14* —5C **56**
Sherwood Gdns. *SE16* —1C **68**

Sherwood St. *W1* —1E **51**
Shetland Rd. *E3* —1B **42**
Shifford Path. *SE23* —3F **97**
Shillaker Ct. *W3* —2B **46**
Shillibeer Pl. W1 —4A **36**
(off York St.)
Shillingford St. *N1* —4D **25**
Shinfield St. *W12* —5E **33**
Shipka Rd. *SW12* —1D **93**
Shipman Rd. *E16* —5D **45**
Shipman Rd. *SE23* —2F **97**
Ship & Mermaid Row. *SE1*
　　　　　　　—3F **53**
Ship St. *SE8* —4C **70**
Ship Tavern Pas. *EC3* —1A **54**
Shipton Pl. *NW5* —3C **22**
Shipton St. *E2* —2B **40**
Shipway Ter. *N16* —5B **12**
Shipwright Rd. *SE16* —3A **56**
Shipwright Yd. SE1 —2A **54**
(off Tooley St.)
Ship Yd. *E14* —1D **71**
Shirburn Clo. *SE23* —5E **83**
Shirbutt St. *E14* —1D **57**
Shirebrook Rd. *SE3* —1F **87**
Shirehall Clo. *NW4* —1F **5**
Shirehall Gdns. *NW4* —1F **5**
Shirehall La. *NW4* —1F **5**
Shirehall Pk. *NW4* —1F **5**
Shire Pl. *SW18* —5D **77**
Shirland M. *W9* —2B **34**
Shirland Rd. *W9* —2B **34**
Shirley Gro. *SW11* —1C **78**
Shirley Ho. SE5 —3F **67**
(off Picton St.)
Shirley Ho. Dri. *SE7* —3E **73**
Shirley Rd. *E15* —4A **30**
Shirley Rd. *W4* —3A **46**
Shirley St. *E16* —5B **44**
Shirlock Rd. *NW3* —1B **22**
Shobroke Clo. *NW2* —5E **5**
Shoe La. *EC4* —5C **38**
Shooters Hill Rd. *SE3 & SE18*
　　　　　　　—4F **71**
Shoreditch Ct. E8 —5B **26**
(off Queensbridge Rd.)
Shoreditch High St. *E1*
　　　　　　　—3A **40**
Shoreham Clo. *SW18* —3D **77**
Shore Ho. *SW8* —1D **79**
Shore Pl. *E9* —4E **27**
Shore Rd. *E9* —4E **27**
Shorncliffe Rd. *SE1* —1B **68**
Shorndean St. *SE6* —1E **99**
Shorrold's Rd. *SW6* —3B **62**
Shorter St. *E1* —1B **54**
Shortlands. *W6* —5F **47**
Shortlands Rd. *E10* —2D **15**
Short Rd. *E11* —4A **16**
Short Rd. *E15* —5F **29**
Short Rd. *W4* —2A **60**
Shorts Gdns. *WC2* —5A **38**
Short St. *SE1* —3C **52**
Short Wall. *E15* —2C **43**
Short Way. *SE9* —1F **87**
Shotfield Av. *SW14* —2A **74**
Shottendane Rd. *SW6* —4C **62**

Shottery Clo. *SE9* —3F **101**
Shoulder of Mutton All. *E14*
    —1A **56**
Shouldham St. *W1* —4A **36**
Shrewsbury Ct. EC1 —3E **39**
  (off Whitecross St.)
Shrewsbury Cres. *NW10*
    —5A **18**
Shrewsbury Ho. SW8 —2B **66**
  (off Meadow Rd.)
Shrewsbury M. W2 —4C **34**
  (off Chepstow Rd.)
Shrewsbury Rd. *E7* —2F **31**
Shrewsbury Rd. *W2* —5C **34**
Shrewsbury St. *W10* —3E **33**
Shroffold Rd. *Brom* —4A **100**
Shropshire Pl. *WC1* —3E **38**
Shroton St. *NW1* —4A **36**
Shrubbery Clo. *N1* —5E **25**
Shrubbery Rd. *SW16* —4A **94**
Shrubbery, The. *E11* —1D **17**
Shrubland Rd. *E8* —5C **26**
Shrubland Rd. *E10* —2C **14**
Shrubland Rd. *E17* —1C **14**
Shrublands Clo. *SE26* —3E **97**
Shuna Wlk. *N1* —3F **25**
Shurland Gdns. *SE15* —3B **68**
Shuters Sq. *W14* —1B **62**
Shuttle St. *E1* —3C **40**
Shuttleworth Rd. *SW11*
    —5A **64**
Sibella Rd. *SW4* —5F **65**
Sibthorpe Rd. *SE12* —4D **87**
Sicilian Av. WC1 —4A **38**
  (off Vernon Pl.)
Sidbury St. *SW6* —4A **62**
Sidcup Rd. *SE12 & SE9*
    —4E **87**
Siddons La. *NW1* —3B **36**
Siddons Rd. *SE23* —2A **98**
Side Rd. *E17* —1B **14**
Sidford Ho. SE1 —4B **52**
  (off Cosser St.)
Sidford Pl. *SE1* —4C **52**
Sidgwick Ho. SW9 —5B **66**
  (off Stockwell Rd.)
Sidings M. *N7* —5C **10**
Sidings, The. *E11* —3F **15**
Sidlaw Ho. *N16* —3B **12**
Sidmouth Ho. SE15 —3C **68**
  (off Friary Rd.)
Sidmouth Pde. *NW10* —4E **19**
Sidmouth Rd. *E10* —5E **15**
Sidmouth Rd. *NW2* —4E **19**
Sidmouth Rd. *SE15* —4B **68**
Sidmouth St. *WC1* —2B **38**
Sidney Boyd Ct. *NW6* —4C **20**
Sidney Est. *E1* —4E **41**
  (in two parts)
Sidney Gro. *EC1* —1D **39**
Sidney Rd. *E7* —5C **16**
Sidney Rd. *SW9* —5B **66**
Sidney Sq. *E1* —4E **41**
Sidney St. *E1* —4D **41**
Sidworth St. *E8* —4D **27**
Siebert Rd. *SE3* —2C **72**
Siemens Rd. *SE18* —4F **59**
Sigdon Pas. *E8* —2C **26**

Sigdon Rd. *E8* —2C **26**
Signmakers Yd. NW1 —5D **23**
  (off Delancey St.)
Silbury Ho. *SE26* —3C **96**
Silbury St. *N1* —2F **39**
Silchester Rd. *W10* —5F **33**
Silesia Bldgs. *E8* —4D **27**
Silex St. *SE1* —3D **53**
Silk Clo. *SE12* —3C **86**
Silk Mills Path. *SE13* —5E **71**
Silkmills Sq. *E9* —3B **28**
Silks Ct. *E11* —3B **16**
Silk St. *EC2* —4E **39**
Sillitoe Ho. N1 —5F **25**
  (off Colville St.)
Silverbirch Clo. *E8* —4B **26**
Silverburn Ho. SW9 —4D **67**
  (off Lothian Rd.)
Silverdale. *SE14* —3A **70**
Silverdale. *SE26* —4E **97**
Silverdale Dri. *SE9* —2F **101**
Silvermere Rd. *SE6* —5D **85**
Silver Pl. *W1* —5E **37**
Silver Rd. *W12* —1F **47**
Silverthorne Rd. *SW8* —5D **65**
Silverton Rd. *W6* —2F **61**
Silvertown Way. *E16* —5B **44**
Silver Wlk. *SE16* —2B **56**
Silvester Ho. W11 —5B **34**
  (off Basing St.)
Silvester Rd. *SE22* —3B **82**
Silvester St. *SE1* —3F **53**
Silwood Est. *SE16* —5E **55**
Silwood St. *SE16* —5E **55**
Simla Clo. *SE14* —2A **70**
Simms Rd. *SE1* —5C **54**
Simnel Rd. *SE12* —5D **87**
Simon Clo. *W11* —1B **48**
Simonds Rd. *E10* —4C **14**
Simone Ct. *SE26* —3C **97**
Simons Ct. *N16* —4B **12**
Simons Wlk. *E15* —2F **29**
Simpson Dri. *W3* —5A **32**
Simpson Ho. *NW8* —2A **36**
Simpson Ho. *SE11* —1B **66**
Simpson's Rd. *E14* —1D **57**
Simpson St. *SW11* —5A **64**
Simrose Ct. *SW18* —3C **76**
Sims Wlk. *SE3* —2B **86**
Sinclair Gdns. *W14* —3F **47**
Sinclair Gro. *NW11* —1F **5**
Sinclair Mans. W12 —3F **47**
  (off Richmond Way)
Sinclair Rd. *W14* —3F **47**
Singer St. *EC2* —2F **39**
Sir Alexander Clo. *W3* —2B **46**
Sir Alexander Rd. *W3* —2B **46**
Sirdar Rd. *W11* —1F **47**
Sirinham Point. SW8 —2B **66**
  (off Meadow Rd.)
Sirius Building. E1 —1F **55**
  (off Jardine Rd.)
*Sir Oswald Stoll Foundation,
  The. SW6* —3D **63**
  (off Fulham Rd.)
Sir William Powell's
  Almshouses. *SW6* —5A **62**
Sise La. *EC4* —5F **39**

Sispara Gdns. *SW18* —4B **76**
Sister Mabel's Way. *SE15*
    —3C **68**
Sisters Av. *SW11* —1B **78**
Sistova Rd. *SW12* —1D **93**
Sisulu Pl. *SW9* —1C **80**
Siward Rd. *SW17* —3E **91**
Six Acres Est. *N4* —4C **10**
Six Bridges Ind. Est. SE1
    —1C **68**
  (off Marlborough Gro.)
Sixth Av. *W10* —2A **34**
Skardu Rd. *NW2* —2A **20**
Skeena Hill. *SW18* —5A **76**
Skelbrook St. *SW18* —2E **91**
Skelgill Rd. *SW15* —2B **76**
Skelley Rd. *E15* —4B **30**
Skelton Clo. *E8* —3B **26**
Skelton Rd. *E7* —3C **30**
Skelton's La. E10 —2D **15**
Skelwith Rd. *W6* —2E **61**
Sketchley Gdns. *SE16* —1F **69**
Skiers St. *E15* —5A **30**
Skiffington Clo. *SW2* —1C **94**
Skinner Ct. *E2* —1D **41**
Skinner Pl. SW1 —5C **50**
  (off Bourne St.)
Skinners La. *EC4* —1E **53**
Skinner's Row. *SE10* —4D **71**
Skinner St. *EC1* —3C **38**
Skipton Ho. *SE4* —2A **84**
Skipworth Rd. *E9* —5E **27**
Skomer Wlk. *N1* —3E **25**
Skylines. *E14* —3E **57**
Sladebrook Rd. *SE3* —1F **87**
Sladen Pl. *E5* —1D **27**
Slade Tower. *E10* —4C **14**
Slade Wlk. *SE17* —2E **67**
Slagrove Pl. *SE13* —3C **84**
Slaidburn St. *SW10* —2E **63**
Slaithwaite Rd. *SE13* —2E **85**
Slaney Pl. *N7* —2C **24**
Sleaford Ind. Est. *SW8* —3E **65**
Sleaford St. *SW8* —3E **65**
Slievemore Clo. *SW4* —1F **79**
Slindon Ct. *N16* —5B **12**
Slingsby Pl. *WC2* —1A **52**
Slippers Pl. *SE16* —4D **55**
Sloane Av. *SW3* —5A **50**
Sloane Ct. E. *SW3* —1C **64**
Sloane Ct. W. *SW3* —1C **64**
Sloane Gdns. *SW1* —5C **50**
Sloane Sq. *SW1* —5B **50**
Sloane St. *SW1* —3B **50**
Sloane Ter. *SW1* —5C **50**
Sly St. *E1* —5D **41**
Smallbrook M. *W2* —5F **35**
Smalley Clo. *N16* —5B **12**
Smalley Rd. Est. N16 —5B **12**
  (off Smalley Clo.)
Smallwood Rd. *SW17* —4F **91**
Smart's Pl. *WC2* —5A **38**
Smart St. *E2* —2F **41**
Smeaton Ct. *SE1* —4E **53**
Smeaton Rd. *SW18* —5C **76**
Smeaton St. *E1* —2D **55**
Smedley St. *SW8 & SW4*
    —5F **65**

Smeed Rd. *E3* —4C **28**
Smiles Pl. *SE13* —5E **71**
Smith Clo. *SE16* —2F **55**
Smithfield St. *EC1* —4D **39**
Smithies St. *E15* —2E **29**
Smith's Ct. W1 —1F **51**
(off Gt. Windmill St.)
Smiths Point. E13 —5C **30**
(off Brooks Rd.)
Smith Sq. *SW1* —4A **52**
Smith St. *SW3* —1B **64**
Smith's Yd. *SW18* —2E **91**
Smith Ter. *SW3* —1B **64**
Smithwood Clo. *SW19* —1A **90**
Smithy St. *E1* —4E **41**
Smugglers Way. *SW18*
—2D **77**
Smyrk's Rd. *SE17* —1A **68**
Smyrna Rd. *NW6* —4C **20**
Smythe St. *E14* —1D **57**
Snarsgate St. *W10* —4E **33**
Sneath Av. *NW11* —2B **6**
Sneyd Rd. *NW2* —1E **19**
Snowbury Rd. *SW6* —5D **63**
Snowden Dri. *NW9* —1A **4**
Snowden St. *EC2* —3A **40**
Snow Hill. *EC1* —4D **39**
Snow Hill Ct. *EC1* —5D **39**
Snowsfields. *SE1* —3F **53**
Snowshill Rd. *E12* —2F **31**
Soames St. *SE15* —1B **82**
Soho Sq. *W1* —5F **37**
Soho St. *W1* —5F **37**
Sojourner Truth Clo. *E8*
—3D **27**
Solander Gdns. *E1* —1E **55**
Solarium Ct. SE1 —5B **54**
(off Alscot Rd.)
Soldene Ct. N7 —3B **24**
(off Georges Rd.)
Solebay St. *E1* —3A **42**
Solent Rise. *E16* —2C **44**
Solent Rd. *NW6* —2C **20**
Soley M. *WC1* —2C **38**
Solna Av. *SW15* —3E **75**
Solomon's Pas. SE15 —2D **83**
Solon New Rd. *SW4* —2A **80**
Solon New Rd. Est. *SW4*
—2A **80**
Solon Rd. *SW2* —2A **80**
Solway Clo. *E8* —3B **26**
(off Queensbridge Rd.)
Solway Rd. *SE22* —2C **82**
Somali Rd. *NW2* —2B **20**
Somer Ct. SW6 —2C **62**
(off Anselm Rd.)
Somerfield Ho. *SE8* —1F **69**
Somerfield Rd. *N4* —4D **11**
Somerford Gro. *N16* —1B **26**
Somerford Gro. Est. *N16*
—1B **26**
Somerford St. *E1* —3D **41**
Somerford Way. *SE16* —3A **56**
Somerleyton Pas. *SW9*
—2D **81**
Somerleyton Rd. *SW9* —2C **80**
Somers Clo. *NW1* —1F **37**
Somers Cres. *W2* —5A **36**

Somerset Est. *SW11* —4F **63**
Somerset Gdns. *N6* —2C **8**
Somerset Gdns. *SE13* —5D **71**
Somerset Rd. *E17* —1C **14**
Somerset Rd. *SW19* —3F **89**
Somerset Sq. *W14* —3A **48**
Somers Pl. *SW2* —5B **80**
Somers Rd. *SW2* —4B **80**
Somerton Rd. *NW2* —5A **6**
Somerton Rd. *SE15* —2D **83**
Somertrees Av. *SE12*
—2D **101**
Sonderburg Rd. *N7* —4B **10**
Sondes St. *SE17* —2F **67**
Sonia Gdns. *NW10* —1B **18**
Sophia Clo. *N7* —3B **24**
Sophia Rd. *E10* —3D **15**
Sophia Rd. *E16* —5D **45**
Sophia Sq. SE16 —1A **56**
(off Sovereign Cres.)
Sopwith Way. *SW8* —3D **65**
Sorensen Ct. *E10* —4D **15**
Sorrel Gdns. *E6* —4F **45**
Sorrel La. *E14* —5F **43**
Sorrell Clo. *SE14* —3A **70**
Sorrell Clo. *SW9* —5C **66**
Sotheby Rd. *N5* —5E **11**
Sotheran Clo. *E8* —5C **26**
Sotheron Rd. *SW6* —3D **63**
Soudan Rd. *SW11* —4B **64**
Souldern Rd. *W14* —4F **47**
S. Access Rd. *E17* —2A **14**
S. Africa Rd. *W12* —2D **47**
Southall Pl. *SE1* —3F **53**
Southampton Bldgs. *WC2*
—4C **38**
Southampton Pl. *WC1* —4A **38**
Southampton Rd. *NW5*
—2B **22**
Southampton Row. *WC1*
—4A **38**
Southampton St. *WC2* —1A **52**
Southampton Way. *SE5*
—3F **67**
Southam St. *W10* —3A **34**
S. Audley St. *W1* —1C **50**
South Av. *NW10* —3E **33**
Southbank Bus. Cen. *SW8*
—2F **65**
Southbank Bus. Cen. *SW11*
—4B **64**
S. Birkbeck Rd. *E11* —5F **15**
S. Black Lion La. *W6* —1C **60**
S. Bolton Gdns. *SW5* —1E **63**
Southborough Rd. *E9* —5F **27**
Southbourne Gdns. *SE12*
—3D **87**
S. Branch Av. *NW10* —3E **33**
Southbrook M. *SE12* —4B **86**
Southbrook Rd. *SE12* —4B **86**
S. Carriage Dri. *SW7 & SW1*
—3F **49**
South Clo. *N6* —1D **9**
S. Colonnade. *E14* —2C **56**
Southcombe St. *W14* —5A **48**
Southcote Rd. *N19* —1E **23**
South Cres. *E16* —3F **43**
(in two parts)

South Cres. *WC1* —4F **37**
Southcroft Rd. *SW17 & SW16*
—5C **92**
S. Croxted Rd. *SE21* —3F **95**
Southdean Gdns. *SW19*
—2B **90**
Southdown. *N7* —3A **24**
S. Eaton Pl. *SW1* —5C **50**
S. Edwardes Sq. *W8* —4B **48**
South End. *W8* —4D **49**
S. End Clo. *NW3* —1A **22**
S. End Grn. *NW3* —1A **22**
Southend La. *SE26 & SE6*
—4B **98**
S. End Rd. *NW3* —1A **22**
Southend Rd. *Beck* —5D **99**
S. End Row. *W8* —4D **49**
Southgate Way. *SE14*
—3A **70**
Southern Gro. *E3* —2B **42**
Southern Rd. *E13* —1D **45**
Southern Row. *W10* —3A **34**
Southern St. *N1* —1B **38**
Southernwood Retail Pk. SE1
(off Rowcross Pl.) —1B **68**
Southerton Rd. *W6* —5E **47**
S. Esk Rd. *E7* —3E **31**
Southey Ho. SE17 —1E **67**
(off Browning St.)
Southey M. *E16* —2D **59**
Southey Rd. *N15* —1A **12**
Southey Rd. *SW9* —4C **66**
Southfields M. *SW18* —4C **76**
Southfields Pas. *SW18*
—4C **76**
Southfields Rd. *SW18* —4C **76**
Southgate Gro. *N1* —4F **25**
Southgate Rd. *N1* —5F **25**
South Gro. *E17* —1A **14**
South Gro. *N6* —3C **8**
South Gro. Ho. *N15* —1F **11**
S. Hill Pk. *NW3* —1A **22**
S. Hill Pk. Gdns. *NW3* —3B **66**
Southill St. *E14* —5D **43**
S. Island Pl. *SW9* —3B **66**
S. Kensington Sta. Arc. SW7
(off Pelham St.) —5F **49**
S. Lambeth Pl. *SW8* —2A **66**
S. Lambeth Rd. *SW8* —3A **66**
Southlands Dri. *SW19* —2F **89**
South Lodge. *NW8* —2F **35**
Southmead Rd. *SW19* —1A **90**
S. Molton La. *W1* —5D **37**
S. Molton Rd. *E16* —5C **44**
S. Molton St. *W1* —5D **37**
Southmoor Way. *E9* —3B **28**
S. Oak Rd. *SW16* —4B **94**
Southolm St. *SW11* —4D **65**
Southover. *Brom* —5C **100**
South Pde. *SW3* —1F **63**
South Pde. *W4* —5A **46**
South Pk. Cres. *SE6* —1B **100**
South Pk. M. *SW6* —1D **77**
South Pk. Rd. *SW19* —5D **91**
South Pl. *EC2* —4F **39**
South Pl. M. *EC2* —4F **39**
S. Quay Plaza. *E14* —3D **57**

South Rise. *W2* —1A **50**
(off St George's Fields)
South Rd. *SE23* —2F **97**
South Row. *SE3* —5B **72**
S. Sea St. *SE16* —4B **56**
South Side. *W4* —4B **46**
Southside Comn. *SW19*
　　　　　—5E **89**
S. Worple Av. *SW14* —1A **74**
Southwyck Ho. *SW9* —2D **81**
Sovereign Clo. *E1* —1D **55**
Sovereign Cres. *SE16* —1A **56**
Sovereign M. *E2* —1B **40**
Spa Ct. *SW16* —4B **94**
Spafield St. *EC1* —3C **38**
Spa Grn. Est. *EC1* —2D **39**
Spalding Ho. *SE4* —2A **84**
Spalding Rd. *NW4* —2E **5**
Spalding Rd. *SW17* —5D **93**
Spanby Rd. *E3* —3C **42**
Spaniards Clo. *NW11* —3F **7**
Spaniards End. *NW3* —3E **7**
Spaniards Pl. *W1* —5C **36**
Spanish Rd. *SW18* —3F **77**
Sparke Ter. *E16* —5B **44**
(off Clarkson Rd.)
Spa Rd. *SE16* —4B **54**
Sparrick's Row. *SE1* —3F **53**
Sparsholt Rd. *N19* —3A **10**
Sparta St. *SE10* —4E **71**
Speaker's Corner. *W2* —1B **50**
Speakman Ho. *SE4* —1A **84**
(off Arica Rd.)
Spear M. *SW5* —5C **48**
Spears Rd. *N19* —3A **10**
Spedan Clo. *NW3* —5E **7**
Speed Highwalk. *EC2* —4E **39**
(off Barbican)
Speed Ho. *EC2* —4F **39**
(off Barbican)
Speedwell St. *SE8* —3C **70**
Speedy Pl. *WC1* —2A **38**
(off Cromer St.)
Speldhurst Ho. *E9* —4F **27**
Speldhurst Rd. *W4* —4A **46**
Spellbrook Wlk. *N1* —5E **25**
(off Basire St.)
Spelman Ho. *E1* —4C **40**
(off Spelman St.)
Spelman St. *E1* —4C **40**
Spence Clo. *SE16* —3B **56**
Spencer Dri. *N2* —1E **9**
Spencer Ho. *NW4* —1D **5**
Spencer M. *SW9* —4B **66**
Spencer M. *W6* —2A **62**
Spencer Pk. *SW18* —3F **77**
Spencer Pas. *E2* —1D **41**
(off Coate St.)
Spencer Pl. *N1* —4D **25**
(off Tyndale Ter.)
Spencer Rise. *NW5* —1D **23**
Spencer Rd. *E6* —5F **31**
Spencer Rd. *N8* —1B **10**
(in two parts)
Spencer St. *SW18* —2F **77**
Spencer St. *EC1* —2D **39**
Spencer Wlk. *NW3* —1F **21**
Spencer Wlk. *SW15* —2F **75**
Spenlow Ho. *SE16* —4C **54**
(off Jamaica Rd.)
Spenser Gro. *N16* —2A **26**
Spenser M. *SE21* —2F **95**
Spenser Rd. *SE24* —3D **81**
Spenser St. *SW1* —4E **51**
Spensley Wlk. *N16* —5F **11**

Spert St. *E14* —1A **56**
Spey St. *E14* —4E **43**
Spezia Rd. *NW10* —1C **32**
Spice Ct. *E1* —1C **54**
Spicer Clo. *SW9* —5D **67**
Spindrift Av. *E14* —5C **56**
Spinney Gdns. *SE19* —5B **96**
Spinney, The. *SW13* —2D **61**
Spinney, The. *SW16* —3E **93**
Spirit Quay. *E1* —2C **54**
Spital Sq. *E1* —4A **40**
Spital St. *E1* —4C **40**
Spital Yd. *E1* —4A **40**
Splendour Wlk. *SE16* —1E **69**
(off Verne Rd.)
Spode Ho. *SE11* —4C **52**
(off Lambeth Wlk.)
Spode Wlk. *NW6* —2D **21**
Sportsbank St. *SE6* —5E **85**
Spratt Hall Rd. *E11* —1C **16**
Sprimont Pl. *SW3* —5B **50**
Springall St. *SE15* —3D **69**
Springbank Rd. *SE13* —4F **85**
Springbank Wlk. *NW1* —4E **23**
Spring Ct. *NW6* —3B **20**
Springdale M. *N16* —1F **25**
Springdale Rd. *N16* —1F **25**
Springfield. *E5* —3D **13**
Springfield Gdns. *E5* —3D **13**
Springfield Gdns. *NW9* —1A **4**
Springfield Gro. *SE7* —2E **73**
Springfield La. *NW6* —5D **21**
Springfield Rise. *SE26* —3D **97**
(in two parts)
Springfield Rd. *E15* —2A **44**
Springfield Rd. *E17* —1B **14**
Springfield Rd. *NW8* —5E **21**
Springfield Rd. *SE26* —5D **97**
Springfield Rd. *SW19* —5B **90**
Springfield Wlk. *NW6* —5D **21**
Spring Gdns. *N5* —2E **25**
Spring Gdns. *SW1* —2F **51**
Spring Hill. *E5* —2C **12**
Spring Hill. *SE26* —4C **97**
Springhill Clo. *SE5* —1F **81**
Spring La. *E5* —2D **13**
Spring La. *W1* —4B **36**
Spring Pk. Dri. *N4* —3E **11**
Spring Path. *NW3* —2F **21**
Spring Pl. *NW5* —2D **23**
Springrice Rd. *SE13* —4F **85**
Spring St. *W2* —5F **35**
Spring Tide Clo. *SE15* —4C **68**
Spring Vale Ter. *W14* —4F **47**
Spring Wlk. *E1* —4C **40**
Springwell Av. *NW10* —5B **18**
Springwell Clo. *SW16* —4B **94**
Springwell Rd. *SW16* —4C **94**
Sprowston M. *E7* —3C **30**
Sprowston Rd. *E7* —2C **30**
Spruce Ct. *E8* —4B **26**
Sprules Rd. *SE4* —5A **70**
Spurgeon St. *SE1* —4F **53**
Spurling Rd. *SE22* —2B **82**
Spur Rd. *SE1* —3C **52**
Spur Rd. *SW1* —3E **51**
Spurstowe Rd. *E8* —3D **27**
Spurstowe Ter. *E8* —2D **27**

Square Rigger Row—Station Pas.

Square Rigger Row. *SW11* —1E **77**
Square, The. *W6* —1E **61**
Squarey St. *SW17* —3E **91**
Squires Ct. *SW4* —4A **66**
Squires Ct. *SW19* —4C **90**
Squires Mt. *NW3* —5F **7**
Squirrels, The. *SE13* —1F **85**
Squirries St. *E2* —2C **40**
Stable M. *SE27* —5E **95**
Stables, The. W10 —5F *33*
(off Bassett Rd.)
Stables Way. *SE11* —1C **66**
Stable Way. *W10* —5E **33**
Stable Yd. SE1 —3E *51*
(off St James Pal.)
Stable Yd. *SW9* —5B **66**
Stable Yd. *SW15* —1E **75**
Stable Yd. Rd. *SW1* —3E **51**
Stacey Clo. *E10* —1F **15**
Stacey St. *N7* —5C **10**
Stacey St. *WC2* —5F **37**
Stackhouse St. SW3 —4B *50*
(off Pavilion Rd.)
Stacy Path. *SE5* —3A **68**
Stadium Rd. *NW4* —2E **5**
Stadium St. *SW10* —3E **63**
Staffa Rd. *E10* —3A **14**
Stafford Clo. *E17* —1B **14**
Stafford Clo. *NW6* —2C **34**
Stafford Ct. *SW8* —3A **66**
Stafford Cripps Ho. SW6 —2B *62*
(off Clem Attlee Ct.)
Stafford Pl. *SW1* —4E **51**
Stafford Rd. *E3* —1B **42**
Stafford Rd. *E7* —4E **31**
Stafford Rd. *NW6* —2C **34**
Staffordshire St. *SE15* —4C **68**
Stafford St. *W1* —2E **51**
Stafford Ter. *W8* —4C **48**
Staff St. *EC1* —2F **39**
Stag La. *SW15* —3B **88**
Stag Lane. (Junct.) —2B **88**
Stag Pl. *SW1* —4E **51**
Stainer St. *SE1* —2F **53**
Staining La. *EC2* —5E **39**
Stainsby St. *E2* —1E **41**
Stainsby Pl. *E14* —5C **42**
Stainsby Rd. *E14* —5C **42**
Stainton Rd. *SE6* —4F **85**
Stalbridge St. *NW1* —4A **36**
Stalham St. *SE16* —4D **55**
Stamford Brook Av. *W6* —4B *46*
Stamford Brook Gdns. *W6* —4B **46**
Stamford Brook Mans. W6 —5B *46*
(off Goldhawk Rd.)
Stamford Brook Rd. *W6* —4B **46**
Stamford Clo. NW3 —5E *7*
(off Heath Rd.)
Stamford Ct. *W6* —5C **46**
Stamford Gro. E. *N16* —3C **12**
Stamford Gro. W. *N16* —3C **12**
Stamford Hill. *N16* —4D **12**
Stamford Lodge. *N16* —2B **12**
Stamford Rd. *E6* —5F **31**

Stamford Rd. *N1* —4A **26**
Stamford St. *SE1* —2C **52**
Stamford Wharf. *SE1* —1C **52**
Stamp Pl. *E2* —1B **40**
Stanard Clo. *N16* —2A **12**
Stanborough Pas. *E8* —3B **26**
Stanbridge Rd. *SW15* —1E **75**
Stanbury Ct. *NW3* —3B **22**
Stanbury Rd. *SE15* —5D **69**
(in two parts)
Standard Pl. EC2 —2A *40*
(off Rivington St.)
Standard Rd. *NW10* —3A **32**
Standen Rd. *SW18* —5B **76**
Standish Ho. W6 —5C *46*
(off St Peter's Gro.)
Standish Rd. *W6* —5C **46**
Stanfield Rd. *E3* —1A **42**
Stanford Ct. *SW6* —4D **63**
Stanford Pl. *SE17* —5A **54**
Stanford Rd. *W8* —4D **49**
Stanford St. *SW1* —5F **51**
Stangate. SE1 —4B *52*
(off Royal St.)
Stanhope Clo. *SE16* —3F **55**
Stanhope Gdns. *N4* —1D **11**
Stanhope Gdns. *N6* —1D **9**
Stanhope Gdns. *SW7* —5E **49**
Stanhope Ga. *W1* —2C **50**
Stanhope Ho. SE8 —3B *70*
(off Adolphus St.)
Stanhope M. E. *SW7* —5E **49**
Stanhope M. S. *SW7* —5E **49**
Stanhope M. W. *SW7* —5E **49**
Stanhope Pde. *NW1* —2E **37**
Stanhope Pl. *W2* —1B **50**
Stanhope Rd. *E17* —1D **15**
Stanhope Rd. *N6* —1E **9**
Stanhope Row. *W1* —2D **51**
Stanhope St. *NW1* —2E **37**
Stanhope Ter. *W2* —1F **49**
Stanier Clo. *W14* —1B **62**
Stanlake M. *W12* —2E **47**
Stanlake Rd. *W12* —2E **47**
Stanlake Vs. *W12* —2E **47**
Stanley Clo. *SW8* —2B **66**
Stanley Cohen Ho. EC1 —3E *39*
(off Golden La. Est.)
Stanley Cres. *W11* —1B **48**
Stanley Gdns. *NW2* —2E **19**
Stanley Gdns. *W3* —3A **46**
Stanley Gdns. *W11* —1B **48**
Stanley Gdns. M. W11 —1B *48*
(off Kensington Pk. Rd.)
Stanley Gro. *SW8* —5C **64**
Stanley Pas. *NW1* —1A **38**
Stanley Rd. *E10* —1D **15**
Stanley Rd. *E12* —2F **31**
Stanley Rd. *E15* —5F **29**
Stanley Rd. *NW9* —2C **4**
Stanley Sidings. *NW1* —4D **23**
Stanley St. *SE8* —3B **70**
Stanley Ter. *N19* —4A **10**
Stanmer St. *SW11* —4A **64**
Stanmore Pl. *NW1* —5D **23**

Stanmore Rd. *E11* —3B **16**
Stanmore St. *N1* —5B **24**
Stannard Rd. *E8* —3C **26**
Stannary Pl. SE11 —1C *66*
(off Stannary St.)
Stannary St. *SE11* —2C **66**
Stansfeld Rd. *E6* —4F **45**
Stansfield Rd. SW1 —5B *54*
(off Balaclava Rd.)
Stansfield Rd. *SW9* —1B **80**
Stanstead Gro. *SE6* —1B **98**
Stanstead Rd. *E11* —1D **17**
Stanstead Rd. SE23 & SE6 —1F *97*
Stanswood Gdns. *SE5* —3A **68**
Stanthorpe Clo. *SW16* —5A **94**
Stanthorpe Rd. *SW16* —5A **94**
Stanton Rd. *SE26* —4B **98**
Stanton Rd. *SW13* —5B **60**
Stanton Sq. *SE26* —4B **98**
Stanton Way. *SE26* —4B **98**
Stanway Ct. *N1* —1A **40**
Stanway St. *N1* —1A **40**
Stanwick Rd. *W14* —5B **48**
Stanworth St. *SE1* —4B **54**
Stanyhurst. *SE23* —1A **98**
Staplefield Clo. *SW2* —1A **94**
Stapleford Clo. *SW19* —5A **76**
Staplehurst Rd. *SE13* —3A **86**
Staple Inn. WC1 —4C *38*
(off Staple Inn Bldgs.)
Staple Inn Bldgs. *WC1* —4C **38**
Staples Clo. *SE16* —2A **56**
Staples Corner. (Junct.) —3D **5**
Staples Corner Bus. Cen. *NW2* —3D **5**
Staple St. SE1 —3F *53*
Stapleton Hall Rd. *N4* —3B **10**
Stapleton Rd. *SW17* —3C **92**
Star All. EC3 —1A *54*
(off Fenchurch St.)
Starboard Way. *E14* —4C **56**
Starcross St. *NW1* —2E **37**
Starfield Rd. *W12* —3C **46**
Star La. *E16* —3A **44**
Star Pl. *E1* —1B **54**
Star Rd. *W14* —2B **62**
Star St. *W2* —5A **36**
Star Yd. *WC2* —5C **38**
Statham Gro. *N16* —1F **25**
Station App. *E7* —1D **31**
Station App. *NW10* —2B **32**
Station App. *SE3* —1D **87**
Station App. *SE26* —5B **98**
(Lower Sydenham)
Station App. *SE26* —4E **97**
(Sydenham)
Station App. *SW6* —1A **76**
Station App. *SW16* —5F **93**
Station App. Rd. *SE1* —3B **52**
Station Av. *SW9* —1D **81**
Station Clo. E10 —2D *15*
(off Kings Clo.)
Station Cres. *SE3* —1C **72**
Stationers' Hall Ct. EC4 —5D *39*
Station Pde. *NW2* —3E **19**
Station Pas. *SE15* —4E **69**

Station Path. E8 —3D **27**
(off Graham Rd.)
Station Pl. N4 —4C **10**
Station Rise. SE27 —2D **95**
Station Rd. E7 —1C **30**
Station Rd. E10 —5E **15**
Station Rd. E12 —1F **31**
Station Rd. E17 —1A **14**
Station Rd. N19 —5E **9**
Station Rd. NW4 —1C **4**
Station Rd. NW10 —1B **32**
Station Rd. SE13 —1E **85**
Station Rd. SE20 —5E **97**
Station Rd. SW13 —5B **60**
Station St. E15 —4F **29**
Station Ter. NW10 —1E **33**
Station Ter. SE5 —4E **67**
Station Ter. M. SE3 —1C **72**
Station Way. SE15 —5C **68**
Staunton St. SE8 —2B **70**
Staveley Clo. E9 —2E **27**
Staveley Clo. N7 —1A **24**
Staveley Clo. SE15 —4E **69**
Staveley Gdns. W4 —4A **60**
Staveley Rd. W4 —3A **60**
Staverton Rd. NW2 —4E **19**
Stave Yd. SE16 —2A **56**
Stavordale Rd. N5 —1D **25**
Stayner's Rd. E1 —3F **41**
Steadman Rd. EC1 —3E **39**
(off Old St.)
Stead St. SE17 —5F **53**
Stean St. E8 —5B **26**
Stebbing Ho. W11 —2F **47**
(off Queensdale Cres.)
Stebondale St. E14 —5E **57**
Stedham Pl. WC1 —5A **38**
(off New Oxford St.)
Steedman St. SE17 —5E **53**
Steele Ho. E15 —1A **44**
(off Eve Rd.)
Steele Rd. E11 —1A **30**
Steele's M. N. NW3 —3B **22**
Steele's M. S. NW3 —3B **22**
Steele's Rd. NW3 —3B **22**
Steel's La. E1 —5E **41**
Steelyard Pas. EC4 —1F **53**
(off Allhallows La.)
Steen Way. SE22 —3A **82**
Steep Hill. SW16 —3F **93**
Steeple Clo. SW6 —5A **62**
Steeple Clo. SW19 —5A **90**
Steeple Ct. E1 —3D **41**
Steeple Wlk. N1 —5E **25**
(off Basire St.)
Steerforth St. SW18 —2E **91**
Steers Way. SE16 —3A **56**
Stella Rd. SW17 —5B **92**
Stellman Clo. E5 —5C **12**
Stephan Clo. E8 —5C **26**
Stephendale Rd. SW6 —1D **77**
Stephen Fox Ho. W4 —1A **60**
(off Chiswick La.)
Stephen M. W1 —4F **37**
Stephen Pl. SW4 —1E **79**
Stephens Ct. E16 —3B **44**
Stephens Ct. SE4 —1A **84**
Stephenson Ho. SE1 —4E **53**

Stephenson Rd. E17 —1A **14**
Stephenson St. E16 —3A **44**
Stephenson St. NW10 —2A **32**
Stephenson Way. NW1 —3E **37**
Stephen's Rd. E3 —1B **42**
Stephen's Rd. E15 —5A **30**
Stephen St. W1 —4F **37**
Stepney Causeway. E1 —1F **41**
Stepney Grn. E1 —4E **41**
Stepney High St. E1 —4F **41**
Stepney Way. E1 —4D **41**
Sterling Gdns. SE14 —2A **70**
Sterndale Rd. W14 —4F **47**
Sterne St. W12 —3F **47**
Sternhall La. SE15 —1C **82**
Sternhold Av. SW2 —2F **93**
Sterry St. SE1 —3F **53**
Steucers La. SE23 —1A **98**
Steve Biko La. SE6 —4C **98**
Steve Biko Rd. N7 —5C **10**
Stevedore St. E1 —2D **55**
Stevenage Rd. SW6 —3F **61**
Stevens Av. E9 —3E **27**
Stevens Clo. Beck —5C **98**
Stevenson Cres. SE16 —1D **69**
Stevens St. SE1 —4A **54**
Steventon Rd. W12 —1B **46**
Steward St. E1 —4A **40**
Stewart Rd. E15 —1F **29**
Stewart's Gro. SW3 —1F **63**
Stewart's Rd. SW8 —3E **65**
Stewart St. E14 —3E **57**
Stew La. EC4 —1E **53**
Stillingfleet Rd. SW13 —2C **60**
Stillington St. SW1 —5E **51**
Stillness Rd. SE23 —4A **84**
Stirling Rd. E13 —1D **45**
Stirling Rd. SW9 —5A **66**
Stockfield Rd. SW16 —3B **94**
Stockholm Rd. SE16 —1E **69**
Stockholm Way. E1 —2C **54**
Stockhurst Clo. SW15 —5F **61**
Stock Orchard Cres. N7
—2B **24**
Stock Orchard St. N7 —2B **24**
Stocks Pl. E14 —1B **56**
Stock St. E13 —1C **44**
Stockwell Av. SW9 —1B **80**
Stockwell Gdns. SW9 —4B **66**
Stockwell Gdns. Est. SW9
—5A **66**
Stockwell Grn. SW9 —5B **66**
Stockwell Grn. Ct. SW9
—5B **66**
Stockwell La. SW9 —5B **66**
Stockwell M. SW9 —5B **66**
Stockwell Pk. Cres. SW9
—5B **66**
Stockwell Pk. Est. SW9
—5B **66**
Stockwell Pk. Rd. SW9
—4B **66**
Stockwell Pk. Wlk. SW9
—1B **80**
Stockwell Rd. SW9 —5B **66**
Stockwell St. SE10 —2E **71**
Stockwell Ter. SW9 —4B **66**

Stoddart Ho. SW8 —2B **66**
Stofield Gdns. SE9 —3F **101**
Stoford Clo. SW19 —5A **76**
Stokenchurch St. SW6
—4D **63**
Stoke Newington Chu. St. N16
—5F **11**
Stoke Newington Comn. N16
—4B **12**
Stoke Newington High St. N16
—5B **12**
Stoke Newington Rd. N16
—2B **26**
Stoke Pl. NW10 —2B **32**
Stokesley St. W12 —5B **32**
Stokes Rd. E6 —3F **45**
Stoll Clo. NW2 —5E **5**
Stoms Path. SE6 —5C **98**
Stondon Ho. E15 —5B **30**
(off Wilk. Rd.)
Stondon Pk. SE23 —4A **84**
Stondon Wlk. E6 —1F **45**
Stonebridge Comn. E8 —4B **26**
Stonebridge Rd. N15 —1B **12**
Stone Bldgs. WC2 —4B **38**
(off Chancery La.)
Stone Clo. SW4 —5E **65**
Stonecutter St. EC4 —5D **39**
Stonefield. N4 —4B **10**
Stonefield St. N1 —5C **24**
Stonefield Way. SE7 —3F **73**
Stonehall Av. Ilf —1F **17**
Stone Hall Gdns. W8 —4D **49**
Stone Hall Pl. W8 —4D **49**
Stonehills Ct. SE21 —3A **96**
Stone Ho. Ct. EC3 —5A **40**
(off Houndsditch)
Stoneleigh Pl. W11 —1F **47**
Stoneleigh St. W11 —1F **47**
Stoneleigh Ter. N19 —4D **9**
Stonell's Rd. SW11 —4B **78**
Stonenest St. N4 —3B **10**
Stones End St. SE1 —3E **53**
Stoneyard La. E14 —1D **57**
Stoneycroft Clo. SE12 —5B **86**
Stoney La. E1 —5A **40**
Stoney St. SE1 —2F **53**
Stonhouse St. SW4 —2F **79**
Stonor Rd. W14 —5A **48**
Stopes St. SE15 —3B **68**
Stopford Rd. E13 —5C **30**
Stopford Rd. SE17 —1D **67**
Storers Quay. E14 —5F **57**
Store St. E15 —2F **29**
Store St. WC1 —4F **37**
Storey Rd. N6 —1B **8**
Storey's Ga. SW1 —3F **51**
Stories M. SE5 —5A **68**
Stories Rd. SE5 —1A **82**
Stork Rd. E7 —3C **30**
Stork's Rd. SE16 —4C **54**
Stormont Rd. N6 —2B **8**
Stormont Rd. SW11 —1C **78**
Story St. N1 —4B **24**
Stothard Pl. EC2 —4A **40**
Stothard St. E1 —3E **41**
Stott Clo. SW18 —4F **71**
Stoughton Clo. SE11 —5B **52**

Stoughton Clo.—Sunderland Mt.

Stoughton Clo. *SW15* —1C **88**
Stourcliffe St. W1 —5B **36**
  (off Stourcliffe St.)
Stourcliffe St. *W1* —5B **36**
Stourhead Clo. *SW19* —5F **75**
Stour Rd. *E3* —4C **28**
Stowage. *SE8* —2C **70**
Stowe Ho. *NW11* —1E **7**
Stowe Rd. *W12* —3D **47**
Stracey Rd. *E7* —1C **30**
Stracey Rd. *NW10* —5A **18**
Stradbroke Rd. *N5* —1E **25**
Stradella Rd. *SE24* —4E **81**
Strafford St. *E14* —3C **56**
Strahan Rd. *E3* —2A **42**
Straightsmouth. *SE10* —3E **71**
Strait Rd. *E6* —1F **59**
Strakers Rd. *SE15* —2D **83**
Strale Ho. N1 —4A 26
  (off Whitmore Est.)
Strand. *WC2* —1A **52**
Strand La. *WC2* —1B **52**
Strang Ho. *N1* —5E **25**
Strangways Ter. *W14* —4B **48**
Stranraer Way. *N1* —4B **24**
Strasburg Rd. *SW11* —4C **64**
Stratford Av. *W8* —4C **48**
Stratford Cen. *E15* —4F **29**
Stratford Gro. *SW15* —2F **75**
Stratford Mkt. *E15* —5F **29**
Stratford Office Village, The.
  E15 —4A **30**
  (off Romford Rd.)
Stratford Pl. *W1* —5C **36**
Stratford Rd. *E13* —5B **30**
Stratford Rd. *W8* —4C **48**
Stratford Vs. *NW1* —4E **23**
Strathan Clo. *SW18* —4B **76**
Strathaven Rd. *SE12* —4D **87**
Strathblaine Rd. *SW11* —2F **77**
Strathdale. *SW16* —5B **94**
Strathdon Dri. *SW17* —3F **91**
Strathearn Pl. *W2* —5A **36**
Strathearn Rd. *SW19* —5C **90**
Stratheden Pde. *SE3* —3C **72**
Stratheden Rd. *SE3* —3C **72**
Strathleven Rd. *SW2* —3A **80**
Strathmore Gdns. *W8* —2C **48**
Strathmore Rd. *SW19* —3C **90**
Strathnairn St. *SE1* —5C **54**
Strathray Gdns. *NW3* —3A **22**
Strath Ter. *SW11* —2A **78**
Strathville Rd. *SW18* —2C **90**
Strattondale St. *E14* —4E **57**
Stratton St. *W1* —2D **51**
Strauss Rd. *W4* —3A **46**
Streakes Field Rd. *NW2* —4C **4**
Streatham Clo. *SW16* —2A **94**
Streatham Comn. N. *SW16*
  —5A **94**
Streatham Comn. S. *SW16*
  —5A **94**
Streatham Ct. *SW16* —3A **94**
Streatham High Rd. *SW16*
  —4A **94**
Streatham Hill. *SW2* —2A **94**
Streatham Pl. *SW2* —5A **80**
Streatham St. *WC1* —5A **38**

Streathbourne Rd. *SW17*
  —2C **92**
Streatley Pl. *NW3* —1E **21**
Streatley Rd. *NW6* —4B **20**
Streetfield M. *SE3* —1C **86**
Streimer Rd. *E15* —1E **43**
Strelley Way. *W3* —1A **46**
Strickland Ct. *SE15* —1C **82**
Strickland Row. *SW18* —5F **77**
Strickland St. *SE8* —4C **70**
Stride Rd. *E13* —1B **44**
Stringer Ho. N1 —5A 26
  (off Whitmore Est.)
Strode Rd. *E7* —1C **30**
Strode Rd. *NW10* —3C **18**
Strode Rd. *SW6* —3A **62**
Strone Rd. *E7 & E12* —3E **31**
Stronsa Rd. *W12* —3B **46**
Stroud Cres. *SW15* —3C **88**
Stroud Grn. Rd. *N4* —3B **10**
Stroudley Wlk. *E3* —2D **43**
Stroud Rd. *SW19* —3C **90**
Strouts Pl. *E2* —2B **40**
Strudwick Ct. SW4 —4A 66
  (off Binfield Rd.)
Strutton Ground. *SW1* —4F **51**
Strype St. *E1* —4B **40**
Stuart Av. *NW9* —2C **4**
Stuart Rd. *NW6* —2C **34**
  (in two parts)
Stuart Rd. *SE15* —2E **83**
Stuart Rd. *SW19* —3C **90**
Stubbs Dri. *SE16* —1D **69**
Stubbs Point. *E13* —3D **45**
Stucley Ho. *NW1* —4D **23**
Studdridge St. *SW6* —5C **62**
Studd St. *N1* —5D **25**
Studholme Ct. *NW3* —1C **20**
Studholme St. *SE15* —3D **69**
Studio Pl. SW1 —3B 50
  (off Kinnerton St.)
Studland Rd. *SE26* —5F **97**
Studland St. *W6* —5D **47**
Studley Clo. *E5* —2A **28**
Studley Dri. *Ilf* —1F **17**
Studley Est. *SW4* —4A **66**
Studley Rd. *E7* —3D **31**
Studley Rd. *SW4* —4A **66**
Stukeley Rd. *E7* —4D **31**
Stukeley St. *WC2* —5A **38**
Stumps Hill La. *Beck* —5C **98**
Sturdy Rd. *SE15* —5D **69**
Sturgeon Rd. *SE17* —1E **67**
Sturgess Av. *NW4* —2D **5**
Sturge St. *SE1* —3E **53**
Sturmer Way. *N7* —2B **24**
Sturminster Ho. SW8 —3B 66
  (off Dorset Rd.)
Sturry St. *E14* —5D **43**
Sturt St. *N1* —1E **39**
Stutfield St. *E1* —5C **40**
Styles Gdns. *SW9* —1D **81**
Styles Ho. SE1 —2D 53
  (off Eccles Pl.)
Sudbourne Rd. *SW2* —3A **80**
Sudbrooke Rd. *SW12* —4B **78**
Sudbury Ct. *E5* —1A **28**
Sudbury Ct. *SW8* —4A **66**

Sudbury Cres. *Brom* —5C **100**
Sudeley St. *N1* —1D **39**
Sudlow Rd. *SW18* —3C **76**
Sudrey St. *SE1* —3E **53**
Suffolk Ct. *E10* —2C **14**
Suffolk La. *EC4* —1F **53**
Suffolk Pl. *SW1* —2F **51**
Suffolk Rd. *E13* —2C **44**
Suffolk Rd. *N15* —1F **11**
Suffolk Rd. *NW10* —4A **18**
Suffolk Rd. *SW13* —3B **60**
Suffolk St. *E7* —1C **30**
Suffolk St. *SW1* —1F **51**
Sugar Bakers Ct. *EC3* —5A **40**
  (off Creechurch La.)
Sugar Ho. La. *E15* —1E **43**
Sugar Loaf Wlk. *E2* —2E **41**
Sugar Quay. EC3 —1A 54
  (off Lwr. Thames St.)
Sugar Quay Wlk. *EC3* —1A **54**
Sugden Rd. *SW11* —1C **78**
Sulby Ho. SE4 —2A 84
  (off Turnham Rd.)
Sulgrave Gdns. *W6* —3E **47**
Sulgrave Rd. *W6* —4E **47**
Sulina Rd. *SW2* —5A **80**
Sulivan Ct. *SW6* —5C **62**
Sulivan Enterprise Cen. *SW6*
  —1C **76**
Sulivan Rd. *SW6* —1C **76**
Sullivan Av. *E16* —4F **45**
Sullivan Clo. *SW11* —1A **78**
Sullivan Ct. *N16* —2B **12**
Sullivan Rd. *SE11* —5D **53**
Sultan St. *SE5* —3E **67**
Sumatra Rd. *NW6* —2C **20**
Sumburgh Rd. *SW12* —4C **78**
Summercourt Rd. *E1* —5E **41**
Summerfield Av. *NW6* —1A **34**
Summerfield St. *SE12* —5B **86**
Summerhouse Rd. *N16*
  —4A **12**
Summerley St. *SW18* —2D **91**
Summersby Rd. *N6* —1D **9**
Summers St. *EC1* —3C **38**
Summerstown. *SW17* —3E **91**
Summit Av. *NW9* —1A **4**
Summit Clo. *NW2* —3A **20**
Summit Est. *N16* —2C **12**
Summit Rd. *E17* —1C **14**
Sumner Bldgs. *SE1* —2E **53**
  (off Sumner St.)
Sumner Ct. *SW8* —4A **66**
Sumner Est. *SE15* —3B **68**
Sumner Pl. *SW7* —5F **49**
Sumner Pl. M. *SW7* —5F **49**
Sumner Rd. *SE15* —2B **68**
  (in two parts)
Sumner St. *SE1* —2D **53**
Sumpter Clo. *NW3* —3E **21**
Sunbeam Cres. *W10* —3E **33**
Sunbeam Rd. *NW10* —3A **32**
Sunbury Av. *SW14* —2A **74**
Sunbury La. *SW11* —4F **63**
Sun Ct. EC3 —5F 39
  (off Cornhill)
Suncroft Pl. *SE26* —3E **97**
Sunderland Mt. *SE23* —2F **97**

Sunderland Rd. *SE23* —1F **97**
Sunderland Ter. *W2* —5D **35**
Sunderland Way. *E12* —4F **17**
Sundew Av. *W12* —1C **46**
Sundorne Rd. *SE7* —1E **73**
Sundra Wlk. *E1* —3F **41**
Sunfields Pl. *SE3* —3D **73**
Sun-in-the-Sands. (Junct.)
                    —3D **73**
Sun La. *SE3* —3D **73**
Sunlight Clo. *SW19* —5E **91**
Sunningdale Av. *W3* —1A **46**
Sunningdale Clo. *SE16* —1D **69**
  (off Ryder Dri.)
Sunningdale Gdns. *W8* —4C **48**
  (off Stratford Rd.)
Sunninghill Rd. *SE13* —5D **71**
Sunnydale Av. *SE12* —3D **87**
Sunnydene St. *SE26* —4A **98**
Sunnyhill Clo. *E5* —1A **28**
Sunnyhill Rd. *SW16* —4A **94**
Sunnymead Av. *NW9* —2A **4**
Sunnymead Rd. *SW15* —3D **75**
Sunnyside. *NW2* —5B **6**
Sunnyside. *SW19* —5A **90**
Sunnyside Houses. *NW2*
  (off Sunnyside)   —5B **6**
Sunnyside Pas. *SW19* —5A **90**
Sunnyside Rd. *E10* —3C **14**
Sunnyside Rd. *N19* —2F **9**
Sunny View. *NW9* —1A **4**
Sun Pas. SE16 —4C 54
  (off Old Jamaica Rd.)
Sunray Av. *SE24* —2F **81**
Sun Rd. *W14* —1B **62**
Sunset Rd. *SE5* —2E **81**
Sun St. *EC2* —4F **39**
Sun St. Pas. *EC2* —4A **40**
Sun Wlk. *E1* —1B **54**
Sunwell Clo. *SE15* —4D **69**
Surma Clo. *E1* —3D **41**
Surrendale Pl. *W9* —3C **34**
Surrey Canal Rd. *SE15 & SE14*
                    —2E **69**
Surrey Gdns. *N4* —1E **11**
Surrey Gro. *SE17* —1A **68**
Surrey La. *SW11* —4A **64**
Surrey La. Est. *SW11* —4A **64**
Surrey M. *SE27* —4A **96**
Surrey Mt. *SE23* —1D **97**
Surrey Quays Rd. *SE16*
                    —4E **55**
Surrey Quays Shop. Cen. *SE16*
                    —4F **55**
Surrey Rd. *SE15* —3F **83**
Surrey Row. *SE1* —3D **53**
Surrey Sq. *SE17* —1A **68**
Surrey St. *E13* —2D **45**
Surrey St. *WC2* —1B **52**
Surrey Ter. *SE17* —1A **68**
Surrey Water Rd. *SE16*
                    —2F **55**
Surridge Ct. SW9 —5A 66
  (off Clapham Rd.)
Surr St. *N7* —2A **24**
Susannah St. *E14* —5D **43**
Susan Rd. *SE3* —5D **73**
Sussex Clo. *N19* —4A **10**

Sussex Gdns. *N4* —1E **11**
Sussex Gdns. *N6* —1B **8**
Sussex Gdns. *W2* —1F **49**
Sussex Ga. *N6* —1B **8**
Sussex M. E. W2 —5F 35
  (off Clifton Pl.)
Sussex M. W. *W2* —1F **49**
Sussex Pl. *NW1* —3A **38**
Sussex Pl. *W2* —5F **35**
Sussex Pl. *W6* —1E **61**
Sussex Sq. *W2* —1F **49**
Sussex St. *SW1* —1D **65**
Sussex Wlk. *SW9* —2D **81**
Sussex Way. *N19 & N7*
                    —3A **10**
Sutcliffe Clo. *NW11* —1D **7**
Sutherland Av. *W9* —3C **34**
Sutherland Ct. *N16* —5F **11**
Sutherland Gdns. *SW14*
                    —1A **74**
Sutherland Gro. *SW18*
                    —4A **76**
Sutherland Ho. *W8* —4D **49**
Sutherland Pl. *W2* —5C **34**
Sutherland Point. E5 —1D 27
  (off Tiger Way)
Sutherland Rd. *W4* —2A **60**
Sutherland Row. *SW1* —1D **65**
Sutherland Sq. *SE17* —1E **67**
Sutherland St. *SW1* —1D **65**
Sutherland Wlk. *SE17* —1E **67**
Sutlej Rd. *SE7* —3E **73**
Sutterton St. *N7* —3B **24**
Sutton Ct. Rd. *E13* —2E **45**
Sutton Est. EC1 —2F 39
  (off City Rd.)
Sutton Est. *W10* —4E **33**
Sutton Est., The. *N1* —4D **25**
Sutton Est., The. *SW3* —1A **64**
Sutton Pl. *E9* —2E **27**
Sutton Rd. *E13* —3B **44**
Sutton Row. *W1* —5F **37**
Swaby Rd. *SW18* —1E **91**
Swaffield Rd. *SW18* —5D **77**
Swains La. *N6* —3C **8**
Swainson Rd. *Act V* —3B **46**
Swallands Rd. *SE6* —3C **98**
  (in two parts)
Swallow Clo. *SE14* —4E **69**
Swallow Clo. *SE12* —5C **86**
Swallow Dri. *NW10* —3A **18**
Swallowfield Rd. *SE7* —1E **73**
Swallow Gdns. *SW16* —5F **93**
Swallow Pas. W1 —5D 37
  (off Swallow Pl.)
Swallow Pl. *W1* —5D **37**
Swallow St. *W1* —1E **51**
Swanage Ho. SW8 —3B 66
  (off Dorset Rd.)
Swanage Rd. *SW18* —4E **77**
Swan App. *E6* —4F **45**
Swan Cen., The. *SW17* —3E **91**
Swan Ct. *SW3* —1A **64**

Swandon Way. *SW18* —3D **77**
Swanfield St. *E2* —2B **40**
Swan La. *EC4* —1F **53**
Swan Mead. *SE1* —4A **54**
Swan M. *SW9* —4B **66**
Swan Pl. *SW13* —5B **60**
Swan Rd. *SE16* —3E **55**
Swan Rd. *SE18* —4F **59**
Swanscombe Ho. *W11* —2F **47**
  (off St Ann's Rd.)
Swanscombe Point. E16
  (off Clarkson Rd.)   —4B **44**
Swanscombe Rd. *W4* —1A **60**
Swanscombe Rd. *W11* —2F **47**
Swans Pas. E1 —1C 54
  (off Royal Mint St.)
Swan St. *SE1* —4E **53**
Swanton Gdns. *SW19* —1F **89**
Swan Wlk. *SW3* —2B **64**
Swanwick Clo. *SW15* —5B **74**
Swan Yd. *N1* —3D **25**
Swaton Rd. *E3* —3C **42**
Swaythling Ho. *SW15* —4B **74**
  (off Tunworth Cres.)
Swedeland Ct. E1 —1A 40
  (off Bishopsgate)
Swedenborg Gdns. *E1* —1D **55**
Sweden Ga. *SE16* —4A **56**
Swedish Quays Development.
                    SE16 —4A **56**
Sweeney Cres. *SE1* —4A **54**
Swell Ct. *E17* —1D **15**
Swete St. *E13* —1C **44**
Sweyn Pl. *SE3* —5C **72**
Swiftsden Way. *Brom*
                    —5A **100**
Swift St. *SW6* —4B **62**
Swinbrook Rd. *W10* —4A **34**
Swinburne Ct. SE5 —2F 81
  (off Basingdon Way)
Swinburne Rd. *SW15* —2C **74**
Swindon St. *W12* —2D **47**
Swinford Gdns. *SW9* —1D **81**
Swinnerton St. *E9* —2A **28**
Swinton Pl. *WC1* —2B **38**
Swinton St. *WC1* —2B **38**
Swiss Cen. *W1* —1F **51**
  (off Wardour St.)
Swiss Cottage. (Junct.)
                    —4F **21**
Swiss Ct. WC2 —1F 51
  (off Panton St.)
Swiss Ter. *NW6* —4F **21**
Sybil M. *N4* —1D **11**
Sybil Phoenix Clo. *SE8* —1F **69**
Sybourn St. *E17* —2B **14**
Sycamore Clo. *E16* —3A **44**
Sycamore Clo. *W3* —2A **46**
Sycamore Ct. *E7* —3C **30**
Sycamore Ct. NW6 —5C 20
  (off Bransdale Clo.)
Sycamore Gdns. *W6* —3D **47**
Sycamore Gro. *SE6* —4E **85**
Sycamore Ho. *SW8* —3D **47**
Sycamore M. *SW4* —1E **79**
Sycamore Rd. *SW19* —5E **89**
Sycamore St. *EC1* —3E **39**
Sycamore Wlk. *W10* —3A **34**

Sydcote. *SE21* —1E **95**
Sydenham Av. *SE26* —5D **97**
Sydenham Cotts. *SE12*
　　　　　　　—2E **101**
Sydenham Hill. *SE26 & SE23*
　　　　　　　—4B **96**
Sydenham Pk. *SE26* —3E **97**
Sydenham Pk. Rd. *SE26*
　　　　　　　—3E **97**
Sydenham Pl. *SE27* —3D **95**
Sydenham Rise. *SE23* —2D **97**
Sydenham Rd. *SE26* —4E **97**
Sydmons Ct. *SE23* —5E **83**
Sydner M. *N16* —1B **26**
Sydner Rd. *N16* —1B **26**
Sydney Clo. *SW3* —5F **49**
Sydney M. *SW3* —5F **49**
Sydney Pl. *SW7* —5F **49**
Sydney Rd. *E11* —1D **17**
Sydney St. *SW3* —1A **64**
Sylvan Gro. *NW2* —1F **19**
Sylvan Gro. *SE15* —2D **69**
Sylvan Rd. *E7* —3C **30**
Sylvan Rd. *E17* —1C **14**
Sylvester Path. *E8* —3D **27**
Sylvester Rd. *E8* —3D **27**
Sylvester Rd. *E17* —2B **14**
Symes M. *NW1* —1E **37**
Symister M. *N1* —2A **40**
　(off Coronet St.)
Symons St. *SW3* —5B **50**
Syon Lodge. *SE12* —5C **86**
Syringa Ho. *SE4* —1B **84**

Tabard Ct. *E14* —5E **43**
　(off Lodore St.)
Tabard Garden Est. *SE1*
　　　　　　　—4F **53**
Tabard St. *SE1* —3F **53**
Tabernacle Av. *E13* —3C **44**
Tabernacle St. *EC2* —3F **39**
Tableer Av. *SW4* —3F **79**
Tabley Rd. *N7* —1A **24**
Tabor Rd. *W6* —4D **47**
Tachbrook Est. *SW1* —1F **65**
Tachbrook M. *SW1* —5E **51**
Tachbrook Rd. *SW1* —5E **51**
Tack M. *SE4* —1C **84**
Tadema Ho. *NW8* —3F **35**
　(off Penfold St.)
Tadema Rd. *SW10* —3E **63**
Tadmor St. *W12* —2F **47**
Tadworth Ho. *SE1* —3D **53**
　(off Webber St.)
Tadworth Rd. *NW2* —4C **4**
Taeping St. *E14* —5D **57**
Taff Way. *E3* —2E **43**
Tailworth St. *E1* —4C **40**
　(off Chicksand St.)
Tait Ct. *SW8* —4A **66**
　(off Lansdowne Grn.)
Talacre Rd. *NW5* —3C **22**
Talbot Ct. *EC3* —1F **53**
　(off Gracechurch St.)
Talbot Cres. *NW4* —1C **4**
Talbot Pl. *SE3* —5A **72**

Talbot Rd. *E7* —1C **30**
Talbot Rd. *N6* —1C **8**
Talbot Rd. *SE22* —2A **82**
Talbot Rd. *W11 & W2* —5B **34**
　(in two parts)
Talbot Sq. *W2* —5F **35**
Talbot Wlk. *NW10* —3A **18**
Talbot Wlk. *W11* —5A **34**
Talbot Way. *SW11* —3A **18**
Talbot Yd. *SE1* —2F **53**
Talcott Path. *SW2* —1C **94**
Talfourd Pl. *SE15* —4B **68**
Talfourd Rd. *SE15* —4B **68**
Talgarth Mans. *W14* —1A **62**
　(off Talgarth Rd.)
Talgarth Rd. *W6 & W14*
　　　　　　　—1F **61**
Talgarth Wlk. *NW9* —1A **4**
Talisman Sq. *SE26* —4C **96**
Tallack Rd. *E10* —3B **18**
Talleyrand Ho. *SE5* —5E **67**
Tallis Clo. *E16* —5D **45**
Tallis Gro. *SE7* —2D **73**
Tallis St. *EC4* —1C **52**
Tallis View. *NW10* —3A **18**
Talmage Clo. *SE23* —5E **83**
Talma Rd. *SW2* —2C **80**
Talwin St. *E3* —2D **43**
Tamar Ho. *SE11* —1C **66**
　(off Kennington La.)
Tamarind Yd. *E1* —2C **54**
Tamarisk Sq. *W12* —1B **46**
Tamar St. *SE7* —5F **59**
Tamworth. *N7* —3A **24**
Tamworth St. *SW6* —2C **62**
Tancred Rd. *N4* —2D **11**
Tanfield Av. *NW2* —1B **18**
Tangley Gro. *SW15* —4B **74**
Tanhurst Ho. *SW2* —5A **80**
　(off Redlands Way)
Tankerton St. *WC1* —2A **38**
Tankridge Rd. *NW2* —4C **4**
Tanner Point. *E13* —5C **30**
　(off Pelly Rd.)
Tanner's Hill. *SE8* —4B **70**
Tanners La. *IG6* —3A **54**
Tannington Ter. *N5* —5C **10**
Tannsfeld Rd. *SE26* —4F **97**
Tansley Clo. *N7* —2F **23**
Tanswell St. *SE1* —3C **52**
Tantallon Rd. *SW12* —1C **92**
Tant Av. *E16* —5B **44**
Tanza Rd. *NW3* —1B **22**
Tapley Ho. *SE1* —3C **54**
　(off Wolseley St.)
Taplow. *SE17* —1F **67**
　(off Thurlow St.)
Taplow St. *N1* —1E **39**
Tappesfield Rd. *SE15* —1E **83**
Tapp St. *E1* —3D **41**
Tarbert Rd. *SE22* —3A **82**
Tarbert Wlk. *E1* —1E **55**
Tariff Cres. *SE8* —5B **56**
Tarleton Gdns. *SE23* —2D **97**
Tarling Rd. *E16* —5B **44**
Tarling St. *E1* —5E **41**
Tarling St. Est. *E1* —5E **41**
Tarn St. *SE1* —4E **53**

Tarquin Ho. *SE26* —4C **96**
　(off High Level Dri.)
Tarragon Clo. *SE14* —3A **70**
Tarragon Gro. *SE26* —5F **97**
Tarranbrae. *NW6* —4A **20**
Tarrant Pl. *W1* —4B **36**
Tarrington Clo. *SW16* —3F **93**
Tarry La. *SE8* —5A **56**
Tarver Rd. *SE17* —1D **67**
Tarves Way. *SE10* —3D **71**
Tasker Rd. *NW3* —2B **22**
Tasman Rd. *SW9* —1A **80**
Tasman Wlk. *E16* —5F **45**
Tasso Rd. *W6* —2A **62**
Tasso Yd. *W6* —2A **62**
　(off Tasso Rd.)
Tatchbury Ho. *SW15* —4B **74**
　(off Tunworth Cres.)
Tatnell Rd. *SE23* —4A **84**
Tatton Cres. *N16* —2B **12**
Tatum St. *SE17* —5F **53**
Taunton M. *NW1* —3B **36**
Taunton Pl. *NW1* —3B **36**
Taunton Rd. *SE12* —3A **86**
Taverners Clo. *W11* —2A **48**
Taverner Sq. *N5* —1E **25**
Tavern La. *SW9* —5C **66**
Tavern Quay. *SE16* —5A **56**
Tavistock Clo. *N16* —2A **26**
Tavistock Cres. *W11* —4B **34**
　(in three parts)
Tavistock Ho. *WC1* —3F **37**
Tavistock M. *W11* —5B **34**
Tavistock Pl. *WC1* —3A **38**
Tavistock Rd. *E7* —1B **30**
Tavistock Rd. *E15* —3B **30**
Tavistock Rd. *N4* —1F **11**
Tavistock Rd. *NW10* —1B **32**
Tavistock Rd. *W11* —5B **34**
　(in two parts)
Tavistock Sq. *WC1* —3F **37**
Tavistock Sq. *WC2* —1A **52**
　(in two parts)
Tavistock Ter. *N19* —5F **9**
Tavistock Tower. *SE16*
　　　　　　　—4A **56**
Taviton St. *WC1* —3F **37**
Tavy Clo. *SE11* —1C **66**
　(off White Hart St.)
Tawny Way. *SE16* —5F **55**
Taybridge Rd. *SW11* —1C **78**
Tay Bldgs. *SE1* —4A **54**
　(off Long La.)
Tayburn Clo. *E14* —5E **43**
Tayler Ct. *NW8* —5F **21**
　(off Dorman Way)
Taylor Ct. *E15* —2E **29**
Taylors Grn. *W3* —5A **32**
Taylors La. *NW10* —4A **18**
Taylor's La. *SE26* —4D **97**
Taymount Grange. *SE23*
　　　　　　　—2E **97**
Taymount Rise. *SE23* —2E **97**
Tayport Clo. *N1* —4A **24**
Tayside Ct. *SE5* —2F **81**
Teak Clo. *SE16* —2A **56**
Tealby Ct. *N7* —3B **24**
　(off Georges Rd.)

Teal Clo. E16 —4F **45**
Teal Ct. SE8 —2B **70**
(off Abinger Gro.)
Teale St. E2 —1C **40**
Teasel Way. E15 —2A **44**
Ted Roberts Ho. E2 —1E **41**
(off Parmiter St.)
Tedworth Gdns. SW3 —1B **64**
Tedworth Sq. SW3 —1B **64**
Teesdale Clo. E2 —1D **41**
Teesdale Rd. E11 —2B **16**
Teesdale St. E2 —1D **41**
Teesdale Yd. E2 —1D **41**
(off Teesdale St.)
Tee, The. W3 —5A **32**
Teignmouth Clo. SW4 —2F **79**
Teignmouth Rd. NW2 —2F **19**
Telegraph Hill. NW3 —5D **7**
Telegraph Pas. SW2 —5A **80**
Telegraph Pl. E14 —5D **57**
Telegraph Rd. SW15 —5D **75**
Telegraph St. EC2 —5F **39**
Teleman Sq. SE3 —2D **87**
Telephone Pl. SW6 —2B **62**
Telferscot Rd. SW12 —1F **93**
Telford Av. SW2 —1F **93**
Telford Clo. E17 —2A **14**
Telford Rd. NW9 —1C **4**
Telford Rd. W10 —4A **34**
Telfords Yd. E1 —1C **54**
Telford Ter. SW1 —2E **65**
Telford Way. W'way E —4A **32**
Tell Gro. SE22 —2B **82**
Telscombe Clo. SE16 —3E **55**
Temperley Rd. SW12 —5C **78**
Templar Ho. NW2 —3B **20**
Templars Av. NW11 —1B **6**
Templars Ho. E15 —2D **29**
Templar St. SE5 —5D **67**
Temple. EC4 —1C **52**
(off Middle Temple La.)
Temple Av. EC4 —1C **52**
Temple Chambers. EC4
(off Temple Av.) —1C **52**
Temple Clo. E11 —2A **16**
Templecombe Rd. E9 —5E **27**
Temple Clo. SW8 —3A **66**
(off Thorncroft St.)
Temple Dwellings. E2 —1D **41**
(off Temple St.)
Temple Fortune Hill. NW11
—1C **6**
Temple Fortune La. NW11
—1B **6**
Temple Fortune Pde. NW11
—1B **6**
Temple Gdns. NW11 —1B **6**
Temple Gro. NW11 —1C **6**
Templehof Av. NW4 —2E **5**
Temple La. EC4 —5C **38**
Templemead Clo. W3 —5A **32**
Templemead Ho. E9 —1A **28**
Temple Mill La. E10 & E15
(in two parts) —1D **29**
Temple Pl. WC2 —1B **52**
Temple Rd. E6 —5F **31**
Temple Rd. NW2 —1E **19**

Temple St. E2 —1D **41**
Templeton Clo. N15 —1F **11**
Templeton Clo. N16 —2A **26**
Templeton Pl. SW5 —5C **48**
Templeton Rd. N15 —1F **11**
Temple W. M. SE11 —4D **53**
(off West Sq.)
Templewood Av. NW3 —5D **7**
Templewood Gdns. NW3
—5D **7**
Tenbury Clo. E7 —2F **31**
Tenbury Ct. SW12 —1F **93**
Tenby Ct. E17 —1F **13**
Tench St. E1 —2D **55**
Tenda Rd. SE16 —5D **55**
Tenham Av. SW2 —2F **93**
Tenison Ct. W1 —1E **51**
Tenison Way. SE1 —2C **52**
Tenniel Clo. W2 —1E **49**
Tennis St. SE1 —3F **53**
Tennyson Av. E11 —2C **16**
Tennyson Av. E12 —4F **31**
Tennyson Ct. SW6 —4D **63**
(off Maltings Pl.)
Tennyson Ho. SE17 —1E **67**
(off Browning St.)
Tennyson Mans. W14 —2A **62**
(off Queen's Club Gdns.)
Tennyson Rd. E10 —3D **15**
Tennyson Rd. E15 —4A **30**
Tennyson Rd. E17 —1B **14**
Tennyson Rd. NW6 —5B **20**
(in two parts)
Tennyson Rd. SW19 —5E **91**
Tennyson St. SW8 —5D **65**
Tenterden Clo. NW4 —5F **5**
Tenterden St. W1 —5D **37**
Tenter Ground. E1 —4B **40**
Tenter Pas. E1 —5B **40**
Tent St. E1 —3D **41**
Terborch Way. SE22 —3A **82**
Terling Clo. E11 —5B **16**
Terling Wlk. N1 —5E **25**
(off Popham St.)
Terminus Pl. SW1 —4D **51**
Terrace Av. NW10 —3E **33**
Terrace Gdns. SW13 —5B **60**
Terrace Rd. E9 —4F **27**
Terrace Rd. E13 —1C **44**
Terrace, The. EC4 —5C **38**
(off Crown Office Row)
Terrace, The. NW6 —5C **20**
Terrace, The. SE8 —5B **56**
(off Longshore)
Terrace, The. —3A **52**
Terrace, The. SW13 —5A **60**
(off Albert Bri. Rd.)
Terrace Wlk. SW11 —3B **64**
Terrapin Rd. SW17 —3D **93**
Terretts Pl. N1 —4D **25**
Terrick St. W12 —5D **33**
Territorial Ho. SE11 —5C **52**
(off Reedworth St.)
Tessa Sanderson Pl. SW8
—1D **79**
(off Daley Thompson Way)
Testerton Wlk. W11 —1F **47**

Tetbury Pl. N1 —5D **25**
Tetcott Rd. SW10 —3E **63**
(in two parts)
Teversham La. SW8 —4A **66**
Teviot St. E14 —4E **43**
Tewkesbury Av. SE23 —5D **83**
Tewkesbury Clo. N15 —1F **11**
Tewkesbury Rd. N15 —1F **11**
Thackeray Ct. W14 —4A **48**
(off Blythe Rd.)
Thackeray Ho. WC1 —3A **38**
(off Herbrand St.)
Thackeray Rd. E6 —1F **45**
Thackeray Rd. SW8 —5D **65**
Thackeray St. W8 —4D **49**
Thackerey M. E8 —3C **26**
Thakeham Clo. SE26 —4D **97**
Thalia Clo. SE10 —2E **71**
Thame Rd. SE16 —3F **55**
Thames Av. SW10 —4E **63**
Thames Barrier Ind. Area. SE1
(off Faraday Way) —4F **59**
Thames Circ. E14 —5C **56**
Thames Cres. W4 —3A **60**
Thames Exchange Building.
EC4 —1E **53**
(off Up. Thames St.)
Thames Ho. EC4 —1E **53**
(off Up. Thames St.)
Thameside Ind. Est. E16
—3F **59**
Thames Pl. SW15 —1F **75**
(in two parts)
Thames Quay. E14 —3D **57**
Thames Quay. SW10 —4E **63**
(off Chelsea Harbour)
Thames Rd. E16 —2F **59**
Thames Rd. Ind. Est. E16
—3F **59**
Thames St. SE10 —2D **71**
Thanet St. WC1 —2A **38**
Thane Vs. N7 —5B **10**
Thane Works. N7 —5B **10**
Thant Clo. E10 —5D **15**
Thavie's Inn. EC1 —5C **38**
Thaxted Ct. N1 —1F **39**
(off Fairbank Est.)
Thaxton Rd. W14 —2B **62**
Thayer St. W1 —5C **36**
Theatre St. SW11 —1B **78**
Theberton St. N1 —5C **24**
Theed St. SE1 —2C **52**
Thelma Gdns. SE3 —4F **73**
Theobald Rd. E17 —2C **14**
Theobalds Ct. N4 —5E **11**
Theobald's Rd. WC1 —4B **38**
Theobald St. SE1 —4F **53**
(off New Kent Rd.)
Theodore Ct. SE13 —4F **85**
Theodore Rd. SE13 —4F **85**
Therapia Rd. SE22 —4E **83**
Theresa Rd. W6 —5C **46**
Therfield Ct. N4 —4E **11**
Thermopylae Ga. E14 —5D **57**
Theseus Wlk. N1 —1D **39**
(off City Garden Row)
Thessaly Ho. SW8 —3E **65**
(off Thessaly Rd.)

Thessaly Rd. *SW8* —3E 65
Theydon Rd. *E5* —4E 13
Theydon St. *E17* —2B 14
Third Av. *E13* —2C 44
Third Av. *E17* —1C 14
Third Av. *W3* —2B 46
Third Av. *W10* —2A 34
Thirleby Rd. *SW1* —4E 51
Thirlmere Rd. *SW16* —4F 93
Thirsk Rd. *SW11* —1C 78
Thistle Gro. *SW10* —1E 63
Thistlewaite Rd. *E5* —5D 13
Thistlewood Clo. *N7* —4B 10
Thomas Baines Rd. *SW11*
—1F 77
Thomas Dinwiddy Rd. *SE12*
—2D 101
Thomas Doyle St. *SE1* —4D 53
Thomas La. *SE6* —5C 84
Thomas More Highwalk. EC2
(off Barbican) —4E 39
Thomas More Ho. EC2 —4E 39
(off Barbican)
Thomas More Sq. *E1* —1C 52
Thomas More St. *E1* —1C 54
Thomas Neals Shop. Mall. *WC2*
—5A 38
Thomas N. Ter. E16 —4B 44
(off Barking Rd.)
Thomas Pl. *W8* —4D 49
Thomas Rd. *E14* —5B 42
Thomas Rd. Ind. Est. *E14*
—4C 42
Thompson Rd. *SE22* —4B 82
Thompson's Av. *SE5* —3E 67
Thomson Ho. SW1 —1F 65
(off Bessborough Pl.)
Thorburn Sq. *SE1* —5C 54
Thoresby St. *N1* —2E 39
Thornbury Clo. *N16* —2A 26
Thornbury Ct. W11 —1C 48
(off Chepstow Vs.)
Thornbury Rd. *SW2* —4A 80
Thornbury Sq. *N6* —3E 9
Thornby Rd. *E5* —5E 13
Thorncliffe Rd. *SW2* —4A 80
Thorncombe Rd. *SE22* —3A 82
Thorncroft St. *SW8* —3A 66
Thorndean St. *SW18* —2E 91
Thorndike Clo. *SW10* —3E 63
Thorndike St. *SW1* —5F 51
Thorne Clo. *E11* —1A 30
Thorne Clo. *E16* —5C 44
Thorne Pas. *SW13* —5A 60
Thorne Rd. *SW8* —3A 66
Thorne St. *SW13* —1A 74
Thorney Ct. W8 —3E 49
(off Palace Ga.)
Thorney Cres. *SW11* —3F 63
Thorney St. *SW1* —5A 52
Thornfield Rd. *W12* —3D 47
Thornford Rd. *SE13* —3E 85
Thorngate Rd. *W9* —3C 34
Thorngrove Rd. *E13* —5D 31
Thornham Gro. *E15* —2F 29
Thornham St. *SE10* —2D 71
Thornhaugh M. *WC1* —3F 37
Thornhaugh St. *WC1* —3F 37

Thornhill Cres. *N1* —4B 24
Thornhill Gdns. *E10* —4D 15
Thornhill Gro. *N1* —4B 24
Thornhill Ho. *N1* —4C 24
Thornhill Ho. W4 —1A 60
(off Wood St.)
Thornhill Point. *E9* —4E 27
Thornhill Rd. *E10* —4D 15
Thornhill Rd. *N1* —4C 24
Thornhill Sq. *N1* —4B 24
Thornicroft Ho. SW9 —5B 66
(off Stockwell Rd.)
Thornlaw Rd. *SE27* —4C 94
Thornley Pl. *SE10* —1A 72
Thornsbeach Rd. *SE6* —1E 99
Thornsett Rd. *SW18* —1D 91
Thorn Ter. *SE15* —1E 83
Thornton Av. *SW2* —1F 93
Thornton Av. *W4* —5A 46
Thornton Gdns. *SW12* —1F 93
Thornton Pl. *W1* —4B 36
Thornton Rd. *E11* —4F 15
Thornton Rd. *SW12* —5F 79
Thornton Rd. *Brom* —5C 100
Thornton Way. *NW11* —1D 7
Thorntree Rd. *SE7* —1F 73
Thornville St. *SE8* —4C 70
Thornwood Rd. *SE13* —3A 86
Thornycroft Ho. W4 —1A 60
(off Fraser St.)
Thorogood Gdns. *E15* —2A 30
Thorparch Rd. *SW8* —4F 65
Thorpebank Rd. *W12* —2C 46
Thorpe Clo. *W10* —5A 34
Thorpedale Rd. *N4* —4A 10
Thorpe Ho. N1 —5B 24
(off Barnsbury Est.)
Thorpe Rd. *E7* —1B 30
Thorpe Rd. *N15* —1A 12
Thorpewood Av. *SE26* —2D 97
Thorsden Way. *SE19* —5A 96
Thorverton Rd. *NW2* —5A 4
Thoydon Rd. *E3* —1A 42
Thrale Rd. *SW16* —5E 93
Thrale St. *SE1* —2E 53
Thrasher Clo. *E8* —5B 26
Thrawl St. *E1* —4B 40
Thrayle Ho. SW9 —1B 80
(off Benedict Rd.)
Threadgold Ho. *N1* —3F 25
(off Dovercourt Est.)
Threadneedle St. *EC2* —5F 39
Three Colt Corner. E2 & E1
(off Cheshire St.) —3C 40
Three Colts La. *E2* —3D 41
Three Colt St. *E14* —5B 42
Three Cranes Wlk. EC4 —1E 53
(off Bell Wharf La.)
Three Cups Yd. WC1 —4B 38
(off Sandland St.)
Three Kings Yd. *W1* —1D 51
Three Mill La. *E3* —2E 43
Three Oak La. *SE1* —3B 54
Three Quays. EC3 —1A 54
(off Tower Hill)
Three Quays Wlk. EC3 —1A 54
Threshers Pl. *W11* —1A 48

Thriffwood. *SE26* —3E 97
Thring Ho. SW9 —5B 66
(off Stockwell Rd.)
Throckmorten Rd. *E16*
—5D 45
Throgmorton Av. *EC2* —5F 39
Throgmorton St. *EC2* —5F 39
Thrush St. *SE17* —1E 67
Thruxton Way. *SE15* —3B 68
Thurbarn Rd. *SE6* —5D 99
Thurland Rd. *SE16* —4C 54
Thurlby Rd. *SE27* —4C 94
Thurleigh Av. *SW12* —4C 78
Thurleigh Rd. *SW12* —5B 78
Thurlestone Rd. *SE27* —3C 94
Thurloe Clo. *SW7* —5A 50
Thurloe Pl. *SW7* —5F 49
Thurloe Pl. M. SW7 —5F 49
(off Thurloe Pl.)
Thurloe Sq. *SW7* —5A 50
Thurloe St. *SW7* —5F 49
Thurlow Hill. *SE21* —1E 95
Thurlow Ho. *SW16* —3A 94
Thurlow Pk. Rd. *SE21* —2D 95
Thurlow Rd. *NW3* —2F 21
Thurlow St. *SE17* —1F 67
Thurlow Ter. *NW5* —2C 22
Thurlow Wlk. *SE17* —1A 68
Thursley Gdns. *SW19* —2F 89
Thursley Ho. SW2 —5B 80
(off Holmewood Gdns.)
Thurso Ho. *NW6* —1D 35
Thurso St. *SW17* —4F 91
Thurston Ind. Est. *SE13*
—1D 85
Thurston Rd. *SE13* —5D 71
Thurtle Rd. *E2* —1B 40
Tibbatts Rd. *E3* —3D 43
Tibbenham Wlk. *E13* —1B 44
Tibberton Sq. *N1* —4E 25
Tibbet's Clo. SW19 —1F 89
Tibbet's Corner. (Junct.)
—5F 75
Tibbet's Ride. *SW15* —5F 75
Tiber Gdns. *N1* —5A 24
Ticehurst Rd. *SE23* —2A 98
Tickford Ho. *NW8* —2A 36
Tidal Basin Rd. *E16* —1B 58
Tidemore Ho. SW8 —3E 65
(off Savona St.)
Tideswell Rd. *SW15* —2E 75
Tideway Ind. Est. *SW8* —2E 65
(off Kirtling St.)
Tideway Wlk. *SW8* —2E 65
Tidey St. *E3* —4C 42
Tidworth Rd. *E3* —3C 42
Tierney Rd. *SW2* —1A 94
Tiger Way. *E5* —1D 27
Tilbrook Rd. *SE3* —1E 87
Tilbury Clo. *SE15* —3B 68
Tilbury Rd. *E10* —2E 15
Tildesley Rd. *SW15* —4E 75
Tilehurst Rd. *SW18* —1F 91
Tile Kiln La. *N6* —3D 9
Tile Kiln Studios. *N6* —3E 9
Tile Yd. *E14* —5B 42
Tileyard Rd. *N7* —4A 24
Tilford Gdns. *SW19* —1F 89

Tilford Ho. SW2 —5B **80**
(off Holmewood Gdns.)
Tilia Rd. E5 —1D **27**
Tiller Rd. E14 —4C **56**
Tillett Sq. SE16 —3A **56**
Tillet Way. E2 —2C **40**
Tilling Rd. NW2 —3E **5**
Tillman St. E1 —5D **41**
Tilloch St. N1 —4B **24**
Tillotson Ct. SW8 —3F **65**
(off Wandsworth Rd.)
Tilney Ct. EC1 —3E **39**
Tilney Gdns. N1 —3F **25**
Tilney St. W1 —2C **50**
Tilson Gdns. SW2 —5A **80**
Tilson Ho. SW2 —5A **80**
Tilston Clo. E11 —5B **16**
Tilton St. SW6 —2A **62**
Timberland Clo. SE15 —3C **68**
Timberland Rd. E1 —5D **41**
Timber Mill Way. SW4 —1F **79**
Timber Pond Rd. SE16 —2F **55**
Timber St. EC1 —3E **39**
Timberwharf Rd. N16 —1C **12**
Timbrell Pl. SE16 —2B **56**
Time Sq. E8 —2B **26**
Timothy Clo. SW4 —3E **79**
Timothy Rd. E3 —4B **42**
Timsbury Wlk. SW15 —1C **88**
Tindal St. SW9 —4D **67**
Tinderbox Wlk. SW14 —1A **74**
Tinniswood Clo. N5 —2C **24**
Tinsley Rd. E1 —4E **41**
Tintagel Cres. SE22 —2B **82**
Tintagel Gdns. SE22 —2B **82**
Tintern Clo. SW15 —3A **76**
Tintern Path. NW9 —1A **4**
(off Fryent Gro.)
Tintern St. SW4 —2A **80**
Tinto Rd. E16 —3C **44**
Tinworth St. SE11 —1B **66**
Tipthorpe Rd. SW11 —1C **78**
Tisbury Ct. W1 —1F **51**
(off Wardour St.)
Tisdall Pl. SE17 —5F **53**
Titchborne Row. W2 —5A **36**
Titchfield Rd. NW8 —1B **36**
Titchwell Rd. SW18 —1F **91**
Tite St. SW3 —1B **64**
Titmuss St. W12 —3D **47**
Tiverton Rd. N15 —1F **11**
Tiverton Rd. NW10 —5F **19**
Tiverton St. SE1 —4E **53**
Tivoli Ct. SE16 —2B **56**
Tivoli Gdns. SE18 —5F **59**
Tivoli Rd. N8 —1F **9**
Tivoli Rd. SE27 —5E **95**
Tobacco Dock. E1 —1D **55**
Tobacco Quay. E1 —1D **55**
Tobago St. E14 —3C **56**
Tobin Clo. NW3 —4A **22**
Toby La. E1 —3A **42**
Todds Wlk. N7 —4B **10**
Tokenhouse Yd. EC2 —5F **39**
Token Yd. SW15 —2A **76**
Toland Sq. SW15 —3C **76**
Tollbridge Clo. W10 —3A **34**
Tollet St. E1 —3F **41**

Tollgate Dri. SE21 —2A **96**
Tollgate Gdns. NW6 —1D **35**
Tollgate Rd. E16 & E6 —4E **45**
Tollhouse Way. N19 —4E **9**
Tollington Pk. N4 —4B **10**
Tollington Pl. N4 —4B **10**
Tollington Rd. N7 —1B **24**
Tollington Way. N7 —5A **10**
Tolpaide Ho. SE11 —1C **66**
(off Marylee Way)
Tolpuddle Av. E13 —5E **31**
(off Queens Rd.)
Tolpuddle St. N1 —1C **38**
Tolsford Rd. E5 —2D **27**
Tom Groves Clo. E15 —2F **29**
Tom Hood Clo. E15 —2F **29**
Tom Jenkinson Rd. E16
—2D **59**
Tomkyns Ho. SE11 —5C **52**
(off Distin St.)
Tomlin's Gro. E3 —2C **42**
Tomlinson Clo. E2 —2B **40**
Tomlins Ter. E14 —5A **42**
Tomlins Wlk. N7 —4B **10**
Tom Nolan Clo. E15 —1A **44**
Tompion St. EC1 —2D **39**
Tom Smith Clo. SE10 —2A **72**
Tom Williams Ho. SW6
(off Clem Attlee Ct.) —2B **62**
Tonbridge Ho. SE15 —3B **68**
(off Nutt St.)
Tonbridge St. WC1 —2A **38**
Tonbridge Wlk. WC1 —2A **38**
(off Tonbridge St.)
Tonsley Hill. SW18 —3D **77**
Tonsley Pl. SW18 —3D **77**
Tonsley Rd. SW18 —3D **77**
Tonsley St. SW18 —3D **77**
Tons Way. SW11 —1E **77**
Tony Cannell Rd. E3 —2B **42**
Took's Ct. EC4 —5C **38**
Tooley St. SE1 —2F **53**
Tooting Bec Gdns. SW16
(in two parts) —4F **93**
Tooting Bec Rd. SW17 & SW16
—3C **92**
Tooting B'way. SW17 —5A **92**
Tooting Gro. SW17 —5A **92**
Tooting High St. SW17
—5A **92**
Tooting Mkt. SW17 —4B **92**
Topaz Wlk. NW2 —2E **5**
Topham St. EC1 —3C **38**
Topley St. SE9 —2E **87**
Topmast Point. E14 —3C **56**
Topp Wlk. NW2 —4E **5**
Topsfield Clo. N8 —1F **9**
Topsfield Pde. N8 —1A **10**
Topsfield Rd. N8 —1A **10**
Topsham Rd. SW17 —3B **92**
Torbay Ct. NW1 —4D **23**
Torbay Man. NW6 —5B **20**
(off Willesden La.)
Torbay Rd. NW6 —4B **20**
Torbay St. NW1 —4D **23**
Torcross Dri. SE23 —2E **97**
Tor Gdns. W8 —3C **48**

Tor Ho. N6 —1D **9**
Torney Ho. E9 —4E **27**
Toronto Rd. E11 —1F **29**
Torquay St. W2 —4D **35**
Torrance Clo. SE7 —2F **73**
Torrens Ct. SE5 —1F **81**
Torrens Rd. E15 —3B **30**
Torrens Rd. SW2 —3B **80**
Torrens Sq. E15 —3B **30**
Torrens St. EC1 —1C **38**
Torriano Av. NW5 —2F **23**
Torriano Cotts. NW5 —2F **23**
Torriano M. NW5 —2C **23**
Torridge Gdns. SE15 —2E **83**
Torridon Rd. SE6 & SE13
—5F **85**
Torrington Ct. SE26 —5C **96**
(off Crystal Pal. Pk. Rd.)
Torrington Pl. E1 —2C **54**
Torrington Pl. WC1 —4F **37**
Torrington Sq. WC1 —3F **37**
Torwood Rd. SW15 —3C **74**
Tothill St. SW1 —3F **51**
Tottenham Ct. Rd. W1 —3E **37**
Tottenham La. N8 —1A **10**
Tottenham M. W1 —4E **37**
Tottenham Rd. N1 —3A **26**
Tottenham St. W1 —4E **37**
Totterdown St. SW17 —4B **92**
Toulmin St. SE1 —3E **53**
Toulon St. SE5 —3E **67**
Tournay Rd. SW6 —3B **62**
Tours Pas. SW11 —2E **77**
Toussaint Wlk. SE16 —4C **54**
Towcester Rd. E3 —3D **43**
Tower Bri. SE1 & E1 —2B **54**
Tower Bri. App. E1 —1B **54**
Tower Bri. Bus. Complex. SE16
(off Clement's Rd.) —4C **54**
Tower Bri. Plaza. SE1 —2B **54**
Tower Bri. Rd. SE1 —4A **54**
Tower Bri. Sq. SE1 —3B **54**
(off Queen Elizabeth St.)
Tower Bri. Wharf. E1 —2C **54**
Tower Bldgs. E1 —2D **55**
Tower Clo. NW3 —2F **21**
Tower Ct. E5 —2B **12**
Tower Ct. WC2 —5A **38**
(off Tower St.)
Tower Hamlets Rd. E7 —1B **30**
Tower Hill. EC3 —1A **54**
Tower Hill. (Junct.) —1B **54**
Tower Hill Ter. EC3 —1A **54**
Tower Ho. E1 —4C **40**
(off Fieldgate St.)
Tower Pl. EC3 —1A **54**
(off Lwr. Thames St.)
Tower Rd. NW10 —4C **18**
Tower Royal. EC4 —1F **53**
Tower St. WC2 —5A **38**
Towncourt Path. N4 —3E **11**
Town Hall App. N16 —1F **25**
(off Albion Rd.)
Town Hall Rd. SW11 —1B **78**
Townley Ct. E15 —3B **30**
Townley Rd. SE22 —3A **82**
Townley St. SE17 —1F **67**
(in two parts)

Townmead Bus. Cen. *SW6*
      —1E *77*
Townmead Rd. *SW6* —1D *77*
Townsend La. *NW9* —2A *4*
Townsend Rd. *N15* —1B *12*
Townsend St. *SE17* —5A *54*
Townsend Yd. *N6* —3D *9*
Townshend Ct. *NW8* —1B *36*
  (off Townshend Rd.)
Townshend Est. *NW8* —1A *36*
Townshend Rd. *NW8* —5A *22*
Towns Ho. *SW4* —1F *79*
Towpath, The. *SW10* —4F *63*
Towpath Wlk. *E9* —2B *28*
Towton Rd. *SE27* —2E *95*
Toynbee St. *E1* —4B *40*
Toyne Way. *N6* —1B *8*
Tracey Av. *NW2* —2E *19*
Tracey St. *SE11* —1C *66*
Tradescant Rd. *SW8* —3A *66*
Tradewinds Ct. *E1* —1C *54*
Trafalgar Av. *SE15* —1B *68*
Trafalgar Clo. *SE16* —5A *56*
Trafalgar Gdns. *E1* —4F *41*
Trafalgar Gro. *SE10* —2F *71*
Trafalgar Rd. *SE10* —2F *71*
Trafalgar Sq. *WC2* —2F *51*
Trafalgar St. *SE17* —1F *67*
Trafalgar Way. *E14* —2E *57*
Trafford Clo. *E15* —2D *29*
Trafford Ho. *N1* —1F *39*
  (off Cranston Est.)
Tralee Ct. *SE16* —1D *69*
  (off Masters Dri.)
Tramway Av. *E15* —4A *30*
Tranley M. *NW3* —1A *22*
Tranmere Rd. *SW18* —2E *91*
Tranquil Pas. *SE3* —5B *72*
Tranquil Vale. *SE3* —5A *72*
Transay Wlk. *N1* —3F *25*
Transept St. *NW1* —4A *36*
Transom Clo. *SE16* —5B *56*
Transom St. *E14* —1D *71*
Tranton Rd. *SE16* —4C *54*
Travers Rd. *N7* —5C *10*
Travis Ho. *SE10* —4E *71*
Treadgold St. *W11* —1F *47*
Treadway St. *E2* —1D *41*
Treasury Pas. *SW1* —3A *52*
  (off Downing St.)
Treaty St. *N1* —5B *24*
Trebeck St. *W1* —2D *51*
Trebovir Rd. *SW5* —1C *62*
Treby St. *E3* —3B *42*
Trecastle Way. *N7* —1F *23*
Tredegar M. *E3* —2B *42*
Tredegar Rd. *E3* —1B *42*
Tredegar Sq. *E3* —2B *42*
Tredegar Ter. *E3* —2B *42*
Trederwen Rd. *E8* —5C *26*
Tredown Rd. *SE26* —5E *97*
Tredwell Rd. *SE27* —4D *95*
Treen Av. *SW13* —1B *74*
Tree Rd. *E16* —5E *45*
Treewall Gdns. *Brom* —4D *101*
Trefil Wlk. *N7* —1A *24*
Trefoil Rd. *SW18* —3E *77*
Tregaron Av. *N8* —1A *10*

Tregarvon Rd. *SW11* —2C *78*
Trego Rd. *E9* —4C *28*
Tregothnan Rd. *SW9* —1A *80*
Tregunter Rd. *SW10* —2E *63*
Treherne Ct. *SW9* —4D *67*
Treherne Ct. *SW17* —4C *92*
Trehern Rd. *SW14* —1A *74*
Trehurst St. *E5* —2A *28*
Trelawney Est. *E9* —3E *27*
Trelawn Rd. *E10* —5E *15*
Trelawn Rd. *SW2* —3D *80*
Trellis Sq. *E3* —2B *42*
Tremadoc Rd. *SW4* —2F *79*
Tremaine Clo. *SE4* —5C *70*
Trematon Ho. *SE11* —1C *66*
  (off Kennings Way)
Tremlett Gro. *N19* —5E *9*
Tremlett M. *N19* —5E *9*
Trenchard Ct. *NW4* —1C *4*
Trenchard St. *SE10* —1F *71*
Trenchold St. *SW8* —2A *66*
Trenmar Gdns. *NW10* —2D *33*
Trentham St. *SW18* —1C *90*
Trent Ho. *SE15* —2E *83*
Trent Rd. *SW2* —3B *80*
Treport St. *SW18* —5D *77*
Tresco Ho. *SE11* —1C *66*
  (off Sancroft St.)
Tresco Rd. *SE15* —2D *83*
Tresham Cres. *NW8* —3A *36*
Tresham Wlk. *E9* —2E *27*
Tressell Clo. *N1* —4D *25*
Tressider Ho. *SW4* —5F *79*
Tressillian Cres. *SE4* —1C *84*
Tressillian Rd. *SE4* —2B *84*
Tress Pl. *SE1* —2D *53*
  (off Blackfriars Rd.)
Trevanion Rd. *W14* —1A *62*
Trevelyan Gdns. *NW10* —5E *19*
Trevelyan Rd. *E15* —1B *30*
Trevelyan Rd. *SW17* —5A *92*
Trevenna Ho. *SE23* —3F *97*
  (off Dacres Rd.)
Treveris St. *SE1* —2D *53*
Treverton St. *W10* —4F *33*
Treverton Towers. *W10*
  (off Treverton St.) —4F *33*
Treville St. *SW15* —5D *75*
Treviso Rd. *SE23* —2F *97*
Trevithick St. *SE8* —2C *70*
Trevone Ct. *SW2* —5A *80*
  (off Doverfield Rd.)
Trevor Pl. *SW7* —3A *50*
Trevor Sq. *SW7* —3B *50*
Trevor St. *SW7* —3A *50*
Trevose Ho. *SE11* —1B *66*
  (off Orsett St.)
Trewint St. *SW18* —2E *91*
Trewsbury Rd. *SE26* —5F *97*
Triangle Ct. *E16* —4F *45*
Triangle Pl. *SW4* —2F *79*
Triangle Rd. *E8* —5D *27*
Triangle, The. *E8* —5D *27*
Triangle, The. *EC1* —3D *39*
Trident St. *SE16* —5F *55*
Trig La. *EC4* —1E *53*
Trigon Rd. *SW8* —3B *66*
Trilby Rd. *SE23* —2F *97*

Trinder Gdns. *N19* —3A *10*
Trinder Rd. *N19* —3A *10*
Trinidad St. *E14* —1B *56*
Trinity Bus. Cen. *SE16* —3B *56*
Trinity Chu. Pas. *EC4* —5C *38*
  (off Fetter La.)
Trinity Chu. Pas. *SW13*
      —2D *61*
Trinity Chu. Rd. *SW13*
      —2D *61*
Trinity Chu. Sq. *SE1* —4E *53*
Trinity Clo. *E8* —3B *26*
Trinity Clo. *E11* —4A *16*
Trinity Clo. *NW3* —1F *21*
Trinity Clo. *SE13* —2F *85*
Trinity Clo. *SW4* —2E *79*
Trinity Ct. *N1* —5A *26*
Trinity Ct. *SE7* —5F *59*
Trinity Ct. *SE26* —3E *97*
Trinity Ct. *W2* —5F *35*
  (off Gloucester Ter.)
Trinity Cres. *SW17* —2B *92*
Trinity Gdns. *SW9* —2B *80*
Trinity Gro. *SE10* —4E *71*
Trinity M. *W10* —5F *33*
Trinity Path. *SE26* —3E *97*
Trinity Pier. *E14* —1A *58*
Trinity Pl. *EC3* —1B *54*
Trinity Rise. *SW2* —1C *94*
Trinity Rd. *SW18 & SW17*
      —2E *77*
Trinity Rd. *SW19* —5C *90*
Trinity Sq. *EC3* —1A *54*
Trinity St. *E16* —4B *44*
Trinity St. *SE1* —3E *53*
Trinity Wlk. *NW3* —3E *21*
Trinity Way. *W3* —1A *46*
Trio Pl. *SE1* —3E *53*
Tristan Sq. *SE3* —1A *86*
Tristram Rd. *Brom* —4B *100*
Triton Sq. *NW1* —3E *37*
Tritton Rd. *SE21* —3F *95*
Trojan Ct. *NW6* —4A *20*
Trojan Ind. Est. *NW10* —3B *18*
Troon Clo. *SE16* —1D *69*
Troon St. *E1* —5A *42*
Trossachs Rd. *SE22* —3A *82*
Trothy Rd. *SE1* —5C *54*
Trotman Ho. *SE14* —4E *69*
  (off Pomeroy St.)
Trott St. *SW11* —4A *64*
Troughton Rd. *SE7* —1D *73*
Troutbeck Ho. *NW1* —2D *37*
  (off Albany St.)
Troutbeck Rd. *SE14* —4A *70*
Trouville Rd. *SW4* —4E *79*
Trowbridge Rd. *E9* —3B *28*
Troy Ct. *W8* —4C *48*
  (off Kensington High St.)
Troy Town. *SE15* —1C *82*
Trumans Rd. *N16* —2B *26*
Trumpington Rd. *E7* —1B *30*
Trump St. *EC2* —5E *39*
Trundle St. *SE1* —3E *53*
  (off Weller St.)
Trundley's M. *SE8* —1F *69*
Trundley's Rd. *SE8* —1F *69*
Trundley's Ter. *SE8* —5F *55*

Truro St. NW5 —3C 22
Truslove Rd. SE27 —5C 94
Trussley Rd. W6 —4E 47
Trust Wlk. SE21 —1D 95
Tryfan Clo. Ilf —1F 17
Tryon St. SW3 —1B 64
Tubbs Rd. NW10 —1B 32
Tucklow Wlk. SW15 —5B 74
Tudor Clo. N6 —2E 9
Tudor Clo. NW3 —2A 22
Tudor Clo. SW2 —4B 80
Tudor Ct. N1 —3A 26
Tudor Gdns. SW13 —1A 74
Tudor Gro. E9 —4E 27
Tudor Rd. E6 —5E 31
Tudor Rd. E9 —5D 27
Tudor Stacks. SE24 —2E 81
Tudor St. EC4 —1C 52
Tudway Rd. SE3 —1D 87
Tufnell Pk. Rd. N19 & N7
—1E 23
Tufton St. SW1 —4A 52
Tugela St. SE6 —2B 98
Tulse Hill. SW2 —4C 80
Tulse Hill Est. SW2 —4C 80
Tulse Ho. SW2 —4C 80
Tulsemere Rd. SE27 —2E 95
Tunbridge Ho. EC1 —2D 39
(off Spa Green Est.)
Tunis Rd. W12 —2E 47
Tunley Grn. E14 —4B 42
Tunley Rd. NW10 —5A 18
Tunley Rd. SW17 —1C 92
Tunmarsh La. E13 —2E 45
Tunnel App. E14 —1A 56
Tunnel App. SE10 —4A 58
Tunnel App. SE16 —3E 55
Tunnel Av. SE10 —3F 57
(in two parts)
Tunnel Av. Trad. Est. SE10
—3F 57
Tunnel Rd. SE16 —3E 55
Tunstall Rd. SW9 —2B 80
Tunworth Cres. SW15 —4B 74
Tun Yd. SW8 —5D 65
Tupelo Rd. E10 —4D 15
Tupman Ho. SE16 —3C 54
(off Llewellyn St.)
Turenne Clo. SW18 —2E 77
Turin St. E2 —2C 40
Turk's Head Yd. EC1 —4D 39
Turks Row. SW3 —1B 64
Turle Rd. N4 —4B 10
Turlewray Clo. N4 —3B 10
Turley Clo. E15 —5A 30
Turnagain La. EC4 —5D 39
(off Farringdon St.)
Turnberry Clo. SE16 —1D 69
(off Ryder Dri.)
Turnberry Quay. E14 —4D 57
Turnbull Ho. N1 —5A 24
Turnchapel M. SW4 —1D 79
Turner Clo. NW11 —1D 7
Turner Clo. SE5 —4D 67
Turner Dri. NW11 —1D 7
Turner's All. EC3 —1A 54
Turners Rd. E14 & E3 —4B 42

Turners Rd. N1 —1A 40
Turner St. E1 —4D 41
Turner St. E16 —5B 44
Turners Wood. NW11 —2B 62
Turneville Rd. W14 —2B 62
Turney Rd. SE21 —5E 81
Turnham Grn. Ter. W4
—5A 46
Turnham Grn. Ter. M. W4
—5A 46
Turnham Rd. SE4 —3A 84
Turnmill St. EC1 —3D 39
Turnpike Clo. SE8 —3B 70
Turnpike Ct. EC1 —2D 39
Turnpin La. SE10 —2E 71
Turnstone Clo. E13 —2C 44
Turnstone Clo. SE28 —2B 70
Turpentine La. SW1 —1D 65
Turpin Ho. SW11 —4D 65
Turpin Way. N19 —4F 9
Turquand St. SE17 —5E 53
Turret Gro. SW4 —1E 79
Turville St. E2 —3B 40
Tuskar St. SE10 —1A 72
Tustin Est. SE15 —2E 69
Tutshill Ct. SE15 —3A 68
(off Lynbrook Clo.)
Tweedale Ct. E15 —2E 29
Tweedmouth Rd. E13 —1D 45
Tweezer's All. WC2 —1C 52
(off Milford La.)
Twelvetrees Cres. E3 & E16
—3E 43
Twickenham Rd. E11 —4F 15
Twilley St. SW18 —5D 77
Twine Ct. E1 —1E 55
Twisden Rd. NW5 —1D 23
Twycross M. SE10 —1A 72
Twyford Ho. N5 —5D 11
Twyford Ho. N15 —1A 12
(off Chisley Rd.)
Twyford Pl. WC2 —5B 38
Twyford St. N1 —5B 24
Tyas Rd. E16 —3B 44
Tyburn Way. W1 —1B 50
Tyers Est. SE1 —3A 54
(off Bermondsey St.)
Tyers Ga. SE1 —3A 54
Tyers St. SE11 —1B 66
Tyers Ter. SE11 —1B 66
Tyler Clo. E2 —1B 40
Tyler's Ct. W1 —5F 37
(off Wardour St.)
Tyler St. SE10 —1A 72
(in two parts)
Tylney Av. SE19 —5B 96
Tylney Rd. E7 —1E 31
Tyndale La. N1 —4D 25
Tyndale Mans. N1 —4D 25
(off Upper St.)
Tyndale Ter. N1 —4D 25
Tyndall Gdns. E10 —4E 15
Tyndall Rd. E10 —4E 15
Tyneham Clo. SW11 —1C 78
Tyneham Rd. SW11 —5C 64
Tynemouth St. SW6 —5E 63
Tyne St. E1 —5B 40
Tynley Av. SE19 —5B 96

Tynwald Ho. SE26 —3C 96
Type St. E2 —1F 41
Tyrawley Rd. SW6 —4D 63
Tyrell Ho. Beck —5D 97
(off Beckenham Hill Rd.)
Tyrols Rd. SE23 —1F 97
Tyrrell Rd. SE22 —2C 82
Tyrrel Way. NW9 —2B 4
Tyrwhitt Rd. SE4 —1C 84
Tysoe St. EC1 —2C 38
Tyson Gdns. SE23 —5E 83
Tyson Rd. SE23 —5E 83
Tyssen Pas. E8 —3B 26
Tyssen Rd. N16 —5B 12
Tyssen St. E8 —3B 26
Tytherton Rd. N19 —5F 9

U
Uamvar St. E14 —4D 43
Udall St. SW1 —5E 51
Uffington Rd. NW10 —5C 18
Uffington Rd. SE27 —4C 94
Ufford St. SE1 —3D 52
Ufton Gro. N1 —4F 25
Ufton Rd. N1 —4F 25
(in two parts)
Uhura Sq. N16 —5A 12
Ullathorne Rd. SW16 —4A 94
Ullathorne Rd. SW16 —4E 93
Ullin St. E14 —4E 43
Ullswater Clo. SW15 —4A 88
Ullswater Cres. SW15 —4A 88
Ullswater Rd. SE27 —2D 95
Ullswater Rd. SW13 —3C 60
Ulster Pl. NW1 —3D 37
Ulster Ter. NW1 —3C 36
Ulundi Rd. SE3 —2A 72
Ulva Rd. SW15 —3F 75
Ulverscroft Rd. SE22 —3B 82
Ulverstone Rd. SE27 —2D 95
Ulysses Rd. NW6 —2B 20
Umberston St. E1 —5C 40
Umbria St. SW15 —4C 74
Umfreville Rd. N4 —1D 11
Undercliff Rd. SE13 —1C 84
Underhill Pas. NW1 —5D 23
(off Camden High St.)
Underhill Rd. SE22 —3C 82
Underhill St. NW1 —5D 23
Undershaft. EC3 —5A 40
Undershaw Rd. Brom —3B 100
Underwood Clo. E10 —3D 15
Underwood Rd. E1 —3C 40
Underwood Row. N1 —2E 39
Underwood St. N1 —2E 39
Undine Rd. E14 —5D 57
Undine St. SW17 —5B 92
Unicorn Building. E1 —1F 55
(off Jardine Rd.)
Unicorn Pas. SE1 —2A 54
Union Clo. E11 —1F 29
Union Cotts. E15 —4A 30
Union Ct. EC2 —5A 40
(off Old Broad St.)
Union Dri. E1 —3A 42
Union Gro. SW8 —5F 65
Union Rd. SW8 & SW4
—5F 65

Union Sq.—Vaughan Rd.

Union Sq. *N1* —5E **25**
Union St. *E15* —1F **43**
Union St. *SE1* —2D **53**
Union Wlk. *E2* —2A **40**
Union Yd. *W1* —5D **37**

Unity Clo. *NW10* —4C **18**
Unity Clo. *SE19* —5E **95**
Unity Way. *SE18* —4F **59**
University Wlk. *WC1* —3E **37**
Unwin Clo. *SE15* —2C **68**
Unwin Mans. W14 —2A 62
  (off Queen's Club Gdns.)
Unwin Rd. *SW7* —4F **49**
Upbrook M. *W2* —5E **35**
Upcerne Rd. *SW10* —3E **63**
Upgrove Mnr. Way. *SW2*
  —5C **80**
Upham Pk. Rd. *W4* —5A **46**
Upland M. *SE22* —3C **82**
Upland Rd. *E13* —3C **44**
Upland Rd. *SE22* —3C **82**
Uplands Nb. *N8* —1B **19**
Upnall Ho. *SE15* —2E **69**
Upnor Way. *SE17* —1A **68**
Up. Addison Gdns. *W14*
  —3A **48**
Up. Bardsey Wlk. N1 —3E 25
  (off Bardsey Wlk.)
Up. Belgrave St. *SW1* —4C **50**
Up. Berkeley St. *W1* —5B **36**
Up. Brockley Rd. *SE4* —1B **84**
Up. Brook St. *W1* —1C **50**
Up. Caldy Wlk. N1 —3E 25
  (off Caldy Wlk.)
Up. Camelford Wlk. *W11*
  (off St Mark's Rd.) —5A **34**
Up. Cheyne Row. *SW3* —2A **64**
Up. Clapton Rd. *E5* —4D **13**
Up. Clarendon Wlk. *W11*
  (off Clarendon Rd.) —5A **34**
Up. Dengie Wlk. N1 —5E 25
  (off Basire St.)
Up. Grosvenor St. *W1* —1C **50**
Up. Ground. *SE1* —2C **52**
Up. Gulland Wlk. N1 —3E 25
  (off Oronsay Wlk.)
Up. Handa Wlk. N1 —3F 25
  (off Handa Wlk.)
Up. Harley St. *NW1* —3C **36**
Up. Hawkwell Wlk. N1 —5E 25
  (off Maldon Clo.)
Up. Hilldrop Est. *N7* —2F **23**
Up. James St. *W1* —1E **51**
Up. John St. *W1* —1E **51**
Up. Lismore Wlk. N1 —3E 25
  (off Clephane St.)
Up. Mall. *W6* —1C **60**
  (in two parts)
Up. Marsh. *SE1* —4B **52**
Up. Montagu St. *W1* —4B **36**
Up. North St. *E14* —4C **42**
Up. Park Rd. *NW3* —2B **22**
Up. Phillimore Gdns. *W8*
  —3C **48**
Up. Ramsey Wlk. N1 —3F 25
  (off Ramsey Wlk.)
Up. Rawreth Wlk. N1 —5E 25
  (off Basire St.)

Up. Richmond Rd. *SW15*
  —2B **74**
Upper Rd. *E13* —2C **44**
Up. St Martin's La. *WC2*
  —1A **52**
Up. Sheppey Wlk. N1 —3E 25
  (off Skomer Wlk.)
Upper St. *N1* —1C **38**
Up. Tachbrook St. *SW1* —5E **51**
Upper Ter. *NW3* —5E **7**
Up. Thames St. *EC4* —1D **53**
Up. Tollington Pk. *N4* —3C **10**
  (in two parts)
Upperton Rd. E. *E13* —2E **45**
Upperton Rd. W. *E13* —2E **45**
Up. Tooting Pk. *SW17* —2B **92**
Up. Tooting Rd. *SW17* —4B **92**
Up. Tulse Hill. *SW2* —5B **80**
Up. Wimpole St. *W1* —4C **36**
Up. Woburn Pl. *WC1* —2F **37**
Upstall St. *SE5* —4D **67**
Upton Av. *E7* —4C **30**
Upton La. *E7* —4C **30**
Upton Lodge. *E7* —3C **30**
Up. Pk. Rd. *E7* —4D **31**
Upwood Rd. *SE12* —4C **86**
Urlwin St. *SE5* —2E **67**
Urlwin Wlk. *SW9* —4C **66**
Urmston Dri. *SW19* —1A **90**
Ursula. *N4* —3E **11**
Ursula St. *SW11* —4A **64**
Urswick Rd. *E9* —2E **27**
Usborne M. *SW8* —3B **66**
Usher Rd. *E3* —5B **28**
Usher-Walker Ho. E16 —3F 43
  (off South Cres.)
Usk Rd. *SW11* —2E **77**
Usk St. *E2* —2F **41**
Uverdale Rd. *SW10* —3E **63**
Uxbridge Rd. *W12* —2B **46**
Uxbridge St. *W8* —2C **48**

Vale Clo. *W9* —2E **35**
Vale Ct. *W3* —2B **46**
Vale Ct. W9 —2E 35
  (off Maida Vale)
Vale Cres. *SW15* —4A **88**
Vale End. *SE22* —2B **82**
Vale Est., The. *W3* —2A **46**
Vale Gro. *N4* —2E **11**
Vale Gro. *W3* —3A **46**
Vale Lodge. *SE23* —2E **97**
Valentia Pl. *SW9* —2C **80**
Valentine *SE23* —2F **97**
  (in two parts)
Valentine Pl. *SE1* —3D **53**
Valentine Rd. *E9* —3F **27**
Valentine Row. *SE1* —3D **53**
Vale of Health. *NW3* —5F **7**
Valerian Way. *E15* —2A **44**
Vale Rise. *NW11* —3B **6**
Vale Rd. *E7* —3D **31**
Vale Rd. *N4* —2E **11**
Vale Row. *N5* —5D **11**
Vale Royal. *N7* —4A **24**
Vale St. *SE27* —3F **95**
Valeswood Rd. *Brom* —5B **100**

Vale Ter. *N4* —1E **11**
Vale, The. *NW11* —4A **6**
Vale, The. *SW3* —2F **63**
Vale, The. *W3* —2B **46**
Valetta Gro. *E13* —1C **44**
Valetta Rd. *W3* —3A **46**
Valette St. *E9* —3E **27**
Vallance Rd. *E2 & E1* —1D **40**
Valley Gro. *SE7* —1E **73**
Valley Rd. *SW16* —5B **94**
Valliere Rd. *NW10* —2C **32**
Valmar Rd. *SE5* —4E **67**
Valmar Trad. Est. *SE5* —4E **67**
Valnay St. *SW17* —5B **92**
Valonia Gdns. *SW18* —4B **76**
Vanbrugh Clo. *E16* —4F **45**
Vanbrugh Ct. SE11 —5C 52
  (off Wincott St.)
Vanbrugh Fields. *SE3* —2B **72**
Vanbrugh Hill. *SE10 & SE3*
  —1B **72**
Vanbrugh Pk. *SE3* —3B **72**
Vanbrugh Pk. Rd. *SE3* —3B **72**
Vanbrugh Pk. Rd. W. *SE3*
  —3B **72**
Vanbrugh Rd. *W4* —4A **46**
Vanbrugh Ter. *SE3* —4B **72**
Vancouver Rd. *SE23* —2A **98**
Vanderbilt Rd. *SW18* —1D **91**
Vandome Clo. *E16* —5D **45**
Vandon Pas. *SW1* —4E **51**
Vandon St. *SW1* —4E **51**
Vandyke Clo. *SW15* —5F **75**
Vandyke Cross. *SE9* —3F **87**
Vandy St. *EC2* —3A **40**
Vane Clo. *NW3* —2F **21**
Vane St. *SW1* —5E **51**
Van Gogh Ct. *E14* —4F **57**
Vanguard Clo. *E16* —4C **44**
Vanguard St. *SE8* —4C **70**
Vanoc Gdns. *Brom* —4C **100**
Vansittart Rd. *E7* —1B **30**
Vansittart St. *SE14* —2A **70**
Vanston Pl. *SW6* —3C **62**
Vantrey Ho. SE11 —5C 52
  (off Marylee Way)
Vant Rd. *SW17* —5B **92**
Vanweck Sq. *SW15* —3C **74**
Varcoe Rd. *SE16* —1D **69**
Vardens Rd. *SW11* —2F **77**
Varden St. *E1* —5D **41**
Vardon Clo. *W3* —5A **32**
Vardon Ho. *SE10* —4E **71**
Varley Rd. *E16* —5D **45**
Varna Rd. *SW6* —3A **62**
Varndell St. *NW1* —2E **37**
Vartry Rd. *N15* —1F **11**
Vassall Rd. *SW9* —3C **66**
Vauban Est. *SE16* —4B **54**
Vauban St. *SE16* —4B **54**
Vaudeville Ct. *N4* —4C **10**
Vaughan Av. *NW4* —1C **4**
Vaughan Av. *W6* —5B **46**
Vaughan Est. E2 —2B 40
  (off Diss St.)
Vaughan Ho. *SW4* —5E **79**
Vaughan Rd. *E15* —3B **30**

Vaughan Rd. *SE5* —5E **67**
Vaughan St. *SE16* —3B **56**
Vaughan Way. *E1* —1C **54**
Vaughan Williams Clo. *SE8*
    —3C **72**
Vauxhall Bri. *SW1 & SE1*
    —1A **66**
Vauxhall Bri. Rd. *SW1* —4E **51**
Vauxhall Cross. *SE1* —1A **66**
Vauxhall Cross. (Junct.)
    —1A **66**
Vauxhall Gro. *SW8* —2B **66**
Vauxhall St. *SE11* —1B **66**
Vauxhall Wlk. *SE11* —1B **66**
Vawdrey Clo. *E1* —3E **41**
Veda Rd. *SE13* —2C **84**
Velde Way. *SE22* —3A **82**
Venables St. *NW8* —4F **35**
Vencourt Pl. *W6* —5C **58**
Venetian Rd. *SE5* —5E **67**
Venetia Rd. *N4* —1D **11**
Venner Rd. *SE26* —5E **97**
Venn Ho. *N1* —5B **24**
    (off Barnsbury Est.)
Venn St. *SW4* —2E **79**
Ventnor Rd. *SE14* —3F **69**
Venture Ct. *SE12* —5C **86**
Venue St. *E14* —4E **43**
Vera Lynn Clo. *E7* —1C **30**
Vera Rd. *SW6* —4A **62**
Verbena Clo. *E16* —3B **44**
Verbena Gdns. *W6* —1C **60**
Verdant Ct. *SE6* —5A **86**
    (off Verdant La.)
Verdant La. *SE6* —5A **86**
Verdun Rd. *SW13* —2C **60**
Vereker Rd. *W14* —1A **62**
Vere St. *W1* —5D **37**
Verity Clo. *W11* —1A **48**
Ver Meer Ct. *E14* —4F **57**
Vermont Rd. *SW18* —4D **77**
Verney Rd. *SE16* —2C **68**
Verney St. *NW10* —5A **4**
Verney Way. *SE16* —1D **69**
Vernon Ct. *NW2* —5B **6**
Vernon Ho. *SE11* —1B **66**
    (off Vauxhall St.)
Vernon M. *W14* —5A **48**
    (off Vernon St.)
Vernon Pl. *WC1* —4A **38**
Vernon Rise. *WC1* —2B **38**
Vernon Rd. *E3* —1B **42**
Vernon Rd. *E11* —3A **16**
Vernon Rd. *E15* —4A **30**
Vernon Rd. *SW14* —1A **74**
Vernon Sq. *WC1* —2B **38**
Vernon St. *W14* —5A **48**
Vernon Yd. *W11* —1B **48**
Verona Rd. *E7* —4C **30**
Veronica Ho. *SE4* —1B **84**
Veronica Rd. *SW17* —2D **93**
Verran Rd. *SW12* —5D **79**
Verulam Av. *E17* —1B **14**
Verulam Bldgs. *WC1* —4B **38**
    (off Grays Inn)
Verulam St. *NW9* —2C **4**
Verulam St. *WC1* —4C **38**
Veryan Ct. *N8* —1F **9**

Vesage Ct. *EC1* —4C **38**
    (off Leather La.)
Vesey Path. *E14* —5D **43**
Vespan Rd. *W12* —3C **46**
Vesta Rd. *SE4* —5A **70**
Vestris Rd. *SE23* —2F **97**
Vestry M. *SE5* —4A **68**
Vestry Rd. *SE5* —4A **68**
Vestry St. *N1* —2F **39**
Vevey St. *SE6* —2B **98**
Viaduct Bldgs. *EC1* —4C **38**
Viaduct Pl. *E2* —2D **41**
Viaduct St. *E2* —2D **41**
Vian St. *SE13* —1D **85**
Vibart Gdns. *SW2* —5B **80**
Vibart Wlk. *N1* —5A **24**
    (off Outram Pl.)
Vicarage Av. *SE3* —3C **72**
Vicarage Ct. *W8* —3D **49**
Vicarage Cres. *SW11* —4F **63**
Vicarage Gdns. *W8* —2C **48**
Vicarage Ga. *W8* —2D **49**
Vicarage Gro. *SE5* —4F **67**
Vicarage La. *E15* —4A **30**
Vicarage Path. *N8* —2F **9**
Vicarage Rd. *E10* —2C **14**
Vicarage Rd. *E15* —4B **30**
Vicarage Rd. *NW4* —1C **4**
Vicarage Rd. *SW14* —3A **74**
Vicarage Wlk. *SW11* —4F **63**
Vicarage Way. *NW10* —5A **4**
Vicar's Clo. *E9* —5E **27**
Vicars Clo. *E15* —5C **30**
Vicar's Hill. *SE13* —2D **85**
Vicars Oak Rd. *SE19* —5A **96**
Vicar's Rd. *NW5* —2C **22**
Viceroy Clo. *NW8* —1A **36**
    (off Prince Albert Rd.)
Viceroy Rd. *SW8* —4A **66**
Vicery Ct. *EC1* —3E **39**
    (off Bartholomew Sq.)
Victoria Arc. *SW1* —4D **51**
    (off Victoria St.)
Victoria Av. *E6* —5F **31**
Victoria Av. *EC2* —4A **40**
Victoria Ct. *SE26* —5E **97**
Victoria Cres. *N15* —1A **12**
Victoria Cres. *SE19* —5A **96**
Victoria Dock Rd. *E16* —5A **44**
Victoria Dri. *SW19* —5F **75**
Victoria Embkmt. *SW1, WC2 &*
    EC4 —3A **52**
Victoria Gdns. *W11* —2C **48**
Victoria Gro. *W8* —4E **49**
Victoria Gro. M. *W2* —1C **48**
Victoria Ho. *N1* —5B **24**
    (off High Rd.)
Victoria Ho. *SW8* —3A **66**
    (off S. Lambeth Rd.)
Victoria Ind. Est. *W3* —4A **32**
Victoria Mans. *NW10* —4D **19**
Victoria Mans. *SW8* —3A **66**
    (off S. Lambeth Rd.)
Victoria M. *NW6* —5C **20**
Victoria M. *SW4* —2D **79**
Victoria M. *SW18* —1E **91**
Victorian Gro. *N16* —1A **26**
Victorian Rd. *N16* —5B **12**

Victoria Pk. Ind. Cen. *E9*
    (off Rothbury Rd.) —4C **28**
Victoria Pk. Rd. *E2 & E9*
    —5E **27**
Victoria Pk. Sq. *E2* —2E **41**
Victoria Pas. NW8 —3F **35**
    (off Fisherton St.)
Victoria Pl. Shop. Cen. *SW1*
    —5D **51**
Victoria Point. E13 —1C **44**
    (off Victoria Rd.)
Victoria Rise. *SW4* —1D **79**
Victoria Rd. *E11* —1A **30**
Victoria Rd. *E13* —1C **44**
Victoria Rd. *N4* —2B **10**
Victoria Rd. *NW6* —1B **34**
Victoria Rd. *NW10* —4A **32**
Victoria Rd. *W8* —4E **49**
Victoria Sq. *SW1* —4D **51**
Victoria St. *E15* —4A **30**
Victoria St. *SW1* —4E **51**
Victoria Ter. *N4* —3C **10**
Victoria Ter. *NW10* —3B **32**
Victoria Way. *SE7* —1D **73**
Victoria Wharf. E14 —1A **56**
    (off Narrow St.)
Victoria Works. *NW2* —4E **5**
Victor Rd. *NW10* —2D **33**
Victory Pl. *E14* —1A **56**
Victory Pl. *SE17* —5F **53**
Victory Sq. *SE5* —3F **67**
Victory Wlk. *SE8* —4C **70**
Victory Way. *SE16* —3A **56**
View Clo. *N6* —2B **8**
View Cres. *N8* —1F **9**
Viewfield Rd. *SW18* —4B **76**
View Rd. *N6* —2B **8**
Vigilant Clo. *SE26* —4C **96**
Vigo St. *W1* —1E **51**
Viking Clo. *E3* —1A **42**
Viking Ct. *SW6* —2C **62**
Viking Gdns. *E6* —3F **45**
Viking Ho. *SE5* —5E **67**
Viking Pl. *E10* —3B **14**
Village Clo. NW3 —2F **21**
    (off Belsize La.)
Village Ct. SE3 —1A **86**
    (off Hurren Clo.)
Village, The. *SE7* —2F **73**
Village Way. *NW10* —1A **18**
Village Way. *SE21* —4F **81**
Villa Rd. *SW9* —1C **80**
Villas on the Heath. NW3
    —5E **7**

Villa St. *SE17* —1F **67**
Villa Wlk. *SE17* —1F **67**
Villiers Clo. *E10* —4C **14**
Villiers Rd. *NW2* —3C **18**
Villiers St. *WC2* —2A **52**
Vincent Clo. *SE16* —3A **56**
Vincent Clo. *SW9* —4B **66**
Vincent Ct. *N4* —3A **10**
Vincent Gdns. *NW2* —5B **4**
Vincent M. *E3* —1C **42**
Vincent Sq. *SW1* —5F **51**
Vincent St. *E16* —4B **44**
Vincent St. *SW1* —5F **51**
Vincent Ter. *N1* —1D **39**

Vince St. *EC1* —2F **39**
Vine Ct. *E1* —4C **40**
Vinegar St. *E1* —2D **55**
Vinegar Yd. *SE1* —3A **54**
  (off St Thomas St.)
Vine Hill. *EC1* —3C **38**
Vine La. *SE1* —2A **54**
Vineries, The. *SE6* —1C **98**
Vine Rd. *E15* —4B **30**
Vine Rd. *SW13* —1B **74**
Vinery Way. *W6* —4D **47**
Vine Sq. *W14* —1B **62**
  (off Star Rd.)
Vine St. *EC3* —5B **40**
Vine St. *W1* —1E **51**
Vine St. Bri. *EC1* —3C **38**
Vine Yd. *SE1* —3E **53**
  (off Sanctuary St.)
Vineyard Clo. *SE6* —1C **98**
Vineyard Hill Rd. *SW19*
  —4C **90**
Vineyard M. *EC1* —3C **38**
  (off Vineyard Wlk.)
Vineyard Wlk. *EC1* —3C **38**
Viney Rd. *SE13* —1D **85**
Vining St. *SW9* —2C **80**
Vintners Ct. *EC4* —1E **53**
Vintners Hall. *EC4* —1E **53**
  (off Up. Thames St.)
Vintner's Pl. *EC4* —1E **53**
Viola Sq. *W12* —1B **46**
Violet Clo. *E16* —3A **44**
Violet Hill. *NW8* —1E **35**
Violet Rd. *E3* —3D **43**
Violet Rd. *E17* —1C **14**
Violet St. *E2* —2D **41**
Virgil Pl. *W1* —4B **36**
Virgil St. *SE1* —4B **52**
Virginia Rd. *E2* —2B **40**
Virginia St. *E1* —1C **54**
Virginia Wlk. *SW2* —4B **80**
Viscount St. *EC1* —3E **39**
Vista Dri. *Ilf* —1F **17**
Vista, The. *SE9* —5F **87**
Vivian Av. *NW4* —1D **5**
Vivian Mans. *NW4* —1D **5**
  (off Vivian Av.)
Vivian Rd. *E3* —1A **42**
Vivian Sq. *SE15* —1D **83**
Vogans Wharf. *SE1* —3B **54**
Vollasky Ho. *E1* —4C **40**
  (off Daplyn St.)
Voltaire Rd. *SW4* —1F **79**
Voluntary Pl. *E11* —1C **16**
Vorley Rd. *N19* —4E **9**
Voss St. *E2* —2C **40**
Voyager Bus. Est. *SE16*
  —4C **54**
  (off Spa Rd.)
Vulcan Rd. *SE4* —5B **70**
Vulcan Sq. *E14* —5C **56**
Vulcan Ter. *SE4* —5B **70**
Vulcan Way. *N7* —3B **24**
Vyner Rd. *W3* —1A **46**
Vyner St. *E2* —5D **27**

Wadding St. *SE17* —5F **53**
Waddington Rd. *E15* —2F **29**

Waddington St. *E15* —3F **29**
Wade Ho. *SE1* —3C **54**
  (off Dickens Est.)
Wade Rd. *E16* —5B **45**
Wadeson St. *E2* —1D **41**
Wade's Pl. *E14* —1D **57**
Wadham Gdns. *NW3* —5A **22**
Wadham Rd. *SW15* —2A **76**
Wadhurst Rd. *SW8* —4E **65**
Wadhurst Rd. *W4* —4A **46**
Wadley Rd. *E11* —2A **16**
Wager St. *E3* —3B **42**
Waghorn Rd. *E13* —5E **31**
Waghorn St. *SE15* —1C **82**
Wagner St. *SE15* —3E **69**
Wainford Clo. *SW19* —5F **75**
Waite Davies Rd. *SE12* —5B **86**
Waite St. *SE15* —2B **68**
Wakefield Ct. *SE26* —5E **97**
Wakefield Gdns. *Ilf* —1F **17**
Wakefield M. *WC1* —2A **38**
Wakefield Rd. *N15* —1B **12**
Wakefield St. *E6* —5F **31**
Wakefield St. *WC1* —3A **38**
Wakeham St. *N1* —3F **25**
Wakehurst Rd. *SW11* —3A **78**
Wakeling St. *E14* —5A **42**
Wakelin Ho. *SE23* —5A **84**
Wakelin Rd. *E15* —1A **44**
Wakeman Rd. *NW10* —2E **33**
Wakley St. *EC1* —2D **39**
Walberswick St. *SW8* —3A **66**
Walbrook. *EC4* —1F **53**
Walbrook Wharf. *EC4* —1E **53**
  (off Bell Wharf La.)
Walburgh St. *E1* —5D **41**
Walcorde Av. *SE17* —5E **53**
Walcot Gdns. *SE11* —5C **52**
  (off Kennington Rd.)
Walcot Sq. *SE11* —5C **52**
Walcott St. *SW1* —5E **51**
Waldeck Gro. *SE27* —3D **95**
Waldemar Av. *SW6* —4A **62**
Waldemar Rd. *SW19* —5C **90**
Walden Ct. *SW8* —4F **65**
Waldenshaw Rd. *SE23* —1E **97**
Walden St. *E1* —5D **41**
Waldo Clo. *SW4* —3E **79**
Waldo Rd. *NW10* —2C **32**
Waldram Cres. *SE23* —1E **97**
Waldram Pk. Rd. *SE23* —1F **97**
Waldram Pl. *SE23* —1E **97**
Waldron M. *SW3* —2F **63**
Waldron Rd. *SW18* —3E **91**
Walerand Rd. *SE13* —5E **71**
Waleran Flats. *SE1* —5A **54**
Wales Farm Rd. *W3* —4A **32**
Waley St. *E1* —4A **42**
Walford Rd. *N16* —1A **26**
Walham Grn. Ct. *SW6* —3D **63**
  (off Waterford Rd.)
Walham Gro. *SW6* —3C **62**
Walham Rise. *SW19* —5A **90**
Walham Yd. *SW6* —3C **62**
Walker's Ct. *W1* —1F **51**
  (off Brewer St.)
Walkerscroft Mead. *SE21*
  —1E **95**

Walkers Pl. *SW15* —2A **76**
Walkford Way. *SE15* —3B **68**
Wallace Ho. *N7* —3B **24**
  (off Caledonian Rd.)
Wallace Rd. *N1* —3E **25**
Wallace Way. *N19* —4F **9**
  (off St John's Way)
Wallbutton Rd. *SE4* —5A **70**
Wallcote Av. *NW2* —3F **5**
Wall Ct. *N4* —3B **10**
  (off Stroud Grn. Rd.)
Waller Rd. *SE14* —4F **69**
Wallflower St. *W12* —1B **46**
Wallgrave Rd. *SW5* —5D **49**
Wallgrave Ter. *SW5* —5C **48**
  (off Redfield La.)
Wallingford Av. *W10* —5F **33**
Wallis All. *SE1* —3E **53**
  (off Marshalsea Rd.)
Wallis Clo. *SW11* —1F **77**
Wallis Rd. *E9* —3B **28**
Wallis's Cotts. *SW2* —5A **80**
Wallorton Gdns. *SW14*
  —2A **74**
Wallside. *EC2* —4E **39**
  (off Barbican)
Wall St. *N1* —3F **25**
Wallwood Rd. *E11* —2F **15**
Wallwood St. *E14* —4B **42**
Walmer Pl. *W1* —4B **36**
  (off Walmer St.)
Walmer Rd. *W10* —5E **33**
Walmer Rd. *W11* —1A **48**
Walmer St. *W1* —4B **36**
Walm La. *NW2* —3E **19**
Walney Wlk. *N1* —3E **25**
Walnut Clo. *SE8* —2B **70**
Walnut Ct. *W8* —4D **49**
  (off St Marys Ga.)
Walnut Gdns. *E15* —1A **30**
Walnut Rd. *E10* —4C **14**
Walnut Tree Clo. *SW13*
  —4B **60**
Walnut Tree Cotts. *SW19*
  —5A **90**
Walnut Tree Rd. *SE10* —1A **72**
  (in two parts)
Walnut Tree Wlk. *SE11*
  —5C **52**
Walpole M. *NW8* —5F **21**
Walpole Rd. *E6* —4E **31**
Walpole Rd. *SE14* —3B **70**
Walpole Rd. *SW19* —5F **91**
Walpole St. *SW3* —1B **64**
Walsham Clo. *N16* —3C **12**
Walsham Ho. *SE14* —5F **69**
Walsham Rd. *SE14* —5F **69**
Walsingham. *NW8* —5F **21**
Walsingham Pl. *SW11* —4C **78**
Walsingham Rd. *E5* —5C **12**
Walter Grn. Ho. *SE15* —4E **69**
  (off Lausanne Rd.)
Walters Clo. *SE17* —5E **53**
  (off Brandon St.)
Walter St. *E2* —2F **41**
Walters Way. *SE23* —4F **83**
Walter Ter. *E1* —5E **41**
Walterton Rd. *W9* —3B **34**

Waltham Ho. *NW8* —5E **21**
Walton Clo. *E5* —5F **13**
Walton Clo. *NW2* —4D **5**
Walton Clo. *SW8* —3A **66**
Walton Dri. *NW10* —3A **18**
Walton Pl. *SW3* —4B **50**
Walton Rd. *E13* —1E **45**
Walton St. *SW3* —5A **50**
Walt Whitman Clo. *SE24*
—2D **81**
Walworth Pl. *SE17* —1E **67**
Walworth Rd. *SE1 & SE17*
—5D **53**
Wanborough Dri. *SW15*
—1D **89**
Wandle Ho. *Brom* —5F **99**
Wandle Rd. *SW17* —2A **92**
Wandle Way. *SW18* —1D **91**
Wandon Rd. *SW6* —3D **63**
Wandsworth Bri. *SW6 & SW18*
—1D **77**
Wandsworth Bri. Rd. *SW6*
—4D **63**
Wandsworth Comn. N. Side.
SW18 —3F **77**
Wandsworth Comn. W. Side.
SW18 —3E **77**
Wandsworth Enterprise Cen.
SW18 —2D **77**
Wandsworth Gyratory. (Junct.)
—3D **77**
Wandsworth High St. *SW18*
—3C **76**
Wandsworth Plain. *SW18*
—3D **77**
Wandsworth Rd. *SW8* —1D **79**
Wangford Ho. *SW9* —2D **81**
(off Loughborough Pk.)
Wanless Rd. *SE24* —1E **81**
Wanley Rd. *SE5* —2F **81**
Wanlip Rd. *E13* —3D **45**
Wansbeck Rd. *E9 & E3*
—4B **28**
Wansdown Pl. *SW6* —3D **63**
Wansey St. *SE17* —5E **53**
Wanstead Gdns. *Ilf* —1F **17**
Wanstead La. *Ilf* —1F **17**
Wanstead Pk. Av. *E12* —3F **17**
Wanstead Pk. Rd. *Ilf* —1F **17**
Wanstead Pl. *E11* —1C **16**
Wantage Rd. *SE12* —3B **86**
Wapping Dock St. *E1* —2D **55**
Wapping High St. *E1* —2C **54**
Wapping La. *E1* —1D **55**
Wapping Wall. *E1* —2E **55**
Warbeck Rd. *W12* —3D **47**
Warburton Clo. *N1* —3A **26**
(off Culford Rd.)
Warburton Rd. *E8* —5D **27**
Warburton St. *E8* —5D **27**
Wardalls Clo. *SE14* —3E **69**
Wardalls Ho. *SE8* —2B **70**
(off Staunton St.)
Warden Rd. *NW5* —3D **23**
Wardens Gro. *SE1* —2E **53**
Wardle St. *E9* —2F **27**
Wardley St. *SW18* —5D **77**
Wardo Av. *SW6* —4A **62**

Wardour M. *W1* —5E **37**
(off D'Arblay St.)
Wardour St. *W1* —5E **37**
Ward Point. *SE11* —5C **52**
Ward Rd. *E15* —5F **29**
Ward Rd. *N19* —5E **9**
Wardrobe Pl. *EC4* —5D **39**
(off Carter La.)
Wardrobe Ter. *EC4* —1D **53**
(off Addle Hill)
Wareham Ho. *SW8* —3B **66**
Warfield Rd. *NW10* —2F **33**
Warfield Yd. *NW10* —2F **33**
(off Warfield Rd.)
Wargrave Av. *N15* —1B **12**
Warham Rd. *N4* —1C **10**
Warham St. *SE5* —3D **67**
Waring St. *SE27* —4E **95**
Warley Clo. *E10* —3B **14**
Warley St. *E2* —2F **41**
Warlock Rd. *W9* —3B **34**
Warlters Clo. *N7* —1A **24**
Warlters Rd. *N7* —1A **24**
Warltersville Mans. *N19*
—2A **10**
Warltersville Rd. *N19* —2A **10**
Warmington Clo. *E5* —5F **13**
Warmington Rd. *SE24* —4E **81**
Warmington St. *E13* —3C **44**
Warmington Tower. *SE14*
—4A **70**
Warmley Ct. *SE15* —2A **68**
(off Newent Clo.)
Warndon St. *SE16* —5F **55**
Warneford St. *E9* —5D **27**
Warner Clo. *E15* —2A **30**
Warner Clo. *NW9* —2B **4**
Warner Pl. *E2* —1C **40**
Warner Rd. *SE5* —4E **67**
Warner Yd. *EC1* —3C **38**
Warner Yd. *EC1* —3C **38**
(off Warner St.)
Warnford Ho. *SW15* —4A **74**
(off Tunworth Cres.)
Warnham Ho. *SW2* —5B **80**
(off Up. Tulse Hill)
Warple Way. *W3* —3A **46**
Warren Av. *E10* —5E **15**
Warren Clo. *SE21* —5E **81**
Warrender Rd. *N19* —1E **23**
Warren Dri., The. *E11* —2E **17**
Warren Gdns. *E15* —2F **29**
Warren M. *W1* —5F **41**
Warren Pl. *E1* —5F **41**
(off Caroline St.)
Warren Rd. *E10* —5E **15**
Warren Rd. *E11* —1E **17**
Warren Rd. *NW2* —4B **4**
Warren St. *W1* —3D **37**
Warren Wlk. *SE7* —2E **73**
Warriner Gdns. *SW11* —4B **64**
Warrington Cres. *W9* —3E **35**
Warrington Gdns. *W9* —3E **35**
Warrington Pl. *E14* —2E **57**
(off Yabsley St.)
Warspite Rd. *SE18* —4F **59**
Warton Rd. *E15* —4E **29**
Warwick Av. *W9 & W2* —3D **35**

Warwick Chambers. *W8*
(off Pater St.) —4C **48**
Warwick Clo. *SW15* —5B **74**
Warwick Ct. *WC1* —4B **38**
Warwick Cres. *W2* —4E **35**
Warwick Dri. *SW15* —1D **75**
Warwick Est. *W2* —4D **35**
Warwick Gdns. *N4* —1E **11**
Warwick Gdns. *W14* —4B **48**
Warwick Gro. *E5* —4D **13**
Warwick Ho. St. *SW1* —2F **51**
Warwick La. *EC4* —5D **39**
Warwick Pas. *EC4* —5D **39**
(off Old Bailey)
Warwick Pl. *W9* —4E **35**
Warwick Pl. N. *SW1* —5E **51**
Warwick Rd. *E12* —2F **31**
Warwick Rd. *E15* —3B **30**
Warwick Rd. *W14 & SW5*
—5B **48**
Warwick Row. *SW1* —4E **51**
Warwickshire Path. *SE8*
—3B **70**
Warwickshire Rd. *N16* —1A **26**
Warwick Sq. *EC4* —5D **39**
Warwick Sq. *SW1* —1E **65**
Warwick Sq. M. *SW1* —5E **51**
Warwick St. *W1* —1E **51**
Warwick Ter. *E17* —1F **15**
Warwick Way. *SW1* —1D **65**
Warwick Yd. *EC1* —3B **38**
Washington Rd. *E6* —4E **31**
Washington Rd. *SW13*
—3C **60**
Wastdale Rd. *SE23* —1F **97**
Waterbank Rd. *SE6* —3D **99**
Water Brook La. *NW4* —1E **5**
Watercress Pl. *N1* —4A **26**
(off Hertford Rd.)
Waterden Cres. *E15* —2C **28**
Waterden Rd. *E15* —2C **28**
Waterer Ho. *SE6* —4E **99**
Waterfall Cotts. *SW19* —5F **91**
Waterfall Rd. *SW19* —5F **91**
Waterfall Ter. *SW17* —5A **92**
Waterford Rd. *SW6* —3D **63**
Water Gdns., The. *W2* —5A **36**
Watergate. *EC4* —1D **53**
Watergate St. *SE8* —2C **70**
Watergate Wlk. *WC2* —2A **52**
Waterhouse Clo. *E16* —4F **45**
Waterhouse Clo. *NW3* —2F **21**
Waterhouse Clo. *W6* —5F **47**
Waterhouse Sq. *EC1* —5C **38**
Wateridge Clo. *E14* —4C **56**
Water La. *E15* —3A **30**
Water La. *EC3* —1A **54**
Water La. *NW1* —4D **23**
Water La. *SE14* —3E **69**
Waterloo Bri. *WC2 & SE1*
—1B **52**
Waterloo Clo. *E9* —2E **27**
Waterloo Gdns. *E2* —1E **41**
Waterloo Pas. *NW6* —4B **20**
Waterloo Pl. *SW1* —2F **51**
Waterloo Rd. *E6* —4E **31**
Waterloo Rd. *E7* —2B **30**
Waterloo Rd. *E10* —2C **14**

Waterloo Rd. *NW2* —3C **4**
Waterloo Rd. *SE1* —3C **52**
Waterloo Ter. *N1* —4D **25**
Waterlow Ct. *NW11* —2D **7**
Waterlow Rd. *N19* —3E **9**
Waterman St. *SW15* —1F **75**
Waterman's Wlk. EC4 —1F **53**
  (off Allhallows La.)
Watermans Wlk. *SE16* —3A **56**
Waterman Way. *E1* —2D **55**
Watermead Ho. *E9* —2A **28**
Watermeadow La. *SW6*
  —5E **63**
Watermead Rd. *SE6* —4E **99**
Water M. *SE15* —1E **83**
Watermint Quay. *N16* —2C **12**
Waterside. *E17* —1E **13**
Waterside Clo. *SE16* —3C **54**
Waterside Pl. *NW1* —5C **22**
Waterside Point. *SW11*
  —3A **64**
Waterside Way. *SW17* —4E **91**
Waterson St. *E2* —2A **40**
Waters Pl. *SW15* —5E **61**
Waters Rd. *SE6* —3A **100**
Water St. WC2 —1C **52**
  (off Maltravers St.)
Water Tower Pl. *N1* —5D **25**
Waterworks La. *E5* —4F **13**
Waterworks Rd. *SW2* —4B **80**
Watford Clo. *SW11* —4A **64**
Watford Rd. *E16* —4C **44**
Watford Way. *NW7 & NW4*
  —1D **5**
Watkinson Rd. *N7* —3B **24**
Watling Ct. EC4 —5E **39**
  (off Watling St.)
Watling Gdns. *NW2* —3A **20**
Watling St. *EC4* —5E **39**
Watlington Gro. *SE26* —5A **98**
Watney Mkt. *E1* —5D **41**
Watney St. *E1* —5D **41**
Watson M. *N16* —2F **25**
Watson's M. *W1* —4A **36**
Watson's St. *SE8* —3C **70**
Watson St. *E13* —1D **45**
Watsons Yd. *NW2* —4C **4**
Wattisfield Rd. *E5* —5E **13**
Watts Gro. *E3* —4D **43**
Watts Point. E13 —5C **30**
  (off Brooks Rd.)
Watts St. *E1* —2D **55**
Wat Tyler Rd. *SE3 & SE10*
  —5E **71**
Wavel M. *NW6* —4D **21**
Wavel Pl. *SE26* —4B **96**
Wavendon Av. *W4* —1A **60**
Waveney Av. *SE15* —2D **83**
Waveney Clo. *E1* —2C **54**
Waveney Ho. *SE15* —2D **83**
Waverley Ct. *SE26* —5E **97**
Waverley Pl. *N4* —4D **11**
Waverley Pl. *NW8* —1F **35**
Waverley Rd. *N8* —1A **10**
Waverton Rd. *SW18* —5E **77**
Waverton St. *W1* —2C **50**
Wavertree Ct. *SW2* —1A **94**
Wavertree Rd. *SW2* —1B **94**

Waxlow Rd. *NW10* —1A **32**
Waxwell Ter. *SE1* —3B **52**
Wayford St. *SW11* —5A **64**
Wayland Av. *E8* —2C **26**
Wayland Clo. *E8* —2C **26**
Wayland Ho. SW9 —5C **66**
  (off Robsart St.)
Waylett Ho. SE11 —1B **66**
  (off Loughborough St.)
Waylett Pl. *SE27* —3D **95**
Wayne Kirkum Way. *NW6*
  —2B **20**
Waynflete Sq. *W10* —1F **47**
Waynflete St. *SW18* —2E **91**
Wayside. *NW11* —3A **6**
Weald Clo. *SE16* —1D **69**
Weald Sq. *E5* —4C **12**
Weardale Rd. *SE13* —2F **85**
Wearside Rd. *SE13* —2D **85**
Weatherbury Ho. N19 —5F **9**
  (off Wedmore St.)
Weatherley Clo. *E3* —4B **42**
Weavers Ho. E11 —1C **16**
  (off New Wanstead)
Weavers La. *SE1* —2C **54**
Weavers Ter. *SW6* —2C **62**
  (off Micklethwaite Rd.)
Weavers Way. *NW1* —5F **23**
Weaver Wlk. *SE27* —4E **95**
Webber Row. *SE1* —4C **52**
  (in two parts)
Webber St. *SE1* —3C **52**
Webb Est. *E5* —2C **12**
Webb Gdns. *E13* —3D **44**
Webb Ho. *SW8* —3F **65**
Webb Pl. *NW10* —2B **32**
Webb Rd. *SE3* —2B **72**
Webb's Rd. *SW11* —2B **78**
Webb St. *SE1* —4A **54**
Webster Rd. *E11* —5E **15**
Webster Rd. *SE16* —4C **54**
Wedderburn Rd. *NW3* —2F **21**
Wedgwood Ho. SE11 —4C **52**
  (off Lambeth Wlk.)
Wedgwood M. *W1* —5F **37**
Wedgwood Wlk. NW6 —2D **21**
  (off Dresden Clo.)
Wedlake St. *W10* —3A **34**
Wedmore Ct. *N19* —5F **9**
Wedmore Gdns. *N19* —4F **9**
Wedmore M. *N19* —5F **9**
Wedmore St. *N19* —5F **9**
Weech Rd. *NW6* —1C **20**
Weedington Rd. *NW5* —2C **22**
Weedon Ho. *W12* —5C **32**
Weekley Sq. *SW11* —1F **77**
Weigall Rd. *SE12* —3C **86**
Weighhouse St. *W1* —5C **36**
Weimar St. *SW15* —1A **76**
Weir Rd. *SW12* —1E **93**
Weir Rd. *SW19* —3D **91**
Weir's Pas. *NW1* —2F **37**
Weiss Rd. *SW15* —1F **75**
Welbeck Av. *Brom* —4C **100**
Welbeck Rd. *E6* —2F **45**
Welbeck St. *W1* —4C **36**
Welbeck Way. *W1* —5D **37**

Welby Ho. *N19* —2F **9**
Welby St. *SE5* —4D **67**
Welcome Ct. E17 —2C **14**
  (off Saxon Clo.)
Welfare Rd. *E15* —4A **30**
Welford Clo. *E5* —5F **13**
Welford Ct. *SW8* —5E **65**
Welford Pl. *SW19* —4A **90**
Welham Rd. *SW17 & SW16*
  —5C **92**
Welland Ct. SE6 —2B **98**
  (off Oakham Clo.)
Welland Ho. *SE15* —2E **83**
Welland M. *E1* —2C **54**
Welland St. *SE10* —2E **71**
Wellby Ct. *E13* —5E **31**
Well Clo. *SW16* —4B **94**
Wellclose Sq. *E1* —1C **54**
Well Cottage Clo. E11 —1E **17**
Well Ct. *EC4* —5E **39**
Weller Ho. SE16 —3C **54**
  (off George Row)
Wellers Ct. *N1* —1A **38**
Weller St. *SE1* —3E **53**
Wellesley Av. *W6* —4D **47**
Wellesley Ct. *NW2* —4C **4**
Wellesley Ct. W9 —2E **35**
  (off Maida Vale)
Wellesley Pl. *NW1* —2F **37**
Wellesley Pl. *NW5* —2C **22**
Wellesley Rd. *E11* —1C **16**
Wellesley Rd. *E17* —1C **14**
Wellesley Rd. *NW5* —2C **22**
Wellesley St. *E1* —4F **41**
Wellesley Ter. *N1* —2E **39**
Wellfield Rd. *SW16* —4A **94**
Wellfield Wlk. *SW16* —5B **94**
Wellfit St. *SE24* —1D **81**
Wellgarth Rd. *NW11* —3D **7**
Wellington Av. *N15* —1B **12**
Wellington Bldgs. *SW1*
  —1D **65**
Wellington Clo. *SE14* —4F **69**
Wellington Clo. *W11* —5C **34**
Wellington Ct. NW8 —1F **35**
  (off Wellington Rd.)
Wellington Ct. SW6 —4D **63**
  (off Maltings Pl.)
Wellington Est. *E2* —1E **41**
Wellington Gdns. *SE7* —2E **73**
Wellington Gro. *SE10* —3F **71**
Wellington Mans. *E11* —3C **14**
Wellington M. *SE7* —2E **73**
Wellington M. *SE22* —2C **82**
Wellington Pk. Est. *NW2*
  —4C **4**
Wellington Pas. E11 —1C **16**
  (off Wellington Rd.)
Wellington Pl. *N2* —1A **8**
Wellington Pl. *NW8* —2F **35**
Wellington Rd. *E7* —1B **30**
Wellington Rd. *E10* —3A **14**
Wellington Rd. *E11* —1C **16**
Wellington Rd. *NW8* —1F **35**
Wellington Rd. *NW10* —2F **33**
Wellington Rd. *SW19* —2C **90**
Wellington Row. *E2* —2B **40**
Wellington Sq. *SW3* —1B **64**

Wellington St. *WC2* —1A **52**
Wellington Ter. *E1* —2D **55**
Wellington Ter. *W2* —1C **48**
Wellington Way. *E3* —2C **42**
Wellmeadow Rd. *SE13 & SE6*
(in two parts) —4A **86**
Well Pl. *NW3* —5F **7**
Well Rd. *NW3* —5F **7**
Wells Gdns. *Ilf* —2F **17**
Wells Ho. *Brom* —5D **105**
Wells Ho. Rd. *NW10* —4A **32**
Wells M. *W1* —4E **37**
Wells Pk. Rd. *SE26* —3C **96**
Wells Rise. *NW8* —5B **22**
Wells Rd. *W12* —3E **47**
Wells Sq. *WC1* —2B **38**
Wells St. *W1* —4E **37**
Wells Ter. *N4* —4C **10**
Well St. *E9* —4E **27**
Well St. *E15* —3A **30**
Wells Way. *SE5* —2F **67**
Wells Way. *SW7* —4E **49**
Wells Yd. *N7* —2C **24**
Well Wlk. *NW3* —1F **21**
Welsford St. *SE1* —1C **68**
Welsh Clo. *E13* —2C **44**
Welshpool St. *E8* —5C **26**
(in two parts)
Welshside Wlk. *NW9* —1A **4**
Welsingham Lodge. *SW13*
—4C **60**
Welstead Way. *W4* —5B **46**
Weltje Rd. *W6* —5C **46**
Welton Ct. *SE5* —4A **68**
Welwyn St. *E2* —2E **41**
Wembury M. *N6* —2E **9**
Wembury Rd. *N6* —2D **9**
Wemyss Rd. *SE3* —5B **72**
Wendell Rd. *W12* —4B **46**
Wendle Ct. *SW8* —2A **66**
Wendon St. *E3* —5B **28**
Wendover *SE17* —1A **68**
(in two parts)
Wendover Ct. *NW2* —5C **6**
Wendover Rd. *NW10* —1B **32**
Wendover Rd. *SE9* —1F **87**
*Wenham Ho. SW8 —3E **65***
(off Ascalon St.)
*Wenlock Barn Est. N1 —1F **39***
(off Wenlock St.)
Wenlock Ct. *N1* —1F **39**
Wenlock Rd. *N1* —1E **39**
Wenlock St. *N1* —1E **39**
Wennington Rd. *E3* —1F **41**
Wensdale Ho. *E5* —4C **12**
Wentland Clo. *SE6* —2F **99**
Wentland Rd. *SE6* —2F **99**
*Wentworth Ct. W6 —2A **62***
(off Laundry Rd.)
Wentworth Cres. *SE15*
—3C **68**
Wentworth M. *E3* —3A **42**
Wentworth Rd. *E12* —1F **31**
Wentworth Rd. *NW11* —1B **6**
Wentworth St. *E1* —5B **40**
Werrington St. *NW1* —1E **37**
Werter Rd. *SW15* —2A **76**
Wesleyan Pl. *NW5* —1D **23**

Wesley Av. *E16* —2C **58**
Wesley Av. *NW10* —2A **32**
Wesley Clo. *N7* —4B **10**
Wesley Clo. *SE17* —5D **53**
Wesley Rd. *E10* —2E **15**
Wesley Sq. *W11* —5A **34**
Wesley St. *W1* —4C **36**
Wessex Gdns. *NW11* —3A **6**
Wessex Ho. *SE1* —1B **68**
Wessex St. *E2* —2E **41**
Wessex Way. *NW11* —3A **6**
Westacott Clo. *N19* —3F **9**
W. Arbour St. *E1* —5F **41**
West Av. *NW4* —1F **5**
West Bank. *N16* —2A **12**
Westbere Rd. *NW2* —1A **20**
Westbourne Bri. *W2* —4E **35**
Westbourne Cres. *W2* —1F **49**
Westbourne Cres. M. W2
—1F **49**
(off Westbourne Cres.)
Westbourne Dri. *SE23* —2F **97**
Westbourne Gdns. *W2*
—5D **35**
Westbourne Gro. *W11 & W2*
—1B **48**
Westbourne Gro. M. *W11*
—5C **34**
Westbourne Gro. Ter. *W2*
—5D **35**
Westbourne Pk. M. *W2*
—5D **35**
Westbourne Pk. Pas. *W2*
—4C **34**
Westbourne Pk. Rd. *W11 & W2*
—5A **34**
Westbourne Pk. Vs. *W2*
—4C **34**
Westbourne Rd. *N7* —3B **24**
Westbourne Rd. *SE26* —5F **97**
Westbourne St. *W2* —1F **49**
*Westbourne Ter. SE23 —2F **97***
(off Waldram Pk. Rd.)
Westbourne Ter. M. *W2*
—5E **35**
Westbourne Ter. Rd. *W2*
—4D **35**
Westbourne Ter. Rd. Bri. *W2*
—4E **35**
(off Westbourne Ter. Rd.)
Westbridge Rd. *SW11* —4F **63**
Westbrook Rd. *SE3* —4D **73**
Westbury Rd. *E7* —3D **31**
Westbury St. *SW8* —5E **65**
Westbury Ter. *E7* —3D **31**
W. Carriage Dri. *W2* —1A **50**
W. Central St. *WC1* —5A **38**
W. Centre Av. *NW10* —3D **33**
Westcombe Hill. *SE3* —3C **72**
Westcombe Pk. Rd. *SE3*
—2A **72**
Westcote Rd. *SW16* —5E **93**
West Cotts. *NW6* —2C **20**
Westcott Clo. *N15* —1B **12**
Westcott Ho. *E14* —1C **56**
Westcott Rd. *SE17* —2D **67**
Westcroft Clo. *NW2* —1A **20**

Westcroft Sq. *W6* —5C **46**
Westcroft Way. *NW2* —1A **20**
W. Cromwell Rd. *W14 & SW5*
—1B **62**
Westdean Av. *SE12* —1D **101**
W. Dean Clo. *SW18* —4D **77**
Westdown Rd. *E15* —1E **29**
Westdown Rd. *SE6* —5C **84**
West Dri. *SW16* —4E **93**
W. Eaton Pl. *SW1* —5C **50**
*W. Eaton Pl. M. SW1 —5C **50***
(off W. Eaton Pl.)
W. Ella Rd. *NW10* —4A **18**
W. End Av. *E10* —1F **15**
W. End La. *NW6* —2C **20**
Westerdale Rd. *SE10* —1C **72**
*Westerham Ho. SE1 —4F **53***
(off Law St.)
Westerham Rd. *E10* —2D **15**
Westerley Cres. *SE26* —5B **98**
Western Av. *NW11* —1F **5**
Western Circus. (Junct.)
—1B **46**
Western Ct. *NW6* —1B **34**
(off Carlton Vale)
Western La. *SW12* —5C **78**
Western M. *W9* —3B **34**
Western Pl. *SE16* —3E **55**
Western Rd. *E13* —1E **45**
Western Rd. *E17* —1E **15**
Western Rd. *SW9* —1C **80**
*Western Ter. W6 —1C **60***
(off Chiswick Mall)
Westferry Cir. *E14* —2B **56**
Westferry Rd. *E14* —1C **56**
Westfield Clo. *SW10* —3E **63**
Westfield Ho. *SW18* —1D **91**
Westfields. *SW13* —1B **74**
Westfields Av. *SW13* —1A **74**
Westfield St. *SE18* —4F **59**
Westfield Way. *E1* —2A **42**
W. Garden Pl. *W2* —5A **36**
West Gdns. *E1* —1D **55**
West Gdns. *SW17* —5A **92**
*Westgate Ct. SE12 —1C **100***
(off Burnt Ash Hill)
*Westgate Ct. SW9 —1C **80***
(off Canterbury Cres.)
Westgate St. *E8* —5D **27**
Westgate Ter. *SW10* —1D **63**
West Gro. *SE10* —4E **71**
Westgrove La. *SE10* —4E **71**
W. Halkin St. *SW1* —4C **50**
W. Hallowes. *SE9* —1F **101**
W. Ham La. *E15* —4F **29**
W. Hampstead M. *NW6*
—3D **21**
W. Harding St. *EC4* —5C **38**
W. Heath Av. *NW11* —3C **6**
W. Heath Clo. *NW3* —5C **6**
W. Heath Ct. *NW11* —3C **6**
W. Heath Dri. *NW11* —3C **6**
W. Heath Gdns. *NW3* —5C **6**
W. Heath Rd. *NW3* —4C **6**
West Hill. *SW15 & SW18*
—5F **75**

W. Hill Ct. *N6* —5C **8**
Westhill Pk. *N6* —4B **8**
(in two parts)
W. Hill Rd. *SW18* —4B **76**
Westhorne Av. *SE12 & SE9*
—5C **86**
Westhorpe Rd. *SW15* —1E **75**
W. India Av. *E14* —2C **56**
W. India Dock Rd. *E14* —1B **56**
W. Kensington Ct. *W14*
(off Edith Vs.) —1B **62**
W. Kensington Mans. *W14*
(off Beaumont Cres.) —1B **62**
Westland Pl. *N1* —2F **39**
Westlands Ter. *SW12* —4E **79**
West La. *SE16* —3D **55**
Westleigh Av. *SW15* —3D **75**
Westleigh Ct. *E11* —1C **16**
West Mall *W8* —2C **48**
(off Palace Gdns. Ter.)
Westmead. *SW15* —4D **75**
W. Mersea Clo. *E16* —2D **59**
West M. *SW1* —5E **51**
(off W. Warwick Pl.)
Westmill Ct. *N4* —4E **11**
(off Brownswood Rd.)
Westminster Bri. *SW1 & SE1*
—3A **52**
Westminster Bri. Rd. *SE1*
—3B **52**
Westminster Bus. Sq. *SE11*
—1B **66**
Westminster Ct. *E11* —1C **16**
(off Cambridge Pk.)
Westminster Ind. Est. *SE18*
—4F **59**
Westminster Pal. Gdns. *SW1*
(off Artillery Row) —4F **51**
Westmoor St. *SE7* —4E **59**
Westmoreland Pl. *SW1*
—1D **65**
Westmoreland Rd. *SE17*
—2D **67**
Westmoreland Rd. *SW13*
—4B **60**
Westmoreland St. *W1* —4C **36**
Westmoreland Ter. *SW1*
—1D **65**
Westmorland Clo. *E12* —4F **17**
Westmorland Rd. *E17* —1C **14**
Westonbirt Ct. *SE15* —2B **68**
(off Ebley Clo.)
Weston Ct. *N4* —5E **11**
Weston Ho. *E9* —5E **27**
(off King Edwards Rd.)
Weston Ho. *NW6* —4A **20**
Weston Pk. *N8* —1A **10**
Weston Rise. *WC1* —2D **38**
Weston St. *SE1* —3A **54**
(in three parts)
Weston Wlk. *E8* —4D **27**
Westover Hill. *NW3* —4C **6**
Westover Rd. *SW18* —5E **77**
Westow Hill. *SE19* —5A **96**
West Pk. *SE9* —2F **101**

West Pier. *E1* —2D **55**
West Pl. *SW19* —5E **89**
W. Point. *SE1* —1C **68**
Westport Rd. *E13* —3D **45**
Westport St. *E1* —5F **41**
W. Poultry Av. *EC1* —4D **39**
W. Quarters. *W12* —5C **32**
West Quay. *SW10* —4E **63**
West Rise. *W2* —1A **50**
(off St George's Fields)
West Rd. *E15* —5B **30**
West Rd. *SE1* —3B **52**
West Rd. *SW3* —1B **64**
West Rd. *SW4* —3F **79**
Westrow. *SW15* —4E **75**
West Row. *W10* —3A **34**
W. Side Comn. *SW19* —5E **89**
W. Smithfield. *EC1* —4D **39**
West Sq. *SE11* —4D **53**
West St. *E2* —1D **41**
West St. *E11* —5A **16**
West St. *WC2* —5F **37**
W. Tenter St. *E1* —5B **40**
Westvale M. *W3* —2A **46**
W. View Clo. *NW10* —2B **18**
Westview Clo. *W10* —5E **33**
Westville Rd. *W12* —3C **46**
W. Warwick Pl. *SW1* —5E **51**
West Way. *NW10* —4A **18**
Westway. *W2* —4D **35**
Westway. *W12, W10 & W2*
—1B **46**
Westwell M. *SW16* —5A **94**
Westwell Rd. *SW16* —5A **94**
Westwell Rd. App. *SW16*
—5A **94**
Westwick Gdns. *W14* —3F **47**
Westwood Gdns. *SW13*
—1B **74**
Westwood Hill. *SE26* —5C **96**
Westwood Pk. *SE23* —5D **83**
Westwood Rd. *E16* —2D **59**
Westwood Rd. *SW13* —1B **74**
Wetherby Gdns. *SW5* —5E **49**
Wetherby Mans. *SW5* —1D **63**
(off Earl's Ct. Sq.)
Wetherby M. *SW5* —1D **63**
Wetherby Pl. *SW7* —5E **49**
Wetherden St. *E17* —2B **14**
Wetherell Rd. *E9* —5F **27**
Wevell Ho. *N6* —2C **8**
(off Hillcrest)
Wexford Rd. *SW12* —5B **78**
Weybourne St. *SW18* —2E **91**
Weydown Clo. *SW19* —1A **90**
Weyhill Rd. *E1* —5C **40**
Weyman Rd. *SE3* —4E **73**
Weymouth Ho. *SW8* —3B **66**
(off Bolney Rd.)
Weymouth M. *W1* —4D **37**
Weymouth St. *W1* —4C **36**
Weymouth Ter. *E2* —1B **40**
Whadcoat St. *N4* —4C **10**
Whalebone Ct. *EC2* —2F **39**
(off Telegraph St.)
Whalebone La. *E15* —4A **30**
Whales Yd. *E15* —4A **30**
(off West Ham La.)

Wharfdale Rd. *N1* —1A **38**
Wharfedale Ct. *E5* —1A **28**
Wharfedale St. *SW10* —1D **63**
Wharf Pl. *E2* —5D **27**
Wharf Rd. *E15* —5F **29**
Wharf Rd. *N1* —1E **39**
Wharf Rd. *NW1* —4F **22**
Wharfside Rd. *E16* —4A **44**
Wharf St. *E16* —4A **44**
Wharton Clo. *NW10* —3A **18**
Wharton Cotts. *WC1* —2C **38**
Wharton St. *WC1* —2B **38**
Whateley Rd. *SE22* —3B **82**
Whatman Rd. *SE23* —5F **83**
Wheatlands Rd. *SW17* —3C **92**
Wheatley Ho. *SW15* —5C **74**
(off Tangley Gro.)
Wheatley St. *W1* —4C **36**
Wheat Sheaf Clo. *E14* —5D **57**
Wheatsheaf La. *SW6* —3E **61**
Wheatsheaf La. *SW8* —3A **66**
Wheatsheaf Ter. *SW6* —3B **62**
Wheatstone Rd. *W10* —4A **34**
Wheeler Gdns. *N1* —5A **24**
(off Outram Pl.)
Wheelwright St. *N7* —4B **24**
Wheler St. *E1* —3B **40**
Whellock Rd. *W4* —4A **46**
Whetstone Pk. *WC2* —5B **38**
Whetstone Rd. *SE3* —5E **73**
Whewell Rd. *N19* —4A **10**
Whidborne Clo. *SE8* —5C **70**
Whidborne St. *WC1* —2A **38**
Whinfell Clo. *SW16* —5F **93**
Whinyates Rd. *SE9* —1F **87**
Whipps Cross. *E17* —1F **15**
Whipps Cross Rd. *E11* —1F **15**
Whiskin St. *EC1* —2D **39**
Whistlers Av. *SW11* —3F **63**
Whistler St. *N5* —2D **25**
Whistler Tower. *SW10* —3E **63**
(off Worlds End Est.)
Whistler Wlk. *SW10* —3F **63**
Whiston Ho. *N1* —1D **11**
(off Richmond Gro.)
Whiston Rd. *E2* —1B **40**
(in two parts)
Whitbread Rd. *SE4* —2A **84**
Whitburn Rd. *SE13* —2D **85**
Whitby Ct. *N7* —1A **24**
Whitby St. *E1* —3B **40**
Whitcher Clo. *SE14* —2A **70**
Whitcher Pl. *NW1* —3C **23**
Whitchurch Ho. *W10* —5F **33**
(off Kingsdown Clo.)
Whitchurch Rd. *W11* —1F **47**
Whitcomb Ct. *WC2* —1F **51**
(off Whitcomb St.)
Whitcomb St. *WC2* —1F **51**
Whiteadder Way. *E14* —5D **57**
Whitear Wlk. *E15* —3F **29**
White Av. *N2* —1F **7**
Whitebeam Clo. *SW9* —3B **66**
White Bear Pl. *NW3* —1F **21**
White Bear Yd. *EC1* —3C **38**
(off Clerkenwell Rd.)
Whitechapel High St. *E1*
—5B **40**

Whitechapel Rd. E1 —4C 40
White Chu. La. E1 —1C 40
White Chu. Pas. E1 —5C 40
(off White Chu. La.)
White City. (Junct.) —5E 33
White City Clo. W12 —1E 47
White City Est. W12 —1D 47
White City Rd. W12 —1E 47
White Conduit St. N1 —1C 38
Whitecross Pl. EC2 —4F 39
Whitecross St. EC1 —3E 39
Whitefield Av. NW2 —3E 5
Whitefield Clo. SW15 —4A 76
Whitefoot La. Brom —4E 99
Whitefoot Ter. Brom —3B 100
Whitefriars St. EC4 —5C 38
Whitehall. SW1 —2A 52
Whitehall Ct. SW1 —2A 52
Whitehall Gdns. SW1 —2A 52
(off Horseguards Av.)
Whitehall Pk. N19 —3E 9
Whitehall Pl. E7 —2C 30
Whitehall Pl. SW1 —2A 52
White Hart Ct. EC2 —4A 40
(off Bishopsgate)
White Hart La. N17 —3B 18
White Hart La. SW13 —5A 60
White Hart St. SE11 —1C 66
White Hart Yd. SE1 —2F 53
Whitehaven St. NW8 —3A 36
Whitehead Clo. SW18 —5E 77

—1A 64
White Horse All. EC1 —4D 39
(off Cowcross St.)
White Horse La. E1 —4F 41
Whitehorse M. SE1 —4C 52
White Horse Rd. E1 —5A 42
White Horse St. W1 —2D 51
White Horse Yd. EC2 —5F 39
White Ho. SW4 —5F 79
(off Clapham Pk. Est.)
Whitehouse Est. E10 —1E 15
White Kennett St. E1 —5A 40
Whitelegg Rd. E13 —1B 44
Whiteley Rd. SE19 —5F 95
Whiteley's Cotts. W14 —5B 48
Whiteleys Shop. Cen. W2
—5D 35
White Lion Ct. EC3 —5A 40
(off Cornhill)
White Lion Hill. EC4 —1D 53
White Lion St. N1 —1C 38
White Lion Yd. W1 —1D 51
(off Brook St.)
White Lodge Clo. N2 —1F 7
White Lyon Ct. EC2 —4E 39
(off Fann St.)
White Post La. E9 —3C 28
White Post St. SE15 —3E 69
White Rd. E15 —4A 30
White's Grounds. SE1 —3A 54
White's Grounds Est. SE1
—3A 54
(off White's Grounds)
White's Row. E1 —4B 40
Whites Sq. SW4 —2F 79

Whitestone La. NW3 —5E 7
Whitestone Wlk. NW3 —5E 7
Whiteswan M. W4 —1A 60
Whitethorn St. E3 —4C 42
Whitfield Pl. W1 —3E 37
(off Whitfield St.)
Whitfield Rd. E6 —4E 31
Whitfield Rd. SE3 —5F 71
Whitfield St. W1 —3E 37
Whitgift Ho. SE11 —5B 52
(off Whitgift St.)
Whitgift St. SE11 —5B 52
Whitlock Dri. SW19 —1A 90
Whitman Rd. E3 —3A 42
Whitminster St. SE15 —2A 68
(off Brockworth Clo.)
Whitmore Est. N1 —5A 26
Whitmore Gdns. NW10
—1E 33
Whitmore Ho. N1 —1A 40
(off Whitmore Est.)
Whitmore Rd. N1 —5A 26
Whitnell Way. SW15 —3E 75
Whitney Rd. E10 —2D 15
Whitstable Ho. W10 —5F 33
(off Silchester Rd.)
Whittaker Rd. E6 —4E 31
Whittaker St. SW1 —5C 58
Whittaker Way. SE1 —5C 54
Whitta Rd. E12 —1F 31
Whittell Gdns. SE26 —3E 97
Whittingham Ct. W4 —3A 60
Whittingstall Rd. SW6 —4B 58
Whittington Av. EC3 —5A 40
Whittington Ct. N2 —1B 8
Whittle Clo. E17 —1A 14
Whittlesey St. SE1 —2C 52
Whitton Wlk. E3 —2C 42
Whitwell Rd. E13 —2C 44
Whitworth Ho. SE1 —4E 53
Whitworth St. SE10 —1A 72
Whorlton Rd. SE15 —1D 83
Whyteville Rd. E7 —3D 31
Wickersley Rd. SW11 —5C 64
Wickers Oake. SE19 —4B 96
Wicker St. E1 —5D 41
Wickfield Ho. SE16 —3C 54
(off Wilson Gro.)
Wickford St. E1 —3E 41
Wickham Gdns. SE4 —1B 84
Wickham M. SE4 —5B 70
Wickham Rd. SE4 —2B 84
Wickham St. SE11 —1B 66
Wick La. E3 —5C 28
(in two parts)
Wicklow Ho. N16 —3B 12
Wicklow St. WC1 —2D 38
Wick M. E9 —3A 28
Wick Rd. E9 —3F 27
Wicks Clo. SE9 —4F 101
Wick Sq. E9 —3B 28
Wicksteed Ho. SE1 —4E 53
Wickway Ct. SE15 —2B 68
(off Cator St.)
Wickwood St. SE5 —5D 67
Widdenham Rd. N7 —1B 24
Widdin St. E15 —4F 29
Widegate St. E1 —4A 40

Widgeon Clo. E16 —5D 45
Widley Rd. W9 —2C 34
Wigan Rd. E5 —3D 13
Wightman Rd. N8 & N4
—1C 10
Wigmore Pl. W1 —5D 37
Wigmore St. W1 —5C 36
Wigram Rd. E11 —1E 17
Wigston Rd. E13 —3D 45
Wigton Pl. SE11 —1C 66
Wilberforce Rd. N4 —4D 11
Wilberforce Rd. NW9 —1C 4
Wilberforce Way. SW19
—5F 89
Wilbraham Pl. SW1 —5B 50
Wilby M. W11 —2B 48
(in two parts)
Wilcox Clo. SW8 —3A 66
Wilcox Pl. SW1 —4E 51
Wilcox Rd. SW8 —3A 66
Wild Ct. WC2 —5B 38
Wildcroft Mnr. SW15 —5E 75
Wildcroft Rd. SW15 —5E 75
Wilde Clo. E8 —5C 26
Wilde Pl. SW18 —5F 77
Wilderton Rd. N16 —2A 12
Wildfell Rd. SE6 —5D 85
Wild Goose Dri. SE14 —4E 69
Wild Hatch. NW11 —1C 6
Wilds Rents. SE1 —4A 54
Wild St. WC2 —5A 38
Wildwood Clo. SE12 —5B 86
Wildwood Gro. NW3 —3E 7
Wildwood Rise. NW11 —3E 7
Wildwood Rd. NW11 —1D 7
Wildwood Ter. NW3 —3E 7
Wilfred Owen Clo. SW19
—5E 91
Wilfred St. SW1 —4E 51
Wilkes St. E1 —4B 40
(in two parts)
Wilkie Way. SE22 —1C 96
Wilkinson Ct. SW17 —4F 91
Wilkinson Ho. N1 —1F 39
(off Cranston St.)
Wilkinson Rd. E16 —5E 45
Wilkinson St. SW8 —3B 66
Wilkin St. NW5 —3C 22
Wilkin St. M. NW5 —3D 23
Wilks Pl. N1 —1A 40
Willan Wall. E16 —1B 58
Willard St. SW8 —1D 79
Will Crooks Gdns. SE9 —2F 87
Willesden La. NW2 & NW6
—3E 19
Willes Rd. NW5 —3D 23
Willett Ho. E13 —1D 45
(off Queens Rd.)
William Banfield Ho. SW6
—5B 62
(off Munster Rd.)
William Bonney Est. SW4
—2F 79
William Clo. SW6 —3A 62
(off Dawes Rd.)
William Cobbett Ho. W8
(off Scarsdale Pl.) —4D 49
William Dromey Ct. NW6
—4B 20

William Ellis Way. *SE16*
　　　　　—4C **54**
William Evans Ho. *SE8* —5F **55**
　(off Haddonfield)
William IV St. *WC2* —1A **52**
William Gdns. *SW15* —3D **75**
William Gunn Ho. *NW3* —2A **22**
William Guy Gdns. *E3* —2D **43**
William Henry Wlk. *SW8*
　　　　　—2F **65**
William Margrie Clo. *SE15*
　　　　　—5C **68**
William M. *SW1* —3B **50**
William Morley Clo. *E6* —5F **31**
William Morris Ho. *W6* —2F **61**
　(off Margravine Rd.)
William Morris Way. *SW6*
　　　　　—1E **77**
William Paton Ho. *E16* —5D **45**
William Pl. *E3* —1B **42**
William Rd. *NW1* —2D **37**
Williams Clo. *N8* —1F **9**
Williams Ho. *NW2* —5E **5**
　(off Stoll Clo.)
Williamson Clo. *SE10* —1B **72**
Williamson Ct. *SE17* —1E **67**
Williamson Rd. *N4* —1D **11**
Williamson St. *N7* —1A **24**
William Sq. *SE16* —1A **56**
　(off Sovereign Cres.)
William St. *E10* —1D **15**
William St. *SW1* —3B **50**
William White Ct. *E13* —3E **31**
　(off Green St.)
William Wood Ho. *SE26*
　(off Shrublands Clo.) —3E **97**
Willifield Way. *NW11* —1C **6**
Willingham Clo. *NW5* —2E **23**
Willingham Ter. *NW5* —2E **23**
Willington Ct. *E5* —5A **14**
Willington Rd. *SW9* —1A **80**
Willis Rd. *E15* —1B **44**
Willis St. *E14* —5D **43**
Willoughby Highwalk. *EC2*
　(off Barbican) —4F **39**
Willoughby Ho. *EC2* —4F **39**
　(off Barbican)
Willoughby Rd. *NW3* —1F **21**
Willoughbys, The. *SW14*
　　　　　—1A **74**
Willoughby St. *WC1* —4A **38**
　(off Gt. Russell St.)
Willoughby Way. *SE7* —5D **59**
Willow Av. *SW13* —5B **60**
Willow Bank. *SW6* —1A **76**
Willow Bri. Rd. *N1* —3E **25**
Willow Brook Rd. *SE15*
　　　　　—3B **68**
Willow Bus. Pk. *SE26* —3E **97**
Willow Clo. *SE6* —1B **100**
Willow Ct. *E11* —4A **16**
　(off Trinity Clo.)
Willow Ct. *EC2* —3A **40**
　(off Willow St.)
Willow Ct. *W4* —3A **60**
　(off Corney Reach Way)
Willowdene. *N6* —2B **8**
Willowdene. *SE15* —4D **69**

Willow Farm La. *SW15*
　　　　　—1D **75**
Willow Gro. *E13* —1C **44**
Willow Lodge. *SW6* —4E **61**
Willow Pl. *SW1* —5E **51**
Willow Rd. *NW3* —1F **21**
Willow St. *EC2* —3A **40**
Willow Tree Clo. *E3* —5B **28**
Willow Tree Clo. *SW18*
　　　　　—1D **91**
Willow Vale. *W12* —2C **46**
Willow Wlk. *SE1* —5A **54**
Willow Way. *SE26* —3E **97**
Willow Way. *W11* —1F **47**
Willsbridge Ct. *SE15* —2B **68**
　(off Bibury Clo.)
Wilman Gro. *E8* —4C **26**
Wilmcote Ho. *W2* —4D **35**
　(off Woodchester Sq.)
Wilmer Gdns. *N1* —5A **26**
Wilmer Lea Clo. *E15* —4F **29**
Wilmer Pl. *N16* —4B **12**
Wilmington Sq. *WC1* —2C **38**
Wilmington St. *WC1* —2C **38**
Wilmot Clo. *SE15* —3C **68**
Wilmot Pl. *NW1* —4E **23**
Wilmot Rd. *E10* —4D **15**
Wilmot St. *E2* —3D **41**
Wilna Rd. *SW18* —5E **77**
Wilsham St. *W11* —2F **47**
Wilshaw Ho. *SE8* —3C **70**
Wilshaw St. *SE14* —4C **70**
Wilson Gro. *SE16* —3D **55**
Wilson M. *SW15* —3C **74**
Wilson Rd. *E6* —2F **45**
Wilson Rd. *SE5* —4A **68**
Wilson's Pl. *E14* —5B **42**
Wilson's Rd. *W6* —1F **61**
Wilson St. *EC2* —4B **40**
Wilson Wlk. *W4* —5B **46**
　(off Prebend Gdns.)
Wilton Av. *W4* —1A **60**
Wilton Cres. *SW1* —3C **50**
Wilton Est. *E8* —3C **26**
Wilton M. *SW1* —4C **50**
Wilton Pl. *SW1* —3C **50**
Wilton Rd. *SW1* —4E **51**
Wilton Row. *SW1* —3C **50**
Wilton Row. *SW6* —3A **62**
Wilton Sq. *N1* —5F **25**
Wilton St. *SW1* —4D **51**
Wilton Ter. *SW1* —4C **50**
Wilton Vs. *N1* —5F **25**
　(off Wilton Sq.)
Wilton Way. *E8* —3C **26**
Wiltshire Clo. *SW3* —5B **50**
Wiltshire Ct. *N4* —3B **10**
　(off Marquis Rd.)
Wiltshire Gdns. *N4* —1E **11**
Wiltshire Rd. *N1* —5F **25**
Wiltshire Rd. *SW9* —1C **80**
Wiltshire Row. *N1* —5F **25**
　(off Bridport Pl.)
Wimbart Rd. *SW2* —5B **80**
Wimbledon Hill Rd. *SW19*
　　　　　—5A **90**
Wimbledon Pk. Rd. *SW19 &*
　　　　SW18 —2A **90**

Wimbledon Pk. Side. *SW19*
　　　　　—3F **89**
Wimbledon Rd. *SW17* —4E **91**
Wimbledon Stadium Bus. Cen.
　　　SW17 —3D **91**
Wimbolt St. *E2* —2C **40**
Wimborne Clo. *SE12* —3B **86**
Wimborne Ho. *SW8* —3B **66**
　(off Dorset Rd.)
Wimbourne Ct. *SW12* —3E **93**
Wimbourne St. *N1* —1F **39**
Wimpole M. *W1* —4D **37**
Wimpole St. *W1* —4D **37**
Winans Wlk. *SW9* —5C **66**
Wincanton Rd. *SW18* —5B **76**
Winchcombe Bus. Cen. *SE15*
　(off Lydney Clo.) —3A **68**
Winchcombe Ct. *SE15* —2A **68**
　(off Lydney Clo.)
Winchcomb Gdns. *SE9*
　　　　　—1F **87**
Winchelsea Clo. *SW15* —3F **75**
Winchelsea Rd. *E7* —5C **16**
Winchelsea Rd. *NW10* —5A **18**
Winchendon Rd. *SW6* —4B **62**
Winchester Av. *NW6* —5A **20**
Winchester Clo. *SE17* —5D **53**
Winchester Ho. *SW3* —2F **63**
　(off Beaufort St.)
Winchester Ho. *SW9* —3C **66**
Winchester Pl. *E8* —2B **26**
Winchester Pl. *N6* —3D **9**
Winchester Rd. *N6* —2D **9**
Winchester Rd. *NW3* —4F **21**
Winchester Sq. *SE1* —2F **53**
　(off Winchester Wlk.)
Winchester St. *SW1* —1D **65**
Winchester Wlk. *SE1* —2F **53**
Winchfield Ho. *SW15* —4B **74**
Winchfield Rd. *SE26* —5A **98**
Wincott St. *SE11* —5C **52**
Windermere Av. *NW6* —5A **20**
Windermere Ct. *SW13* —2B **60**
Windermere Point. *SE15*
　(off Old Kent Rd.) —3E **69**
Windermere Rd. *N19* —4E **9**
Windermere Rd. *SW15*
　　　　　—4A **88**
Winders Rd. *SW11* —5A **64**
Windfield Clo. *SE26* —4F **97**
Windlass Pl. *SE8* —5A **56**
Windlesham Gro. *SW19*
　　　　　—1F **89**
Windley Clo. *SE23* —2E **97**
Windmill Clo. *SE1* —5C **54**
Windmill Clo. *SE13* —5E **71**
Windmill Ct. *NW2* —3A **20**
Windmill Dri. *SW4* —3D **79**
Windmill Hill. *NW3* —5E **7**
Windmill La. *E15* —3F **29**
Windmill M. *W4* —5A **46**
Windmill Pas. *W4* —5A **46**
Windmill Rd. *SW18* —4F **77**
Windmill Rd. *SW19* —4D **89**
Windmill Rd. *W4* —5A **46**
Windmill Row. *SE11* —1C **66**
Windmill St. *W1* —4F **37**
　(in two parts)

Windmill Wlk. *SE1* —2C **52**
Windrose Clo. *SE16* —3F **55**
Windrush Clo. *SW11* —2F **77**
Windrush La. *SE23* —3F **97**
Windsock Clo. *SE16* —5B **56**
Windsor Cen., The. N1 —5D 25
 (off Windsor St.)
Windsor Clo. *SE27* —4E **95**
Windsor Ct. *NW3* —5C **6**
Windsor Ct. NW11 —1A 6
 (off Golders Grn. Rd.)
Windsor Ct. *SW11* —5F **63**
Windsor Ct. W10 —5F 33
 (off Darfield Way)
Windsor Gdns. *W9* —4C **34**
Windsor Gro. *SE27* —4E **95**
Windsor Ho. *N1* —1E **39**
Windsor M. *SE6* —1E **99**
Windsor M. *SE23* —1A **98**
Windsor M. SW18 —5E 77
 (off Wilna Rd.)
Windsor Pl. *SW1* —5E **51**
Windsor Rd. *E7* —2D **31**
Windsor Rd. *E10* —4D **15**
Windsor Rd. *E11* —3C **16**
Windsor Rd. *N7* —5A **10**
Windsor Rd. *NW2* —3D **19**
Windsor St. *N1* —5D **25**
Windsor Ter. *N1* —2E **39**
Windsor Wlk. *SE5* —5F **67**
Windsor Way. *W14* —5F **47**
Windsor Wharf. *E9* —2B **28**
Windspoint Dri. *SE15* —2D **69**
Windus Rd. *N16* —3B **12**
Windus Wlk. *N16* —3B **12**
Windy Ridge Clo. *SW19*
 —5F **89**
Wine Clo. *E1* —1E **55**
Wine Office Ct. *EC4* —5C **38**
Winforton St. *SE10* —4E **71**
Winfrith Rd. *SW18* —5E **77**
Wingate Rd. *W6* —4D **47**
Wingfield Rd. *E15* —1A **30**
Wingfield Rd. *E17* —1D **15**
Wingfield St. *SE15* —1C **82**
Wingford Rd. *SW2* —4A **80**
Wingmore Rd. *SE24* —1E **81**
Wingrave Rd. *W6* —2E **61**
Wingrove Rd. *SE6* —2A **100**
Winifred Ter. E13 —1C 44
 (off Victoria Rd.)
Winkfield Rd. *E13* —1D **45**
Winkley St. *E2* —1D **41**
Winlaton Rd. *Brom* —4F **99**
Winnett St. *W1* —1F **51**
Winnington Clo. *N2* —1F **7**
Winnington Ho. SE5 —3E 67
 (off Wyndham Est.)
Winnington Rd. *N2* —1F **7**
Winn Rd. *SE12* —1C **100**
Winscombe St. *N19* —5D **9**
Winsford Rd. *SE6* —3B **98**
Winsham Gro. *SW11* —3C **78**
Winslade Rd. *SW2* —3A **80**
Winslade Way. *SE6* —5D **85**
Winsland M. *W2* —5F **35**
Winsland St. *W2* —5F **35**
Winsley St. *W1* —5E **37**

Winslow. *SE17* —1A **68**
 (off Kinglake St.)
Winslow Clo. *NW10* —5A **4**
Winslow Rd. *W6* —2A **61**
Winstanley Est. *SW11* —1F **77**
Winstanley Rd. *SW11* —1F **77**
Winston Av. *NW9* —2A **4**
Winston Ho. N1 —1F 39
 (off Cherbury St.)
Winston Rd. *N16* —1F **25**
Winter Av. *E6* —5F **31**
Winterbourne Ho. W11 —1A 48
 (off Portland Rd.)
Winterbourne Rd. *SE6* —1B **98**
Winterbrook Rd. *SE24* —4E **81**
Winterfold Clo. *SW19* —2A **90**
Wintergreen Clo. *E6* —4F **45**
Winter Lodge. SE16 —1C 68
 (off Fern Wlk.)
Winterslow Ho. *SE5* —5E **67**
Winterstoke Rd. *SE6* —1B **98**
Winterton Pl. *SW10* —2E **63**
Winterwell Rd. *SW2* —3A **80**
Winthorpe Rd. *SW15* —2A **76**
Winthrop St. *E1* —4D **41**
Winton Way. *SW16* —5C **94**
Wirral Ho. *SE26* —3C **96**
Wisden Ho. *SW8* —2B **66**
Wiseman Rd. *E10* —4C **14**
Wise Rd. *E15* —5F **29**
Wiseton Rd. *SW17* —1A **92**
Wishart Rd. *SE3* —5F **73**
Wisley Rd. *SW11* —3C **78**
Wisteria Rd. *SE13* —2F **85**
Witanhurst La. *N6* —3C **8**
Witan St. *E2* —2D **41**
Witham Ct. *E10* —5D **15**
Witherington Rd. *N5* —2C **24**
Withers Pl. *EC1* —3E **39**
Withington Ct. SE15 —2A 68
 (off Brockworth Clo.)
Withycombe Rd. *SW19*
 —5F **75**
Witley Ho. *SW2* —5B **80**
Witley Rd. *N19* —4E **9**
Witney Path. *SE23* —3F **97**
Wittersham Rd. *Brom*
 —5B **100**
Wivenhoe Clo. *SE15* —1D **83**
Wiverton Rd. *SE26* —5E **97**
Wix's La. *SW4* —1D **79**
Woburn Ct. SE16 —1D 69
 (off Masters Dri.)
Woburn M. *WC1* —3F **37**
Woburn Pl. *WC1* —3F **37**
Woburn Sq. *WC1* —3F **37**
Woburn Wlk. WC1 —2F 37
Woking Clo. *SW15* —2B **74**
Wolfe Cres. *SE7* —1F **73**
Wolfe Cres. *SE16* —3F **55**
Wolfe Ho. W12 —1D 47
 (off White City Est.)
Wolffe Gdns. *E15* —3B **30**
Wolfington Rd. *SE27* —4D **95**
Wolfram Clo. *SE13* —3A **86**
Wolftencroft Clo. *SW11*
 —1A **78**
Wollaston Clo. *SE1* —5E **53**

Wolseley Av. *SW19* —2C **90**
Wolseley Rd. *E7* —4D **31**
Wolseley Rd. *N8* —1F **9**
Wolseley St. *SE1* —3B **54**
Wolsey M. *NW5* —3E **23**
Wolsey Rd. *N1* —2A **26**
Wolsey St. *E1* —4E **41**
Wolverley St. *E2* —2D **41**
Wolverton. *SE17* —1A **68**
Wolverton Gdns. *W6* —5F **47**
Womersley Rd. *N8* —1B **10**
Wontner Clo. *N1* —4E **25**
Wontner Rd. *SW17* —2B **92**
Woodall Rd. *E14* —1D **57**
Woodbank Rd. *Brom* —3B **100**
Woodbastwick Rd. *SE26*
 —5F **97**
Woodberry Down. *N4* —2E **11**
Woodberry Down Est. *N4*
 —2E **11**
Woodberry Gro. *N4* —2E **11**
Woodbine Pl. *E11* —1C **16**
Woodbine Ter. *E9* —3E **27**
Woodborough Rd. *SW15*
 —2D **75**
Woodbourne Av. *SW16*
 —3F **93**
Woodbourne Clo. *SW16*
 —3A **94**
Woodbridge Rd. *N7* —4B **10**
Woodbridge Ho. *E11* —3B **16**
Woodbridge St. *EC1* —3D **39**
Woodburn Clo. *NW4* —1F **5**
Woodbury Ho. *SE26* —3C **96**
Woodbury St. *SW17* —5A **92**
Woodchester Sq. *W2* —4D **35**
Woodchurch Rd. *NW6*
 —4C **20**
Wood Clo. *E2* —3C **40**
Wood Clo. *NW9* —2A **4**
Woodcocks. *E16* —4E **45**
Woodcombe Cres. *SE23*
 —1E **97**
Woodcote Ho. SE8 —2B 70
 (off Prince St.)
Woodcote Pl. *SE27* —5D **95**
Woodcote Rd. *E11* —2C **16**
Wood Dene. SE15 —4D 69
 (off Queens Rd.)
Wood Dri. *Chst* —5D **101**
Woodend. *SE19* —5E **95**
Wooder Gdns. *E7* —1C **30**
Woodfall Rd. *N4* —4C **10**
Woodfall St. *SW3* —1B **64**
Woodfarrs. *SE5* —2F **81**
Wood Field. *NW3* —2B **22**
Woodfield Av. *SW16* —3F **93**
Woodfield Gdns. *W9* —4C **34**
Woodfield Gro. *SW16* —3F **93**
Woodfield Ho. SE23 —3F 97
 (off Dacres Rd.)
Woodfield La. *SW16* —3F **93**
Woodfield Pl. *W9* —3B **34**
Woodfield Rd. *W9* —4B **34**
Woodford Ct. W12 —3F 47
 (off Shepherd's Bush Grn.)
Woodford Rd. *E7* —5D **17**
Woodger Rd. *W12* —3E **47**

Woodget Clo. E6 —5F 45
Woodgrange Rd. E7 —1D 31
Woodhall Av. SE21 —3B 96
Woodhall Dri. SE21 —3B 96
Woodham Rd. SE6 —3E 99
Woodhatch Clo. E6 —4F 45
Woodhayes Rd. SW19 —5E 89
Woodheyes Rd. NW10 —2A 18
Woodhouse Gro. E12 —3F 31
Woodhouse Rd. E11 —5B 16
Woodin St. E14 —4D 43
Woodison St. E3 —3A 42
Woodland Clo. SE19 —5A 96
Woodland Cres. SE10 —2A 72
Woodland Gro. SE10 —1A 72
Woodland Hill. SE19 —5A 96
Woodland Rd. SE19 —5A 96
Woodlands. NW11 —1A 6
Woodlands Av. E11 —3D 17
Woodlands Clo. NW11 —1A 6
Woodlands Ct. SE23 —5D 83
Woodlands Ga. SW15 —3B 76
Woodlands Ho. NW6 —4A 20
Woodlands Pk. Rd. N15
—1D 11
Woodlands Pk. Rd. SE10
—2A 72
Woodlands Rd. E11 —4A 16
Woodlands Rd. SW13 —1B 74
Woodlands St. SE13 —5F 85
Woodlands, The. N5 —1E 25
Woodlands, The. SE13 —5F 85
Woodland St. E8 —3B 26
Woodlands Way. SW15
—3B 76
Woodland Ter. SE7 —5F 59
Woodland Wlk. NW3 —2A 22
Woodland Wlk. SE10 —1A 72
Woodland Wlk. Brom —4A 100
(in two parts)
Wood La. N6 —1D 9
Wood La. NW9 —2A 4
Wood La. W12 —5E 33
Woodlawn Clo. SW15 —3B 76
Woodlawn Rd. SW6 —3F 61
Woodlea Rd. N16 —5A 12
Woodleigh Gdns. SW16
—3A 94
Woodmans Gro. NW10
—2B 18
Woodman's M. W12 —4D 33
Woodmere Clo. SW11 —1C 78
Woodnook Rd. SW16 —5D 93
Woodpecker Rd. SE14 —2A 58
Woodquest Av. SE24 —3E 81
Woodridge Clo. NW2 —5D 5
Woodriffe Rd. E11 —2F 15
Woodrush Clo. SE14 —3A 70
Woodseer St. E1 —4B 40
Woodsford Sq. W14 —3A 48
Woodside. SW19 —5B 90
Woodside Av. N6 & N10
—1B 8
Woodside Ct. E12 —3E 17
Woodside Rd. E13 —3E 45
Woods M. W1 —1C 50
Woodsome Rd. NW5 —5C 8
Wood's Pl. SE1 —4A 54

Woodspring Rd. SW19 —2A 90
Woods Rd. SE15 —4B 58
Woodstock Av. NW11 —2A 6
Woodstock Ct. SE11 —1B 66
Woodstock Ct. SE12 —4C 86
Woodstock Gro. W12 —3F 47
Woodstock M. W1 —4C 36
(off Westmoreland St.)
Woodstock Rd. E7 —4E 31
Woodstock Rd. N4 —3C 10
Woodstock Rd. NW11 —2B 6
Woodstock Rd. W4 —5A 46
Woodstock St. E16 —5A 44
Woodstock St. W1 —5D 37
Woodstock Ter. E14 —1D 57
Wood St. E16 —1D 59
Wood St. EC2 —5E 39
Wood St. W4 —1A 60
Woodsyre. SE26 —4B 96
Woodthorpe Rd. SW15
—2D 75
Wood Vale. N10 —1F 9
Wood Vale. SE23 —1D 97
Wood Vale Est. SE23 —5D 83
Woodvale Wlk. SE27 —5E 95
Woodview Clo. N4 —2D 11
Woodview Clo. SW15 —4A 88
Woodville. SE3 —4D 73
Woodville Clo. SE12 —3C 86
Woodville Gdns. NW11 —2F 5
Woodville Rd. E11 —3B 16
Woodville Rd. N16 —2A 26
Woodville Rd. NW6 —1B 34
Woodville Rd. NW11 —2F 5
Woodward Av. NW4 —1C 4
Woodwarde Rd. SE22 —4A 82
Woodwell St. SW18 —3E 77
Wood Wharf Bus. Pk. E14
—2D 57
Woodyard Clo. NW5 —2C 22
Woodyard La. SE21 —5A 82
Woodyates Rd. SE12 —4C 86
Woolacombe Rd. SE3 —5E 73
Wooler St. SE17 —1F 67
Woolf M. WC1 —3F 37
(off Burton Pl.)
Woolgar M. N16 —2A 26
(off Gillett St.)
Woollaston Rd. N4 —1D 11
Woolley Ho. SW9 —1D 81
(off Loughborough Rd.)
Woolmead Av. NW9 —2C 4
Woolmore St. E14 —1E 57
Woolneigh St. SW6 —1D 77
Woolridge Way. E9 —4E 27
Woolstaplers Way. SE16
—4C 54
Woolstone Rd. SE23 —2A 98
Woolwich Chu. St. SE18
—4F 59
Woolwich Rd. SE10 & SE7
—1B 72
Wooster Gdns. E14 —5F 43
Wootton St. SE1 —2C 52
Worcester Dri. W4 —3A 46
Worcester Ho. SW9 —3C 66
(off Cranmer Rd.)

Worcester M. NW6 —3D 21
Worcester Rd. SW19 —5B 90
Wordsworth Av. E12 —4F 31
Wordsworth Pl. NW5 —2B 22
Wordsworth Rd. N16 —1A 26
Wordsworth Rd. SE1 —5B 54
Worfield St. SW11 —3A 64
Worgan St. SE11 —1B 66
Worgan St. SE16 —5F 55
Worland Rd. E15 —4A 30
Worlds End Est. SW10 —3F 63
World's End Pas. SW10
—3F 63
World's End Pl. SW10 —3F 63
World Trade Cen. E1 —1B 54
(off E. Smithfield)
Worlidge St. W6 —1E 61
Worlingham Rd. SE22 —2B 82
Wormholt Rd. W12 —1C 46
Wormwood St. EC2 —5A 40
Wornington Rd. W10 —3A 34
(in two parts)
Woronzow St. NW8 —5F 21
Worple Rd. SW19 —5B 90
Worple Rd. M. SW19 —5B 90
Worple St. SW14 —1A 74
Worship St. EC2 —3F 39
Worslade Rd. SW17 —4F 91
Worsley Bri. Rd. SE26 & Beck
—4B 98
Worsley Ho. SE23 —2D 97
Worsley Rd. E11 —1A 30
Worsopp Dri. SW4 —3E 79
Worth Gro. SE17 —1F 67
(off Liverpool Gro.)
Worthing Clo. E15 —5A 30
Wortley Rd. E6 —4F 31
Wotton Rd. NW2 —5E 5
Wotton Rd. SE8 —2B 70
Wouldham Rd. E16 —5B 44
Wragby Rd. E11 —5A 16
Wrayburn Ho. SE16 —3C 54
(off Llewellyn St.)
Wray Cres. N4 —4A 10
Wren Av. NW2 —1E 19
Wren Clo. E16 —5B 44
Wren Landing. E14 —2C 56
Wren Rd. SE5 —4F 67
Wren's Pk. Ho. E5 —4D 13
Wren St. WC1 —3B 38
Wrentham Av. NW10 —1F 33
Wrenthorpe Rd. Brom
—4A 100
Wrestlers Ct. EC3 —5A 40
(off Clark's Pl.)
Wrexham Rd. E3 —1C 42
Wricklemarsh Rd. SE3 —4D 73
(in two parts)
Wrigglesworth St. SE14
—3F 69
Wright Clo. SE13 —2F 85
Wright Rd. N1 —3A 26
Wrights Grn. SW4 —2F 79
Wright's La. W8 —4D 49
Wright's Rd. E3 —1B 42
Wrotham Rd. NW1 —4E 23
Wrottesley Rd. NW10 —1C 32
Wroughton Rd. SW11 —4B 78

Wroxton Rd. *SE15* —5E **69**
Wulfstan St. *W12* —4B **32**
Wyatt Clo. *SE16* —3B **56**
Wyatt Dri. *SW13* —2D **61**
Wyatt Ho. *SE3* —5B **72**
Wyatt Pk. Rd. *SW2* —2A **94**
Wyatt Rd. *E7* —3C **30**
Wyatt Rd. *N5* —5E **11**
Wybert St. *NW1* —3E **37**
Wycherley Clo. *SE3* —3B **72**
Wychombe Studios. *NW3*
                        —3B **22**
Wychwood End. *N6* —2E **9**
Wychwood Way. *SE19* —5F **95**
Wyclif Ct. *EC1* —2D **39**
 (off Wyclif St.)
Wycliffe Rd. *SW11* —5C **64**
Wyclif St. *EC1* —2D **39**
Wycombe Gdns. *NW11* —4C **6**
Wycombe Ho. *SW18* —4E **77**
Wydeville Mnr. Rd. *SE12*
                        —4D **101**
Wye St. *SW11* —5F **63**
Wyfold Rd. *SW6* —3A **62**
Wykeham. *NW4* —1E **5**
Wyke Rd. *E3* —4C **28**
Wyldes Clo. *NW11* —3E **7**
Wyleu St. *SE23* —5A **84**
Wyllen Clo. *E1* —3E **41**
Wymans Way. *E7* —1E **31**
Wymering Mans. *W9* —2C **34**
 (off Wymering Rd.)
Wymering Rd. *W9* —2C **34**
Wymond St. *SW15* —1E **75**
Wynan Rd. *E14* —1D **71**
Wyndcliff Rd. *SE7* —2D **73**
Wyndham Cres. *N19* —5E **9**
Wyndham Est. *SE5* —3E **67**
Wyndham M. *W1* —4B **36**
Wyndham Pl. *W1* —4B **36**
Wyndham Rd. *E6* —4F **31**
Wyndham Rd. *SE5* —3E **67**
Wyndham St. *W1* —4B **36**
Wyndham Yd. *W1* —4B **36**
Wyneham Rd. *SE24* —3F **81**
Wynell Rd. *SE23* —3F **97**
Wynford Rd. *N1* —1B **38**
Wynne Ho. *SE14* —4F **69**
Wynne Rd. *SW9* —5C **66**
Wynnstay Gdns. *W8* —4C **48**
Wynter St. *SW11* —2E **77**
Wynyard Ho. *SE11* —1B **66**
 (off Newburn St.)
Wynyard Ter. *SE11* —1B **66**

Wynyatt St. *EC1* —2D **39**
Wythburn Pl. *W1* —5B **36**
Wythes Rd. *E16* —2F **59**
Wyvil Rd. *SW8* —2A **66**
Wyvis St. *E14* —4D **43**

Yabsley St. *E14* —2E **57**
Yalding Rd. *SE16* —4C **54**
Yale Ct. *NW6* —2D **21**
Yardley St. *WC1* —2C **38**
Yarmouth Pl. *W1* —2D **51**
Yarnfield Sq. *SE15* —4C **68**
Yarrow Cres. *E6* —4F **45**
Yateley St. *SE18* —4F **59**
Yeate St. *N1* —4F **25**
Yeatman Rd. *N6* —1B **8**
Yeats Clo. *NW10* —2A **18**
Yeats Clo. *SE13* —5F **71**
Yeldham Rd. *W6* —1F **61**
Yelverton Rd. *SW11* —5F **63**
Yeoman Clo. *SE27* —3D **95**
Yeoman Ct. *SE1* —1B **68**
 (off Cooper's Rd.)
Yeoman's Row. *SW3* —4A **50**
Yeoman St. *SE8* —5A **56**
Yeoman's Yd. *E1* —1B **54**
 (off Chamber St.)
Yeo St. *E3* —4D **43**
Yerbury Rd. *N19* —5F **9**
Yewfield Rd. *NW10* —3B **18**
Yew Gro. *NW2* —1F **19**
Yew Tree Ct. *NW11* —1B **6**
 (off Bridge La.)
Yew Tree Lodge. *SW16*
                        —4E **93**
Yew Tree Rd. *W12* —1B **46**
Yoakley Rd. *N16* —4A **12**
Yoke Clo. *N7* —3A **24**
Yolande Gdns. *SE9* —3F **87**
Yonge Pk. *N4* —5C **10**
York Av. *SE17* —1E **67**
York Bri. *NW1* —3C **36**
York Bldgs. *WC2* —1A **52**
York Clo. *SE5* —5E **67**
York Ga. *NW1* —3C **36**
York Gro. *SE15* —4E **69**
York Hill. *SE27* —3D **95**
York Ho. *E17* —1B **14**
York Ho. *SE1* —4B **52**
York Ho. Pl. *W8* —3D **49**
York Mans. *SW5* —1D **63**
 (off Earl's Ct. Rd.)
York Mans. *SW11* —4C **64**
 (off Prince of Wales Dri.)

York M. *NW5* —2D **23**
York Pl. *SW11* —1F **77**
York Pl. *WC2* —1A **52**
 (off Villiers St.)
York Rise. *NW5* —5D **9**
York Rd. *E7* —3C **30**
York Rd. *E10* —5E **15**
York Rd. *E17* —1F **13**
York Rd. *SE1* —3B **52**
York Rd. *SW18 & SW11*
                        —2E **77**
York Rd. *SW19* —5E **91**
Yorkshire Clo. *N16* —5A **12**
Yorkshire Grey. (Junct.)
                        —3F **87**
Yorkshire Grey Pl. *NW3*
                        —1E **21**
Yorkshire Grey Yd. *WC1*
 (off Eagle St.)   —4B **38**
Yorkshire Pl. *E14* —5A **42**
Yorkshire Rd. *E14* —5A **42**
York Sq. *E14* —5A **42**
York St. *W1* —4B **36**
York St. Chambers. *W1*
 (off York St.)   —4B **36**
York Ter. E. *NW1* —3C **36**
York Ter. W. *NW1* —3C **36**
Yorkton St. *E2* —1C **40**
York Way. *N7 & N1* —3F **23**
York Way Est. *N7* —3A **24**
Young Ct. *NW6* —4A **20**
Young Rd. *E16* —5E **45**
Youngs Bldgs. *EC1* —3E **39**
 (off Old St.)
Young St. *W8* —3D **49**
Yukon Rd. *SW12* —5D **79**
Yuletide Clo. *NW10* —3A **18**
Yunus Khan Clo. *E17* —1C **14**

Zampa Rd. *SE16* —1E **69**
Zander Ct. *E2* —2C **40**
Zangwill Rd. *SE3* —4F **73**
Zealand Ho. *SE5* —5E **67**
Zealand Rd. *E3* —1A **42**
Zennor Rd. *SW12* —1E **93**
Zenoria St. *SE22* —2B **82**
Zetland Ho. *W8* —4D **49**
 (off Marloes Rd.)
Zetland St. *E14* —4D **43**
Ziggurat. *EC1* —4C **38**
 (off Saffron Hill)
Zoar St. *SE1* —2E **53**
Zoffany St. *N19* —4F **9**

HOSPITALS, HEALTH CENTRES and HOSPICES
covered by this atlas
with their map square reference

N.B. Where Hospitals and Health Centres are not named on the map, the reference given is for the road in which they are situated.

Albion Street Health Centre —3E **55**
87 Albion St., London. SE16 1JX
Tel: 020 7231 2296

ATHLONE HOUSE —3B **8**
Hampstead La., Highgate,
London. N6 4RX
Tel: 020 8348 5231

Aylesbury Health Centre —1F **67**
Taplow House, Thurlow St.,
London. SE17 2UN
Tel: 020 7701 4251

Balham Health Centre —2D **93**
120 Bedford Hill, Balham,
London. SW12 9HP
Tel: 020 8700 0600

BARNES HOSPITAL —1A **74**
South Worple Way,
London. SW14 8SU
Tel: 020 8878 4981

Barton House Health Centre —5F **11**
233 Albion Rd., Stoke Newington,
London. N16 9JT
Tel: 020 7249 5511

Bath Street Health Centre —2E **39**
60 Bath St., London. EC1V 9JX
Tel: 020 7253 2806

BEECHLAWN DAY HOSPITAL —5E **79**
Belthorn Cres., Weir Rd., London. SW12 0NS
Tel: 020 8675 3415

Belsize Priory Health Centre —5D **21**
208 Belsize Rd., London. NW6 4DJ
Tel: 020 7530 2600

BELVEDERE DAY HOSPITAL —5D **19**
341 Harlesden Rd., London. NW10 3RX
Tel: 020 8459 3562

Bermondsey Health Centre —5B **54**
108 Grange Rd., London. SE1 2BW
Tel: 020 7231 9031

Bethnal Green Health Centre —2C **40**
60 Florida St., Bethnal Green,
London. E2 6LL
Tel: 020 7739 1440

BLACKHEATH HOSPITAL —1B **86**
40-42 Lee Ter., Blackheath,
London. SE3 9UD
Tel: 020 8318 7722

BOLINGBROKE HOSPITAL —3A **78**
Bolingbroke Gro., Wandsworth Common,
London. SW11 6HN
Tel: 020 7223 7411

B.P.A.S. ST ANN'S —1E **10**
Ward K2, St Ann's Hospital,
St Ann's Rd., South Tottenham,
London. N15 3TH
Tel: 020 8809 6600

Bridge Lane Health Centre —4A **64**
20 Bridge La., Battersea,
London. SW11 3AD
Tel: 020 7441 0730

BRITISH HOME & HOSPITAL FOR INCURABLES
—5D **95**
Crown La., Streatham, London. SW16 3JB
Tel: 020 8670 8261

Brocklebank Health Centre —5D **77**
249 Garratt La., Wandsworth,
London. SW18 4DU
Tel: 020 8870 1341

CAMDEN MEWS DAY HOSPITAL —4E **23**
5 Camden Mews, London. NW1 9DB
Tel: 020 7530 4780

Central Lewisham Health Centre —4D **85**
410 Lewisham High St.,
London. SE13 6LL
Tel: 020 8690 9723

CHARING CROSS HOSPITAL —2F **61**
Fulham Palace Rd., London. W6 8RF
Tel: 020 8383 0000

CHARTER NIGHTINGALE HOSPITAL —4A **36**
11-19 Lisson Gro., London. NW1 6SH
Tel: 020 7258 3828

CHELSEA & WESTMINSTER HOSPITAL —2E **63**
369 Fulham Rd., Chelsea,
London. SW10 9NH
Tel: 020 8746 8000

Chiswick Health Centre —5A **46**
Fishers La., Chiswick, London. W4 1RX
Tel: 020 8995 8051

Chrisp Street Health Centre —5D **43**
100 Chrisp St., London. E14 6PG
Tel: 020 7515 4860

CHURCHILL CLINIC —4C **52**
80 Lambeth Rd., London. SE1 7PW
Tel: 020 7928 5633

Colville Health Centre —5B **34**
51 Kensington Pk. Rd., London. W11 1PA
Tel: 020 7221 2650

COTTAGE DAY HOSPITAL —3A **92**
Springfield University Hospital,
61 Glenburnie Rd., London. SW17 7DJ
Tel: 020 8682 6514

Hospitals, Health Centres & Hospices

Covent Garden Health Centre —5A **38**
8-12 Neal St., London. WC2H 9LZ
Tel: 020 7240 8484

Craven Park Health Centre —5A **18**
Shakespeare Cres., London. NW10 8XW
Tel: 020 8965 0151

CROMWELL HOSPITAL, THE —5D **49**
162-174 Cromwell Rd., London. SW5 0TU
Tel: 020 7460 2000

Crouch End Health Centre —1A **10**
45 Middle La., London. N8 8PH
Tel: 020 8341 2045

Crowndale Health Centre —1E **37**
59 Crowndale Rd., London. NW1 1TY
Tel: 020 7530 3800

DEVONSHIRE HOSPITAL —4C **36**
29 Devonshire St., London. W1N 1RF
Tel: 020 7486 7131

EAST HAM MEMORIAL HOSPITAL —4F **31**
Shrewsbury Rd., Forest Gate,
London. E7 8QR
Tel: 020 8586 5000

EASTMAN DENTAL HOSPITAL & EASTMAN
DENTAL INSTITUTE, THE —3B **38**
256 Gray's Inn Rd., London. WC1X 8LD
Tel: 020 7915 1000

Edenhall Marie Curie Centre —2F **21**
11 Lyndhurst Gdns., Hampstead,
London. NW3 5NS
Tel: 020 7794 0066

Elsdale Street Health Centre —4E **27**
28 Elsdale St., Hackney,
London. E9 6QY
Tel: 020 8533 0031

Finsbury Health Centre —3C **38**
Pine St., London. EC1R 0JH
Tel: 020 7530 4200

FLORENCE HOUSE DAY HOSPITAL —4A **36**
1 Harewood Row, London. NW1 6SE
Tel: 020 7724 5430

Fountayne Road Health Centre —4C **12**
Fountayne Rd., London. N16 7EA
Tel: 020 8806 3311

Gill Street Health Centre —1B **56**
11 Gill St., London. E14 8HQ
Tel: 020 7987 4433

Goodinge Health Centre —3A **24**
Goodinge Clo., North Rd., London. N7 9EW
Tel: 020 7530 4900

GORDON HOSPITAL —5F **51**
Bloomburg St., London. SW1V 2RH
Tel: 020 8746 8710

GREAT ORMOND STREET HOSPITAL FOR
CHILDREN —3A **38**
Gt. Ormond St., London. WC1N 3JH
Tel: 020 7405 9200

GREENWICH DISTRICT HOSPITAL —1A **72**
Vanbrugh Hill, Greenwich, London. SE10 9HE
Tel: 020 8858 8141

GUY'S HOSPITAL —2F **53**
St Thomas St., London. SE1 9RT
Tel: 020 7955 5000

GUY'S NUFFIELD HOUSE —3F **53**
Newcomen St., London. SE1 1YR
Tel: 020 7955 5000

HAMMERSMITH HOSPITAL —5D **33**
Du Cane Rd., London. W12 0HS
Tel: 020 8383 1000

HARLEY STREET CLINIC, THE —4D **37**
35 Weymouth St., London. W1N 4BJ
Tel: 020 7935 7700

HEART HOSPITAL, THE —4C **36**
Westmoreland St., London. W1M 7HN
Tel: 020 7573 8888

Heathside Health Centre —4E **71**
Landale Ct., Sparta St.,
London. SE10 8DY
Tel: 020 8692 1757

Highbury Grange Health Centre —1E **25**
Highbury Grange, London. N5 2QB
Tel: 020 7530 2888

HIGHGATE PRIVATE HOSPITAL —1B **8**
17-19 View Rd., Highgate,
London. N6 4DJ
Tel: 020 8341 4182

HOMERTON HOSPITAL —2F **27**
Homerton Row, Homerton,
London. E9 6SR
Tel: 020 8919 5555

Honor Oak Health Centre —2A **84**
20 Turnham Rd., London. SE4 2LA
Tel: 020 7639 8811

HORNSEY CENTRAL HOSPITAL —1F **9**
Park Rd., Crouch End, London. N8 8JL
Tel: 020 8219 1702

Hornsey Rise Health Centre —2A **10**
Hornsey Rise, London. N19 3YU
Tel: 020 8530 2400

HOSPITAL FOR TROPICAL DISEASES —5F **23**
4 St Pancras Way, London. NW1 0PE
Tel: 020 7530 3500

HOSPITAL OF ST JOHN & ST ELIZABETH —1F **35**
60 Grove End Rd., St John's Wood,
London. NW8 9NH
Tel: 020 7286 5126

Hunter Street Health Centre —3A **38**
8 Hunter St., London. WC1N 1BN
Tel: 020 7530 4300

Island Health Centre —4D **57**
145 East Ferry Rd., Isle of Dogs,
London. E14 3BQ
Tel: 020 7363 1111

Hospitals, Health Centres & Hospices

Jenner Health Centre —1A **98**
201 Stanstead Rd.,
London. SE23 1HU
Tel: 020 7771 4110

John Scott Health Centre —3E **11**
Green Lanes, London. N4 2NU
Tel: 020 8800 0111

Kentish Town Health Centre —3E **23**
2 Bartholomew Rd., London. NW5 2AJ
Tel: 020 7530 4700

KING EDWARD VII'S HOSPITAL —4C **36**
Beaumont House, 10 Beaumont St.,
London. W1N 2AA
Tel: 020 7486 4411

KING'S COLLEGE HOSPITAL —5F **67**
Denmark Hill, London. SE5 9RS
Tel: 020 7737 4000

KING'S COLLEGE HOSPITAL, DULWICH —2A **82**
East Dulwich Gro., London. SE22 8PT
Tel: 020 7737 4000

LANGTHORNE HOSPITAL —1F **29**
1 Langthorne Rd., London. E11 4HJ
Tel: 020 8539 5511

LATIMER DAY HOSPITAL —4E **37**
40 Hanson St., London. W1P 7DE
Tel: 020 7380 9187

Lee Health Centre —3B **86**
2 Handen Rd., London. SE12 8NE
Tel: 020 8318 4431

Lewin Road Community Mental Health Centre
—5F **93**
55-57 Lewin Rd., London. SW16 6JZ
Tel: 020 8664 6406

LEWISHAM HOSPITAL —3D **85**
Lewisham High St., Lewisham,
London. SE13 6LH
Tel: 020 8333 3000

Lisson Grove Health Centre —3A **36**
Gateforth St., London. NW8 8EG
Tel: 020 7724 2391

Lister Health Centre —4B **68**
1 Camden Sq., London. SE15 5LW
Tel: 020 7701 6291

LISTER HOSPITAL, THE —1D **65**
Chelsea Bridge Rd.,
London. SW1W 8RH
Tel: 020 7730 3417

LONDON BRIDGE HOSPITAL —2F **53**
27 Tooley St., London. SE1 2PR
Tel: 020 7407 3100

LONDON CHEST HOSPITAL —1E **41**
Bonner Rd., London. E2 9JX
Tel: 020 8980 4433

LONDON CLINIC, THE —3C **36**
20 Devonshire Pl., London. W1N 2DH
Tel: 020 7935 4444

LONDON FOOT HOSPITAL —3E **37**
33 Fitzroy Sq., London. W1P 6AY
Tel: 020 7530 4500

LONDON INDEPENDENT HOSPITAL —4F **41**
1 Beaumont Sq., Stepney Green,
London. E1 4NL
Tel: 020 7790 0990

London Lighthouse —5A **34**
111-117 Lancaster Rd., Ladbroke Gro.,
London. W11 1QT
Tel: 020 7792 1200

LONDON WELBECK HOSPITAL —4D **37**
27 Welbeck St., London. W1M 7PG
Tel: 020 7224 224

Lord Lister Health Centre —1C **30**
121 Woodgrange Rd., Forest Gate,
London. E7 0EP
Tel: 020 8250 7200

Lower Clapton Health Centre —2E **27**
36 Lower Clapton Rd., Clapton,
London. E5 0PQ
Tel: 020 8986 7111

MAITLAND DAY HOSPITAL —1D **27**
143-153 Lower Clapton Rd.,
Clapton, London. E5 8EQ
Tel: 020 8919 5600

Manor Gardens Health Centre —5A **10**
6-9 Manor Gdns., London. N7 6LA
Tel: 020 7275 4231

Manor Health Centre —1F **79**
Clapham Manor St.,
London. SW4 6EB
Tel: 020 7622 2293

MANOR HOUSE HOSPITAL —3D **7**
North End Rd., Golders Green,
London. NW11 7HX
Tel: 020 8455 6601

Marvels Lane Health Centre —2D **101**
37 Marvels La., Grove Park,
London. SE12 9PN
Tel: 020 8857 0042

MAUDSLEY HOSPITAL, THE —5F **67**
Denmark Hill, London. SE5 8AZ
Tel: 020 7703 6333

Mawbey Brough Health Centre —3A **66**
39 Wilcox Clo., London. SW8 2UD
Tel: 020 7627 4444

MIDDLESEX HOSPITAL, THE —4E **37**
Mortimer St., London. W1N 8AA
Tel: 020 7636 8333

Mildmay Mission Hospital —2B **40**
Hackney Rd., Bethnal Green,
London. E2 7NA
Tel: 020 7739 2331

Milson Road Health Centre —4F **47**
1-13 Milson Rd., London. W14 0LJ
Tel: 020 8846 6262

Hospitals, Health Centres & Hospices

MOORFIELDS EYE HOSPITAL —2F **39**
162 City Rd., London. EC1V 2PD
Tel: 020 7253 3411

Mortimer Market Centre —3E **37**
Mortimer Mkt., London. WC1E 6AU
Tel: 020 7530 5000

Myatts Field Health Centre —4D **67**
Patmos Rd., London. SW9 6SE
Tel: 020 7735 9171

NATIONAL HOSPITAL FOR NEUROLOGY &
NEUROSURGERY, THE —3A **38**
Queen Sq., London. WC1N 3BG
Tel: 020 7837 3611

NATIONAL TEMPERANCE HOSPITAL —2E **37**
108-110 Hampstead Rd.,
London. NW1 2LT
Tel: 020 7530 3000

Newby Place Health Centre —1E **57**
21 Newby Pl., Poplar,
London. E14 0EY
Tel: 020 7515 8893

NEWHAM GENERAL HOSPITAL —3E **45**
Glen Rd., Plaistow,
London. E13 8SL
Tel: 020 7476 4000

OBSTETRIC HOSPITAL, THE —3E **37**
Huntley St., London. WC1E 6DH
Tel: 020 7387 9300

PADDINGTON COMMUNITY HOSPITAL —4C **34**
7a Woodfield Rd., London. W9 2BB
Tel: 020 7286 6669

PARKSIDE HOSPITAL —3F **89**
53 Parkside, Wimbledon,
London. SW19 5NX
Tel: 020 8971 8000

Parson's Green Health Centre —4C **62**
5-7 Parson's Grn., London. SW6 4UL
Tel: 020 8846 6767

Paxton Green Health Centre —4A **96**
1 Alleyn Pk., London. SE21 8AU
Tel: 020 8761 1923

PLAISTOW HOSPITAL —1E **45**
Samson St., Plaistow,
London. E13 9EH
Tel: 020 8586 6200

PORTLAND HOSPITAL FOR WOMEN &
CHILDREN, THE —3D **37**
209 Gt. Portland St.,
London. W1N 6AH
Tel: 020 7580 4400

PRINCESS GRACE HOSPITAL —3C **36**
42-52 Nottingham Pl.,
London. W1M 3FD
Tel: 020 7486 1234

PRINCESS LOUISE HOSPITAL —4F **33**
St Quintin Av., London. W10 6DL
Tel: 020 8969 0133

PRIORY HOSPITAL —2B **74**
Priory La., Roehampton,
London. SW15 5JJ
Tel: 020 8876 8261

PUTNEY HOSPITAL —1E **75**
Commondale, Lower Richmond Rd.,
Putney, London. SW15 1HW
Tel: 020 8789 6633

QUEEN CHARLOTTE'S & CHELSEA HOSPITAL
—4C **46**
Goldhawk Rd., London. W6 0XG
Tel: 020 8383 1111

QUEEN ELIZABETH HOSPITAL —3F **73**
Stadium Rd., Woolwich,
London. SE18 4QH
Tel: 020 8856 5533

QUEEN ELIZABETH HOSPITAL FOR CHILDREN
—1C **40**
Hackney Rd., London. E2 8PS
Tel: 020 7377 7000

QUEEN MARY'S HOSPITAL —5E **7**
124 Heath St., Hampstead,
London. NW3 1DU
Tel: 020 7431 4111

QUEEN MARY'S UNIVERSITY HOSPITAL —4C **74**
Roehampton La., Roehampton,
London. SW15 5PN
Tel: 020 8789 6611

Queen's Park Health Centre —2A **34**
Dart St., London. W10 4LD
Tel: 020 8968 8899

Railton Road Health Centre —3D **81**
143-149 Railton Rd.,
London. SE24 0LT
Tel: 020 7274 1083

Rathmell Drive Health Centre —4F **79**
9A Rathmell Dri.,
London. SW4 8JG
Tel: 020 8674 7400

River Place Health Centre —4E **25**
River Pl., Essex Rd.,
London. N1 2DE
Tel: 020 7530 2900

ROYAL BROMPTON HOSPITAL —1A **64**
Sydney St., London. SW3 6NP
Tel: 020 7352 8121

ROYAL BROMPTON HOSPITAL (ANNEXE)
—1F **63**
Fulham Rd., London. SW3 6HP
Tel: 020 7352 8121

ROYAL FREE HOSPITAL, THE —2A **22**
Pond St., London. NW3 2QG
Tel: 020 7794 0500

ROYAL HOSPITAL FOR NEURO-DISABILITY
—4A **76**
West Hill, Putney,
London. SW15 3SW
Tel: 020 8780 4500

Hospitals, Health Centres & Hospices

ROYAL LONDON HOMOEOPATHIC HOSPITAL, THE —4A **38**
Gt. Ormond St., London. WC1N 3HR
Tel: 020 7833 7220

ROYAL LONDON HOSPITAL MILE END —3F **41**
Bancroft Rd., London. E1 4DG
Tel: 020 7377 7000

ROYAL LONDON HOSPITAL ST CLEMENT'S —2B **42**
3a Bow Rd., London. E3 4LL
Tel: 020 7377 7000

ROYAL LONDON HOSPITAL WHITECHAPEL —4D **41**
Whitechapel Rd., London. E1 1BB
Tel: 020 7377 7000

ROYAL MARSDEN HOSPITAL (FULHAM), THE —1F **63**
Fulham Rd., London. SW3 6JJ
Tel: 020 7352 8171

ROYAL NATIONAL ORTHOPAEDIC HOSPITAL (OUTPATIENTS) —3D **37**
45-51 Bolsover St., London. W1P 8AQ
Tel: 020 7387 5070

ROYAL NATIONAL THROAT, NOSE & EAR HOSPITAL —2B **38**
330 Gray's Inn Rd., London. WC1X 8DA
Tel: 020 7915 1300

ST ANDREW'S HOSPITAL —3D **43**
Devons Rd., Bow, London. E3 3NT
Tel: 020 7476 4000

ST ANN'S HOSPITAL —1E **11**
St Ann's Rds., Sth. Tottenham, London. N15 3TH
Tel: 020 8442 6000

ST BARTHOLOMEW'S AT SMITHFIELD —4D **39**
West Smithfield, London. EC1A 7BE
Tel: 020 7601 8888

ST CHARLES HOSPITAL —4F **33**
Exmoor St., London. W10 6DZ
Tel: 020 8969 2488

St Christopher's Hospice —5E **97**
51 Lawrie Pk. Rd., Sydenham, London. SE26 6DZ
Tel: 020 8778 9252

ST GEORGE'S HOSPITAL —5F **91**
Blackshaw Rd., Tooting, London. SW17 0QT
Tel: 020 8672 1255

St James Health Centre —1A **14**
47 St James's St., London. E17 7NH
Tel: 020 8520 9286

St John's Hospice —1F **35**
Hospital of St John & St Elizabeth, 60 Grove End Rd., St John's Wood, London. NW8 9NH
Tel: 020 7286 5126 ext 321

St Joseph's Hospice —5D **27**
Mare St., Hackney, London. E8 4SA
Tel: 020 8985 0861

St Leonards Primary Care Centre —1A **40**
Nuttall St., London. N1 5LZ
Tel: 020 7790 4711

ST LUKE'S HOSPITAL FOR THE CLERGY —3E **37**
14 Fitzroy Sq., London. W1P 6AH
Tel: 020 7388 4954

ST MARY'S HOSPITAL —5F **35**
Praed St., London. W2 1NY
Tel: 020 7725 6666

ST PANCRAS HOSPITAL —5F **23**
4 St Pancras Way, London. NW1 0PE
Tel: 020 7530 3500

St Quintin Avenue Health Centre —4F **33**
St Quintin Av., London. W10 6PU
Tel: 020 8960 5677

ST THOMAS' HOSPITAL —4B **52**
Lambeth Palace Rd., London. SE1 7EH
Tel: 020 7928 9292

Shrewsbury Road Health Centre —4F **31**
East Ham Memorial Hospital, Shrewsbury Rd., Forest Gate, London. E7 8DP
Tel: 020 8586 5142

Solent Road Health Centre —3C **20**
9 Solent Rd., London. NW6 1TP
Tel: 020 7530 2550

Somerford Grove Health Centre —1B **26**
Somerford Gro., London. N16 7UA
Tel: 020 7249 2071

Sorsby Health Centre —1A **28**
Mandeville St., London. E5 0DH
Tel: 020 8985 7671

South Kensington & Chelsea Mental Health Centre —2E **63**
1 Nightingale Pl., London. SW10 8RP
Tel: 020 8846 6025

South Lewisham Health Centre —4E **99**
50 Conisborough Cres., London. SE6 2SP
Tel: 020 8698 8921

SOUTH WESTERN HOSPITAL —1A **80**
108 Landor Rd., London. SW9 9NT
Tel: 020 7346 5400

South Westminster Health Centre —5F **51**
St George's House, 82 Vincent Sq., London. SW1P 2PF
Tel: 020 8746 5757

SOUTHWOOD HOSPITAL —2C **8**
70 Southwood La., Highgate, London. N6 5SP
Tel: 020 8340 8778

Hospitals, Health Centres & Hospices

Speedwell Mental Health Centre —3C **70**
Speedwell St., Deptford,
London. SE8 4AT
Tel: 020 8691 4535

Spindrift Medical Centre —5C **56**
100 Spindrift Av., Isle of Dogs,
London. E14 9WU
Tel: 020 7537 0071

Spitalfields Health Centre —4B **40**
9-11 Brick La., London. E1 6PU
Tel: 020 7247 8251

SPRINGFIELD UNIVERSITY HOSPITAL —3A **92**
61 Glenburnie Rd.,
London. SW17 7DJ
Tel: 020 8672 9911

Steel's Lane Health Centre —5E **41**
384-388 Commercial Rd.,
London. E1 0LR
Tel: 020 7790 7171

STEPNEY DAY HOSPITAL —5E **41**
Ronald St., London. E1 0DT
Tel: 020 7702 8199

Surrey Docks Health Centre —3A **56**
Downtown Rd.,
London. SE16 1NP
Tel: 020 7231 3085

Sydenham Green Health Centre —4A **98**
26 Holmshaw Clo.,
London. SE26 4TH
Tel: 020 8778 1333

Tavistock Clinic —3F **21**
120 Belsize La., London. NW3 5BA
Tel: 020 7435 7111

Temple Fortune Health Centre —1C **6**
23 Temple Fortune La.,
London. NW11 7TE
Tel: 020 8458 4431

Trinity Hospice —2D **79**
30 Clapham Comn. N. Side,
Clapham, London. SW4 0RN
Tel: 020 7622 9481

Tudor Lodge Health Centre —1F **89**
8c Victoria Dr., Wimbledon Park,
London. SW19 6AE
Tel: 020 8788 1525

UNITED ELIZABETH GARRETT ANDERSON &
SOHO HOSPITALS FOR WOMEN —2F **37**
144 Euston Rd., London. NW1 2AP
Tel: 020 7387 2501

UNIVERSITY COLLEGE HOSPITAL —3E **37**
Gower St., London. WC1E 6AU
Tel: 020 7387 9300

Vanbrugh Hill Health Centre —1B **72**
Vanbrugh Hill, Greenwich,
London. SE10 9HE
Tel: 020 8853 3434

Waldron Health Centre —3B **70**
Stanley St., London. SE8 4BS
Tel: 020 8691 4621

Wapping Health Centre —2D **55**
22 Wapping La., London. E1 9RL
Tel: 020 7488 0404

WELLINGTON HOSPITAL, THE —2F **35**
Wellington Pl., London. NW8 9LE
Tel: 020 7586 5959

Wellington Way Health Centre —2C **42**
1a Wellington Way, London. E3 4NE
Tel: 020 8980 3510

West Beckton Health Centre —4F **45**
90 Lawson Clo., West Beckton,
London. E16 3LU
Tel: 020 7445 7080

WESTERN OPHTHALMIC HOSPITAL —4B **36**
Marylebone Rd.,
London. NW1 5QH
Tel: 020 7402 4211

WHIPPS CROSS HOSPITAL —1F **15**
Whipps Cross Rd., Leytonstone,
London. E11 1NR
Tel: 020 8539 5522

White City Health Centre —1D **47**
Australia Rd., London. W12 7PH
Tel: 020 8846 6464

WHITTINGTON HOSPITAL —4E **9**
Highgate Hill, London. N19 5NF
Tel: 020 7272 3070

Wick Health Centre —3A **28**
200 Wick Rd., Hackney,
London. E9 5AN
Tel: 020 8986 6341

WILLESDEN COMMUNITY HOSPITAL —4C **18**
Harlesden Rd., Willesden,
London. NW10 3RY
Tel: 020 8459 1292

World's End Health Centre —3E **63**
529 King's Rd., London. SW10 0UD
Tel: 020 8846 6333

RAIL, CROYDON TRAMLINK, DOCKLANDS LIGHT RAILWAY AND LONDON UNDERGROUND STATIONS

with their map square reference

ALDGATE, Circle & Metropolitan —5B **40**
ALDGATE EAST, District & Hammersmith & City —5B **40**
ALL SAINTS, Docklands Light Railway —1D **57**
ANGEL, Northern —1C **38**
ARCHWAY, Northern —4E **9**
ARSENAL, Piccadilly —5C **10**

BAKER STREET, Bakerloo, Circle, Hammersmith & City, Jubilee & Metropolitan —3B **36**
BALHAM, Rail & Northern —1D **93**
BANK, Central, Docklands Light Railway, Northern & Waterloo & City —5F **39**
BARBICAN, Rail, Circle, Hammersmith & City & Metropolitan —4E **39**
BARNES, Rail —1C **74**
BARNES BRIDGE, Rail —5B **60**
BARONS COURT, District & Piccadilly —1A **62**
BATTERSEA PARK, Rail —3D **65**
BAYSWATER, Circle & District —1D **49**
BECKENHAM HILL, Rail —5E **99**
BELLINGHAM, Rail —3D **99**
BELSIZE PARK, Northern —2A **22**
BERMONDSEY, Jubilee —4D **55**
BETHNAL GREEN, Central —2E **41**
BETHNAL GREEN, Rail —3D **41**
BLACKFRIARS, Rail, Circle & District —1D **53**
BLACKHEATH, Rail —1B **86**
BLACKWALL, Docklands Light Railway —1E **57**
BOND STREET, Central & Jubilee —5D **37**
BOROUGH, Northern —3E **53**
BOW CHURCH, Docklands Light Railway —2C **42**
BOW ROAD, District & Hammersmith & City —2C **42**
BRENT CROSS, Northern —2F **5**
BRIXTON, Rail & Victoria —2C **80**
BROCKLEY, Rail —1A **84**
BROMLEY-BY-BOW, District & Hammersmith & City —2E **43**
BRONDESBURY, Rail —4B **20**
BRONDESBURY PARK, Rail —5A **20**

CALEDONIAN ROAD, Piccadilly —3B **24**
CALEDONIAN ROAD & BARNSBURY, Rail —4B **24**
CAMBRIDGE HEATH, Rail —1D **41**
CAMDEN ROAD, Rail —4E **23**
CAMDEN TOWN, Northern —5D **23**
CANADA WATER, East London & Jubilee —3E **55**
CANARY WHARF, Docklands Light Railway & Jubilee —2C **56**
CANNING TOWN, Rail & Docklands Light Railway & Jubilee —4A **44**
CANNON STREET, Rail, Circle & District —1F **53**
CANONBURY, Rail —2E **25**
CATFORD, Rail —5C **84**
CATFORD BRIDGE, Rail —5C **84**
CHALK FARM, Northern —4C **22**
CHANCERY LANE, Central —4C **38**
CHARING CROSS, Rail, Bakerloo & Northern —2A **52**
CHARLTON, Rail —1E **73**
CITY THAMESLINK, Rail —5D **39**
CLAPHAM COMMON, Northern —2E **79**
CLAPHAM HIGH STREET, Rail —1F **79**

CLAPHAM JUNCTION, Rail —1A **78**
CLAPHAM NORTH, Northern —1A **80**
CLAPHAM SOUTH, Northern —4D **79**
CLAPTON, Rail —4D **13**
COVENT GARDEN, Piccadilly —1A **52**
CRICKLEWOOD, Rail —1F **19**
CROFTON PARK, Rail —3B **84**
CROSSHARBOUR, Docklands Light Railway —4D **57**
CROUCH HILL, Rail —2B **10**
CUSTOM HOUSE, Rail & Docklands Light Railway —1D **59**
CUTTY SARK, Docklands Light Railway —2E **71** (Est. opening 2000)

DALSTON KINGSLAND, Rail —2A **26**
DENMARK HILL, Rail —5F **67**
DEPTFORD, Rail —3C **70**
DEPTFORD BRIDGE, Docklands Light Railway (Est. opening 2000) —4C **70**
DEVONS ROAD, Docklands Light Railway —3D **43**
DOLLIS HILL, Jubilee —2C **18**
DRAYTON PARK, Rail —1C **24**

EARL'S COURT, District & Piccadilly —5D **49**
EARLSFIELD, Rail —1E **91**
EAST ACTON, Central —5B **32**
EAST DULWICH, Rail —2A **82**
EAST INDIA, Docklands Light Railway —1F **57**
EAST PUTNEY, District —3A **76**
EDGWARE ROAD, Bakerloo —4A **36**
EDGWARE ROAD, Circle, District & Hammersmith & City —4A **36**
ELEPHANT & CASTLE, Rail, Bakerloo & Northern —5E **53**
ELMSTEAD WOODS, Rail —5F **101**
ELVERSON ROAD, Docklands Light Railway (Est. opening 2000) —5D **71**
EMBANKMENT, Bakerloo, Circle, District & Northern —2A **52**
ESSEX ROAD, Rail —4E **25**
EUSTON, Rail, Northern & Victoria —2F **37**
EUSTON SQUARE, Circle, Hammersmith & City & Metropolitan —3E **37**

FARRINGDON, Rail, Circle, Hammersmith & City & Metropolitan —4D **39**
FENCHURCH STREET, Rail —1A **54**
FINCHLEY ROAD, Jubilee & Metropolitan —3E **21**
FINCHLEY ROAD & FROGNAL, Rail —2E **21**
FINSBURY PARK, Rail, Piccadilly & Victoria —4C **10**
FOREST GATE, Rail —2C **30**
FOREST HILL, Rail —2E **97**
FULHAM BROADWAY, District —3C **62**
GIPSY HILL, Rail —5A **96**
GLOUCESTER ROAD, Circle, District & Piccadilly —5E **49**
GOLDERS GREEN, Northern —3C **6**
GOLDHAWK ROAD, Hammersmith & City —3E **47**
GOODGE STREET, Northern —4F **37**
GOSPEL OAK, Rail —1C **22**

Index to Stations

GREAT PORTLAND STREET, Circle, Hammersmith & City & Metropolitan —3D 37
GREEN PARK, Jubilee, Piccadilly & Victoria —2E 51
GREENWICH, Rail & Docklands Light Railway (Est. opening 2000) —3D 71
GROVE PARK, Rail —3D 101

HACKNEY CENTRAL, Rail —3D 27
HACKNEY DOWNS, Rail —2D 27
HACKNEY WICK, Rail —3C 28
HAMMERSMITH, District, Hammersmith & City & Piccadilly —5E 47
HAMPSTEAD, Northern —1E 21
HAMPSTEAD HEATH, Rail —1A 22
HARLESDEN, Rail & Bakerloo —1A 32
HARRINGAY, Rail —1C 10
HARRINGAY GREEN LANES, Rail —1D 11
HAYDONS ROAD, Rail —5E 91
HENDON, Rail —1C 4
HENDON CENTRAL, Northern —1D 5
HERNE HILL, Rail —4D 81
HERON QUAYS, Docklands Light Railway —2C 56
HIGHBURY & ISLINGTON, Rail & Victoria —3D 25
HIGHGATE, Northern —1D 9
HIGH STREET, KENSINGTON, Circle & District —3D 49
HITHER GREEN, Rail —4A 86
HOLBORN, Central & Piccadilly —5B 38
HOLLAND PARK, Central —2B 48
HOLLOWAY ROAD, Piccadilly —2B 24
HOMERTON, Rail —3F 27
HONOR OAK PARK, Rail —4F 83
HYDE PARK CORNER, Piccadilly —3C 50

ISLAND GARDENS, Docklands Light Railway —1E 71

KENNINGTON, Northern —1D 67
KENSAL GREEN, Rail & Bakerloo —2E 33
KENSAL RISE, Rail —1F 33
KENSINGTON (OLYMPIA), Rail & District —4A 48
KENTISH TOWN, Rail & Northern —2E 23
KENTISH TOWN WEST, Rail —3D 23
KIDBROOKE, Rail —1D 87
KILBURN HIGH ROAD, Rail —5D 21
KILBURN, Jubilee —3B 20
KILBURN PARK, Bakerloo —1C 34
KING'S CROSS, Rail —1A 38
KING'S CROSS SAINT PANCRAS, Circle, Hammersmith & City, Metropolitan, Northern, Piccadilly & Victoria —2A 38
KING'S CROSS THAMESLINK, Rail —2B 38
KNIGHTSBRIDGE, Piccadilly —3B 50

LADBROKE GROVE, Hammersmith & City —5A 34
LADYWELL, Rail —3D 85
LAMBETH NORTH, Bakerloo —4C 52
LANCASTER GATE, Central —1F 49
LATIMER ROAD, Hammersmith & City —1F 47
LEE, Rail —4C 86
LEICESTER SQUARE, Northern & Piccadilly —1A 52
LEWISHAM, Rail & Docklands Light Railway (Est. opening 2000) —1E 85
LEYTON, Central —5E 15
LEYTON MIDLAND ROAD, Rail —3E 15
LEYTONSTONE, Central —3A 16

LEYTONSTONE HIGH ROAD, Rail —4A 16
LIMEHOUSE, Rail & Docklands Light Railway —5A 42
LIVERPOOL STREET, Rail, Central, Circle, Hammersmith & City & Metropolitan —4A 40
LONDON BRIDGE, Rail, Northern & Jubilee —2F 53
LONDON FIELDS, Rail —4D 27
LOUGHBOROUGH JUNCTION, Rail —1D 81
LOWER SYDENHAM, Rail —5B 98

MAIDA VALE, Bakerloo —2D 35
MANOR HOUSE, Piccadilly —2E 11
MANOR PARK, Rail —1F 31
MANSION HOUSE, Circle & District —1E 53
MARBLE ARCH, Central —5B 36
MARYLAND, Rail —3A 30
MARYLEBONE, Rail & Bakerloo —4B 36
MAZE HILL, Rail —2A 72
MILE END, Central, District & Hammersmith & City —3B 42
MONUMENT, Circle & District —1F 53
MOORGATE, Rail, Circle, Hammersmith & City, Northern & Metropolitan —4F 39
MORNINGTON CRESCENT, Northern —1E 37
MUDCHUTE, Docklands Light Railway —5D 57

NEASDEN, Jubilee —2A 18
NEW CROSS, Rail & East London —3B 70
NEW CROSS GATE, Rail & East London —3A 70
NORTH ACTON, Central —4A 32
NORTH DULWICH, Rail —3F 81
NORTH GREENWICH, Jubilee —3A 58
NOTTING HILL GATE, Central, Circle & District —2C 48
NUNHEAD, Rail —5E 69

OLD STREET, Rail & Northern —3F 39
OVAL, Northern —2C 66
OXFORD CIRCUS, Bakerloo, Central & Victoria —5E 37

PADDINGTON, Bakerloo, Rail, Circle, District & Hammersmith & City —5F 35
PARSONS GREEN, District —4C 62
PECKHAM RYE, Rail —5C 68
PENGE EAST, Rail —5E 97
PICCADILLY CIRCUS, Bakerloo & Piccadilly —1F 51
PIMLICO, Victoria —1F 65
PLAISTOW, District & Hammersmith & City —1B 44
POPLAR, Docklands Light Railway —1D 57
PRINCE REGENT, Docklands Light Railway —1E 59
PUDDING MILL LANE, Docklands Light Railway (Est. opening 2000) —5D 29
PUTNEY, Rail —2A 76
PUTNEY BRIDGE, District —1B 76

QUEENS PARK, Rail & Bakerloo —1B 34
QUEEN'S ROAD (PECKHAM), Rail —4E 69
QUEENSTOWN ROAD (BATTERSEA), Rail —4D 65
QUEENSWAY, Central —1D 49
RAVENSCOURT PARK, District —5D 47
RECTORY ROAD, Rail —5D 12
REDBRIDGE, Central —1F 17
REGENT'S PARK, Bakerloo —3D 37
ROTHERHITHE, East London —3E 55
ROYAL ALBERT, Docklands Light Railway —1F 59

Index to Stations

ROYAL OAK, Hammersmith & City —4D 35
ROYAL VICTORIA, Docklands Light Railway —1C 58

RUSSELL SQUARE, Piccadilly —3A 38

SAINT JAMES'S PARK, Circle & District —4F 51
SAINT JAMES STREET, WALTHAMSTOW, Rail —1A 14

SAINT JOHN'S, Rail —5C 70
SAINT JOHN'S WOOD, Jubilee —1F 35
SAINT PANCRAS, Rail —2A 38
SAINT PAUL'S, Central —5E 39
SHADWELL, Docklands Light Railway & East London —1D 55
SHEPHERD'S BUSH, Central —3F 47
SHEPHERD'S BUSH, Hammersmith & City —2E 47

SHOREDITCH, East London —3B 40
SILVERTOWN & CITY AIRPORT, Rail —2F 59
SLOANE SQUARE, Circle & District —5C 50
SNARESBROOK, Central —1C 16
SOUTH BERMONDSEY, Rail —1E 69
SOUTHFIELDS, District —1B 90
SOUTH HAMPSTEAD, Rail —4E 21
SOUTH KENSINGTON, Circle, District & Piccadilly —5F 49
SOUTH QUAY, Docklands Light Railway —3D 57

SOUTH TOTTENHAM, Rail —1B 12
SOUTHWARK, Rail & Jubilee —2D 53
STAMFORD BROOK, District —5B 46
STAMFORD HILL, Rail —2A 12
STEPNEY GREEN, District & Hammersmith & City —3F 41

STOCKWELL, Northern & Victoria —5A 66
STOKE NEWINGTON, Rail —4B 12
STRATFORD, Rail, Central & Docklands Light Railway & Jubilee —4F 29
STRATFORD (LOW LEVEL), Rail —4F 29
STREATHAM, Rail —5F 93
STREATHAM HILL, Rail —2A 94
SURREY QUAYS, East London —5F 55
SWISS COTTAGE, Jubilee —4F 21
SYDENHAM, Rail —4E 97
SYDENHAM HILL, Rail —3B 96

TEMPLE, Circle & District —1B 52
TOOTING BEC, Northern —3C 92
TOOTING BROADWAY, Northern —5A 92
TOTTENHAM COURT ROAD, Central & Northern —5F 37
TOWER GATEWAY, Docklands Light Railway —1B 54

TOWER HILL, Circle & District —1B 54
TUFNELL PARK, Northern —1E 23
TULSE HILL, Rail —2D 95
TURNHAM GREEN, District & Piccadilly —5A 46

UPPER HOLLOWAY, Rail —4F 9
UPTON PARK, District & Hammersmith & City —5E 31

VAUXHALL, Rail & Victoria —1A 66
VICTORIA, Coach Station —5D 51
VICTORIA, Rail, Circle, District & Victoria —4D 51

WANDSWORTH COMMON, Rail —1B 92
WANDSWORTH ROAD, Rail —5E 65
WANDSWORTH TOWN, Rail —2D 77
WANSTEAD, Central —1D 17
WANSTEAD PARK, Rail —1D 31
WAPPING, East London —2E 55
WARREN STREET, Northern & Victoria —3E 37
WARWICK AVENUE, Bakerloo —3E 35
WATERLOO, Rail, Bakerloo, Northern, Waterloo & City & Jubilee —3C 52
WATERLOO (EAST), Rail —2C 52
WATERLOO INTERNATIONAL, Rail —3B 52
WESTBOURNE PARK, Hammersmith & City —4B 34

WEST BROMPTON, District —2C 62
WESTCOMBE PARK, Rail —1C 72
WEST DULWICH, Rail —2F 95
WESTFERRY, Docklands Light Railway —1C 56
WEST HAM, District, Hammersmith & City & Jubilee —2A 44

WEST HAM, Rail —2A 44
WEST HAMPSTEAD, Jubilee —3D 21
WEST HAMPSTEAD, Rail —3C 20
WEST HAMPSTEAD THAMESLINK, Rail —3C 20
WEST INDIA QUAY, Docklands Light Railway —1C 56

WEST KENSINGTON, District —1B 62
WESTMINSTER, Circle, District & Jubilee —3A 52

WEST NORWOOD, Rail —4D 95
WHITECHAPEL, District, Hammersmith & City & East London —4D 41
WHITE CITY, Central —1E 47
WILLESDEN GREEN, Jubilee —3E 19
WILLESDEN JUNCTION, Rail & Bakerloo —2B 32
WIMBLEDON PARK, District —3C 90
WOODGRANGE PARK, Rail —2F 31